第八章 7-8 个月的婴儿（210—240 天）

第九章 8-9 个月的婴儿（240—270 天）

第十章 9-10 个月的婴儿（270—300 天）

第十一章 10-11 个月的婴儿（300—330 天）

第十二章 11-12 个月的婴儿（330—365 天）

第十三章 婴儿疾病护理与预防

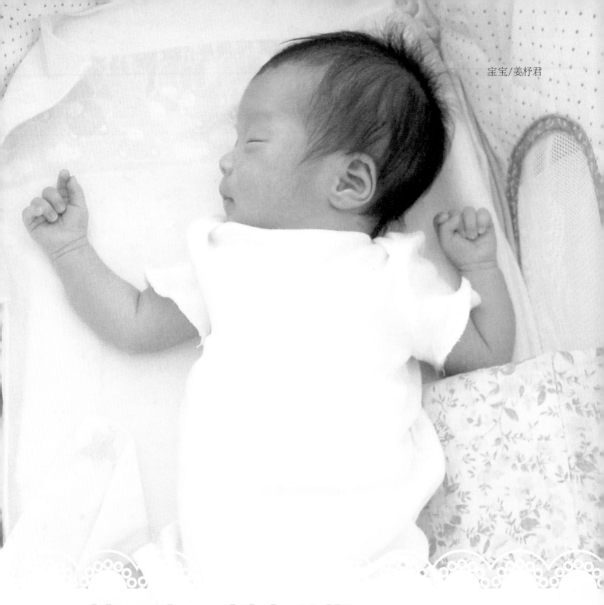

宝宝/姜杼君

第一章　新生儿期（诞生—28天）

儿科是"哑科"，儿童不会叙述病史；

新生儿科是"哑哑科"；

哭是新生儿与人交流的唯一语言；

爸爸妈妈是新生儿最可靠的代言人；

遗憾的是，他们也弄不清刚出生的宝宝在哭什么……

1. 新生儿分类对养护的意义

新生儿的定义：

医学上将娩出到诞生后28天的婴儿，称为新生儿。从娩出至诞生28天这段时间，称为新生儿期。新生儿期虽然时间跨度不大，却是婴儿发育的第一个阶段，而且是特别重要的阶段。

(1)根据分娩时的孕龄

根据分娩孕龄，医学上将新生儿分为足月儿、早产儿和过期产儿。

足月儿，即为胎龄满37周，但不满42周的新生儿。

早产儿，即为胎龄满28周，但不满37周的新生儿。

过期产儿，即为胎龄满42周以上的新生儿。

新生儿分类的意义

医学上将新生儿分足月儿、早产儿和过期产儿，其意义就在于判别新生儿生理健康状况，并予以相应呵护。

足月新生儿意味着身体各脏器已发育成熟，完成了胎儿期的生长过程，具备了离开母体的条件。绝大多数足月儿都是健康的新生儿宝宝。

早产儿意味着身体各脏器发育尚未成熟，就提前离开了适宜胎儿生长发育的宫内环境，出生后将面临着巨大的生存挑战！因此，多数早产儿要在早产儿保育箱中护理一段时间。

过期产儿可谓"瓜熟蒂不落"，面临的生存挑战有时要比早产儿风险还要大！所以，产科医生一般会采取医学措施避免出现过期产儿。

值得注意的是，早产儿出生后一般放在保育

宝宝／李曦冉

新生宝宝喜欢这样的姿势，像个小青蛙，妈妈千万不要捆住宝宝的小胳膊小腿。

箱中护理，这没有任何问题。但临床中也可能出现这样的闪失：早产儿在保育箱中吸氧过度，导致严重后果，比如神经管异常发育，眼球脱落等。这样的悲剧曾有报道，应引起医院和早产儿父母高度关注，避免发生闪失，造成不幸。

(2)根据出生时的体重值

根据新生儿体重值，医学上把新生儿分为正常体重儿、低体重儿和巨大儿三种。

正常体重儿就是出生时体重大于等于2500克，小于4000克的新生儿。

低体重儿就是出生时体重小于2500克的新生儿。

巨大儿就是出生时体重大于等于4000克的新生儿。

区分新生儿体重的意义

区分新生儿体重，意在关注低体重儿。足月新生儿体重低于2500克，就是低体重儿，医学上也称足月小样儿。足月小样儿意味着宝宝在宫内受到某些因素影响，发育受到阻碍。如果是母体因素，宝宝出生后会有很好的"追长现象"。如果是胎儿自身因素，出生后的"追长"会较难出现。如果宝宝是足月小样儿，父母要像对待早产儿那样，重视宝宝的生长发育，不可有半点疏忽。

（"追长现象"详见《郑玉巧教妈妈喂养》一书，其中早产儿喂养一节有详尽说明）

(3)根据胎龄与体重的关系

根据胎龄与体重的关系，医学上把新生儿分为适于胎龄儿、小于胎龄儿和大于胎龄儿三种。

适于胎龄儿，即为胎龄与体重相符的新生儿。

小于胎龄儿，即为体重小于相应胎龄的新生儿。

大于胎龄儿，即为体重大于相应胎龄的新生儿。

胎龄与体重对应关系的意义

胎龄与体重存在对应关系，一定胎龄出生的新生儿都有一定的体重对应值。宝宝出生时的体重，低于出生时胎龄对应的体重，医学上就称这样的新生儿为低出生体重儿。

低出生体重儿意味着新生儿在宫内发育不良。新生儿科医生一般会对宝宝进行系统检查，做出判断，给出喂养建议。

(4)根据诞生后的时间

根据新生儿诞生后的时间，可把新生儿分为新生儿早期和新生儿后期。

新生儿早期就是诞生一周以内的新生儿。

新生儿后期就是出生第2周到第4周末的新生儿。

给新生儿划分时期的意义

划分早、晚期新生儿，核心意义在于凸显早期

新生儿的护理。新生儿出生第一周是非常关键的时期。不过新手爸爸妈妈可以放心，因为多数情况下，新生儿出生第一周都是在产院度过的，宝宝会得到科学的护理。

(5) 根据诞生后的健康状况

根据新生儿健康状况，医学上一般将新生儿分为健康新生儿和高危新生儿。

健康新生儿就是无任何危象的新生儿。

高危新生儿就是出现危象或可能发生危重情况的新生儿。

区分健康与高危新生儿的意义

及时发现高危新生儿，及时将宝宝从产科转到新生儿科，并及时展开救治，保证宝宝健康成长。

值得注意的是，现在一对夫妇只生一个孩子。有的夫妇为了学业和事业，很晚才要孩子。所有的孩子都是"珍贵儿"。产科和新生儿科医生面对新生宝宝和他周围的亲人，常有如履薄冰的感觉。在人们看来，生孩子是正常的生理过程，产妇、孩子都应该是健康和安全的。出现任何的闪失，都让当事人无法接受。由此导致顺产率的大幅降低，新生儿留院治疗率的升高。母子平安是亲人的"必须"，更是产科和新生儿科医生护士的最大期盼。他们的压力比谁都大。给他们更多的理解，或许会坚持让不具备剖腹产指征的产妇顺利分娩，或许不会把"新生儿湿肺"当做"新生儿肺炎"那样过度治疗。

不同类型的新生儿，在护理、喂养、疾病防治等方面，有着不同的特点和要求。知道了您的宝宝属于哪一类新生儿，就可以按照不同的要求，来呵护宝宝稚嫩的生命，让新生儿宝宝健康成长。

2. 新生儿睡眠特点

(1) "天知道我一天应该睡多长时间！"

有一种说法似是而非却又约定俗成，就是认为新生儿每天应该睡上20个小时。

宝宝 / 王震坤

宝宝出生第二天, 刚刚洗完澡, 新生宝宝眼泡会有些肿, 眼睛显得很小, 这是正常的, 新手父母不要担心, 一周左右肿胀会自然消退, 会睁大眼睛看着爸爸妈妈。

宝宝 / 妞妞

戴上小手套, 宝宝不高兴了。宝宝会用自己的小手抓脸, 如果指甲长he, 会抓伤皮肤, 所以, 妈妈给宝宝戴上了小手套, 以免宝宝再次抓伤可爱的小脸蛋。可是, 妈妈这么做, 保护了宝宝的脸蛋, 却伤害了宝宝心理。宝宝真的不喜欢这样限制他的行动。给宝宝修剪好指甲, 让宝宝自由自在地活动吧。

许多新手爸爸妈妈为此担惊受怕, 因为宝宝大多睡不了这么长的时间。许多刚出生3天的新生儿, 白天大部分时间也都很有精神, 睁着大眼睛凝望这个新奇的世界。

客观地说, 只要宝宝吃饱了, 环境舒服了, 他就会睡得很香甜, 直到睡好, 睁开眼睛。统计资料显示的新生儿平均睡眠时间只是一个参考值, 宝宝实际睡眠时间比平均值多几个小时或少几个小时, 一般都是正常的, 父母不必担忧。

(2)新生儿期宝宝睡眠时间都一样吗?

在新生儿期的不同阶段, 宝宝睡眠的时间长度是有所不同的。早期新生儿睡眠时间相对长一些, 每天可达20小时以上; 晚期新生儿睡眠时间有所减少, 每天约在16~18小时。随着日龄增加, 新生儿睡眠时间会有所减少。

早期新生儿进入睡眠状态, 大多不分昼夜; 而晚期新生儿的睡眠, 有可能更多集中在夜间。如果妈妈有意在后半夜推迟喂奶, 宝宝夜间一次睡眠时间可保持五六个小时。考虑到新生儿糖源储备很有限, 过度延长喂奶间隔, 容易导致新生儿低血糖。因此, 新生儿期的喂奶间隔, 一般不超过4小时, 请新手妈妈牢记。

(3)新生儿什么样的睡姿更安全?

在我们中国的新生儿护理理论与实践中, 目前广泛接受的做法是: 新生儿采取仰卧位睡姿最妥当。当然, 俯卧睡姿可促进宝宝大脑发育, 锻炼胸式呼吸, 但这需要看护人一定要在宝宝身边看护, 如无人看护, 极易造成新生儿窒息, 酿成不幸。侧卧睡姿很容易转变成俯卧睡姿, 因此也需要看护人悉心看护。

新生儿仰卧时出现溢乳, 看护人要迅速把宝宝体位变为侧卧, 并轻拍其背, 避免奶液呛入气管。新生儿不能单独睡眠, 妈妈要与宝宝同睡, 以便及时观察宝宝睡眠状况, 避免新生儿发生窒息等危险。妈妈出于本能, 会照顾宝宝, 自己的睡眠就牺牲了。因此, 需要丈夫或其他看护人在白天替换一下新手妈妈, 保证妈妈补上睡眠时间, 以便妈妈在晚上有精力照顾宝宝睡眠。现实中曾发生这样的悲剧, 新手妈妈连续照看宝宝, 晚上实在太困了, 睡得很沉, 没有及时发觉宝宝溢乳, 造成宝宝窒息, 终生悔恨。

在美国, 产科护士多采用侧卧位安排新生儿的睡眠, 因为护士们担心仰卧位可能导致婴儿发生呕吐或误吸。但美国医学研究的最新资料也表明: 新生儿侧卧位睡眠并不稳定, 而且仰卧位时的呕吐和误吸, 也不是婴儿猝死的主要原因。因此, 美国许多妇产科专家们也强烈

3. 新生儿心肺特点

(1)什么样的呼吸频率正常？

新生儿肋间肌薄弱，呼吸主要靠膈肌的升降；呼吸运动比较浅表，但呼吸频率较快，每分钟约40次。出生后头两周呼吸频率波动较大，这是新生儿正常的生理现象，新手爸爸妈妈不要紧张。如果新生宝宝每分钟呼吸次数超过了80次，或者少于20次，就应引起重视，及时去看医生。

新生儿呼吸频率计数法

新生儿呼吸浅表，节律不规律，计数不很容易。用棉絮捻成线状，也可直接用一根白线头，放在距离宝宝鼻孔约1厘米处，观察线头摆动，每摆动一下即为宝宝呼吸一次。妈妈可以看表，爸爸来计数宝宝呼吸，这样配合可顺利完成呼吸计数过程。

(2)心脏杂音可能是暂时的

新生儿诞生后最初几天，宝宝心脏有杂音，这完全有可能是新生儿动脉导管或卵圆孔暂时没有关闭，血液流动发出的声音，父母不必紧张，更不要认为宝宝有先心病。

如果确定是动脉导管未闭，医生可能会采取医学措施（比如给宝宝服用消炎痛），促进动脉导管尽快闭合。如果医生担心宝宝有先心病，会给宝宝做心脏彩超来确诊。倘若医生暂时不能确定宝宝"心脏缺损"是否能够长好，杂音是否能够消失，医生也会建议3个月或半年后复查。新手妈妈千万不要着急，情绪紧张会影响乳汁分泌和产后恢复。一般情况下，绝大多数宝宝是不会有先心病的。

(3)新生儿心率不齐常见

新生儿心率波动幅度较大，出生后24小时内，心率可能会在每分钟85次–145次之间波动；出生后一周内，可在每分钟100次–175次之间波动；生后2周至4周内，可在每分钟115–190次之间波动。许多新手父母常常因为宝宝脉搏跳动快慢不均而心急火燎，这是不了解新生儿心率特点造成的，现在应该放心了。

(4)四肢容易发冷

新生儿血液多集中于躯干，四肢血液较少，所以宝宝四肢容易发冷，血管末梢容易出现青紫，因此要注意给宝宝肢体保温。

4. 新生儿血液和泌尿特点

(1)血容量与"脐带结扎时间"

胎儿娩出母体，必须在一分钟之内完成脐带结扎。如果脐带结扎时间延迟，比如胎儿娩出5分钟以后才结扎脐带，那么新生儿的血容量，就可能从正常的每公斤体重78毫升，升高到每公斤体重126毫升。新生儿血容量与脐带结扎的时间密切相关，由此可见一斑。

血容量与娩出方式

新生儿血容量也与娩出方式有关。如果宝宝是顺产娩出，宝宝的体位比妈妈的要低，母体血液经脐带流向新生儿。如果宝宝是剖腹产娩出，宝宝体位比妈妈的要高，新生儿血液会经过脐带流向母体的胎盘。

当然，这些变化对新生儿健康不会有什么影响。但分娩后，如果没有立即结扎脐带——这种情况多出现在新生儿娩出后发生窒息或其他异常情况——则可出现胎——母输血（宝宝输血给妈妈，宝宝可能会出现贫血）或母——胎输血（妈妈输血给宝宝，宝宝可能会出现红细胞增多）的不良现象。

血象与脐带结扎时间

新生儿的血象也与脐带结扎时间有关。延迟

结扎脐带的新生儿，红细胞和白细胞数目均较高。

新生儿出生后前3天白细胞数比较高，可达18000/升。出生5天后，就降到4000-10000/升了。

有新手爸爸妈妈曾向我咨询，说他们的宝宝出生两天了，白细胞将近20000/升，心里非常着急。宝宝出生后的前三天，白细胞都比较高，这是正常现象，父母不必担心。

(2)关爱无名英雄——肾脏

排尿是本体反射，新生儿还不会控制，有尿就排。随着年岁增加，宝宝会逐渐形成并最终具有排尿的自控能力。

❖ 排尿次数多

新生儿膀胱小，肾脏功能尚不成熟，每天排尿次数多，尿量小。正常新生儿每天排尿20次左右，有的宝宝半小时或十几分钟就尿一次。如果奶液较稀，宝宝排尿量、次就较多；奶液较稠，排尿量、次就较少。新生儿宝宝白天醒着的时间较长，吃奶次数也多，所以排尿量、次也较夜间多些。

新生儿出生后第一个24小时内，尿的次数和量都比较少，这属于正常情况，新手爸爸妈妈不必担忧。

❖ 尿液色泽

新生儿尿液的正常颜色应该是呈微黄色，一般不染尿布，容易洗净。如果尿液较黄，染尿布后不易洗净，爸爸妈妈就要取些宝宝尿液，请医生做尿液检查，看是否有过多尿胆素排出，以便确定宝宝胆红素代谢是否异常。

❖ 排盐能力低

新生儿肾脏功能还远不成熟，尿液中排出钠的能力较低。一岁以内的婴儿情况差不多都这样。鉴于此，母乳喂养宝宝的妈妈，要适当减少自身盐的摄入量。

❖ 尿液浓缩能力不足

新生儿肾脏的浓缩功能也相对不足，这就要求妈妈在喂养时，乳汁或奶液不要过浓。过浓，就可能导致新生儿血液中尿素氮含量增高。尿素氮是人体内的有毒物质，对新生儿来说，危害更大。人工喂养时，更要特别注意，奶液不要配制过浓。

❖ 尿磷多较高

新生儿肾功能不足，还可造成体内血氯和乳酸较高。人工喂养的新生儿，血磷和尿磷均较高，易产生钙磷比例失调，形成低血钙。为什么牛乳钙含量比母乳高，但牛乳喂养的宝宝却比母乳喂养的宝宝更容易缺钙，原因就在这里。

5. 新生儿胃肠特点

❖ 新生儿出生后即会吸吮妈妈乳头

新生儿消化道面积相对较大，肌层薄，能够适应较大量流质食物的消化吸收。新生儿出生后，吸吮和吞咽功能就已发育完善，即生下来就会吃，妈妈只需准备充足的乳汁就可以了。

❖ 新生儿易呛奶

新生儿口腔中的器官——会厌，可起到覆盖气道或食管口的作用。吞咽时会厌关闭，盖住气道，以免食物或唾液误入气道。停止吞咽时会厌开放，气道通畅。新生宝宝调节能力差，会厌运动不协调，这就是宝宝经常出现呛奶或呛咳的原因之一。

❖ 新生儿易溢乳

贲门是胃入口端的括约肌，其作用是阻止食物从胃流入食道。幽门是胃出口端的括约肌，其作用是阻止十二指肠中的内容物返流到胃部。新生儿胃肠发育不完善，常表现出贲门的松弛和幽门的痉挛。这就是新生儿吃奶后容易溢乳的原因。

❖ 新生儿消化蛋白质和脂肪的能力强

新生儿消化道能分泌足够的消化酶。凝乳酶帮助蛋白质的消化和吸收，解脂酶帮助脂肪消化和吸收。新生儿能消化吸收85%-90%母乳中的脂肪，这个比例，高于新生儿对牛乳脂肪的消化与吸收。

新生儿胰淀粉酶少，所以对淀粉食物的消化能力比较弱。宝宝4个月后，淀粉酶分泌逐渐增加，对淀粉类食物消化能力开始增强。新手妈妈往往有个误解，认为奶类含脂肪蛋白质多，不好消化，而淀粉类食物含碳水化合物多，比较容易消化。所以当宝宝出现消化不良时，不敢再给宝宝喂奶，而是喂米汤，这是不对的。婴儿对蛋白质和脂肪的消化能力甚至超过成人。

❖ 易对蛋白质产生过敏反应

新生儿肠壁有较大的通透性，利于初乳中免疫球蛋白的吸收。所以母乳喂养的宝宝，血液中免疫球蛋白的浓度较牛乳喂养的要高，这是母乳喂养的最大好处。同样是因为新生儿肠道通透性大，母乳以外的蛋白质通过肠壁，容易产生过敏反应，如牛乳、豆乳等，都可能引起宝宝蛋白质过敏反应，这也从反面证明了母乳喂养的优越性。

❖ 胎便

一般情况下，新生儿会在出生后的12个小时内，首次排出墨绿色大便，这是胎儿在子宫内形成的排泄物，因此医学上称为胎便。胎便可排两三天，以后逐渐过渡到正常新生儿大便。如果新生儿出生后24小时内还没有排出胎便，产院医生也会给予关注，排除肠道畸形的可能。父母要注意这个问题，做到心中有数。

❖ 新生儿正常大便

正常的新生儿大便，色泽金黄，颗粒小，黏稠均匀，无特殊臭味。母乳喂养的新生儿每天大便4-6次；人工喂养的每天约1-2次。

6. 体温和姿势特点：预防硬肿症和脱水热

❖ 适中温度概念

新生儿裸露状态下，最适宜的环境温度，医学上称为适中温度。新生儿处于适中温度环境下，机体的耗氧量和基础代谢率最低，蒸发散热量也少，而又能保持正常体温。胎龄越小适中温度越高，早产儿比足月儿适中温度高，同一新生儿随着日龄的增长其适中温度逐渐降低。

❖ 适中温度计算方法

出生1周以内：36.6-0.34×（出生时胎龄周数-30）-0.28×日龄

出生1周以上：36-1.4×体重公斤-0.03×日龄

举例1：宝宝出生3天，出生时胎龄36周

宝宝适中温度=36.6-0.34×（36-30）-0.28×3=33.72℃

举例2：宝宝出生9天，体重3.8公斤

宝宝适中温度=36-1.4×3.8-0.03×9=30.48℃

计算出的适中温度，是指新生儿裸露状态下所处的环境温度。

新生儿所处的环境温度低于或高于适中温度时，新生儿可通过自身机体调节，相应增加产热量或散热量，以维持正常体温。当环境温度显著低于或高于适中温度，超过了新生儿机体调节的能力时，就会造成新生儿体温过低或过高。体温过低会出现新生儿硬肿症，体温过高则会出现新生儿脱水热。

新生儿需要保温的理由

• 新生儿体温调节中枢功能尚未发育完善。

● 按公斤体重计算体表面积，新生儿体表面积是成人的两倍甚至还要更多；体表面积大，散热面积就大。

● 新生儿皮下脂肪较薄，明显少于成人；脂肪组织有隔热作用，脂肪薄，身体容易丢失热量。

● 新生儿体态姿势有其特殊性，身体裸露频率高，导致散热量增加。

● 新生儿寒冷时无颤抖反应，消耗的热量由棕色脂肪产生。但新生儿体内棕色脂肪分布有限，过度或持续寒冷棕色脂肪也不能产生足够的热量，极易引起皮下棕色脂肪硬肿。这就是新生儿寒冷损伤，医学上称为新生儿硬肿症。

保温过度也有危害

新生儿主要通过增加皮肤水分蒸发而散热。当环境温度过高并持续过高时，机体水分就会通过皮肤过度蒸发，引发体内有效血循环不足，造成新生儿发高热。这就是医学上所说的新生儿脱水热。

(2)体态和姿势：泛化反应

新生儿神经系统发育尚不完善，对外界刺激的反应是泛化的，缺乏定位性。新手父母一定会发现，刺激新生儿身体的任何一个部位，都会引起新生儿全身反应。清醒状态下，新生儿总是双拳紧握，四肢屈曲，显出警觉的样子；受到声响刺激，四肢会突然由屈变直，出现抖动。妈妈会认为宝宝受了惊吓，其实这不过是宝宝对刺激的泛化反应，不必紧张。

不宜竖立着抱宝宝

新生儿颈、肩、胸、背部肌肉尚不发达，不能支撑脊柱和头部，所以新手爸爸妈妈不能竖立着抱新生儿宝宝，必须用手把宝宝的头、背、臀部几点固定好，否则会造成脊柱损伤。

竖立着抱宝宝，是减少宝宝溢乳的有效方法，但新生儿宝宝的脊椎还不能承受竖立之重，所以新手爸爸妈妈或其他看护人，不要较长时间竖立着抱新生儿。

在门诊咨询中，常有妈妈述说她的宝宝就是喜欢竖着抱，像喂奶一样抱着就哭闹，甚至喂奶时都要竖立。其实，这不是宝宝天生的喜好，而是看护人总竖着抱，让宝宝习惯了，习惯成自然了。

第2节 新生儿生长发育

7. 新生儿各项指标测量方法

❖ **身高测量方法**

测量新生儿身高，必须由两个人进行。一人用手固定好宝宝的膝关节、髋关节和头部，另一人用皮尺测量，从宝宝头顶部的最高点至足跟部的最高点，测量出的数值即为宝宝身高。

身高测量意义：身高增长遵循一定的规律，是评价宝宝生长发育的重要指标之一，定期监测身高增长情况，可及时发现宝宝在生长发育过程中出现的异常状况。

❖ **胸围测量方法**

用软皮尺测量，从一侧乳头起始，平行绕胸部一周，过另一侧乳头，与起始点对接，所测周长数值即宝宝胸围。

胸围测量意义：胸围增长速度，是评价宝宝生长发育的指标之一，定期测量胸围增长情况，可协助判断宝宝生长发育状况。

❖ **腹围测量方法**

用软皮尺测量，从肚脐起始，平行绕

腹部一周，与起始点对接，所测周长数值即宝宝腹围。

腹围测量意义：同胸围。

❖ 头围测量方法

用软皮尺测量，从眉弓上缘起始，绕过两耳上缘，再绕过枕部粗隆（从耳郭向枕后移动，触及到的最高点），回到起始点，所测周长数值即宝宝头围。

头围测量意义：头围增长速度，是评价宝宝脑部和神经系统发育的重要指标之一，定期监测头围增长情况，可及时发现大脑和神经系统疾病。

❖ 前囟测量方法

新生儿前囟呈菱形，测量时，要分别测出菱形两对边垂直线的长度。比如一条垂直线长为2厘米，另一条垂直线长为1.5厘米，那么宝宝的前囟数值就是2.0厘米乘以1.5厘米。测量前囟，使用直尺测量，数值会更准确。

前囟测量意义：同头围。

❖ 眼距测量方法

用软皮尺测量，从一侧的眼内眦，平行经过鼻梁，到达另一侧的眼内眦，所测量数值即眼距。通俗讲就是两眼之间的距离。

眼距测量意义：眼距测量可协助诊断21-三体和18-三体综合征等疾病。

❖ 眼裂测量方法

用软皮尺测量，从眼内眦，平行到眼外眦，所测量数值即为眼裂。通俗讲，就是眼睛横向大小。

眼内眦：通称大眼角，即上下眼皮接合处，靠近鼻梁。

眼外眦：通称小眼角，即上下眼皮接合处，靠近耳郭。

眼裂测量意义：同眼距。

❖ 耳位测量方法

用软皮尺测量，从耳郭上缘向眼部方

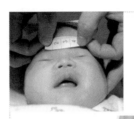

妈妈在给宝宝测量眼距，两眼内角之间的距离即为眼距。

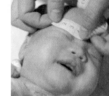

妈妈在给宝宝测量眼裂，眼外角到眼内角之间的距离即为眼裂。通常情况下，眼距不该大于眼裂。

宝宝/妞妞

向的水平延长线，与眼外眦向耳郭方向的水平延长线，两线之间的垂直距离。如果耳郭上缘水平延长线高于眼外眦水平延长线，就是"高耳位"，反之则是"低耳位"。

耳位测量意义：同眼距。

上述项目的测量，在产院、儿科医院或儿童健康中心等专业机构，都有很好的服务，新手父母可请专业人士示范，向专业机构咨询，然后自己学会并掌握。这也是一种动手的能力，新手爸爸妈妈不要以为这是小事就不去学习。宝宝生长发育指标的测量是长期的事情，不可能都依靠专业机构完成。而且抱着孩子去医院或其他专业机构测量生长发育指标，难免出现其他状况，比如冷热不均造成感冒，交叉感染造成患病等等，小事情变成了大事情。因此，爸爸妈妈学会自己动手测量宝宝生长发育指标是有好处的。

❖ 面对指标烦恼多，新手父母要科学对待

现代的新手爸爸妈妈都拥有一定的文化水平和专业知识，了解、掌握许多医学科普知识，"看书育儿"、"照书育儿"成了新手爸爸妈妈育儿的基本做法。了解育儿科普知识没有什么不好，问题在于对科普知识的认识，要有科学精神，讲科学性。

爸爸妈妈爱子心切，宝宝生长发育的实际状况与书上提供的平均指标稍有出入，就会觉得不对劲儿而焦躁不安，这就缺乏科学精神了。因此，我们有必要比较全面地探讨一下新生儿体重、身高、头围、前囟的发育规律，以提高新手爸爸妈妈认识的科学性，增强面对问题的科学精神。

8. 新生儿生长发育规律
(1)新生儿身长

❖ 出生后身长

新生儿诞生时的平均身长为50厘米，个体差异的平均值在0.3-0.5厘米之间，男女婴有0.2-0.5厘米的差别。

足月正常新生儿出生0-3天：男婴平均身长50.4厘米，女婴平均身长49.7厘米。如果男婴身长低于47厘米或高于53.7厘米，女婴身长低于46.5厘米或高于52.8厘米，需要医生判别是否属于异常。

（生长发育标准参考数值采用卫生部《2005年0-7岁城镇儿童生长发育》中发布的数值）

❖ 满月后身长

新生儿满月前后身高增加多少才算正

测量身高

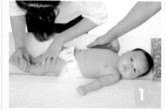 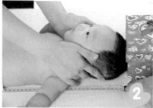 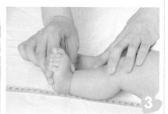

在家中给宝宝测量身高，可以采取这样的方法。

测量胸围

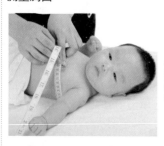

用软尺给宝宝测量胸围。绕过两乳头平行绕胸部一周，测得的数值即为胸围。

测量腹围

用软尺给宝宝测量腹围。绕过肚脐上缘，平行绕腹部一周，测得的数值即为腹围。

测量头围

用软尺给宝宝测量头围。用两手中指触摸到宝宝后枕部最高位置（枕骨粗隆），绕过耳缘、眉弓上部。

宝宝/六月

常？通常情况下，多数婴儿身高平均增长3-5厘米。新生儿出生时的身高与遗传关系不大，但进入婴幼儿时期，身高增长的个体差异性就表现出来了。

遗传、营养、环境、疾病、运动等因素都与身高有着密切的关系。实际上，现在的孩子由于生活、医疗、保健水平的提高，身高确实在不断提高，但个体差异性还是明显存在的。在以后章节中，我将具体讲述身高发育的差异性。

(2)新生儿出生后的体重

❖ 出生后体重

新生儿诞生时平均体重为3.0-3.3公斤。最新统计表明，新生儿平均体重已达3.5公斤，目前还有继续增长趋势，巨大儿出生率同样有所增长。

足月正常新生儿出生0-3天：男婴平均体重3.3公斤，低于2.6公斤或高于4.1公斤，为体重过低或过高。女婴平均体重3.2公斤，低于2.6公斤或高于4.0公斤，为体重过低或过高。出生最初1周宝宝体重不增长也是正常的。

❖ 满月后体重

满月时男婴平均体重5.1公斤，女婴平均体重4.7公斤。如果男婴低于3.9公斤或高于6.4公斤，女婴低于3.7公斤或高于5.9公斤，请看医生。

注：上述体重身高数值指的均是正常足月新生儿，不包括早产儿和足月低体重儿。早产儿和足月低体重儿的生长发育情况是否正常，要由医生根据宝宝具体情况加以判别。

新生儿体重的发育不是孤立的，而是与许多因素有关。新生儿出生1个月内，正常来说体重增加1公斤左右。

出满月时，体重增长值与出生时的体重密切相关，出生体重越高，满月后体重相对越高；出生体重越低，满月后体重相对越低。

有时也不尽然，体重的增长与喂养关系密切，尽管宝宝出生时体重比较高，如果喂养不得当，体重增长缓慢，满月时，体重增长并不理想。有的宝宝出生时体重并不高，但喂养得当，"追赶性增长"良好，满月时，体重反而比较高。

❖ 婴儿体重标准值的计算公式

婴儿体重（公斤）标准值=出生体重（公斤）+月龄×70%。

这个公式计算得出的数值只是平均值。实际上，出生体重高的婴儿，满月时的体重往往超过平均值很多。而出生体重低的婴儿，满月时的体重可能还不到平均值。

新生儿体重，平均每天可增加30-40克，平均每周可增加200-300克。这种按正态分布计算出来的平均值代表的是新生儿整体普遍情况，每个个体只要在正态数值范围内或接近这个范围，就都应算是正常的。体重指标是这样，其他指标也是这样。

在这里，我想告诉新手爸爸妈妈们，科学育儿不是咬住数字不放，不是照本宣科，而是树立正确的育儿理念，科学看待数值指标，理解宝宝生长发育规律。

❖ 新生儿生理体重降低（"塌水膘"）

有的新生儿在出生后的前几天里体重不但没有增加反而降低了。这就是医学上所说的新生儿生理性体重下降问题。

新生儿出生后的最初几天，睡眠时间长，吸吮力弱，吃奶时间和次数少，肺和皮肤蒸发大量水分，大小便排泄量也相对多，再加上妈妈开始时乳汁分泌量少，所以新生儿在出生后的头几天，体重不增加，甚至下降。这种现象俗称"塌水膘"，属于正常的生理过程，新手妈妈不必着急。在随后的日子里，新生儿体重一般会有迅速增长。

(3)新生儿出生后的头围

新生儿诞生时平均头围在33~35厘米之间。由于新生儿平均体重在增加，平均头围也相应增加，最新统计显示，新生儿平均头围已达35厘米。

在门诊咨询中，大多数妈妈不知道宝宝出生时的头围是多少。其实，宝宝出生后医生都会常规测量头围的，妈妈只需向医生询问，把数值记录下来就可以了，以便在以后的健康检查过程中对宝宝的头围进行监测。

❖ 头围的增长

头围的增长速度，在出生后头半年比较快，但总的变量还是比较小的。从新生儿到成人，头围相差也就是从十几厘米到二十厘米。

满月前后，宝宝的头围比刚出生时也就增长两三厘米。如果测量方法不对，数值不准确，误以为宝宝头围过大或过小，会给新手爸爸妈妈带来不小的麻烦。

头围增长是否正常反映着大脑发育是否正常。小头畸形、脑积水都会影响宝宝的智力发育。所以尽管头围增长速度不快，

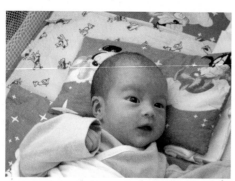

宝宝 / 韩盛泉
宝宝出生14天。新生儿的视、听、味、嗅觉和运动能力早在胎儿期就开始发育。看，这不已经把小手伸出来，嘴角微动，像要和爸爸妈妈说话。父母要抓住机会和宝宝"说话"。

变化不大，也要认真对待。

爸爸妈妈们遇到的宝宝头围问题，一般都是测量不准造成的。最好请有专业知识的医护人员来测量，数值准确，才能正确分析。

(4)新生儿出生后的囟门

新生儿出生后，可触及到前囟和后囟。多数新手父母都知道新生儿前囟在哪，但很少有父母知道后囟在哪。前囟位于顶额部（靠近额部），后囟位于顶枕部（靠近顶部）。前囟大小存在个体差异，小的只有0.5厘米，大的会有3.0厘米。随着月龄增加，囟门逐渐闭合，后囟闭合早，多在出生后两三个月闭合。前囟闭合较晚，多在1岁半左右闭合，有的会在2岁左右闭合。囟门处无颅骨，要注意保护。

有的新手爸爸妈妈认为：宝宝的囟门是命门，不允许碰，碰了囟门就会使宝宝变哑。这种认识是没有科学根据的。当然，宝宝的囟门还是不要触碰为好。

如果囟门小于1厘米或大于3厘米，应引起重视。囟门过小常见于小头畸形，囟门过大常见于脑积水、佝偻病、呆小病。

把头围、囟门视为脑部发育的象征，非常重视，这固然是正确的。但面对体检数值，往往会因为一点点的差异引起父母焦急，这就完全没有必要了。本来孩子并没有什么不正常，却因为一次测量结果而担心，为孩子做没有必要的检查和治疗，这就重视过度了。

观察宝宝各项生长发育指标的动态变化，要比某一次测量的数值更有意义。所以，定期监测宝宝身高、体重、头围等生长发育指标的变化是非常必要的。

第3节 新生儿生理现象

9. 新生儿特有的20个生理现象

(1)溢乳

新生儿胃体呈水平位，胃容量小，胃入口处贲门括约肌松弛，而出口处幽门括约肌却相对紧张，进入胃内的奶汁，不易通过紧张的幽门进入肠道，却容易通过松弛的贲门返流回食道，溢入口中，并从小嘴巴里流出来。另外，新生儿消化道神经调节功能尚未发育完善，这也是造成奶汁返流的原因。宝宝溢乳，不是疾病现象，新手父母不必紧张。

❖ **减少宝宝溢乳，6种有效的方法**

第一，喂奶前，先给宝宝更换尿布，喂奶后就不要再换了，以免由于活动引起溢乳。

第二，喂奶后竖着抱宝宝，轻轻给宝宝拍背，直到打嗝，再缓缓放下。

第三，喂奶后发现宝宝尿了拉了，也不要马上换尿布，待宝宝熟睡后再轻轻更换。

第四，如宝宝吃奶急，要适当控制一下；如奶水比较冲，妈妈要用手指轻轻夹住乳晕后部，保证奶水缓缓流出。

第五，要让宝宝含住乳晕，以免吸入过多空气，更要避免宝宝吸空乳头。

第六，使用奶瓶时，要让奶汁充满奶嘴，以免宝宝吸入空气。

生理性的溢乳，一般不需要治疗，只要注意护理，一般随着月龄的增加，都会慢慢减轻直至消失。（生理性的溢乳和病理性呕吐鉴别诊断见19.（5）条）

(2)上皮珠、马牙和螳螂嘴

有的新生儿口腔硬腭上可见一些白色小珠，医学上称为上皮珠。上皮珠是细胞脱落不完全所致，对宝宝没有任何影响，几天后就会自行消失，不必处理。有一种错误的观念认为上皮珠要用干净的白布蹭掉。这种做法有一定危险，因为新生儿口腔黏膜非常娇嫩，即使是轻轻摩擦，也会使黏膜受损引起细菌感染，严重者可引起新生儿败血症。

新生儿齿龈上也可能有白色小珠，看起来像刚刚萌出的牙齿，有的就像小马驹口中的小牙齿，这种现象俗称"马牙"。新生儿口腔内两颊部，会堆积一小堆脂肪垫，俗称"螳螂嘴"。和上皮珠一样，马牙、螳螂嘴也不需要处理，它们会自行消失的。

(3)乳房增大、乳头凹陷

不论男婴还是女婴，出生3-5天后，都会出现乳腺肿胀的生理现象，触感上有蚕豆或山楂大小的硬结，轻轻挤压，可有乳汁流出。新生儿乳房增大是胎儿期母体雌激素影响的结果，一般娩出后2-3周内即可自行消退。新生儿乳房肿胀，千万不要挤压，如果不慎把乳头挤破，会带进细菌造成乳腺红肿、发炎，严重的甚至可能引发败血症。如果是女婴，挤压造成乳腺发炎，使部分乳腺管堵塞，成年后会影响乳汁分泌。

有一种错误的习惯做法：那就是发现新生女婴乳头凹陷时，就挤捏，以为这样就能保证其成年后顺利育子哺乳。挤捏新

23

生儿乳头，不但不能纠正乳头凹陷，还会引发新生儿乳腺炎。明确讲，新生儿乳头凹陷不需要处理。

(4)暂时性黄疸

新生儿暂时性黄疸，医学上也称新生儿生理性黄疸。在多年的临床实践中，我认为"暂时性黄疸"比"生理性黄疸"在概念上更准确一些。因为在许多情况下，新生儿生理性黄疸和病理性黄疸难以鉴别开来，极易造成把病理性黄疸当成生理性黄疸的误诊。使用"暂时性黄疸"或"发育过程中的黄疸"，相对来说比较准确，更容易与病理性黄疸相区别。

新生儿出生72小时后，可能出现暂时性黄疸。暂时性黄疸是因新生儿胆红素代谢的特殊性引起的，属于正常生理现象。足月儿血清胆红素一般不超过12毫克/分升，出生后一周左右出现暂时性黄疸，发生率为50%左右。早产儿血清胆红素一般不超过15毫克/分升，暂时性黄疸发生率在80%左右，出生7-10天后自然消退。

新生儿暂时性黄疸不表现为任何异常，因此不需要治疗，可适当喂葡萄糖水。但对暂时性黄疸的进展情况和严重程度，要注意监测，尤其是早产儿，更要注意监测其暂时性黄疸的发展变化。许多在家"坐月子"的妈妈，常把室内光线弄得较暗，又挂着各种颜色的窗帘，这很容易造成对新生儿皮肤黄疸的忽略。正确的做法是：每天在室内自然光线下查看宝宝的皮肤颜色。

(5)生理性脱皮

新生儿出生后两周左右，出现脱皮现象，这让不少妈妈着急。好好的宝宝，一夜之间稚嫩的皮肤开始爆皮，紧接着就开始脱皮，漂亮的宝宝好像涂了一层糨糊，干裂开来。妈妈急着向医生询问，有的干脆抱孩子到医院。殊不知，这是新生儿正常的生理现象。

新生儿皮肤的最外层表皮，不断新陈代谢，旧的上皮细胞脱落，新的上皮细胞生成。出生时附着在新生儿皮肤上的胎脂，随着上皮细胞的脱落而脱落，这就形成了新生儿生理性脱皮的现象。

(6)生理性脱发

有些新生儿在出生后几周内出现脱发，多数是隐袭性脱发，即原本浓密黑亮的头发，逐渐变得绵细、色淡、稀疏，极少数是突发性脱发——几乎一夜之间就脱发了。新生儿生理性脱发，大多数会逐渐复原，属正常现象，妈妈不要着急。目前医学界对新生儿生理性脱发，还没有公认的解释。

(7)新生儿啼哭

新生儿的语言就是啼哭，所表达的意思大致是："妈妈听听吧，我多健康！"医学上称这种啼哭为运动性啼哭，哭声抑扬顿挫，不刺耳，声音响亮，节奏感强，常

宝宝 / 尚潘柔美

美美出生26天正在打哈欠。新生儿有安静睡眠、活动睡眠、安静觉醒、活动觉醒、哭和瞌睡六种状态。在活动觉醒状态面部和肢体活动都增加，如果此时是宝宝向妈妈发出的某种信号，如我要吃奶了，而妈妈没有及时响应，宝宝就会开始啼哭。

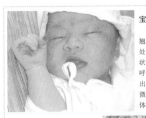

宝宝 / 瀚文
宝宝的小嘴已经开始向上翘，这预示着宝宝就要醒来了，处于活动睡眠状态。活动睡眠状态时，宝宝会偶尔睁开眼睛，呼吸也显得不很均匀，面部常出现可笑的表情，如吸吮、咀嚼、微笑、皱眉等，肢体和整个身体有小的活动。

宝宝 / 王嘉屹
妈妈说这是宝宝最开心、最顽皮的笑。

常无泪液流出，每日一般4~5次，每次时间较短，累计可达2小时，无伴随症状，不影响饮食、睡眠，玩耍正常。如果妈妈轻轻触摸宝宝，宝宝会发出微笑；如果把宝宝的小手放在其腹部轻轻摇两下，宝宝会安静下来。当宝宝出现这样的啼哭时，妈妈最好不要打断宝宝，让宝宝和你"说"一会儿，这是很好的亲子交流。（详见32条新生儿"说的能力"）

(8)新生儿的笑

新生儿的笑往往出现在睡眠中，微微地笑，或只是嘴角向上翘一下。新生儿清醒时，不易发笑，也不易被逗笑。长期以来人们都据此认为，新生儿的笑并无明确意义。

在长期的临床观察中，我发现新生儿的笑有一定意义。妈妈在护理新生儿宝宝时会发现：宝宝吃饱后舒适地睡去，睡眠中常会出现微笑，甚至能笑出声来；有时在清醒状态下，宝宝看到妈妈的脸，也会出现笑的表情；当妈妈对着宝宝笑时，宝宝的脸会出现欢欣的样子；当妈妈变得严肃时，宝宝会瞪着眼睛，一眨不眨地望着妈妈，好像要哭了；当看到妈妈乳头或

看到奶瓶时，宝宝的表情会很愉悦……这些都说明新生儿的笑是有意义的。当新生儿的身体处于最佳状态时，出现笑的时候就多些；当新生儿身体不舒服时，笑的时候就少，甚至会皱眉，严重时就哭闹、呻吟。新生儿有自己的喜怒哀乐，妈妈可通过宝宝的表情，初步判断宝宝的舒适、健康状况。

(9)先锋头（产瘤）

经产道分娩的新生儿，刚刚出生时，头上可能会有一个大包，头型就像个橄榄，医生们多称之为"先锋头"，医学上称为产瘤。出现这种情况，主要是因为生产过程中，胎儿头部受到产道的外力挤压，引起头皮水肿、淤血、充血，颅骨出现部分重叠，头部高而尖，于是就有点儿"先锋"的味道了。

剖腹产的新生儿，头部比较圆，没有明显的变形，所以就不存在"先锋头"也就是产瘤了。

产瘤是正常的生理现象，出生后数天就会慢慢转变过来。要注意产瘤与头颅血肿的区别。头颅血肿是生产过程中，胎儿受外力挤压，致使头部血管破裂，出血所致。头颅血肿较大时，要做冷敷，医生会根据情况，决定是否要把出血抽出。如果出血较多，身体在吸收这些出血时，会释放更多的胆红素，从而加重新生儿暂时性黄疸的程度，这时就要抽出了。

(10)呼吸时快时慢

新生儿胸腔小，气体交换量少，主要靠呼吸次数的增加，维持气体交换。新生儿正常的呼吸频率是每分钟40~50次。新生儿中枢神经系统的发育还不成熟，呼吸节律有时会不规则，特别是在睡梦中，可

能出现呼吸快慢不均、屏气等现象，但这些现象都是正常的。

(11)新生儿抖动

新生儿会出现下颌或肢体抖动的现象，新手妈妈常常认为这是"抽风"，这就小题大做了。新生儿神经发育尚未完善，对外界的刺激容易做出泛化反应。当新生儿听到外来的声响时，往往是全身抖动，四肢伸开，呈拥抱状，这就是新生儿对刺激的泛化反应。

新生儿对刺激还缺乏定向力，不能分辨出刺激的来源。妈妈可以试一下，轻轻碰碰宝宝任何一个部位，宝宝的反应几乎都是一样的——四肢伸开，并很快向躯体屈曲。下颌抖动也是泛化反应的表现，不是抽搐，妈妈大可不必紧张。

(12)面部表情出怪相

新生儿会出现一些让妈妈难以理解的怪表情，如皱眉、咧嘴、空吸吮、咂嘴、屈鼻等。新手妈妈没有经验，看到宝宝这些怪相，就认为宝宝可能有问题，忙着去医院等等。其实这是新生儿的正常表情，与疾病无关。只有当孩子长时间重复出现某一种表情或动作时，爸爸妈妈才应该引起注意，必要的话及时看医生，以排除宝宝抽搐的可能。

(13)"挣劲儿"

新手妈妈常常问医生，宝宝总是使劲，尤其是快睡醒时，有时憋得满脸通红，是不是宝宝哪里不舒服呀？宝宝没有不舒服，相反，他很舒服。新生儿憋红脸，那是在伸懒腰，是活动筋骨的一种运动，妈妈不要大惊小怪。把宝宝紧紧抱住，不让孩子挣劲，或带着孩子到医院，都是没有必要的。

(14)惊吓

新生儿神经系统的发育尚未完善，神经管还没有被完全包裹住，当外界有刺激时，新生儿会突然一惊或者哭闹。妈妈们为了避免宝宝受到"惊吓"，多把新生儿的肢体包裹上，使其睡得安稳些。但要注意，长时间包裹孩子，不利于孩子的生长。当宝宝醒来时，就应该打开包裹。一定不要"蜡烛包"——把宝宝包裹得直挺挺的，就像蜡烛一样。"蜡烛包"对新生儿的发育是有害的。

(15)打嗝

新生儿吃得急或吃得哪里不对时，就会持续地打嗝。有效的解决办法是，妈妈用中指弹击宝宝足底，令其啼哭数声，哭声停止后，打嗝也就随之停止了。如果没有停止，可以重复上述方法。

❖ 弹击足底抑制打嗝

弹击足底抑制打嗝的办法，在操作中常常失败，原因往往是妈妈心疼孩子，不舍得用力；或者用力了，但宝宝哭的程度和持续时间都不够，导致失败。让宝宝痛快地哭上几声，这比宝宝持续打嗝要好得多。健康新生儿的啼哭有利于锻炼身体。想想看，如果助产士不拍打新生儿的足底，不刺激新生儿大声地哭，新生儿的肺脏就不可能完全张开，就不会有充分的气体交换，就可能出现湿肺的病变。所以，新手爸爸妈妈尽管放心地去做吧。

❖ 抑制打嗝的其他方法

如果弹击足底的方法不能有效帮助宝宝停止打嗝，妈妈也可采用以下方法试一试，哪种管用就用哪种：

•按压"内关穴"：妈妈面对着宝宝，把两手拇指分别放在宝宝手腕前部（做皮试部位），食指放在与手腕前部相对应的手腕背部，轻轻挤压按揉。如果效果不明显，可适当增加力度。

• 挤压胸部：妈妈面对着宝宝，两手张开握住宝宝胸部两侧（拇指放在前胸部，四肢放在后背部），轻轻挤压一下，再松开，反复做几次。如果没有效果，可适当增加力度。

• 喂水或喂奶：给宝宝喂点水或喂点奶，宝宝可能就停止打嗝了。

• "捂肚子"：这个方法爸爸做特别好。爸爸用力摩擦手掌，感觉手掌很热的时候，用手掌捂在宝宝腹部，并轻轻按摩几下。

• 胳肢宝宝：妈妈可通过胳肢宝宝有"痒痒肉"的地方，如腋窝、前胸等处，转移宝宝注意力，有效抑制打嗝。

如果上述办法都不奏效，或者因为做不到位而发挥不了实际作用，爸爸妈妈不必着急，宝宝打嗝会越来越少，直到自行消失。

⒃新生儿皮肤红斑

新生儿出生头几天，可能出现皮肤红斑。红斑的形状不一，大小不等，颜色鲜红，分布全身，以头面部和躯干为主。新生儿有不适感，但一般几天后即可消失，很少超过一周。个别新生儿出现红斑时，还伴有脱皮现象。

新生儿红斑的产生原因，医学上目前还不能解释清楚。有学者认为，新生儿红斑的产生，主要是因为新生儿出生后，皮肤受到了光线、空气、温度等环境因素的影响，以及外部的机械刺激。比如新生儿洗澡后，红斑可加重。关于这个问题，医学科学上还存在一些争论，但有一点取得了一致的意见，那就是新生儿红斑对健康没有任何危害，不用处理，会自行消退。

⒄新生儿鼻塞

新生儿鼻黏膜发达，毛细血管扩张且鼻道狭窄。有分泌物时，新生儿就会出现鼻塞。新手爸爸妈妈要学会为宝宝清理鼻道。新生儿洗澡或换尿布时，受凉就会打喷嚏。这是身体的条件反射，属于自我保护，不一定就是感冒。（详见26.（3）鼻腔护理）

⒅新生儿出汗

新生儿手心、脚心极易出汗，睡觉时头部也会微微出汗。因为新生儿中枢神经系统发育尚未完善，体温调节功能差，易受外界环境的影响。当周围环境温度较高时，婴儿会通过皮肤蒸发水分和出汗来散热。所以，爸爸妈妈们要注意居室的温度、湿度和空气的流通，给宝宝补充足够的水分。

⒆发稀和枕秃

新生儿的头发质量与妈妈孕期营养有极大的关系。进入婴幼儿时期，宝宝的头发质量开始与家族遗传关系密切。

新生儿枕秃并不是新生儿缺钙的特有体征，枕头较硬、缺铁性贫血、其他营养不良性疾病，都可导致枕秃，因此不可在

宝宝 / 王震坤
宝宝出生第四天，皮肤出现了黄疸，医生告诉妈妈，不要着急，宝宝是生理性黄疸，过几天就会消退。

宝宝 / 瓜瓜
俯卧位在新生儿觉醒状态下，有妈妈看护才可尝试。新生儿宝宝洗澡后会出现皮肤红斑，妈妈不要着急，也不需要做什么处理，过一会儿就会自然消退的。

情况不明时，盲目为宝宝补钙。

（20）外阴分泌物

胎儿在母体内，接受了来自母体的雌激素，出生后，来自母体的雌激素被代谢掉，而新生儿自身几乎没有雌激素分泌。雌激素的快速下降，引起子宫内膜脱落，就如同女性来月经的变化。因此，女婴出生后不久，外阴会有黄白色分泌物，个别女婴会有少许血性分泌物。新手父母不要紧张，这是正常的生理现象，用消毒棉签，把分泌物轻轻擦拭掉，用清水冲洗就可以了，不需要特殊处理。

10. 新生儿11个特殊现象

新生儿的一些现象之所以说特殊，是因为有的现象看似正常，其实异常；有的看似异常，其实正常；有的介于正常和异常之间，很难区分。更加特殊的是，上述三种情况，又相互重叠，互相转化，有时连医护人员都难下结论。

爸爸妈妈面对宝宝的"特殊现象"，都希望得到医生明确的诊断或答复，医生们也希望能这样，但实际上难以做到，因为人类医学还不能清楚地认识这些"特殊

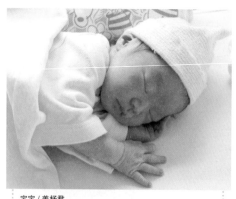

宝宝／姜杯君
宝宝能这样侧睡睡眠真不简单，新生儿宝宝自己侧卧很容易变成俯卧，存在一定危险。所以当宝宝采取侧卧睡姿时，妈妈要看护在宝宝身边。

现象"。

许多爸爸妈妈于是开始为宝宝多方求医问药，花费许多人力财力，自己身心交瘁，对宝宝却于事无补。

结合长期临床经验和医学科学知识，我想把这方面的问题详细写一写，希望能为新手爸爸妈妈解决实际问题。同时也要说明，以下内容带有一定探讨的性质，欢迎更多专家批评指正，也请读者分析地阅读，这样我将更感欣慰！

（1）生男生女

看起来这不是什么问题，可对有些爸爸妈妈来说，这就是最大的问题了。个别新手妈妈患了产后抑郁症，究其原因，就是认为宝宝的性别"错"了。

我曾为一位新手妈妈治疗产后抑郁症，她严重到了要自杀的程度。整天不说一句话，也不照看孩子。经过耐心开导，仔细询问，了解到她丈夫已经是三代单传了，生男孩是他们梦寐以求的，可偏偏生了个女孩。

这位妈妈在我和其他医护人员的悉心照料下，很快康复了。但由于"生男生女"问题，导致妈妈患上产后抑郁症的现象仍大量存在。我想告诉天下父母们，生男生女是人类生育的自然选择，对父母来说，重要的是保证生育一个身心健康的宝宝。

（2）Rh血型

现在准爸爸妈妈和新手爸爸妈妈，文化程度都比较高，喜欢阅读，涉猎也比较广。看到某些医学著作介绍"Rh溶血问题"，许多人就有一种心理紧张，担心未来自己的宝宝或者已经出生的宝宝患上可怕的溶血症。

这种担心是完全没有必要的。Rh溶血病多发生于母亲为Rh阴性的新生儿。我国

人口中，Rh阳性的占绝大多数（99.6%）；西方白种人中，Rh血型呈阳性的占85%。相比较而言可以看出，我国人口Rh溶血症发生率极低，所以医院没有把Rh血型检查作为产前常规检查项目。如果孕妇有自然流产、早产、死胎、死产的病史，才做Rh血型检查。

一般情况下，国内医院只把ABO血型作为常规检查项目，预防新生儿溶血症。在这个问题上，准爸爸妈妈们尽管放心，轻松愉快地准备迎接新生命的到来吧！

(3)紫绀（青紫）

新生儿紫绀多是病理性的，不属于正常生理现象。但正常新生儿常常因为各种各样的原因，表现为局部青紫。

发生在口唇、手足及甲床下的青紫，多是由于手足外露受凉、受压、多血（脐带结扎延迟）等引起的。

剧烈哭闹、屏气发作、食管反流等引起的呼吸短暂停歇，可引发全身青紫。

还有一种青紫，与生产过程中新生儿受到外力损伤有关，如产程过长，胎儿受压时间长，出现先锋头、先锋臀、先锋足，其特点是"先锋"处有受压痕迹，并伴有局部青紫水肿，可能还伴有出血点。

助产士挤压新生儿口中的羊水，可能用力猛了点，新生儿面部出现青紫，也可能伴有出血点；不过这种情况越来越少了，因为产院医护人员非常注意了。

有的新生儿娩出后哭声很小或不哭，助产士就拍打新生儿足底部或背部，刺激新生儿啼哭，这也可能造成某个部位的青紫和皮肤出血点。

有的护士在给新生儿按脚印、戴手条时，也会造成新生儿局部青紫或出现出血点。

这些情况有时被医护人员忽视了，有时不敢和新手爸爸妈妈们说明原委，怕父母不理解。因为沟通不及时，结果就成了问题。新妈妈很着急，以为宝宝得了什么大病，实际上什么事也没有。

我就经常遇到这样的咨询，也在门诊时遇到过这样的新手爸爸妈妈。在我做了分析和解释后，他们还疑虑重重，一直等到宝宝的青紫自然消退，才真正放心。有的爸爸妈妈太心急了，给新生儿宝宝抽血化验，甚至住院治疗。经济上受损失，宝宝身心上也受痛苦。

暂时性的紫绀不是疾病，新手爸爸妈妈不必为此着急，紫绀会自然消退的。

(4)皮肤变色

刚出生的宝宝，真可以称为"变色龙"：新生儿变动体位，皮肤颜色出现界线分明的不同变化。当新生儿左侧卧位时，右侧上部皮肤呈现少血的苍白色，左侧下部皮肤呈现多血的鲜红色，也可能是紫红色。当向相反的方向变换体位时，皮肤颜色也会变换过来。这就是医学上所称的皮肤变色。

新生儿皮肤变色，可能是因为新生儿受重力影响，造成血管舒张、收缩功能暂时性失调。这不是疾病，一般在出生三周后，宝宝就不会"变色"了。

(5)眼白出血

头位顺产的新生儿，由于娩出时受到妈妈产道的挤压，视网膜和眼结合膜会发生少量出血，俗称眼白出血。新手爸爸妈妈看到宝宝眼白出血，不要惊慌，不必治疗，几天以后宝宝自然就好了。

如果妈妈发现宝宝眼白出血，没有随着时间的推移逐渐消退，或者更明显了，要及时带宝宝看医生。

(6)喉喘鸣

有的新生儿出生后喘气不大正常，呼噜呼噜的。仔细倾听，宝宝吸气时，喉中伴有笛音那样的高调音，呼气时就听不见了。宝宝哭闹、急着吃奶时，高调音明显，睡着后就减轻了。这是新生儿正常的喉鸣，也称喉喘鸣。

新生儿喉鸣，在刚生下来时还不明显，生后数周变得越发明显。这主要是新生儿喉软骨发育不够完善，喉软骨软化造成的，一般在6月龄到周岁期间自行消失。新手妈妈往往以为这是宝宝喉咙有痰，有的甚至猜测是否得了气管炎、肺炎。这是完全没有必要的。

如果宝宝喉喘鸣程度比较严重，持续时间也比较长，需要向医生咨询。

(7)脐疝

新生儿脐带脱落后，由于腹压的作用，脐带残端逐渐增大，腹腔中的液体、肠管或大网膜进入脐带残端，形成脐疝。民间称"气肚脐"。

新生儿哭闹、排便时，腹压增高，脐疝增大；睡眠安静时，脐疝减小，甚至看不见。一般在1～2岁时自愈，无须治疗。

脐疝过大，可进行阶段式加压护理。把一元硬币缝合在小肚兜上（要带有大腿根部固定的肚兜），在宝宝醒着、吃奶、哭闹的时候穿上，阻挡过大的脐疝进一步向外疝出。注意，脐部捆得不要过紧，时间不要过长，一次最长20分钟，一天内可多次加压，但不要长时间加压。

特大脐疝属于疾病范畴，需要手术治疗。发生疝气嵌顿，需要紧急手术治疗，不可有半点拖延。

疝气嵌顿：通过疝气口嵌出，进入疝囊的腹腔内容物（主要是肠管）不能重新回入腹腔。疝出的内容物发生缺血，甚至坏死。

妈妈如何判断宝宝发生了疝气嵌顿：

脐疝皮肤颜色发生改变，发红，甚至发紫，局部压力增高，膨出的脐疝不能被还纳回去；脐疝周围皮肤发红；宝宝剧烈哭闹。

(8)新生儿多动

相信知道"多动症"的父母一定不少，但了解"新生儿多动"的父母就很有限了，结果造成这样的现象大量存在：面对多动的宝宝，爸爸妈妈或者不知道是怎么回事，或者认为宝宝患了"多动症"，到处求医问药，劳心费神，无益有害。

❖ *新生儿多动有哪些表现？*

● 宝宝吃奶也不安静，吃吃停停，把乳头吐出来头转向一边过一会儿再吃，妈妈要管他他会闹，结果把吃进去的奶又吐出来了。

疝气护理

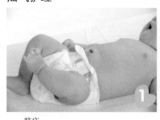  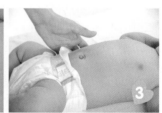

脐疝。　　　　　　　用手指按压一下。　　　　　　脐疝不见了。

●睡眠不安宁，各种动作很多，睡觉也不停歇。最让妈妈劳累的是宝宝睡眠昼夜颠倒，白天还能睡上两觉，晚上却玩个不停，能连续睡一个小时不醒、不闹，妈妈就很满意了。

●遇激惹会突然大声哭闹，身体微微颤抖，无论如何也哄不好——吃奶，不要！妈妈抱，没用！拉了？尿了？尿布干爽爽！渴了？不给奶瓶还好，奶瓶送到嘴边，哭得更厉害了！急得妈妈满头大汗……

这种状态，就是新生儿多动，算不上什么病态，可能是由于新生儿对养育环境不适应造成的。比如，准妈妈孕期精神过度紧张，情绪波动较大，易使宝宝出生后和妈妈关系不协调；比如，妈妈有产后抑郁症，保姆带孩子，宝宝听不到在宫内所熟悉的妈妈心跳的声音，心情烦躁不安。不要以为新生儿就没有情感！

有窒息史或神经系统损伤性疾病的新生儿，更易出现多动，这种多动，医学研究上也称为"小小脑轻微障碍综合征"。这种情况，需要带宝宝看医生，在医生指导下，进行早期干预。

❖ 新生儿多动，爸爸妈妈怎么办？

根据临床经验，办法其实很简单，就是让宝宝仰卧躺下，妈妈俯身向下，面带笑容看着宝宝，并把宝宝的两只小手放在他胸前，轻轻摇晃。不要过分哄，更不能急躁，要静静地安慰，最好重复一种语言、一种声调、一种节奏，并逐渐放轻、放缓、放慢，直到停止。这样做的效果比较好。

(9)红色尿

刚出生几天的新生儿，排出了像血一样的尿，这可急坏了新手爸爸妈妈。宝宝为什么会排出血一样的尿呢？原来新生儿白细胞分解较多，造成尿酸盐排泄增多，而刚出生不久的宝宝，尿液又不多，很浓，所以有点像血了。这不是病变，几天后会自行消失。

(10)鞘膜积液

新生儿鞘膜积液，常发生在新生儿后期，刚出生时，阴囊大小还是正常的，随着日龄的增加，妈妈发现，宝宝阴囊渐渐增大了。妈妈很是着急，带宝宝去看医生，结果，被告知没关系，不需要任何治疗，数月后，积液就自行吸收了。

新生儿鞘膜积液多为单侧，偶有双侧同时发生。鞘膜积液需要与腹股沟斜疝鉴别，鉴别方法很简单。

在晚上或在没有窗户的洗漱间进行。把一张纸卷成纸筒，直径约3厘米。一人像把尿一样抱着宝宝，另一人操作。把纸筒放在宝宝阴囊上面，把手电筒放在阴囊下面，从纸筒上观察阴囊，如果是完全透光的，就提示是鞘膜积液。如果完全不透光或部分透光，或看到有不透光的阴影，提示有腹股沟斜疝的可能。

(11)隐睾

大多数足月新生儿，出生时睾丸就已经下降到阴囊中了，如果还没降到阴囊中，妈妈要注意观察，宝宝睾丸到底在哪里。以下是需要辨别的三种情况。

通常情况下，冷的时候，宝宝阴囊会回缩，睾丸不易触及到，热的时候，阴囊舒张，很容易触及到睾丸。

有的时候，在阴囊中触及不到睾丸，但从阴阜上轻轻向阴囊方向挤压，睾丸就下降到阴囊中了。这不是真正意义上的隐睾，不需要医学干预。

真正意义上的隐睾，睾丸还停留在腹腔内，这样的隐睾需要及时处理，否则会影响未来的生殖能力。

11. 养育健康宝宝第一步：成功的母乳喂养

(1)母乳喂养8大好处

母乳喂养的好处，新手妈妈们一定已经了解许多，但可能还不全面。我在这里概括了8点好处，希望能让妈妈们有个全面、清晰的认识。

第一，母乳蛋白质中，乳蛋白和酪蛋白的比例，最适合新生儿和早产儿的需要，保证氨基酸完全代谢，不至于积累过多的苯丙氨酸和酪氨酸。

第二，母乳中，半光氨酸和氨基牛磺酸的成分都较高，有利于新生儿脑生长，促进智力发育。

第三，母乳中未饱和脂肪酸含量较高，且易吸收，钙磷比例适宜，糖类以乳糖为主，有利于钙质吸收，总渗透压不高，不易引起坏死性小肠结肠炎。

第四，母乳能增强新生儿抗病能力，初乳和过度乳中含有丰富的分泌型IgA，能增强新生儿呼吸道抵抗力。母乳中溶菌素高，巨噬细胞多，可以直接灭菌。乳糖有助于乳酸杆菌、双歧杆菌生长，乳铁蛋白含量也多，能够有效地抑制大肠杆菌的生长和活性，保护肠黏膜，使黏膜免受细菌侵犯，增强胃肠道的抵抗力。

第五，增强母婴感情，使新生儿得到更多的母爱，增加安全感，有利于成年后建立良好的人际关系。

第六，研究表明，吃母乳的新生儿，成年以后患心血管疾病、糖尿病的几率，要比未吃母乳者少得多。

第七，母乳喂养可加快妈妈产后康复，减少子宫出血、子宫及卵巢恶性肿瘤的发生几率。

第八，母乳喂养在方法上简捷、方便、及时、卫生，奶水温度适宜，减少了细菌感染的可能性。

(2)放弃母乳喂养，意味着什么？

❖ **新生儿丢掉了最完美的食物**

许多新手妈妈为了保持体形，就放弃了母乳喂养，这是非常不妥的选择。这样的选择也许保持了体形，但失去的东西真是太多了。现在，我们一起来看看，拒绝母乳喂养，丢掉了什么。

为什么说母乳是新生儿最完美的食物？因为母乳含有宝宝出生后4-6个月所需要的全部营养！这是让人难以置信的，但千真万确。

宝宝 / 尚潘柔美

让宝宝的头顶朝向妈妈的前方，宝宝的面部对着妈妈的面部，宝宝的眼光刚好与妈妈的眼光对视，下颌贴着妈妈乳房正下方。这样，宝宝不但吃奶的姿势很舒服，还能看着妈妈的脸。宝宝的头部抬高约45度。常见的错误喂奶姿势是，宝宝头顶朝向妈妈腋下一侧，把宝宝横抱在胸前。应该是向斜前方抱。

- 含有婴儿最适合的蛋白质和脂肪，且比量最为妥当。
- 与其他各种乳汁相比母乳的乳糖含量较多，而这正是婴儿急需的。
- 母乳有足够的维生素供应，婴儿不需额外添加。
- 母乳中铁质含量并不多，但婴儿吸收、利用率却较高，所以母乳喂养的婴儿，少有缺铁性贫血出现。
- 即使是在炎热而干燥的天气条件下，母乳也能供给婴儿足够的水分。
- 母乳中盐、钙、磷的含量，都非常"合适"。
- 母乳中含有一种称为"脂肪酶"的特别酵素，能帮助婴儿消化脂肪。

❖ 新生儿丢掉了最完美的免疫药物

研究显示，吃母乳的婴儿比较少感染，这是因为母乳洁净，没有细菌污染。同时，母乳含有抗菌素，能使婴儿免于感染。

- 杀细菌的活白血球。
- 抗很多常见感染的抗体，可以保护婴儿直到他自己能产生抗体为止。如果母亲感染了疾病，屏蔽这种感染的抗体很快就会出现在母亲的乳汁中，这真是奇迹。
- 母乳含有比较多的有效因子，促进婴儿肠道中乳酸杆菌的增长，抑制造成腹泻的有害细菌繁殖。
- 乳汁中的乳铁蛋白，可抑制有害细菌生长。吃母乳的婴儿，比吃配方奶的婴儿少有腹泻、呼吸道感染及中耳炎发生。即便感染了，继续吃母乳的婴儿要比停止吃母乳的婴儿恢复快许多。所以婴儿腹泻时，无须停止母乳喂养。

宝宝到了两三岁时，吃母乳仍有预防感染、恢复健康的功效，甚至对宝宝一生的健康都有影响。

❖ 世界其他国家有关母乳喂养的资讯

美国儿科医学会发表的一项声明认为，哺育母乳可减少婴儿慢性病的发生。出生头6个月完全吃母乳的婴儿，较少出现过敏现象。过早让婴儿接触牛奶蛋白，会引起自体免疫反应，造成日后儿童型糖尿病的发生。周岁以内，母乳都应该是孩子主要的营养来源。声明还指出，母乳哺育可帮助母婴建立一种更亲密互爱的关系，能帮助妈妈产后止血，让母亲较早恢复正常身材。声明披露的一项研究表明，哺育母乳甚至能降低母亲在停经前发生乳腺癌或卵巢癌的风险。

位于美国纽约的罗切斯特大学小儿科研究人员表示，补足早产儿脑部发育，一个最简单的方法就是让早产儿吃母乳，因为母乳中含有大量的"长链不饱和脂肪酸"。这些脂肪酸对婴儿脑部神经与脑细胞的发育都极为重要。研究人员表示，哺育母乳的早产儿比人工喂养的早产儿脑功能发育更为快速，更为成熟，对弥补早产儿的"先天不足"具有良好作用。以往研究也发现，哺育母乳的早产儿比人工喂养的早产儿，成年后平均IQ更高，视力也更健康。

英国和荷兰的医学家研究证明：母乳喂养儿步入中年后，心血管与血糖的健康状况，都比非母乳喂养儿好。研究者调查了625位1943年到1946年间出生的中年人，其中有完全喝母乳者和部分喝牛乳者。发现喝母乳者的胰岛素情况比较健康（这是糖尿病早期评估指征），喝牛乳者的胆固醇情况较差，预示他们将来发生心血管疾病的可能性比较高。虽然还有许多变因未加研究，但也能说明，哺育母乳不仅对婴幼儿时期的宝宝健康十分重要，而且将影响他们一生的健康。

(3)什么是成功的母乳喂养？

成功的母乳喂养是，纯母乳喂养到婴

儿4~6个月，添加辅食后，继续母乳喂养，持续到宝宝2岁，开始着手断奶。要想达到成功的母乳喂养，最主要的是信心和决心，其次是心情和情绪，再就是睡眠和营养，还有健康状况和体质。妈妈可能会疑惑，孕期就已下定决心母乳喂养，心情也不错，护理孩子有月嫂，家务活有保姆，可母乳喂养仍不成功，而且周围成功母乳喂养的不多。问题就在这里，下定决心母乳喂养，不等于有信心和决心把母乳喂养进行到底。妈妈总是担心母乳不足，总怕宝宝饿着，心情相当紧张，总是怕字当头，怎么能有十足的信心呢？

(4)努力把最珍贵的初乳喂给新生宝宝

初乳是指新生儿出生后7天以内所吃的母乳。常言"初乳滴滴赛珍珠"，以此形容初乳的珍贵。初乳除了含有一般母乳的营养成分外，更含有抵抗多种疾病的抗体、补体、免疫球蛋白、溶菌酶、吞噬细胞、微量元素，且含量相当高。这些免疫球蛋白对提高新生儿抵抗力，促进新生儿健康发育，有着非常重要的作用。初乳中还含有保护肠道黏膜的抗体，能防止肠道疾病。初乳中蛋白质含量高，热量高，容易消化和吸收。初乳还有刺激肠蠕动作用，可加速胎便排除，加快肝肠循环，减轻新生儿生理性黄疸。

总之，初乳优点很多，一定要珍惜。尤其是产后头几天的初乳，免疫抗体含量最高，千万不要废弃。

(5)新生儿刚出生是否立即哺乳？

当代医学主张，新生儿刚出生就应该立即哺乳。这种主张，有5点科学依据：

第一，科学研究显示，出生后立即和妈妈皮肤相接触的新生儿，约有88%能够在20分钟后，顺利找到妈妈的乳头，并正确吸吮母乳。而出生后没有立即接触妈妈皮肤和乳头的新生儿，日后能够吸吮母乳的只有约20%，其中还包括吸吮姿势不正确，甚至吸吮困难的新生儿。

第二，早吸吮，进行早期母子皮肤接触，有利于新生儿智力发育。

第三，早吸吮，早哺乳，可防止新生儿低血糖，降低脑缺氧发生率。

第四，早吸吮，可促进母体催乳素增加20倍以上。

第五，早吸吮，可刺激母亲子宫，加快子宫收缩，对防止产后出血有一定的帮助。

联合国世界卫生组织（WHO）在母乳喂养条例中明确规定，新生儿出生后，应立即放在母亲胸部，进行母子皮肤接触，并帮助新生儿吸吮妈妈乳头，不能少于30分钟，除非产妇有严重疾病。我国的母婴权益保护法也有同样的规定。可见新生儿出生后立即哺乳是很重要的，新手妈妈一定要重视这个问题。

(6)母乳的保护

吃避孕药会减少母乳的分泌，也影响母乳的品质。放置节育环，对母乳也有类似的影响。

哺乳的妈妈，如果因为健康原因而要服药，一定要告诉医生，你是一个正在哺乳的妈妈，以便医生开具不会影响乳汁分泌的药物。

妈妈体内要有足够的水分来制造奶水，所以每天至少要喝6~8杯开水（共约1200~1600毫升），以没有口渴感为准。妈妈排尿少且颜色深黄，表明体内水分不足。喝什么水最好呢？白开水和不加糖的果汁是最好的。

营养不良会导致精神紧张、身体疲劳，

影响母乳供应。可用六小餐来代替三大餐，多吃新鲜的水果、肉、蛋、奶、鱼和坚果，避免吃没有多少营养的饼干、糖果之类的食物。

每日需额外补充维生素D400国际单位，钙800毫克，多种维生素和矿物质补充剂1片，直到哺乳期结束。

12. 母乳喂养12个问题及解决方案

(1)宝宝吃奶哭闹是怎么回事？

问题：刚开始喂奶的新妈妈，往往是累得一身汗，胳膊酸了，脖子僵了，乳儿却因不能舒服地吃奶而哭闹。

正确的喂奶姿势是，妈妈一只手托住乳儿的臀部，另一只手肘部托住乳儿的头颈部，乳儿的上身躺在妈妈的前臂上，这是乳儿吃奶最感舒服的姿势。

错误纠正：有的妈妈恰恰相反，乳儿越是衔不住乳头，妈妈越是把宝宝的头部往乳房上靠，结果乳儿鼻子被堵住了，不能出气，就无法吃奶。一定要让宝宝仰着头吃奶（就是让乳儿下颌贴乳房，前额和鼻部尽量远离乳房），这样宝宝食道伸直了，不但容易吸吮，也有利于呼吸，还有利于牙颌骨的发育，避免出现"兜齿"。

(2)宝宝衔不住乳头怎么办？

问题：妈妈乳头过小、过短，都会使宝宝衔不住乳头，造成喂奶困难。宝宝衔了放，放了衔，重复几次，就开始烦躁、哭闹、打挺。妈妈急，乳儿哭，母子都累得筋疲力尽。

• 每天用食指、中指、拇指三个手指捏起乳头，向外牵拉，每一下至少坚持拉一秒钟，每次拉30下左右，每天拉至少4次，在喂奶前拉更好。

• 用吸奶器吸引乳头，每次吸住奶头约

宝宝 / 李若曦

宝宝喜欢这样趴在妈妈身上吃奶，吃累了就会停下来休息一会儿，如果妈妈不刺激宝宝，宝宝可能就这样睡着了。但如果他没吃饱，把他抱离乳头，他会重新继续吃奶。当宝宝边玩或吃饱时，会把小手伸到嘴里连同妈妈的乳头一起吸吮，这可不是因为妈妈的奶水不足。

新生儿出生后即有吸吮能力，会吸吮自己的小手，但还不会把手指伸开吸吮手指，是吸吮整个拳头。让新生儿的肢体自由活动，可促进呼吸和身体运动能力的发育。所以不要把身体和腿包裹得紧紧的，更不要捆上。

半分钟，连续5~10次，每天至少重复两遍。

• 让大一点的孩子帮助吸吮乳头，也可让爱人帮助。

• 喂奶时用中指和食指轻轻夹住乳晕上方，使乳头尽量突出，这样做也可防止乳房堵住宝宝鼻孔。

(3)孩子咬破乳头怎么办？

问题：常常有哺乳的妈妈，乳头被乳儿咬破了，皲裂感染，乳儿吸吮时，妈妈剧烈疼痛，甚至会并发乳腺炎。有的妈妈只好狠下心来，给宝宝断奶，但看到宝宝瘦了，心里又难受。

原因：宝宝咬破妈妈的乳头，不是宝宝"心狠"，而是妈妈喂哺方法不对。妈妈没有让乳儿完全含住乳头，只是浅浅地"叼着"乳头，为了吃到奶，乳儿就试图用牙床咬住乳头，久而久之，妈妈的乳头就被磨破了。这样一来，妈妈在喂奶时，因为乳头疼痛，本能地向后躲，宝宝含的乳头就更少，不得不用牙床紧紧咬住乳头，牵拉乳头，从而再次损伤了乳头，形成恶性循环。

明白了这个道理，妈妈就要让宝宝完全含住奶头。一定要让宝宝把乳晕尽量含入口中，而不单单是衔住乳头！

健康护理：妈妈每次喂奶后，挤少许奶水涂于乳头上，保护乳头，不要马上把乳头盖上，让乳头风干约15分钟。也不要用毛巾用力擦乳头，以免擦伤。不要穿太紧或质地太硬的内衣。戴比较宽松的乳罩，如果乳罩摩擦皲裂的乳头而发生疼痛，可在乳头上套一个乳头保护罩或小的滤茶器，就能有效减轻疼痛。用清水轻轻洗或用流动水冲洗乳头最好。若有皲裂应及时治疗。

(4)发生乳头错觉怎么办？

问题：宝宝出生后，妈妈暂时没有母乳，只能用奶瓶喂奶；当妈妈下奶了，改成母乳喂养时，宝宝因不适应而拒绝吃妈妈的奶。相反的现象也不少。这就是乳头错觉。

一定要做两手准备。宝宝出生后，无论有母乳还是没有母乳，都要让宝宝吸吮妈妈的乳头，穿插着给宝宝用奶瓶喂水，使宝宝既能吃妈妈的奶，也能在不得已暂停母乳时，接受奶瓶喂奶。一定要从一开始就做好准备，宝宝才能适应不同的喂养方式，以免给喂养带来烦恼。

(5)奶少怎么办？

妈妈乳少，很容易发现。喂奶前乳房无涨感，无喷乳反射，宝宝吃奶周期短，生长发育慢，大便少等。

奶水少怎么办？

•勤喂是一种好办法。试着抽出24-48小时的时间（如您的奶水实在太少了，可抽出更长的时间），什么事也不要做，专心喂奶和休息，每次尽可能让宝宝吃的时间

长一些。爱困的婴儿，需要妈妈不时把他轻轻唤醒，鼓励他吃奶。

•两侧乳房都要喂。这样不仅保证宝宝获得充足的母乳，同时也充分、均衡地刺激了母乳的分泌。

•换边喂。每次喂奶，换边约2-3次，这样既可引起婴儿吸奶的兴趣，又可同时刺激两乳奶水分泌，保证婴儿吃到充足的母乳。一般都是婴儿在一边吃10分钟，换边后再吃上2-3分钟。妈妈一定要在每次喂奶时都换边。

•只让宝宝吸吮妈妈的乳头。母乳喂养宝宝，一定只让宝宝吸吮妈妈的乳头，不要再让他吸奶瓶或安慰奶嘴，以免他吸惯了奶嘴，反而不要妈妈的乳头了。如果要给宝宝补充一些其他食物，可试着用汤匙。

•坚持纯母乳喂养。避免所有的辅食、开水和果汁，坚持只喂母乳，这样就可刺激母乳分泌，当婴儿的需要量增加时，母乳也会更加丰富。

•妈妈饮食平衡。尽可能吃各种营养成分不同的天然食物。每次喂奶前，试着喝一杯水或果汁。

•充分休息与放松。充分休息与放松，很快就会使母乳分泌量增多。和宝宝一起睡个午觉，洗个暖水澡，听听轻松的音乐，做做轻缓的运动等等，都有利于奶水的增加。

(6)奶多怎么办？

问题：奶少是个问题，新手妈妈们很能理解；奶多也是个问题，就不好理解了：难道奶多反倒成了问题？是的，而且问题还不小呢。

奶多不容易被发现。妈妈奶水很好，乳儿也没有什么不适，大小便都正常，生长发育也正常。可就是每当给宝宝喂奶时，宝宝就打挺、哭闹，刚把奶头衔入口中，

很快就吐出来，甚至拒绝吃奶。奶水向外喷出，甚至喷宝宝一脸。当宝宝吸吮时，吞咽很急，一口接不上一口，很易呛奶。这就是"乳冲"造成的。

解决乳冲的有效办法，是"剪刀式"喂哺。妈妈一手的食指和中指做成剪刀样，夹住乳房，让乳汁缓慢流出。生活中少喝汤，适当减少乳汁分泌。有医生建议喂奶前先把乳汁挤出一些，以减轻乳涨。我不赞成这样的做法，因为挤出去的"前奶"，含有丰富的蛋白质和免疫物质等营养成分，"后奶"的脂肪含量较多。若每次都是挤出"前奶"的话，宝宝就多吃了脂肪，少吃了蛋白质等其他营养成分，造成营养不均衡。

(7)宝宝总是吃吃停停怎么办？

问题：3个月以内的婴儿，吃奶时总是吃吃停停，吃不到三五分钟，就睡着了；睡眠时间又不长，半小时一小时又醒了。

原因：妈妈乳量不够，婴儿吃吃睡睡，睡睡吃吃。人工喂养的婴儿，由于橡皮奶头过硬或奶嘴孔过小，婴儿吸吮时用力过度，容易疲劳，吸吮一会儿就累了，一累就睡，睡一会儿还饿。

妈妈奶量不足，喂哺时要用手轻挤乳

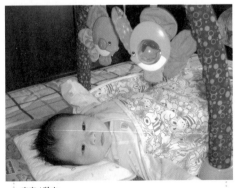

宝宝：瀚文
现在宝宝床铃很多，如果宝宝醒来，永远看到相同的东西，宝宝会丧失兴趣和注意力。要经常给宝宝变换新鲜的东西。

房，帮助乳汁分泌，婴儿吸吮就不大费力气了。两侧乳房轮流哺乳，每次15~20分钟。也可以先喂母乳，然后再补充代乳品如牛奶等。要注意，代乳品的温度、甜度应与母乳尽量一致，奶嘴的柔软度也应与母亲的乳头相似，使婴儿难以辨别，否则婴儿会拒绝食用。

人工喂养婴儿，确定奶嘴洞口大小适中的办法，一般是把奶瓶倒过来，奶液能一滴滴迅速滴出。另外，喂哺时要让奶液充满奶嘴，不要一半是奶液一半是空气，这样容易使婴儿吸进空气，引起打嗝，同时造成吸吮疲劳。

效果观察：无论母乳喂养或人工喂养，婴儿吃奶后能安睡2~3小时，就表示正常。如果母乳充足，婴儿却吃吃睡睡，妈妈可轻捏宝宝耳垂或轻弹足心，叫醒喂奶。

(8)新生儿不吃妈妈乳头怎么办？

问题：宝宝刚出生的时候，妈妈没能及时给宝宝喂上母乳，而是先用奶瓶喂了配方奶，那么宝宝很快（一般也就3天左右）就适应奶瓶和配方奶了，改喂母乳，反倒不适应了。

新生儿刚从母腹出来，最初半小时非常关键。尽快把小生命放入母亲的怀抱，让宝宝听到妈妈的心跳，感受妈妈的体温和熟悉的气味，宝宝就会感到莫大安慰，会产生再度与妈妈结为一体的心理渴望。这时妈妈把乳房给宝宝，小家伙一定会拼命地吸吮。虽然妈妈的奶汁可能还没准备好，只是少许稀清的初乳，但宝宝最需要的还不是乳汁，而是妈妈的乳房！

开始喂了配方奶，一旦妈妈能喂母乳了，就一定想尽办法让宝宝吃母乳。一开始宝宝会哭，等着配方奶的到来，这时妈妈就要狠狠心，坚持不再喂牛奶。一次吃不多没关系，多吃几次，只要妈妈坚持，宝宝很快就会适应母乳的。

现在母乳喂养出现了一个新问题，那就是把母乳挤出来，放在奶瓶里喂，其理由是宝宝不吃妈妈的乳头。除了特殊原因母婴必须分离，一般情况下妈妈千万不要选择这样的喂养方式！因为宝宝吸吮妈妈的乳头和吸吮妈妈的乳汁有同样重要的意义。

(9)母乳到底够不够宝宝吃？

问题：许多新妈妈感到困惑不解：怎么知道宝宝能否得到足够的奶水？自己会不会有足够的奶水喂宝宝？

妈妈奶水的多少，是由婴儿吸吮的程度决定的。宝宝吸吮妈妈的乳头，就刺激妈妈体内泌乳激素和催乳素的分泌（这两种荷尔蒙由脑下垂体分泌）。婴儿越吸，妈妈越有荷尔蒙、蛋白质的产生。

假如宝宝需要的奶量，超过了妈妈当下的生产量，宝宝自然会吃得频繁些，努力吸吮会使妈妈产生更多的奶水。哺乳一段时间以后，母乳产量就可以和宝宝的需求量大致平衡了。

(10)每天应该喂奶几次？

原则：按需哺乳。新生儿出生后1-2周内，吃奶次数比较多，有的一天可达十几次，即使是后半夜，吃得也比较频繁。到了3-4周，吃奶次数明显下降，每天也就7-8次，后半夜往往就一觉睡过去了，5-6个小时不吃奶。

宝宝每天吃奶的量次不是一成不变的，今天也许多些，明天也许少些。只要没有其他异常，妈妈就不要着急。习惯上讲"孩子猫一天狗一天"，有一定道理。即使是刚刚出生的宝宝，也知道饱饿，什么时候该吃奶，宝宝会用自己的方式告诉妈妈的。妈妈

要清楚乳汁是否足够喂哺孩子，如果乳汁不足，再频繁的喂哺，宝宝也不会吃饱。

特别值得注意的是，不要孩子一哭就喂，因为孩子哭并不都是饥饿的信号，还可能有别的原因，要注意区别。

· 新生儿睡眠时间比较长，尤其是出生两周以内的新生儿，除了吃奶，几乎所有的时间都在睡觉，有的甚至一次睡眠时间超过四五个小时。是叫醒吃奶，还是等他自然醒来？当然要叫醒宝宝吃奶！

早产或体重低的新生儿，觉醒能力差，如果一直让宝宝睡下去，有可能发生低血糖。所以，如果宝宝睡眠时间超过了3小时仍然不醒，那就要叫醒喂奶。如果宝宝不吃奶，就要看看宝宝是否有其他异常情况，是否有病。

如果是在后半夜，就不要主动叫醒宝宝了，除非连续睡眠时间超过了6小时。

· 宝宝睡眠时间很短，十几分钟就醒，是不是一醒就喂呢？如果偶尔一两次，妈妈就不要介意了；如果很频繁，就要寻找原因，是否奶水不足，是否消化不良等等，及时解决。

(11)母乳喂养的新生儿用喂水吗？

问题：许多人都认为，无论是牛乳喂养，还是母乳喂养，新生儿都需要喂水。这种看似正确的观点和做法，实际上是错误的。

正确选择：联合国儿童基金会新近提出的"母乳喂养新观点"认为，一般情况下，母乳喂养的婴儿，在4个月内不必增加任何食物和饮料，包括水。

母乳含有婴儿从出生到6月龄所需要的蛋白质、脂肪、乳糖、维生素、水分、铁、钙、磷等全部营养物质和微量元素。母乳的主要成分是水，这些水分能够满足

郑玉巧育儿经·婴儿卷

婴儿新陈代谢的全部需要，不需额外喂水。

额外喂水，可能会增加婴儿心脏与消化道的负担，不利于婴儿的生长发育。

但在特殊情况下，如高烧、腹泻，或服用某些药物、天气炎热、婴儿出汗多，就需要额外喂些温开水，以补充体内水分的不足。

(12)喂奶后妈妈可否倒头就睡？

问题：新手妈妈经过分娩、产后护理婴儿，身心疲惫不堪。喂完奶后，妈妈倒头就睡，这是常见的现象。但新生儿的食道入口贲门括约肌发育还不完善，很松弛，而胃的出口幽门很容易发生痉挛，加上食道短，喝下的奶很容易反流出来，出现溢乳。当新生儿仰卧时，反流物呛入气管，极易造成窒息，甚至猝死。新手妈妈喂完奶倒头就睡，危险就在这里。

无论什么时候，喂奶后，都要竖着抱起孩子并轻拍背部，孩子打嗝后再缓缓放下，观察几分钟，如果宝宝睡得很安稳，妈妈或爸爸再躺下睡觉。夜晚睡觉时，要开一盏光线暗些的小灯，一旦孩子溢乳，能及时发现，及时处理。

13. 宝宝"粮袋"的5个问题

(1)乳头凹陷——"妈妈，我解不开粮袋啦！"

纠正乳头凹陷简便易行的方法有3个：

•让丈夫帮着把凹陷的乳头吸出来，并把奶水挤空（挤出的奶水给孩子吃），然后接着让丈夫吸吮凹陷的乳头。每天做4次，每次约3-5分钟。

•使用吸奶器抽吸，每次1分钟，每天4次。

•妈妈一手托住乳房下方，另一只手的食指、中指和拇指捏住凹陷的乳头，向外牵拉，拉到长位，坚持约30秒。重复牵拉数次，做满10分钟。每天进行4次，共做满40分钟。请注意，纠正乳头凹陷的同时，必须坚持给孩子喂奶，以免回奶。

(2)乳头皲裂——"妈妈，弄伤您，我不忍心啊！"

防止乳头皲裂，最简便的办法就是让乳儿完全含住奶头。如果皲裂处有感染迹象，要涂用红霉素等抗菌素软膏，也可涂龙胆紫，但孩子吃奶前要把药物洗干净。

(3)乳头湿疹——"妈妈，您乳头刺痒，我也内疚啊！"

妈妈漏奶，常用厚毛巾垫在乳房上，避免弄湿衣服。毛巾始终是潮湿的，里面温度又高，久而久之，乳头就发生了湿疹。

乳头湿疹不易根治，可反复发生，长期不愈，还有恶变的可能。

正确的做法是：漏奶时，不要制止；喂一侧奶时，另一侧奶也同时露出来，自行流出乳汁。

乳罩下垫一块纱布，勤更换，并定时露出乳房，风干乳头。

也可在乳头上涂抹鞣酸软膏或凡士林，使乳汁不易侵袭乳头，防止乳头湿疹。一旦患了乳头湿疹，要及时治疗，可使用皮炎平软膏或肤轻松软膏涂抹患处。但在哺乳时，需要清洗乳头。

(4)乳腺炎——"妈妈，这下我可没法儿吃奶啦！"

有一位新手妈妈，万里之外，在网上向我咨询，真是痛苦不堪：短短28天的月子中，她竟患了4次乳腺炎，坚持哺乳到最后，还是无奈地断奶，乳腺切开引流脓汁。我为她感到难过，也意识到告诉妈妈们预防乳腺炎的极端重要性。

乳腺炎是哺乳期妈妈最常见的疾病。预防乳腺炎的发生，有10个注意事项：

•避免乳头皲裂。

•不要长时间压迫乳房，睡觉时要仰卧。

•一定要定时排空乳房，不要攒奶。

•有乳核时要及时揉开，也可用硫酸镁湿敷或热敷。

•保持心情愉快，不要着急上火。

•乳房疼痛时及时看医生。

•母乳喂养不是按时喂哺，而是按需喂哺，宝宝饿了就喂，奶胀了就喂；吃不了，就要挤出。

•晚上，宝宝会较长时间不吃奶，妈妈一定要定时起来挤奶，消除乳胀。很多新手妈妈，都是一夜之间患上乳腺炎的。

•乳头有感染迹象时，及时使用抗菌素。一旦发生乳腺炎，要及时静脉注射抗菌素，以免形成化脓性乳腺炎。若已发展到了化脓性乳腺炎，就要及时就医，手术切开引流。

•切记，乳腺炎发病很快，预防最重要。

(5)体重——"妈妈，我还没吃够！"

新生儿宝宝每天换下6-8次很湿的尿片，排大便2-5次，每周平均增加200-300克体重，满月时体重增加到4500克上下，这是新生儿发育的平均指标。在这个指标上下浮动，说明新生儿发育基本是属于正常的。

大部分新生儿出生后体重都会减轻，而体重增加的计算方法，是从新生儿体重最低点算起的，而不是从出生体重算起。许多新生儿出生近两周，才恢复到出生时的体重，这是正常的。

新生儿24小时内，需喂奶8-12次，或每隔2-3小时喂一次，这也是平均情况。有些新生儿吃的次数多，有些次数少，只要宝宝看起来肤色健康，皮肤、肌肉有弹性，长胖了，长高了，机警有活力，就是喂养良好的宝宝。

第 5 节　新生儿喂养·人工喂养

14. 不宜母乳喂养的情况

(1)哪些宝宝不宜吃母乳

妈妈用甘甜的乳汁哺育自己的宝宝是再寻常不过的事了，但有些时候，妈妈不得不放弃用母乳喂养宝宝，妈妈也不要为此过于难受。尽管不能母乳喂养，毕竟还有配方奶，也能让宝宝健康发育起来。

❖ 苯酮尿症（PKU）

患有PKU的宝宝不宜母乳喂养，也不宜用普通配方奶喂养，需要选择特殊配方奶喂养。

❖ 乳糖不耐受综合征

乳糖不耐受综合征患儿，常表现为吃了母乳或牛乳后出现腹泻。应暂停母乳或其他奶制品的喂养，而代之以不含乳糖的配方奶粉或大豆配方奶。

❖ 母乳性黄疸

临床中曾有这样的病例，宝宝被确诊患了母乳性黄疸，妈妈因而停了母乳。但停母乳的时间太长了，将近一个星期！宝宝不好好吃配方奶，一天天瘦下去，妈妈焦急万分，于是来就诊。实际上，母乳性黄疸需停母乳喂养只是短时间的，一般是48小时左右，之后就要恢复母乳喂养。如果恢复母乳喂养后，黄疸再次加重，可再停喂一两天。经过两三次这样的过程，宝宝就不会因为吃母乳而出现黄疸了，可以继续母乳喂养了。（以上疾病内容详见第十三章）

(2)哪些妈妈不宜给宝宝喂母乳

如果新手妈妈不宜给宝宝哺乳，却硬是要喂奶，这样的话，不但可能伤害宝宝，也可能给妈妈带来伤害，母婴都失去健康。坚持母乳喂养的前提应该是妈妈的身体健康，如果出现以下情况，妈妈就应该暂时或完全停止母乳喂养：

❖ 孕期或分娩后有严重并发症

母亲在孕期或产后患有严重的并发症，需要进行治疗或体弱需要恢复时，可暂不喂母乳，但要定时挤奶，保持乳汁分泌，以便病愈后再行母乳喂养。

❖ 乳头疾病

当妈妈患有严重乳头皲裂和乳腺炎等乳腺疾病时，根据医生指导，可暂停母乳喂养，及时治疗，以免加重病情。但一定要把母乳挤出，用滴管或勺子喂哺宝宝，尽量不用奶瓶，以避免宝宝产生乳头错觉。

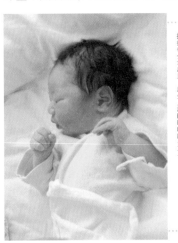

宝宝/方梓睿

新生儿除了吃奶，大部分时间都处于睡眠状态。无论妈妈给宝宝包裹得多严，宝宝总是会把小手拿出来，这时期的宝宝总是握紧拳头，大拇指在四指内。一旦进入深睡眠，拳头会散开，大拇指也会拿出来。新生儿深睡眠时间并不长。

如果使用仿照妈妈乳头形状制作的仿生奶嘴，可减少乳头错觉的发生。

❖ 急性感染性疾病

患急性感染性疾病的母亲，如流感、严重的感冒、肺炎、支气管哮喘等，因需要服用抗生素药物和感冒药，应暂停喂奶数天，以防药物通过乳汁危及乳儿。妈妈感冒发烧不得不服用药物时，可等病愈停药后再哺乳。但每天应按时挤奶，每天至少挤奶3次。挤出的母乳不要再喂给宝宝吃，以免其中的药物成分给宝宝带来不良影响。乳母发热时，乳汁浓缩，可使乳儿发生消化不良，此时最好暂停喂奶几天。但仍需按时挤出乳液，以防病愈后无奶。倘若想继续喂母乳，应缩短哺喂时间，多给乳儿喝点水。

❖ 传染性疾病

新手妈妈如患有某些传染性疾病，不宜母乳喂养，以防病菌传染宝宝。如患有肺结核，则不宜母乳喂养。尤其是在结核病活动期，痰菌培养呈阳性时，更不宜母乳喂养。新手妈妈患有肝炎时，包括无症状的 Hbs Ag 和 Hbe Ag 双阳性，均不适宜母乳喂养。

❖ 甲状腺功能亢进和减退发病期

如果妈妈患有甲状腺功能亢进并正处发病期，不宜母乳喂养，以免引起宝宝的甲状腺病变。当妈妈患有甲状腺功能减退，甲状腺功能检查尚不正常，暂时不宜母乳喂养，以免引起乳儿的甲状腺肿。甲状腺功能亢进或减退，在服药治疗期间，甲状腺功能检查结果正常，服用的药物对婴儿没有肯定的影响，可继续母乳喂养，但要定期监测甲状腺功能。

❖ 妊娠糖尿病或 2 型糖尿病

当妈妈患有妊娠期糖尿病或 2 型糖尿病，正在接受药物治疗，且血糖控制不理想时，暂时不宜母乳喂养。使用胰岛素治疗，且血糖控制理想时，可继续母乳喂养。

患糖尿病的妈妈，可根据医生的建议，决定是否可以哺乳。一般情况下，能够分娩的妈妈就能够哺乳，但更要注意营养和休息，根据身体情况，适当缩短母乳喂养时段，以坚持到宝宝满4个月为宜。

❖ **肾脏疾患**

患有肾炎、肾病的新手妈妈，因要限制食物中蛋白质的摄入，这必然导致乳汁中蛋白质含量减少。而宝宝吃妈妈的奶，又使妈妈消耗更多的蛋白质，这就给妈妈的健康带来了更大的威胁。另一方面，由于乳汁中蛋白质含量低，对宝宝的健康也不利。所以妈妈在患病期间应该停止母乳喂养。

❖ **心脏病**

当妈妈患有某些心脏疾病时，如患有风湿性心脏病、先天性心脏病等，并有心脏功能低下的新手妈妈，心功能Ⅲ级以上的新手妈妈，均不宜母乳喂养。可按心脏功能情况，安排渐进式活动计划，由护士提供全面生活护理，逐渐转为本人自理生活。

❖ **服用禁忌药物**

母亲服用哺乳期禁忌使用药物，要停止哺乳；服用哺乳期慎用药物，要暂停哺乳

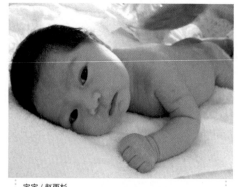

宝宝／赵雨杉

妈妈说这是宝宝出生十多天的时候拍摄的，刚刚给她洗完澡，让她趴在床上练习抬头，宝宝好像在说："妈妈，我正在努力呢！""你怎么能这么可爱！"这是妈妈发自心底的感叹。

乳，或错开药物影响高峰时间，再行哺乳。

❖ **其他疾病**

• **红斑狼疮**

妈妈患有系统性红斑狼疮时，不宜母乳喂养。因为患有红斑狼疮的产妇，需要激素和免疫抑制剂等药物治疗。这些药物对宝宝是有危害的。

• **精神疾病**

妈妈患有严重的精神病，如癫痫病，喂奶时癫痫发作会伤及乳儿，同时所服的药物如苯妥英钠等容易进入乳汁，可引起乳儿虚脱、嗜睡、全身淤斑等不良反应，故不宜母乳喂养。

• **艾滋病**

妈妈患有艾滋病时，不宜母乳喂养。应分别于生后1个月、4个月和6个月，给宝宝做艾滋病毒培养或血清HIV – RNA水平测定，以确诊宝宝是否感染艾滋病毒，以便及早采取防治措施。

15. 人工喂养中的实际问题

(1)婴儿配方奶能完全替代母乳吗？

配方奶被称为母乳化奶粉，但并不能等同母乳，与母乳成分仍然相差甚远，是目前技术水平无法企及的。配方奶是以牛乳为主要原料，按照母乳成分经过加工，去掉牛乳中过多的酪蛋白，添加了牛乳中不足的营养素。虽然婴儿配方奶成分接近母乳，但并不等同于母乳，不能完全替代母乳。

母乳中很多生物活性物质，是抵御人类疾病的抗体。配方奶不能提供更多的免疫球蛋白，尤其是分泌型IgA。配方奶喂养的婴儿，可对牛奶蛋白产生过敏反应，出现湿疹、腹痛、腹泻等症。母乳中含有多种天然抗体，能够抵抗许多常见病。吃母乳所产生的抗病能力可持续两年之久。母乳中含有吞

噬病菌的吞噬细胞，还含有大量溶菌酶，能溶解细菌。母乳中的乳铁蛋白还能阻止细菌代谢，使细菌死亡。吃母乳宝宝不易过敏，且温度适宜、无菌、方便、经济。

(2)配方奶的选择

因为不可抗拒的原因，妈妈不能用母乳喂养宝宝，在这种情况下，选择符合国标（婴幼儿配方奶生产国际标准）和行标（婴幼儿配方奶生产行业标准）的婴幼儿配方奶，可作为母乳替代品。如果宝宝是足月新生儿，选择普通配方奶就可以了。如果宝宝是早产儿，要根据宝宝体重增长情况，在医生指导下，选择早产儿配方奶。如果宝宝患有乳糖不耐受症，可选择低乳糖或无乳糖配方奶。如果宝宝对牛奶蛋白过敏，可选择水解蛋白配方奶。选用特殊配方奶，需要医生指导。

妈妈常问，什么牌子的配方奶好？其实，选择配方奶，最重要的是质量，也就是其安全性。因此，购买配方奶要到有信誉的商店，选择有品牌有口碑的。另外，还要考虑宝宝是否适合，适合宝宝吃的是最好的。如果宝宝吃某一种牌子的配方奶很好，就不要轻易更换其他牌子。

(3)新生儿能喂鲜奶吗？

鲜牛奶含有丰富的钙质，是很好的乳品，但不适宜喂养新生儿。鲜牛奶中的蛋白质比母乳高出约3倍，但其中有80%是酪蛋白。酪蛋白在胃中遇到酸性胃液后，很容易结成较大的乳凝块。鲜牛奶含有大量钙质，也会使酪蛋白沉淀，不易消化吸收。新生儿消化吸收功能原本比较弱，因此很难消化鲜牛奶，容易溢乳。

(4)购买配方奶需要注意什么

包装要完好无缺，不透气。包装袋上要注明生产日期、生产批号、保存期限，保存期限最好是用钢印打出来的，没有涂改嫌疑。奶粉外观应是微黄色粉末，颗粒均匀一致，没有结块，闻之有清香味，用温开水冲调后，溶解完全，静止后没有沉淀物，奶粉和水无分离现象。如果出现相反情况，说明奶粉质量可能有问题。

虽然有的奶粉保质期比较长，但最好购买近期生产的奶粉，从生产到吃完，不要超过3个月。

具有知名度的品牌奶粉当然好，但要防止冒牌货。要从大超市、商场购买，除了防止假货外，大超市和商场商品销售周期短，能够买到生产日期近的商品。

(5)配方奶浓度

全奶、1/2奶、1/3奶

不得不进行人工喂养，如何调配奶粉的浓度呢？

• 刚出生的新生儿，消化功能弱，不能消化浓度较高的奶粉，应该先喂浓度低一些的。也就是说，不能喂全奶，应该喂1/3奶。3天后可喂1/2奶，一周后才能喂养全奶。

• 全奶的配制方法是：一平勺奶粉加4勺（同样大小！）的水，奶粉恰好溶解成奶水。

• 1/2奶的配制方法是：一平勺奶粉加8勺水。

• 1/3奶的配制方法是：一平勺奶粉加12勺水。

不是每次配奶都这样麻烦的。比如一平勺奶粉加20毫升水配成了全奶，要配8勺奶粉的全奶，就加160毫升水；要配1/2奶，就加320毫升水；要配1/3奶，就加480毫升水，以此类推。

第6节　新生儿喂养方法·混合喂养

16. 谁真正能够降低混合喂养率

(1)混合喂养率正在增加

母乳喂养和配方奶喂养同时进行，称为混合喂养。一方面，现在的新手妈妈大多是上班族，生活节奏快，精神压力大，工作任务重，生育年龄偏大，乳量偏少，难以满足宝宝的需要，不得已采取混合喂养方式。另一方面，主动选择混合喂养的妈妈越来越多。我为什么说主动选择呢？因为在我看来，在很大程度上采取混合喂养并非是不得已而为之，更多的是妈妈认为她的乳量不能把宝宝喂饱，所以，妈妈主动选择了混合喂养。

(2)客观判断并不是件容易的事

那么妈妈要问了，到底如何客观判断她的母乳是否足够喂养宝宝呢？有没有金标准？我可以肯定地说，没有金标准。为什么呢？

❖ **母乳的分泌量不是恒定不变的**

分娩后，有的产妇很快就能分泌足够的乳汁喂养宝宝，可有的产妇要在分娩一周，甚至更长时间才能分泌足够的乳汁。乳汁的分泌量与很多因素有关，睡眠是否充足、情绪是否平稳、饮食是否正常、哺乳次数和时间是否足够、身体状况是否良好。但是，这些因素对母乳的影响不是永久的，如果产妇的乳汁分泌机制没有问题，这些因素很容易去除，重新恢复乳量。

❖ **宝宝的食量存在着差异**

有的宝宝每天只需要600毫升左右的母乳，可有的宝宝每天要喝1000毫升左右

的母乳。多数情况下母乳量是随着宝宝的需求分泌，但并不总是这样的，当宝宝不松开妈妈的乳头时，妈妈只能认为宝宝没有吃饱，乳房没有乳汁了。

❖ **对体重和身高的判断是滞后的**

用体重和身高的增长来判断母乳是否充足，往往是滞后的。当下很难判断妈妈的乳量是否能够满足宝宝生长需要，妈妈接受不了以宝宝体重增长不足为代价，宁可选择混合喂养。

❖ **宝宝哭闹时的选择**

解读宝宝哭闹的原因并不像想象的或书上说的那么轻而易举，当宝宝哭的时候，妈妈的第一反应是宝宝饿了，而且给宝宝喂奶也是妈妈最容易做到，也是从心里最想做的。如果这时妈妈感到乳房中没有充足的乳汁，唯一的补救方法就是喂配方奶。

❖ **当宝宝不吃母乳的时候**

如果妈妈抱起宝宝喂奶，宝宝正在"气头上"，说什么也不吃，妈妈只好用配方奶喂养，恰好宝宝就高兴地吃了。妈妈获得了经验，会再次选择配方奶喂养，混合喂养的序幕就这样拉开了。

❖ **有时医生也显得无能为力**

很多时候，医生也不能帮助妈妈判断她的乳汁是否足够宝宝吃，医生不能参与到实际过程中，只是以宝宝体重生长不理想为标准来判断。在妈妈看来，等到这时已为时过晚 。

一些事实存在的问题，只有喂养人才真正体会得到。所以，我认为，医生和专业指导人员给予的建议和指导，有时很难

奏效的原因是他们置身度外，没有参与到实际的喂养中，只是听妈妈简单地叙述，常常是片面的。面对每个个体，不是几个方法、几个技巧可以解决的，真正起主导作用的是给宝宝喂奶的妈妈。

(3)谁能降低混合喂养率

能够为降低混合喂养率作出贡献的是，真真切切、辛辛苦苦喂养宝宝的妈妈。为什么呢？因为母乳喂养的关键，不仅仅是技巧和对纯母乳喂养好处的认识。那么，关键是什么呢？是信心和耐力。

妈妈的信心和勇气：我有足够的能力用自己的乳汁喂养宝宝，直到宝宝能吃辅食，即使有失败的可能，也有足够的勇气承担这份责任，并能够迅速改变。

妈妈的耐力和信任：有足够的耐心和毅力用自己的乳汁喂养宝宝，尽管有很多困难也不放弃，并坚信能够做得很好。

(4)混合喂养并非一无是处

如果必须选择混合喂养，妈妈也不要有为难情绪，要欣然接受混合喂养的事实，提前做好准备，规避可能出现的混合喂养问题。

在育儿方面，不是全无或全有，也不是全错或全对的，我们应该辩证地看待育儿中的问题。混合喂养会带来一些喂养上的难题，但混合喂养的宝宝出现的喂养问题也有其他因素。同时，混合喂养也有好的一面，如果母乳真的不够宝宝吃，又不想放弃母乳，混合喂养是比较好的选择。如果不出现乳头倒错，宝宝既吃母乳又吃配方奶，那就再好不过了，混合喂养也就没那么难了。

(5)常遇到的混合喂养难题

宝宝\赵雨杉

小家伙两眼凝视着，小嘴紧收着，响或看到新奇的东西时，会一动不动地听着。当新生儿听到声会手舞足蹈起来。新生儿的觉醒时间不长，很快就又利用这一时刻，和宝宝进行交流、游戏，开发婴儿潜能。父母要充分

• 乳头倒错。

• 拒绝吃配方奶，只吃母乳；或只吃配方奶，不吃母乳。

• 消化功能紊乱。

• 不容易掌握乳量，母乳到底缺多少，每次冲调多少配方奶。

• 不好安排喂奶时间。

• 不知道如何分配母乳和配方奶的次数。

• 添加辅食后，如何分配母乳、配方奶和辅食。

17. 如何解决混合喂养中出现的问题

(1)乳头倒错

混合喂养的宝宝能感到人工乳头和妈妈乳头不同的质感、气味。多数婴儿更喜欢吸吮妈妈柔软、舒服的乳头，而拒绝吸吮人工乳头。如果用奶瓶给宝宝喂过药，喂过宝宝不喜欢喝的白开水，都有可能造成宝宝不吃人工乳头。

不吃人工乳头说起来算不上大问题，但解决起来却比较棘手。曾有混合喂养的妈妈，尝试在喂奶瓶前，先饿一饿孩子，或在人工乳头上沾点糖，或等到孩子睡得迷迷糊糊的时候再喂。这些办法有时奏效，有时却一点用也没有。妈妈爱说"宝宝太精了"，或说"宝宝太固执了"，也许是这

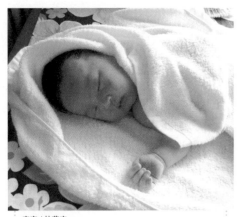

宝宝 / 林芊宇

妈妈刚给宝宝洗完澡，宝宝舒服地睡着了，请不要打扰我。早期新生儿睡眠时间比较长，但快速眼动睡眠（浅睡眠）所占时间相对较长，睡眠周期较短。所以，很容易醒来，快速眼动睡眠时间长对新生儿脑发育是非常重要的。

样吧。我的建议是，如果宝宝"精"得你无计可施，妈妈就老老实实用小勺或小杯喂吧，或许过一段时间，宝宝就会很喜欢人工乳头了。

(2)不爱吃配方奶

宝宝一开始挺爱吃配方奶，可有一天突然不喜欢吃了。妈妈不要着急，遇到这种情况，就只给宝宝喂母乳，绝大多数宝宝不会一直饿着自己的。

有的妈妈和孩子较劲，不吃配方奶，就不给吃母乳，饿他一会儿，没有办法就只好吃配方奶了。结果宝宝更加不喜欢吃配方奶，甚至还没等到把奶瓶子放到宝宝嘴里，宝宝已经开始反抗了。

有的妈妈等到孩子睡得迷迷糊糊的时候把奶嘴塞进孩子嘴里，结果孩子吸了起来。可是，等到孩子醒了，会更加不喜欢喝配方奶。

(3)不爱吃母乳

这种情况并不多见，分析可能的原因是人工乳头孔比较大，吸吮省力，喝得痛

快。遇到这种情况，妈妈最好不要随孩子的兴趣，如果不断增加配方奶量，母乳分泌就会更加减少。妈妈一定要有耐心，抱着喂不行，就把宝宝放在床上喂；放在床上喂不行，就让其他人帮忙，竖立着抱着宝宝吃奶。总之，要想办法喂母乳，不要轻易放弃。把母乳挤出来放在奶瓶子里喂，解决了宝宝一时不吃妈妈奶头的问题，但会造成母乳分泌量下降，给以后的母乳喂养带来新的问题——母乳不足。当宝宝吸吮妈妈的奶头时，泌乳素会迅速升高，用吸奶器吸奶，泌乳素分泌会受到影响。宝宝吸吮时泌乳素的分泌量要比用吸奶器抽吸时高出20倍。

(4)造成消化功能紊乱

混合喂养时，宝宝可能会出现消化功能紊乱，可给宝宝服用一段时间的益生菌或其他助消化药。

(5)母乳到底缺多少？每次冲调多少配方奶？

母乳分泌量受很多因素影响，每一天，甚至一天中的每一时刻，母乳的分泌量都发生着变化。情绪、饮食、睡眠、体内激素水平等都影响乳汁的分泌量。但是，母乳分泌量的变化并不影响宝宝的生长发育。母乳少的时候，宝宝会用力吸吮，会延长吸吮时间，如果此次乳量没有满足宝宝需要，宝宝会很快再次要奶吃，以弥补前次的不足。母乳很充足，宝宝吃多了，宝宝会有比较长的一段时间不要奶吃，以消化过多的奶水。也就是说，宝宝会随着妈妈乳汁分泌的情况来调节自己的吃奶情况。所以，母乳喂养提倡的是按需哺乳，最好的办法是听从宝宝的，相信宝宝知道饱饿。尽量少冲调配方奶，以免影响宝宝对母乳

的摄入。配方乳冲调方便快捷，如果冲调少了，再补也不晚啊。

(6)喂奶时间如何安排

遵照母乳按需，配方奶按时的原则。其实，无论是母乳，还是配方奶，按需都不会有什么问题。即使母乳不多，也遵照增加母乳喂哺次数，减少配方奶喂养次数的原则。

18. 可选择的混合喂养方法

其实，方法不重要，重要的是：宝宝是否能够高兴地接受混合喂养？宝宝是否喜欢吸吮两种乳头？宝宝是否能维持正常体重增长？宝宝胃肠功能是否正常？如果这4个问题都是肯定的，就是最好的喂养方法。

(1)宝宝饿了，首选母乳

每次先喂母乳，如果宝宝不再要奶吃，就等到下次喂奶时间。如果喂完母乳后，宝宝仍然哭闹，就临时冲调些配方奶，补充母乳的不足。如果宝宝吃完母乳后不哭不闹，即使妈妈觉得宝宝吃得很少，也不要马上喂配方奶。即使喂奶还不到一个小时，宝宝又要吃奶了，也不喂配方奶，仍然先喂母乳。这种方法对增加母乳量有好处，但容易出现乳头倒错。

喂母乳就喂母乳，喂配方奶就喂配方奶。两种奶不混在一起喂，喂母乳后，尽管宝宝没吃饱，也不能马上喂配方奶。这种方法不好操作，妈妈无法确定什么时候该喂母乳，什么时候该喂配方奶。

(2)为了有更多的母乳，夜间喂配方奶

妈妈休息得越好，母乳分泌得越多。为了保证妈妈夜间休息，只在后半夜喂配方奶，其余时间全部喂母乳，也可以只在宝宝晚上睡前喂一次配方奶。但是，通常情况下，夜间宝宝能量消耗低，需求奶量减少，妈妈休息得好，乳汁分泌量增多，母乳能够满足孩子的需要，就不需要喂配方奶了。这种方法可能会引起宝宝消化不良。

(3)为了省事，夜间喂母乳

白天喂配方奶，晚上喂母乳，白天人手多，看护人可以帮助喂配方奶，不需要妈妈参与。晚上妈妈喂母乳比较省事，不需要半夜起来冲调配方奶，宝宝不易夜啼。这种方法操作简单，但母乳量会减少。

(4)母乳和配方奶交替

一次母乳，一次配方奶。这种方法很好操作，不用妈妈费心。但是，母乳分泌会受到很大影响，配方奶喂养量会越来越多，最终导致配方奶喂养。

(5)根据妈妈的感受

奶胀了就喂母乳，奶不胀就喂配方奶。这是凭借妈妈主观判断，乳汁很容易被憋回去，最终使母乳分泌量越来越少，无法完成母乳喂养。

(6)母乳和配方奶混着喂

由于母乳不足，有的妈妈就把母乳挤出来，和配方奶混合在一起喂，使得宝宝能够吃上完整的一顿，妈妈也能够清楚地知道，宝宝到底吃了多少奶。采用这种方法喂养，妈妈的奶会越来越少。这是因为，宝宝不直接吸吮妈妈的乳头，妈妈体内泌乳素的分泌会逐渐减少，乳汁分泌也就减少了。

(7)母乳不是越攒越多的

妈妈不要试图攒奶，宝宝越吸吮，乳

汁会越多。妈妈总是担心乳汁少，怕宝宝饿着，很依赖配方奶，结果配方奶越喂越多，母乳分泌却越来越少，最终导致混合喂养，甚至完全靠配方奶喂养了。自信心不足，坚持力度不够，是母乳喂养失败的主要原因。在刚刚开始母乳喂养的时候，妈妈可能会遇到这样那样的问题，不要着急，不要气馁，把心放下来，相信母乳喂养定会成功，这样的心态非常重要。

(8)请妈妈不要放弃母乳

混合喂养最容易发生的情况是放弃母乳。母乳少，孩子吸吮困难，吸吮几口就睡着了。配方奶甜度大，孩子喜欢吃；人工乳头孔大，吸吮省力，孩子也喜欢；妈妈乳汁少，吃母乳时，没有多长时间孩子就醒了要奶吃，妈妈爸爸和周围的人会认为影响孩子睡眠，也使大人疲劳，干脆停掉母乳，喂奶粉算了。

混合喂养要充分利用有限的母乳，尽量多喂母乳。如果妈妈认为母乳不足，就过多减少喂母乳的次数，会使母乳越来越少。母乳喂养次数要均匀分开，不要很长一段时间都不喂母乳。

有的孩子尽管母乳少，吃不饱，可就是依赖母乳，不吃配方奶。遇到这种情况，周围人就会劝妈妈别再喂母乳了。我不赞成这样做，母乳是婴儿最佳的食品，不应该剥夺孩子吃母乳的权利。放弃喂母乳就等于放弃了宝宝吃母乳的希望。母乳喂养不单单对母婴身体健康有益处，还对婴儿心理健康有益处。

不能否认，有少数产妇无论怎样努力就是没有足够的乳汁哺育孩子。遇到这种情况，妈妈也不要伤心，不要自责，配方奶也能把宝宝喂养得很健康。虽然用奶瓶喂养，妈妈也要把孩子抱在怀里，让宝宝享受妈妈怀抱的温暖。

第7节 营养需求和喂养中的注意事项

19. 喂养中的注意事项

(1)宝宝如何传达饱、饿信息

宝宝饿了，他就会：饥饿性哭闹；用小嘴找奶头；当把奶头送到嘴边时，会急不可待地衔住，满意地吸吮；吃得非常认真，很难被周围的动静打扰。

宝宝饱了，他就会：吃奶漫不经心，吸吮力减弱；有一点动静就停止吸吮，甚至放下奶头，寻找声源；用舌头把奶头抵出来，放进去，再抵出来。他还会转头，不理你。

新生儿睡眠时间比较长，如果一次睡眠时间超过了四五个小时，一定要叫醒宝宝吃奶。如果宝宝睡眠时间很短，是否一醒来就喂奶呢？也不必。

(2)喂奶间隔白天、晚上是一样的吗？

新生儿胃容量很小，能量储存能力也比较弱，需要不断补充营养。新生儿吃奶次数多，夜间也不会休息。因此喂奶的间隔，白天和晚上差不多是一样的。随着日龄的增大，宝宝夜间吃奶次数会逐渐减少，慢慢就会养成白天吃奶，晚上不吃奶的习惯了。

(3)吃吃停停怎么办？

这个内容，在38.15条中有详细说明，

这里不重复了。

(4)夜间喂奶应避免的危险

夜间喂奶和白天喂奶有什么不同呢？

• 光线暗，视物不清，不易观察孩子皮肤颜色，不易发现孩子是否溢奶。

• 妈妈困倦，容易忽视乳房是否堵住了孩子鼻孔，发生呼吸道堵塞。

• 妈妈怕半夜影响爸爸睡眠，孩子一哭就立即用乳头哄，结果半夜孩子吃奶的次数越来越多，养成不好的夜间吃奶习惯。

一个真实的案例

宝宝满月，妈妈很累，晚上宝宝要吃奶，妈妈蒙眬状态下，躺着把乳头送到孩子嘴里。不知过了多久，妈妈听到孩子叫了一声，没有开灯，室内很黑，妈妈懒了一下就没动。当妈妈突然在睡梦中惊醒，下意识摸了摸孩子，孩子一动不动，打开灯，孩子面色青紫，抱起来冲向医院，一切都晚了，孩子因呼吸道堵满奶汁，窒息死亡。

这样不幸的事情发生过多次，妈妈们要加倍小心，避免发生这种意外。万分之一的可能，如果发生了，那就是百分之百的不幸了。

(5)如何区别生理性溢乳和病理性呕吐

❖ **生理性溢乳的特点**

• 溢乳前后宝宝没有任何不适表现。

• 每次溢乳量不多。

• 虽然溢乳，但没有因为溢乳而增加吃奶量和次数。

• 没有因为溢乳而影响体重增长，宝宝还是胖胖的。

• 大小便正常。

❖ **病理性呕吐的特点**

• 呕吐前宝宝有不适感觉，表情不快，脸憋得通红，有时哭闹，哼哼，给奶不吃，难以用奶头制止孩子的哭闹。

• 呕吐的奶量往往比较多，有时呈喷射状，除了有奶液外，可有胆汁样物、胃液及奶块等，气味发酸，甚至酸臭。

• 吃奶量显著减少或增加。

• 体重增长缓慢，孩子显得有些干瘦，缺乏精神，大便不正常或次数少，而每次的量多或次数增多，大便性质不正常，往往伴有腹胀。

(6)新生儿需要添加乳品以外的饮品吗？

母乳喂养、混合喂养、人工喂养，新生儿都不需要添加乳品以外的饮品。新生儿胃肠道消化功能尚没有发育完善，各种消化酶还没有生成，肠道对细菌、病毒的抵御能力很弱，对饮品中所含的一些成分缺乏处理能力。如果给新生儿喂奶以外的饮品，可能会造成新生儿消化功能紊乱，引起腹泻等症状。

20. 新生儿营养需求

• 热能：热能是保证宝宝生长发育所需的重要能量，没有足够的热能，宝宝就不能正常生长发育。

足月儿生后第一周，每日每公斤体重

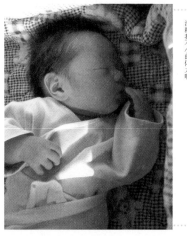

宝宝／多多

宝宝处于安静睡眠状态。

我睡着的样子可爱吗？游泳后我睡得很香，游泳可是全身运动，消耗我不小的体力啊。

约需60-80卡(250-335千焦)热量;

生后第二周,每日每公斤体重约需80-100卡(335-420千焦)热量;

生后第三周及以上,每日每公斤体重约需要100-120卡(420-500千焦)热量。

100毫升母乳含热量68卡,100毫升配方奶含热量66卡,母乳和配方奶所含热量差不多。出生第一周的宝宝,以平均体重是3公斤计算,每日所需热量是180-240卡,则每日所需奶量大约是270-350毫升。

• 蛋白质:足月儿每日每公斤体重约需2-3克蛋白质。婴儿是纯乳喂养,乳类是高蛋白食物,只要宝宝摄入足够的乳类,就能保证足够的蛋白质,妈妈不必担心宝宝蛋白质摄入不足。

• 氨基酸:有9种氨基酸必须从食物中获取,包括赖氨酸、精氨酸、亮氨酸、异亮氨酸、颉氨酸、甲硫氨酸、苯丙氨酸、苏氨酸、色氨酸。氨基酸是由蛋白质提供的,乳类食物含有宝宝生长发育所需的所有氨基酸。只要宝宝正常喝奶,就能够摄入生长发育所需的氨基酸。

• 脂肪:每天总需要量为9-17克/100卡热。母乳中未饱和脂肪酸占51%,其中的75%可被吸收,而牛乳中未饱和脂肪酸仅占34%,吸收不如母乳。乳类食物含有足够的脂肪,可满足婴儿生长发育的需要。

• 糖:足月儿每天需糖17-34克/100卡热。母乳中的糖全为乳糖;牛乳中的糖,乳糖约占一半。乳中的糖完全能够满足婴儿所需,不需要额外添加。

• 矿物质、宏量元素及微量元素:

钠:食盐就是氯化钠,提供人体必需的钠。妈妈喂奶期间不宜吃得太咸,但并不意味着喂奶期间不能吃盐,只是适当限制而已。每日食盐量不要超过4.0克(限盐

匙2匙)。制作婴儿辅食不要加盐。

钾:乳品中钾的含量能够满足新生儿的需要。

氯:氯随钠、钾吸收。

钙、磷:母乳中的钙,有50-70%在新生儿肠道中被吸收;牛乳钙的吸收率仅为20%。因此母乳喂养的宝宝不易缺钙,配方奶喂养则容易缺钙,因此要根据医生指导,给宝宝适当补钙。磷的吸收比较好,不易缺乏。妈妈在整个哺乳期都需要额外补充钙剂,每日800-1200毫克,进食高钙食物,如牛奶和虾皮。如果妈妈不能保证日光照射,还需要补充维生素D,可选择含有维生素D的钙剂。我国土壤和水质磷含量偏高,食品中也不缺磷,磷的吸收也比较好,不易缺乏。所以,宝宝补钙时,不需要同时补磷。

镁:镁缺乏时影响钙平衡。镁元素广泛存在于食物中,不宜缺乏,通常情况下不需要额外补充。

铁:母乳和牛乳中铁含量都不高,牛乳中的铁不易吸收,因此牛乳喂养更容易缺乏铁。足月儿铁的储存量,可供4-6个月的使用,但如果怀孕后期缺乏铁,胎儿铁储备不足,有发生缺铁性贫血的可能,应及时补充。哺乳的妈妈,在宝宝3个月后,应常规补铁,提高母乳中铁的含量,降低婴儿缺铁性贫血发生率。每天100毫克,补到宝宝添加辅食。

胎儿在36周以后,开始储铁,所以,36周前出生的早产儿,铁的储备量很少,只够生后8周之用,如果不及时补充,则会出现缺铁性贫血,影响宝宝健康。所以,早产儿需要更早地补充铁剂。每天每公斤2毫克,补到宝宝添加辅食。

锌:新生儿期很少缺锌,一般不需要额外补充。缺锌可导致食欲低下,甚至厌

食。缺锌还可以导致皮肤粗糙、湿疹、发质稀黄乏光，影响宝宝生长发育。

•维生素：健康孕妇分娩的新生儿，很少缺乏维生素，因此不需要额外补充。如果准妈妈妊娠期维生素摄入严重不足，胎盘功能低下并早产，新生儿可能缺乏维生素C、D、E和叶酸，需及时补充，可选择含有维生素A/D/E等多种维生素滴剂。

维生素K：维生素K缺乏，可引起新生儿自发出血症或晚发维生素K缺乏出血症。尤其是纯母乳喂养儿，发生的几率比较大。因此，常规上给出生后的新生儿肌注维生素$K_1$1.0毫克，可起预防作用。早产儿肠道菌种成长较晚，肝功能发育不成熟，容易出现维生素K缺乏，应每日补充维生素K1毫克，连续补充3次。

维生素D：虽然新生儿出生时储存一定量的维生素D，但由于不能够在室外接受足够的阳光，又不能经食物摄入，婴儿期可出现维生素D缺乏性婴儿手足搐搦症和幼儿期佝偻病。应该从出生后半个月开始，补充维生素D，每日400IU。

维生素E：早产儿需要补充，每日30毫克。

维生素A：在补充维生素D时，有的选用鱼肝油制剂，即维生素AD剂。如果比例不合适，可发生维生素A过量，甚至中毒。维生素A和维生素D比较合适的比例是2:1或3:1。

典型病例

宝宝因烦躁、易惊、多汗就诊。询问服药史，妈妈从宝宝出生第一周开始，给患儿每日服用贝特令一粒，连续服用了近3周。贝特令是维生素AD复合制剂，每粒含维生素A1800 IU，维生素D 600 IU。就是说，妈妈给孩子每日服用维生素A1800 IU，远远超过了新生儿的需要，维生素AD是脂溶性维生素，有蓄积性，长期大量服用，会在体内蓄积到一定浓度。宝宝连续3周每天超量服用，造成维生素A过量，出现了类似缺钙症状的维生素A过量症状。不要认为维生素是营养药，补多了没关系。维生素也是药物，也有限量，超量使用会危害婴儿健康。

第8节 新生儿生活护理要点

21. 新生儿的"粮袋"保护

(1)妈妈的乳房保护

母乳喂养，妈妈的乳房就是新生儿的粮袋，保护好妈妈的乳房，方法多多，意义重大。这里要说明的是，比如上次喂奶，先吃右侧后吃左侧，那么这次喂奶就要先吃左侧后吃右侧。每次都颠倒顺序，可使乳汁均匀分泌，两侧乳房对称，还可避免新生儿脸偏或牙槽骨不对称。（更多内容详见母乳喂养一节）

(2)奶粉、奶温、奶瓶、奶嘴、餐具，都是事

❖ 奶粉

选定一种奶粉后，没有特殊原因，不要轻易更换，以免婴儿不能耐受。

有的爸爸妈妈看到孩子不爱吃现在的配方奶，或孩子大便不太好，就换了新配方奶。换奶的根据并不一定正确，换的奶也不一定合适，孩子就跟着受折腾了。

其实，不同品牌的配方奶，营养成分

配比不同。如果孩子对铁耐受性差，吃含铁高的配方奶，有可能会出现腹泻、腹痛、哭闹；消化能力差的新生儿，吃脂肪含量高的配方奶，会出现消化不良；乳糖不耐受的宝宝，吃乳糖量高的配方奶，会出现腹泻……

大多数爸爸妈妈只在乎品牌和质量，忽视了成分与宝宝是否相适应，这是个误区。

❖ 奶温

奶水温度要适宜，简便有效的方法是：滴儿滴奶在手背或手腕上，不感到烫，又有热乎乎的感觉，就是比较适宜的奶温。过热会损伤新生儿口腔、食道黏膜；过凉则会导致肠道不能耐受，出现大便溏稀或腹胀，造成新生儿不安、哭闹。

❖ 奶瓶

喂奶时，奶瓶一般与新生儿面部成90度角。如果角度不适宜，容易造成孩子牙槽骨畸形，如"地包天"或"天包地"。奶水要充满整个奶头，不要一半是奶，一半是空气，这样会使孩子吸进过多空气，造成腹胀、打嗝、溢乳、排气多。

❖ 奶嘴

奶嘴孔大小要适宜，过大会呛奶，过小吸吮会费力，造成面肌疲劳。现在大多数奶嘴已经开好孔了，但不一定适合所有的宝宝。对吸吮力较弱的宝宝来说，可能奶嘴孔偏小；对吸吮力很强但吞咽力稍差的宝宝来说，又可能奶嘴孔偏大。购买时要注意选择适合宝宝的奶嘴，不妨多买几个，改成不同大小的奶孔，观察宝宝的反应。

❖ 餐具消毒

新生儿餐具每天要用沸水消毒一次，不要使用消毒液或洗碗液。消毒完毕一定要烘干或擦干，不要带水放置。喝剩下的奶或水一定要弃掉，器皿洗净、消毒、烘干、擦干以备用，这是预防新生儿鹅口疮的有效方法。不要使用餐巾纸擦新生儿餐具，因为餐巾纸的卫生状况不确定。新生儿餐具要放在消毒柜里或罩在洁净盖布下，不要暴露在外，以免落上灰尘。

❖ 新生儿餐具至少包括：

• 不锈钢小奶锅一个。

• 吃奶用的奶瓶两个（200毫升以上容量），喝水用的奶瓶两个（100毫升容量），最好都是玻璃的，如果买塑料的，一定不要有异味。

• 仿真软硅胶奶嘴5个以上。

• 水杯两个。

• 专用小暖水瓶一个，每天更换新鲜开水。

⑥ 配奶小匙两个。

22. 洗澡是一次大行动

(1)洗澡时间、用具、环境、水温

❖ 选择适宜的时间

可在每天上午9-10点左右洗澡，这时太阳充足，宝宝状态好。不宜在刚喂奶后，或已经到了喂奶时间，给宝宝洗澡，以免宝宝吐奶或因为饥饿哭闹。不宜在宝宝困倦或刚刚睡醒时，给宝宝洗澡，以免宝宝因困倦或受到意外打扰，导致以后拒绝洗澡。

❖ 准备好洗澡用具

浴盆、浴网、浴巾、浴衣、擦脸毛巾、擦屁股毛巾、婴儿浴液或香皂，都要准备齐全，以免在洗澡过程中忙乱。

❖ 环境温度适宜

给宝宝洗澡的地方，一定不能有对流风。洗澡时，要关好门窗，在有太阳的地方洗最好。光线既不能太过强烈（如用浴霸），也不要过暗。如果全裸洗，室温要达到24℃以上；分部裸洗，室温要在20℃以上。

郑玉巧育儿经·婴儿卷

❖ 水温提前试好

洗澡水温比宝宝体温稍高，38℃左右。使用温度计测量固然准确，但温度计有失灵的可能，用手感受水温是非常必要的。爸爸妈妈应该学会用手感受水温，因为洗着洗着，水温下来了，手还没感觉，哪能想到再用温度计！一般用手背、手腕、肘窝试水温比较好，妈妈皮肤细薄、敏感，试温效果更好。

(2)给宝宝洗澡的方法

❖ 全裸洗

宝宝喜欢这样的洗澡方法。新手父母缺乏经验，最初给宝宝洗澡会很紧张，担心宝宝掉到水里，担心水进到宝宝眼睛耳朵里。使用浴网，可免除父母担心。把宝宝放在浴网上，宝宝的小手会抓住浴网边，由爸爸适当保护，妈妈给宝宝洗澡，能顺利完成洗澡任务。

❖ 分部洗

宝宝不喜欢这样的洗澡方法，这种方法比较麻烦。采用这种方法洗澡，多是因为家里环境温度比较低，怕宝宝冻着。分部洗的顺序多采取，面部、颈部、手脚、头部、腋窝、胳膊、前胸后背、腿、臀部。这种方法适合不需要全身洗澡，但担心皱褶处淹着，洗洗某些重要部位，如面部、颈部、腋窝、大腿窝、手脚、臀部。

(3)洗澡时，需要注意以下几点

• 不要把宝宝全身都打上浴液或香皂，因为打浴液后，婴儿身体比较滑，不易把握，容易打滑，倒在水里。一个部位一个部位地洗，在某一部位打浴液后，马上冲洗干净。

• 宝喜欢吃手，用手揉眼睛，不要让浴液停留在宝宝小手上。给宝宝小手打婴儿香皂后，要立即用清水冲洗，以免宝宝用带有皂沫的小手揉眼睛

或吸吮。

• 开始洗澡的最初时间，经验少，就不要放太多的水，能淹没小脚丫就可以了。等到有经验，熟练了，再增高水位。

• 把孩子放到水里，一定要把握住孩子的上臂和头部。出水时，不要用毛巾擦，把宝宝放到浴巾上，迅速包裹起来就可以了。

• 浴盆周围放上毛巾，以免孩子滑脱，碰到盆边磕伤。

• 最好用手撩水给宝宝洗。用毛巾洗，不好掌握手劲，容易擦破孩子皮肤。新生儿皮肤被擦破，感染的可能非常大。

• 如果使用浴液，把宝宝从浴盆中抱出后，一定要用清水冲洗干净。女婴外阴和男婴小阴茎也需要用清水冲洗。

• 洗澡完毕，不要马上把孩子抱到另一个房间，应先打开洗澡间的门，让室内温度相接近，再抱出去。

• 洗澡后不要急着给孩子穿衣服，先用浴巾裹着，迅速把头擦干，等全身彻底干了，再穿衣服，这样就不易受凉感冒了。

• 头部也不用每天使用浴皂，一周用一两次就

宝宝 / 刘梓涵

给新生宝宝洗澡可是一次大行动。洗一次澡，几个人一起上，也会大汗淋漓。宝宝体表面积相对较大，散热快，所以全裸洗澡首先要保证室温。其次是时间要快，应该在10分钟以内。

在正常情况下，宝宝都是裸体放在浴盆中洗全身。只有在室内温度比较低的一些特殊情况下，比如说外出探亲旅游，还有遇到停水停电停气的特殊情况，可以分步洗。顺序为脸、颈、腋下胸背、肢体、臀部、头。无论是分步洗还是全身洗，都应该最后洗头部，这是因为头部占体表面积很大，湿漉漉的头部在水分蒸发过程中会丢失很多热量，导致宝宝着凉。一人抱着宝宝，另一人给宝宝洗头，这样很安全。

可以了。

• 把浴盆放在地上，爸爸妈妈蹲着给孩子洗澡往往很累，不如放在高桌上，站着洗，会轻松些，也好掌握。但要注意，千万别把孩子掉下来。

• 给宝宝洗脸，不必担心会把水弄到孩子眼睛里，因为宝宝会自动闭上眼睛，不让水流进眼睛，这是新生儿对自身的保护。新手妈妈大多用湿毛巾擦一擦轻了擦不净奶渍重了可能损伤稚嫩的皮肤，不应再这样做了。

• 注意不要把水弄进孩子耳朵里，耳朵不像眼睛，没有自身保护能力。

• 新生儿皮肤很薄嫩，不需要擦护肤水、护肤油等，更不能擦爽身粉。

• 洗澡后，皮肤毛细血管扩张，内脏供血减少。最好先给宝宝喂点白开水，不要马上喂奶。母乳喂养的宝宝可能不喜欢用奶瓶子喝水，可用小勺或滴管给宝宝喂水。如果宝宝实在不喝，可以直接喂奶，但妈妈要在喂奶前多喝些水。

• 宝宝皮肤没有很多油脂，不要每天都使用浴液，以免宝宝皮肤过于干燥，罹患湿疹。洗澡后用具有保湿作用的护肤膏或油涂抹，最好使用天然橄榄油。

• 脐带还没脱落，或脱落后没有长好，如果把孩子放到水中洗澡，脐带可能会进水；如果进水了，要用碘酒、酒精擦洗。

• 胎儿是在水囊中生活的，所以新生儿天性喜

宝宝 / 多多
没看起来我的眼神有些迷茫，其实，我并不迷茫，只是我刚刚睡醒，还没有完全清醒过来，再有我很小，视力还没有发育好，看得还不够远，不够广，所以，看起来我好像没有睡醒的样子。

欢水。考虑到安全性，在浴盆中最好放上浴床，让宝宝躺在浴床上，比较容易把握。

23. 一次性纸尿裤和布尿布的选择与使用

(1)正确选择纸尿裤7点提示

❖ 尿液吸收力强、吸收速度快

纸尿裤含有高分子吸收剂，吸收率可达自身的100~1000倍，而且不会再被挤出来。最早的纸尿裤主要是绒毛浆，所以很厚。加入了高分子吸收剂后，纸尿裤越来越薄，更加舒适。所以吸收力强弱与厚薄无关，甚至呈相反关系。高吸水性的纸尿裤可减少更换次数，不会打扰睡眠中的宝宝；还可减少尿液与皮肤的接触时间，减少尿布疹的发生几率。

❖ 透气性能好、不闷热

宝宝使用的纸尿裤如果透气性不好，很容易导致婴儿患尿布疹。透气性不好的纸尿裤会使阴囊局部环境温度增高，可能会影响婴儿睾丸功能的正常发育。

透气性好的纸尿裤首先是内层材质天然透气，更薄；最关键的是外层使用透气膜，即薄塑料膜上有肉眼看不见的微孔，透气性好，尿液却不渗漏。妈妈不要只看宣传，要通过实际使用来鉴别。

❖ 表层干爽，尿液不回渗、不外漏

倘若宝宝的小屁股总是与潮湿的表层保持接触，很容易患尿布疹。新生宝宝长时间躺着，臀部和腰部压着尿裤，腿部及腰部要设有防漏立体护边，但不能因防漏而太紧。尿裤表层的材质也要挑选干爽而不回渗的。另外最好选择四层结构的纸尿裤，多加了一层吸水纤维纸，更少渗漏。

❖ 触感舒服，品质好

触觉是人类发展最早的感觉器官，早在胎儿3个月时就已经存在，和视觉、听

觉一样影响着宝宝的潜能发展。良好的触觉感受，可使宝宝有安全感。婴儿安全感的建立，对日后的行为发展有着直接的影响，婴儿抚触即源于此。婴儿肌肤的触觉非常敏锐，对不良刺激更加敏感，只要有一点点的不适，婴儿就会感到非常不舒服。纸尿裤与婴儿皮肤接触的面积是很大的，且几乎24小时不离。所以要选择内衣般超薄、合体、柔软，材质触感好的纸尿裤，给宝宝提供舒适的触觉经验。

❖ **护肤保护层**

尿布疹的成因，主要是因为尿便中的刺激性物质，直接接触皮肤。目前市面上已有添加了护肤成分的纸尿裤，可以直接借着体温在小屁股上形成保护层，隔绝刺激，并减少皮肤摩擦，让宝宝拥有更舒服的肤触。

❖ **价格适中**

目前，市场上出售的纸尿裤品牌多，价格高低不等。经济条件好的可选择比较高级的进口纸尿裤。国内生产的纸尿裤质量也比较可靠，因为生产商投资较大，主要原材料依赖进口，但价格仍然不低。购买基本功能好的，批量购买，购买本地产品，混合使用，这些都是降低费用的好办法，但品质越有保证的产品总是越贵，不主张妈妈一味追求低价位。

❖ **适合宝宝的尺码**

不同尺寸的纸尿裤已相当完备。可参考包装上的标示购买。腰围要紧贴宝宝腰部，胶贴贴于1至3之间比较合适。如胶贴贴于3号指示上，说明纸尿裤的尺寸小了，下次购买时应选大一码的纸尿裤。检查腿部橡皮筋松紧程度，若太紧，表示尺码过小。若未贴在腿部，表示尺码过大。

(2)正确使用纸尿裤4点提示

❖ **不要长时间使用**

不要24小时不停地使用纸尿裤。要定时让宝宝的小屁股在空气中晾一晾、晒晒太阳。如果父母有时间，可在白天使用几次传统尿布，纸尿裤和尿布交替使用。夜间或携婴儿外出时，宜使用纸尿裤。其他时候则可使用棉尿布，这样交替使用，既增加宝宝臀部接触空气的时间，又符合大众实际消费能力。

❖ **接头要粘牢**

当为孩子更换纸尿裤时，要把接头粘牢。不要让油、粉或沐浴露等婴儿护理品弄到接头上，以免附着力降低。

❖ **适时更换**

由于每个宝宝的月龄、排尿次数、数量不尽相同，难以统一规定多长时间更换一次尿布。建议在每次喂奶前、或大便后、或睡觉前、或醒来时，判断是否需要更换纸尿裤。

❖ **夏季减少用量**

夏季高温炎热，本来就易发生尿布疹。最高温时，多给宝宝洗澡，翻身，多裸露身体。把宝宝放在不回渗的纺织品（市场有售）或者柔软的竹麻草编制品上，让宝宝随意小便，随时更换底层吸收布或随时擦洗，也是不错的选择。在夏季，尤其是白天，应该尽量减少纸尿裤的使用。

(3)正确更换纸尿裤5点提示

第一，准备好温水、洁净的干毛巾、消毒卫生纸及干净的纸尿裤等。

第二，解开旧的纸尿裤，用拇指和中指握住婴儿的两只足踝，食指放在足踝中间，将腿和臀部轻轻抬起，撤出旧的纸尿裤。

第三，把旧纸尿裤覆盖折叠放到污物桶中。其间一定不能离开孩子，要把污物桶预先放在旁边。

第四，用洁净的温开水冲洗婴儿臀部，一个人无法冲洗时，可把水放到盆中，用手撩水洗。也可用现成的消毒湿纸巾轻轻擦洗。要注意清洁皮肤褶皱处。最后用干毛巾沾干皮肤。

第五，打开新的纸尿裤，放在婴儿的臀下。揭开两边腰贴，在适当松紧位置贴牢。既保持较佳的防漏效果，又不能勒得太紧。

(4)布尿布的选择和使用

❖ **布尿布选择要点**

•纯棉质地，手感柔软舒适，透气性能良好。

•天然纯棉颜色，未经漂染，无特殊气味。

•性价比合理，有信誉厂家生产，正规经销途径销售。

•在妈妈中有良好口碑。

❖ **布尿布正确使用方法**

不要把尿布放到腹部，更不要把低于婴儿腹温的尿布放在腹部。男婴排尿向上，放置尿布时要在上面多加一层，重点在上；女婴排尿向下，放置尿布时要在下面多加一层，重点在下。这样就可预防男婴阴囊湿疹、女婴臀红。尿布不要覆盖宝宝脐部，以防尿液弄湿脐带。尿布不要兜得过紧，留有一定空间，这样可避免尿布疹的发生。

放置尿布时，一定要注意防止后天性髋关节脱位。本来胎儿在母体子宫内是呈螃蟹形的，即便是出生后，双腿也是分开的，膝盖部弯曲，这是新生儿自然的姿势。这时，大腿骨的顶端(股骨头)就会挂在髋关节沟上，由于双腿不断活动，髋关节得以顺利发育，就不容易出现股骨头脱位或半脱位。但长期以来，有一种习惯做法，就

是给婴儿裹尿布时，把婴儿的腰部和腿部都用尿布固定，让宝宝腿伸直。这样一来，腿部肌肉就会紧张，股骨头就有可能滑脱，从而进一步影响髋关节发育。由于髋关节发育受到影响，也会发生髋关节脱位。所以，妈妈要采取正确的方法给宝宝包裹尿布，不能影响宝宝双腿的活动，不能强行把婴儿双腿伸直，而要让婴儿取自然位。

(5)更换尿裤或尿布的时间

喂奶前或醒后更换尿布。喂奶后或睡眠时，即使尿了，也不要更换尿布，以免造成溢乳或影响宝宝建立正常睡眠周期。在尿布上再放置一小块尿布，排大便后就弃掉。仅有尿渍的尿布，清洗后在阳光下暴晒，方可再用。

(6)更换尿裤或尿布特别注意

尿裤或尿布的温度，远远低于婴儿腹部皮肤温度，如果每次都把尿裤或尿布放到宝宝腹部(几乎所有的妈妈都如此)，那么宝宝每天要暖几次尿裤或尿布，腹部很可能会受凉。因此，不要把尿裤或尿布盖在腹部。

(7)尿布疹的预防和护理

❖ **尿布疹的皮损表现**

尿布疹是婴儿常见皮肤病。但纸尿裤和尿布疹两者并无直接的因果关系。无论是市场出售的纸尿裤、一次性尿布及布尿布，还是家庭使用的传统尿布，只要使用不当，或产品质量不合格，或护理不当，都有发生尿布疹的可能。

尿布疹常见于肛门周围、臀部、大腿内侧及外生殖器。甚至可蔓延到会阴及大腿外侧。初期发红，继而出现红点，直至成鲜红色红斑，会阴部红肿，以后融合成

片。严重的会出现丘疹、水疱、甚至糜烂。若合并细菌感染则产生脓疱。

❖ <u>预防尿布疹 11 条建议</u>

• 要及时更换被大小便浸湿的尿布，以免尿液长时间地刺激皮肤。

• 使用传统的尿布时，一定要漂洗干净，尤其是使用洗衣粉洗涤尿布时更应多漂洗。洗涤时应用弱碱性肥皂，然后用热水清洗干净，暴晒，以免残留物刺激皮肤。

• 不能加用橡胶布、油布或塑料布，以免婴儿臀部处于湿热状态。

• 不要使用质地粗糙、深色的尿布。尿布质地要柔软，选用纯白无色或浅色纯棉针织料为好。

• 女婴屁股底下的尿布要垫厚些，男婴生殖器上要垫厚些。

• 腹泻时大便次数比较多，除及早治疗腹泻外，还要每天在臀部涂上防止尿布疹的药膏。

• 每天大便后都要用清水冲洗臀部。

• 使用纸尿裤的方法要正确。

• 发现宝宝臀部轻微发红时，及时使用护臀膏。每次清洗后用干爽的洁净毛巾沾干水分，再让宝宝的臀部在空气或阳光下晾一下，使皮肤干燥。

• 保持尿布垫的干燥，尿布和尿布垫经常进行消毒，经常拿到日光下翻晒。

• 选择品质好的纸尿裤、一次性尿布纸、活动尿布裤和市售尿布，可有效预防尿布疹。

❖ <u>尿布疹治疗建议</u>

对于轻微的尿布疹，每次清洗后让皮肤干爽，涂上祛湿油、鞣酸软膏或含抗生素的软膏。较重的或时间较长的尿布疹，应及时到医院皮肤科诊治。已发生溃烂、渗出者可涂雷锌软膏、氧化锌油。保持臀部的清洁干爽是治疗尿布疹的关键。

给女婴涂护臀霜，一定要注意不要涂到外阴处。如果一次涂得太多，有可能迁徙到外阴处。一旦发现会阴部有较多的白色分泌物，要用消毒棉签清理干净，再用清水冲洗。

(8)答疑解惑一次性纸尿裤

❖ <u>纸尿裤的优势在哪？劣势在哪？</u>

越来越多的新爸爸妈妈们，更倾向于给宝宝使用纸尿裤。纸尿裤用起来方便，符合现代生活快节奏的需要。英国有90%以上的婴儿使用一次性纸尿裤，美国有80%的婴儿使用一次性纸尿裤。中国上海有93%的3岁以下婴幼儿家庭使用过纸尿裤。

纸尿裤与尿布相比，具有更先进、更卫生的优点。现在的纸尿裤大都材质安全、透气性能提高，加上父母勤更换、勤通气，并适当与尿布交叉使用、安排好间隔使用时间和季节等，是可以选择使用纸尿裤的。只要能够购买质量可靠、品质上乘的纸尿裤，并学会正确使用，婴儿使用纸尿裤是很安全的。父母也会省去洗尿布的麻烦。

但不少纸尿裤，并非完全是纸质的，外层有塑料，内层有吸收剂、特种纤维等物质。虽有防漏和较强吸湿作用，但长期使用，对婴儿娇嫩的肌肤会造成一定的伤害。

透气性能差的纸尿裤，易使男婴睾丸处温度升至37℃（正常应是34℃左右），如果一天24小时都给宝宝穿着纸尿裤，又不及时更换，久而久之，有导致睾丸生产精子的能力降低的可能。建议更换着使用纸尿裤和尿布。在家的时候，可以使用尿布。出门到外面，可以使用一次性纸尿裤。白天使用尿布，尿湿了可以及时更换。晚上，如果宝宝能睡整宿觉，为了不打扰熟睡中的宝宝，最好使用纸尿裤。

上海儿童医学中心陈其民副教授通过

研究也认为，婴儿使用纸尿裤不当，确有疾病隐患，建议最好还是更多使用白色纯棉织布给宝宝做尿布，谨慎使用纸尿裤。

❖ **男婴使用纸尿裤，是否会导致未来生育能力下降？**

• 肯定的理由

纸尿裤使用不当可能会给婴儿带来不利影响。特别是男婴，倘若长时间使用一片纸尿裤而不及时更换，会使婴儿睾丸处于高温环境中。不透气的纸尿裤紧贴婴儿皮肤，易使局部温度升高。男婴睾丸最适宜的温度在34℃左右，当温度上升到37℃，日久可导致睾丸未来生精功能降低，从而导致男婴成人后生育能力下降。

这种情况有些类似隐睾。隐睾就是睾丸滞留在腹腔中，不下降到阴囊中。正常情况下，阴囊能调节局部温度，使睾丸所处的环境温度略低于体温，以保持睾丸的生精功能。未下降的睾丸停留在腹膜中，受体温影响，1岁以后就可出现超微结构变化，2岁后基本丧失生精能力。

可见，使用不透气的纸尿裤，或透气性能欠佳的纸尿裤，或长时间使用一片纸尿裤不及时更换，都会造成婴儿睾丸处于高温环境中，有可能导致睾丸生精能力下降，严重影响未来生育。

• 否定的理由

只要保证纸尿裤质量，并正确使用，年轻父母尽可放心地给孩子使用纸尿裤，所引起的温度变化，不会对青春期生殖健康产生不良影响。

其理论根据是：依据胚胎生物学的基本原理，在婴幼儿时期精子尚未形成，只有在胚胎时期就已形成的精原细胞存在。而这些精原细胞在婴儿出生之前是在温度约为37℃的母体腹腔中发育的，而且发育良好。男子的精子发育发生在青春期，精原细胞在青春期分裂形成精母细胞。之后再经过两次减数分裂成为精子细胞，精子细胞经过分化才变成精子。也就是说，在胚胎期和婴儿期睾丸内的曲细精管是实心的细管，而且并无精子的发生和成熟过程。

可见，纸尿裤因引发阴囊环境温度变化，可能导致男婴未来生育能力下降，这种学术看法，也还需要进一步研究证实，或者证伪。但有一点是无疑的，使用透气性能可靠的纸尿裤，正确把握使用的方法，对孩子未来青春期生殖健康，都是最好的保障。

❖ **纸尿裤与尿布疹**

婴儿尿布疹的发生，与使用什么样质量的纸尿裤也有一定关系。如果纸尿裤不是全纸质的，长期使用会对婴儿的肌肤造成伤害。不透气或透气性能不好的纸尿裤也同样存在这个问题。婴儿排出的尿液长时间存放在纸尿裤中，如果透气性不好，局部温度过高，尿液蒸发，可滋生细菌。大便中的细菌又可使尿液产生氨，刺激婴儿稚嫩的皮肤，使婴儿发生尿布疹。

❖ **纸尿裤与"罗圈腿"**

纸尿裤比较厚，尤其是存了几泡尿后，纸尿裤就更厚了。婴儿正处于骨骼发育成型阶段，穿纸尿裤使宝宝两条腿不能并拢，有的父母开始担心，长此以往，孩子会不会变成罗圈腿？这种担心是不必要的。发达国家婴儿使用纸尿裤时间较长，有医学机构通过大规模人群追踪调查，完全排除了纸尿裤与罗圈腿的关联。其实，胎儿在母体子宫内是呈螃蟹状的。出生后，双腿也是分开的，膝盖部弯曲，这是小婴儿的自然姿势。长期以来，父母习惯把婴儿的腰部和腿部都用布固定，把腿伸直。这样不但不能使孩子腿变笔直，反而会使腿部肌肉紧张，股骨头可能会因此滑脱，影响髋关节臼盖的发育，甚至发生髋关节脱位。使用纸尿裤可以让婴儿自由地活动，采取自然姿势，不但不会造成罗圈腿，还可防止髋关节脱位。

(9)使用纸尿裤的深层利弊

利：舒适的干爽网面，使得婴儿不再被尿湿的尿布浸着。宝宝不必为尿布湿了而大声哭闹，也减少了尿布疹的发生。

弊：减少了婴儿"说话"的机会。哭是婴儿的一种语言，婴儿通过这种特殊的语言和父母交流。哭也是婴儿的一种运动方式，适当地哭，对婴儿是有好处的。

利：使用传统的尿布，每天要更换十几次，甚至二十几次。还要每天清洗尿布，给父母带来很多麻烦。

弊：减少了和宝宝接触的机会。

给宝宝换尿布就像做游戏一样。正在哭闹的小婴儿，妈妈一旦打开尿布，摸摸宝宝的小屁股，宝宝立刻停止哭闹，并手舞足蹈，表现出异常兴奋的样子。宝宝希望父母的爱抚，这非常有利于宝宝智能的发育。纸尿裤的出现使得亲子间感情沟通无意间减少了。

任何一件新生事物，任何一个新产品，都不可能全是优点，总会或多或少带有某些不足，甚至缺憾，应该辩证地看待它们。纸尿裤本身并没有什么问题，只要父母使用方法得当，就能充分享受现代科技产品带给我们的好处。

24. 恒定的室内温度和相对湿度

❖ 新生儿需要恒定的温湿度

新生儿体温调节中枢非常不稳定，环境温度的变化对新生儿体温影响比较大。如果环境温度的变化，超过了新生儿自身调节的能力，或会造成寒冷损伤，或会造成发热。所以，适宜、相对恒定的室内温度，对新生儿来说非常重要。适宜的环境温度是24℃－26℃。

新生儿宝宝的房间，室内相对湿度适宜在50%左右，一般维持在45%就很好了。

湿度过小，会加快新生儿水分蒸发，导致新生儿脱水，呼吸道黏膜干燥，降低了呼吸道抵御病原菌的能力。如果室内温度高，湿度小，会发生新生儿脱水热。

湿度过大，利于一些病原菌的繁殖，尤其是霉菌，增加了新生儿被感染的危险。

新生儿适宜的环境温度冬季是22℃－24℃，夏季是26℃－28℃，春秋两季温度适宜，不需要人为调整。

北方湿度小，维持在45%就很好了。南方湿度大，不需要特殊加湿，如果湿度大于70%，可使用吸湿器适当降低湿度。

❖ 不要让月子房成了闷罐

我的临床实践中，深切体会到，绝大多数家庭，把新生儿和新妈妈困在月子房中，对母子健康造成了很大的危害，易引发产后抑郁症和各种新生儿疾病。

典型病例

我到一位产妇家出诊。进门见前厅宽敞，温

宝宝 / 解汀阳

我虽然还没出满月可是我非常喜欢竖立着抱，这样我感觉呼吸通畅，视野广阔。我还在竖立起我的脑袋，需要好好保护我的颈部，不要让我的脊椎受伤。

度适宜，呼吸畅通。月子房门紧闭，推门进去，扑面而来的是一股气味难闻的热浪。新妈妈穿着线衣线裤（这是夏季！），头发凌乱，汗流浃背；新生儿小脸通红，皱着眉头。室内拉着深色花窗帘，光线暗，气压低，婴儿用品、产妇用品堆得到处都是。迅速检查新生儿前后不到5分钟我已是大汗淋漓。孩子没有病，整天哭闹，就是因为环境太差了。想想看，其他人都可以出来换换环境，只有母子俩享受"特殊待遇"，一个月都要关在那里，新妈妈和孩子怎么能感到舒服呢？

我讲明原委，请家人逐渐减小环境差异。3天后，奶奶打电话说，大人孩子都好了。月子房需要清新的空气、适宜的温度、适中的湿度、温柔的光线，不要捂月子，要享受月子。

❖ **炎热夏季，月子房能使用空调、电风扇吗？**

在炎热夏季，空调和电风扇是可以使用的，但是要注意几点：室内外温差要小于7℃；空调冷风口不能直对着产妇和新生儿；电扇不能直接对着母婴吹；室内温度不要低于24℃。

❖ **干燥季节，月子房能使用加湿器吗？**

有的父母担心加湿器会对新生儿造成辐射，这是没必要的，加湿器没有辐射作用，对新生儿没有危害。如果室内湿度过低，可以使用加湿器。

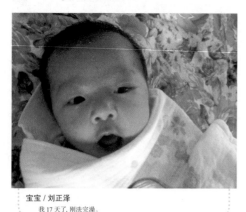

宝宝 / 刘正泽
我17天了，刚洗完澡。

❖ **月子房白天也要挂窗帘吗？**

白天不要给月子房挂窗帘，尤其是比较厚、颜色比较深、花色比较暗的窗帘，更不能白天黑夜一直挂着，不好之处表现在：影响产妇心情；不利于新生儿视觉发育；不能及时发现新生儿皮肤黄疸；不能及时观察宝宝其他情况。

❖ **月子房不能正常开照明灯吗？**

新生儿不能遭受强光的刺激，但正常普通照明灯对新生儿是没有伤害的，只给孩子开一盏小瓦数的台灯或地灯，室内光线昏暗，反而对新生儿视觉发育不利。产妇在这样的光线下，也会感到视觉疲劳。晚上完全可以使用正常的照明灯。

25. 护理中的其他问题

(1)礼貌地拒绝过多探视

新生儿来到世上，想探望小生命的人是很多的。但过多探视，成人呼吸道中的微生物，可能成为新生儿的致病菌。新生儿的生活环境要安静舒适，空气新鲜，远离感染源。

过多探视，对新手妈妈产后恢复也不利。休息不好，乳汁分泌就会减少，给母乳喂养带来困难。

要礼貌地拒绝探视，做丈夫的更要学会保护妻子和孩子，相信这会得到亲戚朋友们的谅解。

(2)衣服、被褥、床

现在新生儿用品很多很高级，爸爸妈妈购买知识也很丰富，我只想简单说一下，准备的用品至少要有这些：宝宝服3套，睡袋一个，奶兜6个以上，床单3条以上，被子6条（冬、夏季各两条，春秋季共两条），毛巾被两条，毛毯两条，棉床垫3个。新生儿可以不睡枕头。购买婴儿床要从实用出发，床体构造力求结实、简单、安全。

(3)洗涤剂和护肤品

过多给宝宝使用洗涤液，会使宝宝皮肤变得干燥粗糙。所以不提倡给新生儿使用洗涤剂，包括标有"新生儿专用"的洗涤剂。如果新生儿头部有奶痂，可用液体甘油浸泡几分钟，然后用细密的小梳子轻轻梳理。每周可使用一次婴儿洗发液和浴液。

新生宝宝皮肤娇嫩，对来自外界的任何刺激都很敏感，即使是婴儿专用护肤品，对新生儿来说也会出现过敏反应。所以新生儿最好少用化学品。包括标明"新生儿专用"的护肤品。如果宝宝皮肤比较干燥，应选择可食用的植物油，如橄榄油护肤。如果宝宝皮肤粗糙，可选择氧化锌软膏、维生素B6软膏、鱼肝油软膏、硅油软膏等皮肤营养药。

给宝宝选择洗涤剂，一定要注重品质，最好选择有很好口碑的知名品牌。购买婴儿产品，一定要去信得过的商家购买，以免购买到伪劣产品，伤害宝宝健康。

第9节 新生儿医学护理要点

26. 五官护理

(1)眼部护理

如何给新生儿滴眼药水？

消毒棉棒与眼平行，轻轻横放在上眼睑接近眼睫毛处，平行上推眼皮，新生儿眼睑就可顺利扒开，向眼内滴一滴眼药水。

即使分娩过程未受感染，出生后，新生儿也可罹患结膜炎、泪囊炎。因此常规为新生儿滴上3天眼药水是必要的。医院一般会在出生宝宝袋中放入眼药水，妈妈可按说明给宝宝滴眼药水。

(2)口腔护理

新生儿易患鹅口疮。喝完奶后，最好让新生儿喝口水，以冲净口中残留奶液。如新生儿吃奶后入睡，难以喂水，每天早晚可用消毒棉棒沾水，轻轻在新生儿口腔中清理一下。

新生儿口腔黏膜细嫩，血管丰富，唾液腺发育不足，唾液分泌少，黏膜较干燥，易受损伤，护理时动作一定要轻柔。

如果宝宝口唇发白或出现白泡，宝宝很可能是缺水了。如果是母乳喂养，妈妈要减少盐量多喝水。如果是配方奶喂养，多给宝宝喂白开水。

(3) 鼻腔护理

新生儿鼻内分泌物要及时清理，以免结痂。简便有效的方法是：把消毒纱布的一角按顺时针方向捻成布捻，轻轻放入新生儿鼻腔内，再逆时针方向边捻动边向外拉，就可把鼻腔内分泌物带出，重复几次，不会损伤鼻腔黏膜。每天洗澡或洗脸后，给宝宝清理鼻腔，宝宝鼻腔内就不会有鼻痂。

吸鼻器固然可以清理鼻腔内分泌物，但分泌物较少时，没有必要使用吸鼻器。

新手妈妈常向我询问，为什么宝宝鼻腔内总是有很多的鼻痂？几乎每天都得清理，宝宝是不是患有鼻炎或感冒呢？如果再有打喷嚏，妈妈更是怀疑宝宝生病了。实际上，婴儿，尤其是新生儿，流鼻涕、

眼部护理

给宝宝点眼药水。

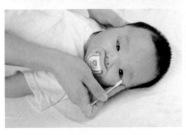

妈妈在用棉签给宝宝清理眼角分泌物。

打喷嚏、结鼻痂都属生理现象，就如同流口水、出汗、排便、排尿一样，是宝宝分泌的物质。妈妈只需为宝宝清理就是了。等到宝宝长大了，有了自己动手的能力，就不再需要妈妈帮助了。

27. 脐部、皮肤护理

(1)脐部护理

新生儿脐部是细菌入侵的门户，如不精心护理，可能导致新生儿脐炎，严重者会罹患败血症。新手爸爸妈妈要高度重视。

脐带未脱落前，每天洗澡后，都要用碘酒、酒精消毒一次，不要涂抹龙胆紫后。龙胆紫是把干的，脐带上涂龙胆紫，表面是干燥的，可脐带里面却是湿润的，很容易导致化脓性脐炎而一时不易发现，贻误治疗。这是爸爸妈妈们要特别注意的。

脐带脱落后，用碘酒消毒，酒精脱碘，盖上一块干净的纱布，24小时内，不要让脐带沾水。24小时后，可给宝宝洗澡，洗澡后，仍然需要用碘酒消毒，酒精脱碘，

护理一周。如未发现异常，局部无红肿，脐部无分泌物渗出，就提示脐带已经长好，脐部特殊护理就结束了。

(2)皮肤护理

新生儿皮肤稚嫩，角质层薄，皮下毛细血管丰富，局部防御机能差，任何轻微擦伤，都可造成细菌侵入。新生儿接触新环境，容易患感染性皮肤疾病，严重者感染可扩散到全身，引起败血症。

新生儿皮肤皱褶比较多，皮肤间相互摩擦，积汗潮湿，分泌物积聚，容易发生糜烂，在夏季或肥胖儿中更易发生皮肤糜烂。给新生儿洗澡，要注意皱褶处分泌物的清洗，清洗动作要轻柔，不要用毛巾擦洗。新生儿衣物要平整摆放，避免局部褶痕造成新生儿血流不畅，皮肤坏死。

近年来，我发现，婴儿包括新生儿，皮肤干燥粗糙的越来越多，长湿疹的婴儿越来越多。究其原因，可能有这样几个因素：北方气候干燥；环境污染；母孕期进食较多刺激性食物；宝宝洗澡过勤；游泳水循环使用；洗涤剂和护肤品等化学用品使用过多；宝宝内衣、被褥甲醛含量超标；配方奶喂养的婴儿越来越多；令人堪忧的食品安全问题。这些因素，牵扯到方方面面。有的父母可控，有的父母不可控。父母可控的要努力控制，父母不可控的，要努力避开。保护婴儿健康，整个社会都有责任。我真心希望，天下所有父母都携起手来，为宝宝健康添一块砖，加一片瓦。

28. 男婴和女婴的臀部护理

(1)臀红护理

臀红是新生儿护理中最常见的问题。新生儿尿便次数多，臀部长时间受尿液浸

鼻腔护理
一般护理方式

用棉签给宝宝清理鼻痂。

用小镊子给宝宝清理鼻痂。

用吸鼻器给宝宝吸鼻涕。

推荐护理方式

妈妈在给宝宝做布捻子，准备给宝宝清理鼻腔。这是我在多年工作中总结出来的比较好的方法。在医院和家庭，人们多采用棉棒、镊子清理婴儿鼻腔，其实这种方法不适合婴儿。用布捻既安全又有效，操作起来也很简单。

宝宝 / 六月

泡，便后不用清水冲洗臀部，尿布透气性能差，这些都会造成并加重臀红。

臀红会造成局部皮肤破损，细菌侵入皮下，引起肛周脓肿，排便困难。预防臀红的办法是，孩子大便后，及时用清水冲洗臀部；使用透气性能好的尿布，不能铺塑料布；掌握孩子排便规律，及时更换尿布。一旦发现臀红，每次为宝宝冲洗臀部后，用鞣酸软膏涂抹，这样臀部就不易被尿液浸泡。不要使用婴儿爽身粉。

宝宝不能控制尿便，长时间穿着纸尿裤，很容易发生臀红，患尿布疹。妈妈一定要重视宝宝臀部的护理，不可懈怠。

•每天早晚给宝宝用温水清洗臀部，不需要使用任何洗涤液，最好是清水冲洗。

•宝宝大便后，最好用清水冲洗，少用湿纸巾擦。

•冲洗后，用干毛巾沾干水分，稍晾片刻，使水分蒸发，再涂上一层薄薄的护臀霜，一定不要多涂，以免影响皮肤呼吸。

•选用霜剂、膏剂、油剂护臀品，不建议使用粉剂，粉剂遇潮湿后，会形成颗粒状物，刺激皮肤。

•不要让宝宝长时间穿着纸尿裤，在宝宝刚刚排尿排便后，让宝宝的小屁股晾一晾，在阳光下晒一晒。

•白天可使用布尿布，晚上使用纸尿裤。

•布尿布选白色纯棉针织软布，纸尿裤选透气性能好的，不要购买质量低劣的纸尿裤，如果负担不起，不如使用可重复使用的布尿布。（尿布疹的护理，请参阅23.(7)新生儿臀红）

(2) 女婴特殊护理

❖ 阴唇粘连

我在对50例女婴健康体检中，发现小阴唇粘连6例，小阴唇粘连发生率达12%。

脐部护理

妈妈准备给宝宝脐部消毒。

用消毒棉签沾上碘酒。

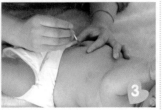

从脐部中央开始消毒。

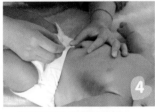

逐渐向外扩延，不要再回到中央。

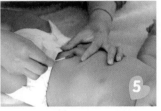

再次向外扩延。

提示：酒精脱碘的步骤与此相同。

虽然这一统计数值很小，也很局限，但也从侧面反映了女婴外阴护理的重要性。

阴唇粘连可形成假性阴道闭锁。造成阴唇粘连的原因是，女婴外阴和阴道上皮薄，阴道的酸碱度较低，抗感染能力差，易发生外阴炎。如果外阴炎并发溃疡，小阴唇表皮脱落，加上女婴外阴皮下脂肪丰富，使阴唇处于闭合状态，最终粘连，形成假性阴道闭锁。

预防阴唇粘连的10点注意

- 保持外阴清洁。
- 睡前清洗外阴。
- 尿布要透气好。
- 不要24小时不间断给宝宝穿纸尿裤或防漏尿裤。
- 发现外阴有分泌物要及时清理干净。
- 洗澡后，要用清水冲洗外阴。
- 不要用浴液或其他清洗液洗外阴。
- 发现外阴发红，要积极处理，可涂红霉素眼膏或橄榄油防止粘连。
- 宝宝患了外阴炎，要及时治疗。
- 及早发现阴唇粘连，及时处理。

阴唇粘连处理

发现阴唇粘连，要由医生处理。多数情况下，用消毒棉签，轻轻剥离，即可成功。

剥离前，要用生理盐水或高锰酸钾水把外阴冲洗干净，清理掉小阴唇与大阴唇之间的分泌物。剥离后用高锰酸钾水冲洗外阴，在剥离处涂上红霉素眼膏。

❖ 阴道出血

女婴出生一周左右，阴道可能流出少量血样黏液，大概持续两周。这就是新生儿女婴的假月经，属正常生理现象，不需做任何处理。

胎儿在母体内受大量雌激素的刺激，女性胎儿生殖道细胞增生、充血。出生后，新生儿女婴体内雌激素水平急骤下降，雌激素刺激中断，原来增殖、充血的细胞大量脱落，造成女婴有类似月经的血性分泌物排出。

给女婴洗澡后，要用流动水冲洗其外阴。血性分泌物较多时，要及时看医生，排除凝血功能障碍或出血性疾病的可能性。

❖ 外阴白带

新生儿女婴阴道口内有乳白色分泌物渗出，如同成年女性的白带。

母体雌激素、黄体酮通过胎盘，进入胎儿体内，使女性胎儿子宫腺体分泌物增加。出生后新生儿女婴阴道黏液及角化上皮脱落，成为"白带"。

新生儿女婴白带一般不需要处理，只要揩去分泌物就可以了。这种白带持续几天后，会自行消失。如果长时间不消失，或白带性质有改变，应及时看医生，排除阴道炎的可能。

❖ 乳头凹陷

女婴乳头凹陷是常见现象。据调查，现在新生女婴中，有45%乳头凹陷。但到成人女性，乳头凹陷的只有7%，而且大部分还可经过吸吮和牵拉改变凹陷。

民间习惯上给刚出生的女婴挤乳头，以防乳头凹陷，这是没有科学根据的。挤压新生儿乳房，不但不会改变乳头凹陷，还会损伤乳腺管，引起乳腺炎，严重者引发败血症，危及婴儿生命。

❖ 乳房包块

受母体高浓度的催乳素和雌激素刺激，新生儿出生后，乳房会有类似乳腺增生的乳房包块，质地柔软，边界不清，拇指和食指捏起时，感觉包块比较显著，用手平触时，感觉包块比较小，甚至触及不到。这是因为，捏起时，会把皮肤和皮下脂肪同时捏起，使包块加大。所以，触摸乳房包块要用手平触。乳房包块不需要特殊处理，慢慢会较少，直至消失。如果包块比较大，或有逐渐增大趋势，要及时看医生。

(3)男婴特殊护理

❖ 包茎、包皮过长、包皮粘连护理

妈妈普遍认为女婴比较容易患尿布疹，发生臀红和外阴炎的几率比较高。尤其要特别注意外阴护理，护理起来也比较麻烦。男婴则不需要特殊护理。这种认识是有偏颇的。男婴臀部和外生殖器护理也很重要。

包皮过长的男婴，容易发生包皮粘连，造成假性包茎。有包茎的男婴，尿液可能会聚集在紧裹的包皮内，尿酸盐结晶（人们常说的尿碱）刺激尿道口，引起尿道口发炎。所以，男婴也需要妈妈认真护理小屁股。

包皮过长护理要点：

有包茎和包皮过长的宝宝，如果没有排尿障碍，不需要常规接受手术治疗。妈妈在护理中需要注意以下几点：

● 洗澡后，用清水冲洗外生殖器。轻轻向上推举包皮，观察是否有异常分泌物，如果有的话，就用清水冲洗掉，冲洗不掉的话，用消毒棉签轻轻擦拭。

● 要时常脱下纸尿裤让宝宝的小屁股透透气，最好能在阳光下晒一晒。

● 勤换尿裤，不要等到满满一大兜尿的时候才换。

● 发现尿道口发红，用高锰酸钾水（浓度一定要很淡，配成淡粉色水就可以了，千万不能配成紫色水）冲洗。

● 不要擅自给宝宝尿道口涂药，以免引起过敏反应，导致龟头肿胀。

❖ 阴囊湿疹护理

有阴囊湿疹的宝宝，多有其他部位的湿疹，处理原则同婴儿湿疹。阴囊湿疹也称"绣球风"，有学者认为与维生素B族缺乏有一定的关系，建议使用维生素B6软膏、维生素B1软膏、鱼肝油软膏涂抹。能使阴囊湿疹快速消退的药物是激素类药膏，如肤轻松软膏、尿素去炎松软膏等。但停止使用后，会很快复发。有效的方法是少穿纸尿裤，涂护肤油、防湿膏、隔水膏。

❖ 鞘膜积液护理

鞘膜积液绝大多数都能自行吸收，无须特殊处理，护理上也没有什么特殊要求。鞘膜积液需要与疝气鉴别，医生很容易加以鉴别，妈妈无须着急。

❖ 睾丸未降和隐睾护理

睾丸未降和隐睾是有区别的，处理方法也不同。如果宝宝有一侧或两侧睾丸未下降到阴囊，但确定不在腹腔内，正在下降途中，只是没有下降到阴囊而已。医生多不给予特殊处理，妈妈也不必着急，定期找医生复查就是了。如果睾丸未下降，确定还在腹腔内，则越早处理越好，及时带宝宝看泌尿科医生，采取积极措施。

❖ 疝气护理

男婴疝气多是腹股沟斜疝，肠管经由缺损的地方进入阴囊。如果是一侧疝气，发生疝气的阴囊增大，且随着宝宝体位和状态而发生改变。宝宝哭闹或站立位时，肠管进入阴囊，睾丸增大。卧位或安静状态时，肠管回到腹腔，睾丸恢复正常大小。是否需要佩戴三角巾，是否需要手术治疗，何时手术，需要医生根据具体情况而定。妈妈需要做的是不要让宝宝过度哭闹，如果疝气不能回到腹腔，宝宝阴囊持续增大，局部压力增高，宝宝哭闹不止，要及时带宝宝看医生。

29. 新生儿季节护理要点

(1)春季护理要点

春季气温不稳定，要随时调整室内温度，尽量保持室温恒定。春季北方风沙大，扬尘天气不要开窗，以免沙土进入室内，刺激新生儿呼吸道，引起过敏、气管痉挛等。春季天气湿度小，室内要24小时开加湿器，保持适宜湿度。这时，母乳喂养的新生儿也要适当喂水。

(2)夏季护理要点

第一，母乳是新生儿安度夏季的最好食品。如果必须人工喂养，一定要注意卫生、消毒，不要吃剩奶，现吃现配。

第二，保证充足的水分供应。妈妈要多饮水，乳儿也要适当饮水。人工喂养的新生儿，更应注意补充水分。

第三，注意皮肤护理，最好不再用尿布、纸尿裤等兜臀部，而是在臀部下面垫尿布。凉席上面铺一层夹被，不要使用塑料布。有些妈妈为防止宝宝尿液渗进床垫，就在凉席下面铺上了塑料布，这也不妥。

第四，脱水热是夏季新生儿易患的疾病，室内温度最好不要高于28℃，给新生儿补充足够的水分。

第五，眼炎、汗疱疹、痱子、皮肤皱褶处糜烂、臀红、肛周脓肿、腹泻等，都是新生儿夏季易患疾病。眼屎多，应滴眼药水；出汗后要用温水洗澡；皮肤皱褶处可用鞣酸软膏涂抹；发现臀红，及时涂抹鞣酸软膏或红霉素软膏；发现肛门周围感染，更要注意喂养卫生，腹部不要受凉，防止腹泻。

几点特别提醒

夏季养育新生儿，有些做法或想法很常见，但不一定正确。

• 不敢开窗户。夏季室外温度比室内温度还高，开窗不会使婴儿受凉，相反能保持室内空气新鲜。

• 不敢睡凉席。小婴儿完全可以睡凉席，在凉席上面铺一层棉布、薄被、毛巾被都可以，别扎着孩子就行。

• 不敢开空调或电风扇。如果太热了，就要用空调或电风扇为孩子降温。

• 不敢让小婴儿光屁股。小婴儿除了护好腹部外，其他部位都可以裸露。

• 不敢补水。夏季给新生儿补充足够的水，是健康的重要选择。

(3)秋季护理要点

秋季是宝宝最不易患病的季节，唯一易患的疾病是腹泻，要注意预防。秋季出生的新生儿，很快进入冬季，在北方，冬季寒冷，不宜把孩子抱出室外接受阳光照射，因此秋季就要及时补充维生素D，出生后半个月即开始补充。

(4)冬季护理要点

北方冬季气温寒冷，但室内有很好的取暖设备，反而不易造成新生儿寒冷损伤。主要问题是室内空气质量差，湿度小，室温过热，造成新生儿喂养局部环境不良。

南方冬季气温温和，但阳光少，室内缺乏阳光照射，有阴冷的感觉。南方建筑多不安装取暖设备，大多数家庭使用空调

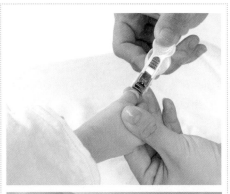

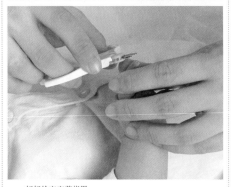

妈妈给宝宝剪指甲。

取暖。空调取暖造成局部环境空气干燥，空气不流通，质量差。争取每当太阳出来，就抱孩子到室外晒晒太阳。

另外应备一台电暖器，如果空调出故障，可及时替代；还应备一只暖水袋，如果停电，以备急需。使用时，避免烫伤宝宝。

30. 春节里的新生儿
(1)宝宝喜欢没有爆竹的除夕夜

•新生儿对外界刺激表现为泛化反应。爆竹声声除旧岁，可新生儿在爆竹声中，一个个惊厥、惊吓得不成样子了。除夕夜，妈妈要关紧门窗，做必要的隔音措施，并把宝宝尽量裹紧些，增加其安全感。放爆竹的人哪里会知道，新生儿真的可能会被巨大的爆竹声震聋。大年三十24点整，是燃放鞭炮最集中的时刻，妈妈最好把宝宝抱在怀里，用棉球堵住宝宝外耳道，可有效缓解鞭炮声对宝宝耳膜的震荡。

•适量声响会刺激新生儿提高视觉、听觉、触觉的灵敏度，促进新生儿神经系统发育，有利大脑发育和智力开发。新生儿喜欢听有节奏的优美旋律和歌声，也喜欢听人说话的声音，尤其是妈妈的声音。春节期间，妈妈有心情多和宝宝"聊天"，是不错的节日安排。

•告诉小区邻居们，一个新生儿宝宝不喜欢用爆竹庆贺春节，相信人们是会理解并给予照顾的。但也不要过于害怕鞭炮的爆炸声，注意必要的隔音，就可以了。

(2)不要打乱生活规律

春节期间许多人生活规律大乱，也影响到新生儿和新妈妈，进餐、睡眠规律被搅乱了，这对母子健康非常不利。

新妈妈分娩后，全身器官（乳房除外）要恢复到妊娠前的状态，需要6~8周的时间，

第一章

新生儿时期（诞生~28天）

67

这就叫产褥期。产褥期保健，关系到新妈妈的产后恢复，以及新生儿的健康成长。

产后子宫韧带松弛，极易移位，休息很重要。产后阴道分泌物中有血液、坏死的蜕膜组织及黏液，局部抵抗力比较低，如不注意清洁、休息，会导致感染。产褥期新妈妈还有许多生理变化，要好好休息。

节日期间，室内环境不够安宁、整洁，到处杂乱无章，空气污浊，喧闹不止……妈妈宝宝可不要因为节日打乱生活规律，过一个安安静静的春节也别有一番情趣。

• 妈妈乱吃，宝宝吃乱

母乳喂养的新手妈妈，春节里对美酒佳肴要克制，冷饮不要喝，过于油腻的不要吃，不易消化的煎炸食品少吃，凉拌拼盘不多吃……妈妈胃口出了毛病，宝宝可就苦啦，奶水不够吃，还要拉稀、呕吐。

• 走亲访友，少些再少些

春节期间亲戚朋友都想看一看可爱的宝宝，新手爸爸妈妈要学会礼貌地回绝。当然，适当与爸爸妈妈以外的其他人见面，对宝宝大脑正常发育是有好处的。要注意把握一定的度，尽量避免宝宝得节日病。

在孕期，妈妈非常注意饮食健康，因为妈妈知道，宝宝在妈妈的肚子里，如果妈妈不注意，就会连累到腹中的胎儿。宝宝出生了，离开了母体，妈妈就以为万事大吉了。其实不然，宝宝在妈妈腹中，靠的是妈妈提供的营养，宝宝出生后，吃妈妈的奶，靠的还是妈妈提供的营养，孕期要注意的，哺乳期也应该注意。

第 10 节　新生儿能力

婴儿出生后，就具备73种潜能。比如，出生8小时的婴儿，就会模仿成人吐舌头；3个月的婴儿，存在爬行反射、行走反射、游泳反射等7种无条件反射；4个月的婴儿，颜色视觉接近成人水平；24个月的幼儿，能正确认识和说出15种颜色……

这些都是人与生俱来的本能，只是因为没有得到适当开发，而在出生三四个月后消失。几乎每一个新生儿都是天才。

31. 看的能力

❖ 新生儿具有看的能力

最早证明这一点的，是美国生理学家范茨。随后，世界各国医学科学家，包括我国的科学家也纷纷证明，新生儿刚出生就具有看的能力，并能记住所看到的东西。

典型经历

记得我生下女儿后连续4天，都穿一件枣红色的毛衣护理她。孩子姨妈有一件同样的毛衣，我们的头型和长相也比较相似，当姨妈穿那件枣红色毛衣抱孩子时，女儿就很安静，眼中显现出兴奋的光芒——她把姨妈认成了妈妈，小家伙记住了妈妈的样子和穿戴。

妈妈由于感冒戴上了口罩，新生儿会显出迷惑不解的样子，吃奶减少；妈妈突然戴上眼镜，新生儿也表现出不解的样子。如果在新生儿眼前放一个布娃娃，开始时对布娃娃很有兴趣，但时间长了，就不再看了；当再换一个新的娃娃时，新生儿还会再感兴趣。

❖ 新生儿最喜欢看妈妈的脸

当妈妈注视孩子时，孩子会专注地看着妈妈的脸，眼睛变得明亮，显得异常兴奋，有时甚至会手舞足蹈。个别宝宝和妈妈眼神对视时，甚至会暂停吸吮，全神贯注凝视妈妈，这是人类最完美的情感交流。

新生儿有活跃的视觉能力，他们能够看到周围的东西，甚至能够记住复杂的图形，分辨不同人的脸形，喜欢看鲜艳、动感的东西。

❖ 新生儿看的能力训练

这个训练最好在暗室进行，也可以拉上窗帘，挡住光线，也可以在盥洗室中进行。妈妈把宝宝抱在怀里，先亲亲宝宝，然后轻轻地用手遮住宝宝左眼，在距离宝宝右眼20厘米处，打开手电筒，让光线照在宝宝右眼约一秒钟，关闭手电筒。5秒钟后，重复上面的方法，照宝宝左眼。每只眼睛照5次。照的同时，妈妈用清晰响亮的声音，对着宝宝说"光"。当刺激完毕时，再抱起宝宝亲亲。

这个训练，可刺激宝宝看的能力的提高，提高宝宝视觉捕捉光线的能力，帮助宝宝认知光线的作用。

32. 说的能力

新生儿"说的能力"就是哭的能力。哭是新生宝宝和爸爸妈妈交流的方式，新手妈妈要学会听懂这种特殊的语言。（详细内容见47条婴儿35种啼哭破译）

❖ 能否对宝宝啼哭置之不理？

既然哭是宝宝的语言，是否就尽情地让宝宝哭呢？不是的，宝宝的哭是语言，是在向爸爸妈妈诉说，是对爸爸妈妈的倾诉，爸爸妈妈当然要及时回应。听到宝宝哭，爸爸妈妈要在第一时间内作出反应，解读宝宝的哭，并根据你的解读，对宝宝的哭，做出恰当的回应。嘴里说着，手上

做着。爸爸妈妈每一次的积极反应，对宝宝的心智发育都是一次最好的开发。

宝宝是不是尿了，让妈妈看看，哦，真的尿了，妈妈帮宝宝换上干爽的尿布。宝宝舒服了吗？

宝宝饿了吧？妈妈给宝宝喂奶啰，真香啊！

宝宝想要妈妈抱抱？亲亲宝宝，摇摇宝宝！

这样面对宝宝的哭，和宝宝进行这样的交流，会极大促进宝宝身心健康发展。

❖ 新生儿语言训练

•倾听是婴儿语言学习第一步

婴儿从出生那刻起，首要的需求就是与人沟通，这是人的本性使然。婴儿通过各种方式与人进行沟通，告诉人们他活着、他饿了、他困了、他不舒服、他要搂抱。爸爸妈妈要清楚地意识到，宝宝发出的所有声音都是语言，都是在向爸爸妈妈诉说着什么……

一旦婴儿知道爸爸妈妈在倾听他的诉说，他就会使出全身力量和爸爸妈妈进行愉快的交流。所以，爸爸妈妈不但要学会和宝宝说，还要学会倾听，用你的智慧理解宝宝特殊的语言，并给予积极响应——

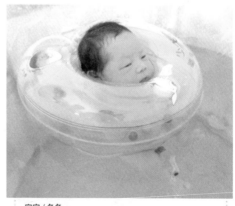

宝宝 / 多多
　　出生不久的我就能够在水中自由自在地游泳，我天生就会游泳，因为我在妈妈的子宫中就生活在水里，不过，妈妈还是要注意安全，不要让水呛进我的气管。我在妈妈的子宫里时，肺脏没有张开，我不用肺脏进行气体交换，而是用妈妈的胎盘获取氧气。那时的我肺脏里充满了液体，出生后的我肺脏张开，开始用肺脏获取氧气，进行气体交换。

和宝宝进行对话。

• 对话是婴儿语言学习的第二步

爸爸妈妈要尽量理解宝宝的语言，并给予回答。宝宝好吗？宝宝饿吗？宝宝尿了吗？妈妈非常爱宝宝，爸爸喜欢宝宝。爸爸妈妈与婴儿说话时要尽量保持一致的方式。宝宝期望着爸爸妈妈倾听他的语言，并给予回应。爸爸妈妈可能会说，我真的不知道宝宝在说什么！这不重要，重要的是你要让宝宝知道，你正在倾听他的诉说，并非常愿意和宝宝交流。

33. 听的能力

医学已经证明，胎儿在母体内就具有听的能力，能感受声音的强弱，音调的高低，能分辨出声音的类型。这正是胎教的基础。新生儿不仅具有听力，还有声音的定向能力。

新生儿最喜欢听妈妈的声音，其次是爸爸的声音。新生儿对高亢悦耳的声音最敏感。新生儿已经能把听到的和看到的联系起来了。

宝宝喜欢生活中的交响曲，爸爸妈妈可充分利用家里的东西，奏出交响乐，锅碗瓢盆，丁零当啷，对宝宝来说，都是美妙的乐曲。

❖ 新生儿听的能力训练

宝宝舒服地躺在床上，爸爸妈妈和宝宝面对面，在距离宝宝60厘米左右的地方，稍微用力碰撞两块积木，微笑地告诉宝宝：这是木块的声音。观察宝宝的反应。3秒钟后重复敲击，观察宝宝反应，如此重复3次。

34. 嗅的能力

经验观察和医学研究证明，正常情况下，新生儿出生后第6天，就能通过嗅觉，准确辨别妈妈的气味了。

新生儿还有敏锐的味觉。新生儿喜欢甜的食品，当给糖水时，吸吮力增强；当给苦水、咸水、淡水时，吸吮力减弱，甚至不吸。妈妈可要注意，尽量不要给宝宝糖水喝，给了糖水，再给白开水，宝宝就不喝了。而经常饮用糖水并不利于健康。

妈妈常为宝宝不喝白开水犯愁。从一开始就不要给宝宝喝甜水，宝宝也就不会因为"尝到甜头"，而拒绝喝白开水了。有甜度的钙水、配方奶、果水、葡萄糖水，小家伙只要喝上几次就难以忘怀，拒绝喝白开水是自然的。所以，要想让宝宝喜欢上白开水，一是不给宝宝喝甜水，二是坚持给宝宝提供白开水，让宝宝形成"喝水就喝白开水"的习惯。

已经习惯喝甜水了怎么办？在宝宝不知不觉中，逐渐降低甜度。现在宝宝精得很，稍微降低甜度就能察觉出来，坚决不喝！怎么办？那只能尊重宝宝，过一段时间再试着降低甜度，降的幅度可再缓和一些。

宝宝 / 王震坤
处于活动觉醒状态。宝宝正在和爸爸交流，对爸爸说话做出回应。

35. 新生儿运动能力

(1)新生儿具备了复杂的运动能力

新生儿运动能力始于胎儿。胎儿的运动，向爸爸妈妈和医生传递着生命的信息，我们用计数胎动的方式，来分析胎儿在宫内的生存状态。

新生儿已经具有很复杂的运动能力，受自身体内生物钟支配。包在襁褓中的新生儿会很安静，没有了肢体抖动和身体颤动，极大地限制了新生儿运动能力的正常发育。应该让新生儿有足够的活动空间，这样新生儿会很活跃，运动能力发展快，呼吸功能得到促进。

当妈妈和新生儿热情地说话时，新生儿会出现不同的面部表情和躯体动作，就像表演舞蹈一样，扬眉、伸脚、举臂，表情愉悦，动作优美、欢快；当妈妈停止说话时，新生儿会停止运动，两眼凝视着妈妈；当再次说话时，新生儿又变得活跃起来，动作随之增多。新生儿用躯体和爸爸妈妈说话，对大脑发育和心理发育有很大的帮助。

(2)新生儿运动能力的训练
❖ 匍匐爬行（腹爬）训练
在光线充足、暖和的房间内，给宝宝穿一件爬服。在地板上铺上爬垫，也可以购买现成的"腹爬槽"。把宝宝放在爬垫或"腹爬槽"上，妈妈最好趴在地板上，面对宝宝，鼓励宝宝向前爬。

❖ 平衡训练
把宝宝放在一个小垫子上，爸爸妈妈分别拉住小垫子的四角，做前后、左右、上下移动。边移动，边大声说：向前移、向后移、向左移、向右移、向上移、向下移。

(3)新生儿手的能力训练
让宝宝仰卧在床上，妈妈食指或拇指放在宝宝手掌内，轻轻地拉起。当妈妈感觉到宝宝抓紧你的手指时，大声对宝宝说"抓"。如果宝宝的握力不够，妈妈刚要向上拉起，手指就从宝宝手掌中滑出。妈妈也可以采取握住宝宝手腕的方法。

待宝宝俯卧能够抬头后，也可以让宝宝俯卧在床上，妈妈俯身在宝宝前面，把食指或拇指放在宝宝手掌内，轻轻地向前拉。如果宝宝的手握不住妈妈的手，妈妈也可以握着宝宝的手腕，向前拉宝宝。

36. 新生儿智能发育
(1)脑科学的最新图景
美国科学家利用"正电子发射计算体层摄影"技术，对新生儿大脑发育进行扫描，发现新生儿出生后，由于视、听、触觉等信号的刺激，脑神经细胞间迅速建立起了广泛的联系。

过去几十年里，人们一直以为，人类大脑的结构是由遗传模式决定的。最新研究成果已经改变了这种认识，可以肯定地说，新生儿的喂养经历很大程度上影响着其脑部神经网络结构的建立，新生儿的生活环境对其大脑结构的形成有很大影响。

视觉是大脑发育的起点。新生儿出生后几分钟内，妈妈目不转睛地注视新生儿，宝宝活跃的眼球会暂停转动，瞬间凝视妈妈的脸。这时，新生儿视网膜上的一个神经细胞，就与大脑皮层上的另一个神经细胞联系起来了，妈妈的面部影像，就在宝宝大脑中留下了永久的记忆。

(2)不同境遇，不同发育
有关专家发现，平素一些自然而又简单的动作，如搂抱、轻拍、对视、对话、微笑等，都会刺激婴儿大脑细胞的发育。

新生儿出生后就具备学习的能力，智力开发应该从新生儿开始。新生儿不会说话，但新生儿具备了与人交往的能力，看、听、说（哭）、闻、嗅、味、表情运动、躯体运动等，他通过这些方式，接受爸爸妈妈的智力开发，这是不能忽视的。

(3)把新生儿当成懂事的孩子

如何开发新生儿的智力，许多新手爸爸妈妈不知从何下手。我的研究和临床心得是：把新生儿当成懂事的孩子。无论给宝宝做什么，都要和宝宝讲；不但讲实际操作，还要讲你的感受心得。如对宝宝说：你是爸爸妈妈的好孩子，我们非常喜欢你。给孩子喂奶前，和宝宝说：妈妈要给宝宝吃奶了。当宝宝哭了，你可以把宝宝抱起来，问宝宝：是不是饿了尿了？是不是不舒服了？然后根据你的判断，解决问题。不断表现出对宝宝的喜爱。拥抱、亲吻、抚摩、对视、说话，这些都能够促进新生儿的智力发育。

(4)新生儿与外界的交流

新生儿天生就具有与外界交流的能力。与妈妈对视，就是交流的开始。当妈妈说话时，正在吃奶的新生儿会暂时停止吸吮，或减慢吸吮速度，听妈妈说话，别人说话他就不理会了。

逗新生儿，他就会报以喜悦的表情，甚至微笑。新生儿对爸爸妈妈及周围亲人的抚摩、拥抱、亲吻，都有积极的反应。

当宝宝哭闹时，爸爸妈妈把他抱在怀里，用亲切的语言和他说话，用疼爱的眼神和他对视，宝宝会安静下来，还可能对爸爸妈妈报以微笑，让爸爸妈妈更加疼爱自己。

这种交流，对新生儿行为能力的健康发展，意义重大而深远。不要以为新生儿什么也不懂，就知道吃喝拉撒睡。这是很错误的认识。

37. 新生儿抚触

(1)抚触作用

抚触也称为按摩，自从有了人类就有了按摩，在自然分娩的过程中，胎儿就接受了母亲产道收缩这种特殊的按摩。

1958年，Harlow博士著名的实验震惊了心理学界。在实验中，小猕猴宁要可以抚摩的母猴替身物品（一个架子上蒙上毛圈的织物），也不要食物（裸露在钢丝架上的奶头和牛奶）。抚触的研究从此进入了崭新的一页。

长期以来，有关婴儿抚触的绝大部分研究都集中于早产儿。对早产儿施以抚触治疗，结果令人吃惊，如此简单的干预手段使赢弱的早产儿，在体重、觉醒时间、运动能力等方面明显改变，住院时间大大缩短。在出院后的随访中，这些早产儿在体重、智力、行为方面的评估分值，仍大大高于未经抚触的早产儿的有关数值。

医学专家大受鼓舞，进一步将抚触研究运用于疾病儿，同样产生了令人振奋的效果。

实验结果表明，经抚触的健康新生儿，奶量摄入高于对照组。给宝宝做抚触，可以增加胰岛素、胃泌素的分泌。不仅如此，在健康足月儿中，抚触还有减轻疼痛的神奇作用。对于剖腹产的婴儿，给宝宝做抚触，可以消除剖腹产后的隔阂，建立更加深刻的亲子关系。随着科研进展，抚触研究已经进入到了脑科学及心理学的全新领域。

抚触能使婴儿感觉安全、自信，进而养成独立、不依赖的个性。抚触能使婴儿机体免疫力提高，刺激消化功能，减少婴儿焦虑。

(2)抚触方法

❖ 头部抚触

第1步：用两手拇指从前额中央向两侧滑动。

第2步：用两手拇指从下颌中央向两侧滑动，让上下颌形成微笑状。

第3步：两手从前额发际，向脑后抚触，最后两中指停在耳后，像梳头样动作。

❖ 胸部抚触

双手在胸部两侧从中线开始，进行弧线型抚触。

❖ 腹部抚触

两手依次从婴儿右下腹向上再向左到左下腹移动，呈顺时针方向画圆。

❖ 四肢抚触

两手抓住婴儿一只胳膊，交替从上臂至手腕，轻轻挤捏，像牧民挤牛奶一样，然后从上到下搓滚。对侧及双手做法相同。

❖ 手足抚触

用两拇指交替从婴儿掌心向手指方向推进，从脚跟向脚趾方向推进，捏一捏每个手指和足趾。

❖ 背部抚触

以脊椎为中线，双手与脊椎成直角，往相反方向移动双手，从背部上端开始移向臀部，再回到上端，用食指和中指从尾骨部位沿脊椎向上推至颈椎部位。

(3)抚触中的注意事项

不必拘泥于某些刻板固定的形式，抚触的基本程序是，先从头部开始，接着是脸、手臂、胸、腹、腿、脚、背部。每个部位抚触2~3遍。开始要轻，之后适当增加压力。

●最好在两次喂奶之间进行抚触，洗澡后也可以，室温在22℃ ~26℃间。

●抚触前用热水洗手，可用润肤油倒在手心作为润滑剂。

●抚触时可播放优美的音乐，和婴儿轻轻地交谈。

●密切注意婴儿的反应，出现下列情况时应停止抚触：哭闹、肌张力增高、活动兴奋性增加、肤色出现变化、呕吐。

●对早产儿的抚触，应该在30℃环境温度下进行。

第11节 新生儿护理常见问题

38. 睡眠问题

如对新生儿护理不妥，毛病就很多，妈妈会很劳累，宝宝未来健康发展要付出更大的努力。

(1)抓住时机训练宝宝

新生儿出生头几天，除了吃奶，几乎就处在睡眠状态，不分白天和黑夜。随着日龄增加，宝宝睡眠时间缩短了，一般是在上午八九点钟，沐浴后，喂完奶，有一段比较长的觉醒时间。

爸爸妈妈要抓住这个时机，给宝宝做做体操，和宝宝说说话，竖立着把宝宝抱起来（注意保护宝宝的头部和脊椎），持续几分钟，让宝宝看看周围的世界。

婴儿在这样的训练过程中，各项能力得到适当开发，觉醒状态的时间也得到延长。这对婴儿形成良好的睡眠习惯有极大好处。

(2)黑白颠倒的睡眠，必须再颠倒过来

宝宝白天睡得太足了，晚上没觉了，而爸爸妈妈劳累一天，实在没精力和宝宝交流了，宝宝怎么办？哭啊！爸爸妈妈也没法睡，困得痛不欲生。

宝宝睡觉黑白颠倒，不是宝宝的错，而是爸爸妈妈或看护人养育方法不够正确。现在，唯一明智的选择，就是把颠倒的时间再颠倒过来。当然不是硬拧，而是通过游戏，帮助宝宝逐步改正。

上午洗澡完毕，喂奶，如果宝宝吃着睡着了，就把宝宝唤醒，和宝宝说话，做游戏，比如妈妈竖着抱宝宝，爸爸用一块红布蒙在脸上，再快速拿下来，并对着宝宝笑，然后妈妈玩红布，爸爸抱宝宝。宝宝一定会笑起来，时间就这样过去了。

晚上如果宝宝不睡觉、哭闹，就把宝宝的小手放在他的肚子上，妈妈双手按在宝宝手上轻轻摇一摇，不开灯，也不和孩子说话。如果还哭，寻找哭的原因，是否尿了，拉了，饿了，病了，环境不舒服等，如果没有原因，就尽量冷处理。这样坚持一段时间，宝宝黑白颠倒的睡眠习惯，就会慢慢改变过来。

(3)大胆地把孩子放下来

许多妈妈说自己的孩子只能"抱着睡"，不能放，一放就醒。孩子当然喜欢妈妈抱着睡，但妈妈从一开始就不应该这样做。已经这样了，现在马上改正还来得及。

大胆地把孩子放下来，开始他可能不干，慢慢就会接受的。新生儿睡觉不踏实，动作多多，不一定是有问题，请医生排除了疾病的可能，就不必管了，不必孩子一动，

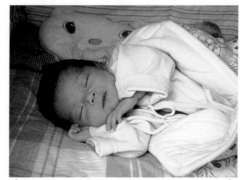

宝宝 / 赵心悦
我们通常让新生宝宝仰卧。因为仰卧睡眠安全性比较好，不容易出现窒息。但侧卧或俯卧睡眠时宝宝会感到安稳，而仰卧睡眠时宝宝安全感差。

就马上去拍，去哄，本来孩子没有醒，你一拍一哄，倒把孩子弄醒了，捅了"马蜂窝"。

(4)醒了就先让他醒着

宝宝睡眠时间短，最好的处理方法是：醒了就让他醒着，先不要理会他，也许过一会儿他又睡去了；真的醒了，只要不闹，也先不要理会他；如果哭闹明显了，再去看看是什么原因，这样就把睡眠时间逐渐拉长了。

宝宝深睡眠和浅睡眠是不断交替的。宝宝只有在深睡眠的状态下，才会是安安静静的；浅睡眠的时候，则是动作多多，一会儿伸伸懒腰，一会儿扭动一下身体，一会儿伸一下胳膊，挥舞一下小拳头，一会儿又吸吮起自己的小手，一会儿又嗯嗯地发出声响，一会儿又扮起怪相……面对宝宝的"不安表现"，新手爸妈往往反应过度，宝宝稍有动静，就又是拍又是哄，甚至立即抱起宝宝。妈妈的过度反应，让原本处于睡眠中的宝宝醒来，不能从浅睡眠自然而然地进入深睡眠，慢慢就养成了让人哄着睡的习惯。

(5)吃会儿就睡，睡会儿又吃，妈妈精

郑玉巧育儿经·婴儿卷

疲力竭

新生儿吃会儿就睡，睡会儿又吃，可能有3个原因：早产儿；吸吮能力弱；淘气。

其实，吃会儿就睡，睡会儿又吃，妈妈也是有责任的。

听宝宝在说什么？

• 妈妈奶太少，费了九牛二虎之力，也吃不着多少奶。

• 妈妈乳头太小，根本吸不住，太累了，只能歇着了。

• 妈妈没把整个乳头全部放进我口中，吸得很不舒服；我必须把乳晕也吸入口中，才能吃好。

• 妈妈抱我的姿势不对劲，把我的鼻子堵住了，我怎么出气啊？只好不吃了，睡上一觉再说。

• 爸爸也不看看奶嘴孔的大小是不是适合我，那么大，呛得我喘不过气来；还有一个又那么小，太费劲了，我的两颊都酸了，歇着吧！

• 冲调的奶温太高了，我也不敢喝啊！

• 冲的奶太稀了，光让我撒尿了，也不扛饿啊！

❖ 宝宝留言

这7个问题解决了，我就能睡得好睡得香。如果不是这些问题，爸爸妈妈就带我上医院吧，我是不是病了？

(6)越哄越哭

新生儿吃喝拉撒睡样样正常，生长发育也正常，一哭，爸爸妈妈就哄，结果越哄越哭，这是怎么回事？这仍是爸爸妈妈不了解新生儿哭的含义造成的。当新生儿在睡眠中做了梦，或想通过哭来运动一下，或想通过哭发泄一下自己的寂寞时，爸爸妈妈千方百计地哄，实际上打扰了他的运动，越哄越哭。其实他是在抗议：妈妈，别再打扰我了，让我尽情地哭一会儿，什么都会好的。

39. 拒绝人工奶嘴，吃奶就哭

(1)不吃人工奶嘴

混合喂养的新生儿，更喜欢吸吮妈妈柔软、舒服的乳头，拒绝吸吮橡皮奶头。用奶瓶给新生儿喂过药，喂过白开水等，也会造成新生儿拒吃橡皮奶头的现象。

曾有混合喂养的妈妈，尝试在喂奶瓶前，先饿一饿孩子，或在橡皮奶头上沾点糖，或等到孩子睡得迷迷糊糊的时候，喂橡皮奶头等等。这些办法有时奏效，有时一点用也没有。我的建议是，如果宝宝"精"得你无计可施，妈妈就老老实实用小匙或小杯子喂奶吧，或许过一段时间，宝宝就会很喜欢奶瓶了。

(2)吃奶就哭

吃奶就哭，可能是因为：

• 宝宝口腔发炎，最常见的是鹅口疮。

• 鼻塞，宝宝鼻子不通气，全靠口腔换气，吃奶时就影响换气，憋得喘不过气来，可不吃又饿，就只有哭了，告诉妈妈"我很难过"。

• 宝宝不饿，妈妈凭主观想象，认为宝宝该吃奶了。可宝宝这时还不饿，根本不想吃奶，妈妈就施展妙计，宝宝无法破解，只能拿出撒手锏，哭给妈妈看。

• 喂奶姿势不正确、吃奶时总是被呛着、肚子胀不舒服、困倦闹觉等，都会引起宝宝吃奶哭闹。妈妈要仔细分析，寻找原因，切莫宝宝越哭，妈妈越喂。

40. 新生儿腹泻、腹胀

(1)一吃就拉

常常有妈妈告诉医生，说孩子好像是

直肠子，一吃就拉。真正的原因是宝宝肠道神经发育不完善，肠道极易被激惹，孩子的吸吮动作和吸进的奶液，都可能成为刺激源，刺激肠道蠕动加强、加快，结果就是一吃就拉。

避免一吃就拉的有效办法

• 妈妈不要吃辛辣食物。

• 如果宝宝同时有湿疹，妈妈还要少吃鱼虾等容易过敏的食物。

• 不用总给孩子把便，这会造成孩子排便次数更多。

• 尽管边吃边拉，妈妈也不要急着给孩子更换尿布，因为打开尿布，宝宝腹部受凉，肠蠕动可能会更强。

(2)新生儿腹泻护理

需要医生解决的问题，我就不在这里赘述了，这里重点讲一下和爸爸妈妈有关的护理问题。新生儿腹泻越治越重，许多情况下不是孩子病况严重，而是新手爸爸妈妈护理不当。

• 腹泻病因不清，自行使用止泻药，尤其是使用抗菌素。新生儿肠道内生态平衡尚未建立，正常菌群数目少，使用抗菌素后，使生态平衡进一步受到干扰，加重腹泻。

• 药物服用方法不正确。如微生态制剂不能与抗菌素同时服用，必须间隔两小时以上，许多爸爸妈妈不知道这个道理，就给孩子一同服用，结果治疗效果不佳。这也需要医生向孩子父母交代清楚，父母带孩子就医，也要注意询问明白。

• 没有注意饮食。宝宝腹泻头一两天，可以适当拉长喂奶间隔，但不能长时间减少喂奶量次。腹泻已经使孩子丢失了营养和水电解质，消化功能降低，食欲降低，营养吸收也差。如果再控制奶量，孩子就会出现营养不良，水电解质紊乱，肠蠕动

加快，结果会使腹泻越来越重。

• 乳糖不耐受，尤其是人工喂养的孩子更容易出现这种情况。按一般的肠炎治疗，不但没有效果，还会越治越重。

(3)新生儿腹胀

新生儿肠神经节发育不完善，受到外界因素影响很容易出现腹胀，常见的有以下几种因素。

母乳喂养的宝宝，妈妈吃得过于油腻了，乳汁就可能导致新生儿消化不良。妈妈在吃肉类食物时，要注意去除过多的油脂，比如炖猪蹄汤，会有很多浮油，一定要把浮油去掉，喝清汤。

新生儿腹部受凉，也会造成腹胀。可给宝宝做个小肚兜，增加一层保温。换尿布时，不要把凉的尿布直接放在腹部。如果妈妈发现宝宝腹胀，搓一搓手，有热感的时候，放在宝宝腹部，会减少宝宝腹胀

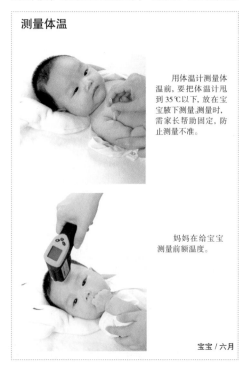

测量体温

用体温计测量体温前，要把体温计甩到35℃以下，放在宝宝腋下测量测量时，需家长帮助固定，防止测量不准。

妈妈在给宝宝测量前额温度。

宝宝/六月

郑玉巧育儿经·婴儿卷

程度。也可用暖水袋暖暖宝宝腹部，但注意不要烫伤宝宝。

配方奶喂养的宝宝，会因为对牛奶蛋白过敏，出现腹痛腹胀。可选择部分水解蛋白配方奶喂养，如果腹胀减轻了，很可能是牛奶蛋白过敏所致腹胀。

有乳糖不耐受的宝宝，也可出现腹胀，乳糖酶可缓解由于乳糖不耐受引起的腹胀和腹泻。

41. 顽固的鼻塞和喉咙痰液

(1)顽固的鼻塞

❖ 不要用工具处理鼻塞

新生儿鼻道相对狭窄，血管丰富，容易出现鼻黏膜水肿。新生儿又容易受到外界环境冷热变化的刺激，鼻黏膜血管出现扩张、收缩，渗出增多，这就是人们常说的鼻涕。新生儿不会把鼻涕清理出来，慢慢地就会变成鼻痂堵塞鼻道，加重鼻塞的程度。

如何解决鼻塞问题？现在有很多清理新生儿鼻道的工具并不很实用。其实不使用工具，也可以解决鼻塞问题。

新生儿鼻腔黏膜水肿，鼻道中看不到有分泌物堵塞。可用湿毛巾热敷宝宝鼻根部，鼻塞可以得到临时缓解。如果有鼻涕，可用柔软的毛巾或纱布，沾湿，捻成"布捻子"，轻轻放入宝宝鼻道，再向相反的方向慢慢转动布捻，边转边向外抽出，就可把鼻涕带出鼻道，这样不会伤着孩子的鼻腔，比用棉签要安全得多。

如果有鼻痂，最省事的方法是先让宝宝哭闹一会，泪液可浸湿鼻痂，使鼻痂变软，这时再用"布捻子"刺激鼻道，使宝宝打喷嚏，就可能把鼻痂打出来，或打到前鼻孔，再用手轻轻把鼻痂拽出。如果有阻力，就不要硬性往外拽，以免损伤宝宝

的鼻黏膜，导致鼻黏膜出血。

❖ 鼻塞就是感冒吗？

新生儿鼻塞并不一定是感冒。新生儿感冒往往不表现为鼻塞，而是精神差，奶量减少，睡眠增多或减少，哭闹不安等非特异症状。

新生儿打喷嚏也不是感冒。新生儿刚刚来到大自然中，对环境还不适应，外界刺激使鼻黏膜发痒，引发喷嚏。

新生儿鼻塞，打喷嚏，都不一定是感冒，不要贸然服用感冒药。误服感冒药，会造成宝宝鼻黏膜干燥，分泌物减少，对外界微生物的防御能力进一步下降，微生物趁势侵袭，引发新生儿呼吸道感染。

❖ 如何处理"泥膏体质"的鼻塞？

新生儿眉弓、脸颊上有小红疹，或眉弓上有像头皮一样的东西，这属于"泥膏体质"，也称"渗出体质"。这种体质的新生儿一般较胖，经常腹泻，而且特别容易鼻塞。这种鼻塞多有家族遗传倾向。

许多妈妈都错误地把这种鼻塞当做感冒，认为是着凉所致，就关门闭窗，多给宝宝穿衣盖被，提高室内温度，甚至给宝宝用热水袋等，结果鼻塞越来越重。渗出体质的新生儿就是不能捂，越捂越热，越热鼻塞越重。室内不通风，小儿不能呼吸到新鲜空气，更加重了鼻塞。

解决的办法是保持室内空气新鲜，湿度、温度适宜，减少室内尘埃，让小儿逐步适应，接受新鲜空气，每天用软布做成捻子，放入宝宝鼻腔，轻轻捻动带出鼻内分泌物。有鼻黏膜水肿的孩子，清理鼻道一时也不能改变鼻塞症状，爸爸妈妈不要着急，消除水肿是个自然过程，一般不超过1个月，不必抱着孩子到医院"走过场"。

我曾经看过关于婴儿护理的录像带，也看过电视上播放的关于婴儿护理的节目，

大多是告诉父母使用棉棒来清理鼻腔。我认为，对于新手爸爸妈妈来说，使用棉棒给孩子清理鼻腔还是比较危险的。在临床工作中曾遇到这样的情形，父母用棉棒，甚至用镊子趁孩子入睡时为孩子清理鼻腔，结果导致鼻腔损伤，严重的造成出血。实际上，如果结了比较硬的鼻痂，也很难用棉棒清理。鼻痂紧紧地沾在鼻腔黏膜上，如果用镊子清理，容易导致鼻腔黏膜损伤。所以，最好是不要等到形成鼻痂再处理，只要及时清理鼻腔，就不会形成较硬的鼻痂。布捻子既适宜父母操作，又比较安全，还能随时随地处理，即使孩子醒着也能进行操作。

(2)出气呼哧呼哧的，喉咙中总有痰

新生儿没有清理呼吸道的能力，分泌物积留在咽喉部，出气呼哧呼哧的，好像喉咙中有很多痰，妈妈多以为是孩子感冒了，甚至怀疑患了气管炎、肺炎。

如果新生儿其他方面都正常，只是喉咙中有痰，这是新生儿正常的状态。如果分泌物过多，可以帮助清理一下，简便的办法是轻轻拍背。

妈妈用胳膊托住宝宝的胸部，让宝宝向前稍微倾斜，另一只手呈空拳状，轻轻拍打宝宝背部，等分泌物移到咽部并咳入口腔时，妈妈手指套上纱布，把分泌物清理出来；如果宝宝把分泌物咽到消化道中，可能引发呕吐，这也是排出痰液的正常办法，妈妈不必紧张。另外，妈妈应适当给宝宝补充水分，稀释呼吸道中的分泌物，使其容易排出。

42. 顽固的"缺钙"和"耳后湿疹"
(1)越治越重的"缺钙"

维生素 AD 中毒的症状和佝偻病的症状很相似，当出现这些症状时，一般父母想到的多是佝偻病，而忘记了维生素 AD 过量或中毒，结果就造成了"越治越重的佝偻病"。

典型病例

孩子出生 26 天。从生后 14 天开始补充贝特令（每粒含维生素 D 600IU，维生素 A 1800IU），每天一粒，共服用了 12 粒。结果孩子多汗，烦躁，易激惹，易惊，睡眠时间很短，原本是预防佝偻病，结果出现了严重佝偻病症状。妈妈痛苦地问："这佝偻病怎么越治越重啊！"

其实，不是佝偻病越治越重，而是服用了过量的贝特令所致。预防佝偻病，每日维生素 D 用量是 400IU，维生素 A800IU，这个新生儿已经远远超过了每日所需的用量。

(2)顽固的耳后湿疹

新生儿一般都是仰卧位睡眠，耳后透气受阻。如果室温又比较高，新生儿头部出汗，耳后潮湿，再加上溢乳流到耳后，这些因素都会引起新生儿发生耳后湿疹，而且比较顽固。治疗首要消除上述诱因，涂抹湿疹膏。妈妈常问，什么湿疹膏最有效，其实，能够使湿疹快速消除的只有激素药膏，但停药后，很快就会复发。不含激素的湿疹膏，只是减轻瘙痒，滋养皮肤，降低湿疹程度，减少湿疹发生。妈妈不要试图找到一劳永逸的药膏，但妈妈也无须发愁，随着宝宝月龄增加，过敏状态会逐渐消退，湿疹也会逐渐减轻，最终消退。湿疹严重时，短期涂抹含有激素的药膏，平时使用不含激素的湿疹膏保湿皮肤。

43. 民间育儿习俗勘误
(1)新生儿不能见光

新生儿不能被强烈光线照射，强烈光线会伤害新生儿眼睛。但这并不等于说，新生儿不能见光。如果把月子房布置得很

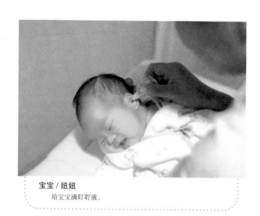

宝宝 / 妞妞
给宝宝滴盯眙液。

暗，几乎没有光线，对新生儿视觉发育是不利的。所以，笼统说新生儿不能见光，是错误的。

给宝宝晒太阳，要让宝宝眼睛避开强烈的光线，让阳光从宝宝侧面或背面照过来。室内光线不要过强，但也不能太弱，家里日常照明就可以了，不需要降低照明度。如果照明度不够，反而会影响宝宝视觉发育，但不要让宝宝直视光源。

(2)擦马牙、挤乳头

民间有这样一种习俗，用白布擦新生儿齿龈，就是擦拭所谓的马牙。这种习俗是要摒弃的。所谓新生儿马牙，就是脱落细胞堆积起来的小白点，在齿龈上，很像萌出的乳牙尖，对宝宝没有任何影响，过一段时间就会自然消失，不需要特殊处理，更不需要用白布去擦拭，以免擦破齿龈，继发感染。

还有一种习俗，认为应该给女婴挤乳头，避免成人后乳头凹陷。这也是错误的。乳头是否凹陷，需要青春期发育后才能确定。新生儿不需要做这样的检查，更不应该给宝宝挤乳头。给新生儿挤乳头，可导致乳头发炎。

(3)怕声响，易惊吓

新生儿神经髓鞘尚未发育完善，对外界的刺激表现为泛化反应，看起来像被惊吓了，其实不是。新手爸爸妈妈不要总是蹑手蹑脚的，这样反倒不利于新生儿神经系统进一步发育完善。

常有妈妈把宝宝正常的泛化反应当做异常，甚至带宝宝看医生。宝宝对外界声音的反应，即所谓的惊吓反应，是新生儿正常反应，如果没有惊吓反应，反倒应该引起关注——宝宝听力是否异常？宝宝肢体运动能力是否正常？

(4)怕冷不怕热

民间育儿习俗总以为新生儿怕冷不怕热，这是没有科学根据的。新生儿体温调节中枢还不健全，汗腺不发达，肌肉也不发达，不但怕冷，也同样怕热。所以要注意室内温度，既不能过冷，也不能过热。春秋季节，室内外温度比较适宜，不需要作特殊调整。夏季温度比较高，室内温度可调整到26℃－28℃。冬季室内温度可调整到22℃－24℃左右。妈妈也可根据自己的感受，调整到自己感觉舒适的温度。有一点需要嘱咐新手爸爸妈妈，忽冷忽热是宝宝生病的主因，要保证宝宝所处的环境温度相对稳定，切莫一会儿冷，一会儿热。

(5)蜡烛包睡得稳

把新生儿像蜡烛一样包起来，认为这样睡得稳，这是民间育儿特别普遍的一种做法。其实使不使用蜡烛包，新生儿对外界的反应都是泛化的，只是把新生儿包裹在襁褓中，我们看不见而已。

蜡烛包会影响新生儿运动功能的正常发育，有研究证实，使用蜡烛包的新生儿，发育的各项指标普遍低于未使用蜡烛包的新生儿。

如果宝宝很敏感，有一点声响就睡不踏实，可在不影响宝宝运动的前提下，在宝宝两边放上枕头，让宝宝有物可依。

(6)睡脑袋、睡沙袋

民间育儿的另一个习惯做法是，让新生儿睡硬枕头，认为这样能够睡出好头形。这同样是没有科学依据的。

新生儿不宜睡硬枕头

* 新生儿颅骨容易变形，主要是由于新生儿骨缝尚未闭合，受到挤压时，会出现骨缝重叠或分离，使头形发生变化。

* 新生儿大部分时间都是躺着，枕头会长时间伴随着新生儿，枕头过硬，会使新生儿头皮血管受压，导致头皮血液循环不畅。

* 新生儿喜欢不断地转动头部，如果枕头过硬，就会把头发蹭掉，出现"枕秃"。

新生儿头部相对较大，不用睡枕头。为了固定新生儿头位，也可以睡马鞍形的枕头，软硬适中。但马鞍形枕头凹度也不宜过大，避免宝宝左右晃动头部，枕头两端阻塞呼吸，引发窒息。

新生儿睡眠时，在被子周围压上沙袋，以防新生儿滚动或受惊吓。这种做法极大地禁锢新生儿发展各项潜能，应立即停止。

(7)过"小满月"

民间习惯上把新生儿出生后的第12天，当做"小满月"来庆贺，这是不好的习俗。新生儿出生刚12天，对外界环境还很不适应，抵抗细菌、病毒侵入的能力还非常脆弱，而新手爸爸妈妈这时也很疲劳，过小满月接受亲戚朋友的探视和祝贺，对母婴健康均没有好处。这种育儿习俗，真的不应该再沿袭下去了。

(8)新生儿怕黑，晚上睡觉不能关灯

要帮助新生儿辨别白天和黑夜，这对培养良好的睡眠习惯是很有好处的。不能一天24小时室内都同样明亮，也不能不分白天黑夜室内光线都很暗淡，这样对新生儿视力发育不利。白天不要挂遮光窗帘，晚上要关上大灯睡觉。为观察新生儿是否有吐奶及其他异常情况，应把地灯或床头灯打开，光线亮度以能看到新生儿面部为准，不要过强。

(9)不吃不喝，不睁眼，都很正常

有一种错误的习惯认识，认为新生儿刚出生，不吃、不喝、不睁眼是很正常的，或者认为新生儿开始喝点糖水就行了。现代新生儿护理医学已经明确指出，新生儿出生后就具备了吃奶的能力，喂哺越早，对宝宝大脑发育越有利，还能降低生理性黄疸的发生几率。

新生儿出生后，就睁开眼睛看世界，甚至能够凝视着妈妈，虽然眼神蒙胧，但妈妈已经能够感受到，宝宝认出了妈妈的脸，听出了妈妈的声音，就在宝宝张开眼睛的那一瞬间，母爱充满妈妈心头。

44. 新手父母需了解的育儿常识

(1)新生儿能睡凉席吗？

在炎热的夏季，新生儿可以睡凉席，建议选择做工精良的草制凉席和亚麻凉席，不建议选择竹制或其他材质的凉席。在凉席上要铺一层棉质布单，有吸汗作用。不要让凉席上的毛刺扎到宝宝。如果没给宝宝穿尿裤，可在凉席下铺隔尿垫或塑料布，但不要在凉席上面铺，以免宝宝长痱子。

(2)能用蚊香驱蚊吗？

为宝宝驱蚊，妈妈可选用婴儿专用的电蚊香、驱蚊贴、驱蚊器等。不要用烟熏

蚊香为新生儿驱蚊，即使是毒性非常低的电蚊香片也不建议使用，以免空气中飘浮的蚊香颗粒、烟雾和气味刺激新生儿呼吸道，引起过敏反应。实际上，通过化学和物理方法达到驱蚊目的的产品，对婴儿来说，都存在安全隐患，或多或少都会有不利影响。我认为，使用传统的蚊帐防蚊是最环保的，超薄蚊帐是避免宝宝被蚊蝇叮咬的最好工具。在育儿方面，有现代科技含量的东西并非都是好的，好的传统育儿方法和物品要保留下来，虽不含现代科技，却有一定的含金量，不可一概丢弃。

(3)新生儿能睡水枕、水褥吗？

水枕、水褥又凉又软，妈妈很有可能为夏季出生的新生儿准备一个。但这是不妥的。新生儿头比较大，可以不睡枕头。水枕凉，会使脑血管收缩痉挛，减少脑血流；水枕还比较高，新生儿睡眠时头位过高，气管被弯曲，阻碍气体交换，使孩子处于半缺氧状态，这是非常有害的。

水褥也不适宜新生儿使用。新生儿外周血液循环不好，血管收缩舒张功能尚未发育成熟。水褥很凉，会刺激外周血管收缩，使外周血液供应减少，可能会造成新生儿皮下硬肿。

(4)新生儿能竖着抱吗？

新生儿神经肌肉发育尚不完善，尤其是支撑头部和脊椎的神经肌肉未发育完善，颈椎正常的生理弯曲尚未形成，不能支撑头部，也不能使脊椎保持垂直位。所以，新生儿不宜竖立着抱。如果需要竖立着抱，比如拍嗝时，一定要注意托住新生儿头部和脊椎。

现在，发现一个现象，几乎所有看护人都竖立着抱新生儿，就是把宝宝竖立抱在胸前，面朝后，让宝宝头部趴在看护人的肩部。其理由是，给宝宝拍嗝，以免溢乳；宝宝喜欢被竖立着抱，横着抱宝宝就会哭。

事实上，这样抱着宝宝拍嗝，并不能减少溢乳，相反，还会因为宝宝腹部受压，胃部受挤，发生溢乳。宝宝不是喜欢竖立着抱，是习惯了竖立着抱。建议采取这样的拍嗝方法：与宝宝面对面，托住宝宝头颈和腰背部，宝宝略向后倾斜，用手轻轻拍嗝。

(5)新生儿知道饱和饿吗？

发育正常的新生儿都知道饱饿，这是新生儿与生俱来的能力。新手爸爸妈妈往往忽视这个问题，总是替孩子决定是饿还是饱，造成新生儿厌食。

门诊经历

经常有妈妈抱着孩子来就医，开头就是一句话："我们孩子吃得太少啦！"也有妈妈就医是为了相反的问题："我们孩子怎么总是吃饱了还要吃？！"她们的宝宝健康上都没什么问题，唯一的问题出在妈妈身上：她们替宝宝决定是饱是饿。这说起来有点可笑，但许多妈妈不就是这样百般"呵护"自己的宝宝吗？！

我问就医的妈妈："你怎么知道孩子吃得太少？又怎么知道孩子吃饱了？"妈妈们的回答，要么很主观，要么就是根据书本理论照本宣科。每个孩子都有自己的奶量，不可能一样，也不可能都像书上写的。书上写的是平均奶量，并不否认个体差异。

新生儿知道饱饿，了解这一点，就会大大减少小儿厌食症的发生率。

(6)能给新生儿剪指甲、剃头吗？

新生儿指甲比较软，大多不超过脚趾末端，一般不用剪。但胎龄较大时（特别是过期产儿），指甲可能会比较长，如果不及时剪，容易折断，或划伤自己。所以，是否给新生儿剪指甲，要视情况而定。

新生儿头皮很嫩，顺产的新生儿可能有产瘤、头皮血肿，但损伤不易发现，所以不宜给新生儿剃头。给刚刚出生的新生儿剃头，做胎毛笔，是很不可取的。

(7)新生儿能喝奶和水以外的饮品吗？

新生儿消化功能比较弱，各种消化酶还没有完全生成，肠道内非致病菌群还没有建立，肠道内的生态平衡还不稳定，吞咽功能还不完善。所以，新生儿不需要喂奶和水以外的饮品和食物。母乳喂养的新生儿，一般连水都不用喂，母乳中有足够的水分。

(8)新生儿能到户外吗？

把新生儿带到户外，这在环境洁净的西方国家比较普遍，但在我国，即使在南方，人们也很难接受。我不提倡一定要像国外那样带孩子，是因为以下几点：

第一，新生儿免疫力虽然不像人们想象的那样低下，但毕竟是刚刚离开母体，要在短时间内适应自然环境，需要进行一系列调整。

第二，"坐月子"已经延续数千年，一下子改变过来是很不现实的。

第三，"坐月子"不等于要"捂月子"，不把新生儿带到户外，但室内一定要空气流通，温度适宜，有阳光照射。

如果我国环境治理达到一定水准，乡镇不再到处是尘土飞扬，城市不再到处释放尾气，妈妈会勇敢地抱着刚刚出生几天的宝宝到户外去，在松软的草坪上晒太阳，在空气清新的林荫道上散步，在浓密的树叶下乘凉，在鸟语花香中游玩。这样的场

景一定会到来。

(9)新生儿要不要接受阳光照射

新生儿要接受阳光照射，但应注意下面4点：

第一，新生儿房间要在阳面，每天上午让新生儿接受至少20分钟的阳光照射。

第二，有风或天气冷时，就不要打开窗户，可以隔着玻璃让孩子接受阳光。虽然紫外线被阻隔了，但其他光线对新生儿的健康成长也是有利的。

第三，不要让宝宝眼睛直接朝向阳光，让宝宝侧面或背对着阳光。如果要照面部，要给宝宝戴有帽檐的小帽子，让帽檐刚好遮挡直射的光线。

第四，新生宝宝皮肤稚嫩，光线过强，紫外线会晒伤宝宝皮肤，要注意防晒，可给宝宝穿一层单衣，或涂抹适合新生儿使用的防晒霜。如果晒太阳时，发现宝宝皮肤发红，要暂时离开光线。

(10)先天性疾病都与遗传有关吗？

当宝宝患有先天性疾病时，父母常感到困惑，家里人没有得这种病的啊，怎么会遗传给宝宝呢？其实，先天性疾病并非都是遗传的。有的是遗传的，有的与遗传没有关系，如先天性风疹综合征、先天性心脏病、先天性髋关节脱位等，都不是遗传的。

45. 新生儿有感情吗？
(1)新生儿懂得母爱

大量科学实验证明，新生儿懂得母爱，甚至胎儿都能领会母爱。医学上有这样一个例子，非常令人震惊：一个刚刚出生的女婴，无论如何也不吃妈妈的奶，却吃其他产妇的奶。经过多次试验，仍然如此，

这使医护人员大感不解。经过仔细调查，医护人员了解到，这位新妈妈在怀孕初期，就极力想把胎儿打掉，直到分娩前，还很不情愿接受这个孩子。没想到，孩子出生后竟拒绝吃妈妈的奶！她宁愿吃别的妈妈的奶。如果胎儿不能领会母爱，这一切又怎么解释呢？

门诊经历

一位新手妈妈抱着出生刚几天的男婴来就诊，妈妈诉说："孩子总是哭，好不容易把奶喂进去，一会儿就吐出来，吐完又哭着要吃，真烦死人了！"说着就重重地把孩子放到婴儿车上，我看到孩子嘴角很委屈地撇着，几乎要哭了。我过去把孩子抱起来，对孩子说，妈妈其实很喜欢你的，只是她刚生完你，太累了，很辛苦。然后我又对妈妈说，吐奶是很正常的，新生儿不但吃得勤，拉、尿也勤。最后我把孩子小心翼翼地放到妈妈怀里，妈妈也疼爱地抱紧孩子。这时，我看到孩子脸上现出了满意的神态，微带笑意。

新生儿已经懂得母爱，认为新生儿哭了也不要抱，抱会惯坏他，这种认识是不对的。新生儿被妈妈拥抱着，会有一种安全感、幸福感。喂奶是一种母爱，不单单是充饥。

(2)新生儿能感知语气

新生儿能辨别爸爸妈妈说话的语气。用和缓的语气和孩子交谈，孩子会表现出欢愉的表情，显得很安静；当交谈的语气变得生硬、不耐烦时，孩子会皱眉头，表现出不快和不安。爸爸妈妈对新生儿说话的语气，影响孩子神经系统的正常发育，对孩子情感发育也非常重要。

(3)新生儿对音乐的要求

优美的音乐对新生儿的发育是有很大益处的，但摇滚乐、爵士乐不适宜新生儿听。

46. 有趣的生命现象

(1)刚出生像爸爸

新生儿刚出生时，几乎都是一个模样，眼泡肿肿的，小脸胖胖的，皮肤嫩嫩的。很难看出像爸爸还是像妈妈。其实，那是我们不熟悉新生儿，看多了才能看出差别。我发现，几乎所有的新生儿，刚刚出生时，都像爸爸，或像爷爷。这一定是生命自我保护的本能，新生儿用自己的长相，向爸爸宣布：我是你的孩子，请爸爸担负起养育之责。随着月龄的增加，宝宝的相貌会发生一些改变，或继续像爸爸，或开始越来越像妈妈，或看起来既像爸爸又像妈妈。

(2)生下来就会吸吮

一个健康的宝宝，一生下来就会吸吮，这也是生命的本能。如果宝宝一时不会吸吮，一定是什么客观原因造成的，绝不会是宝宝没有吸吮能力。妈妈奶头太大、太小、凹陷、奶水太少、宝宝早产、鹅口疮等等，都会影响孩子吸吮。这些原因都可克服和去除，不是拒绝母乳喂养的理由，妈妈一定要有一个信念，用自己甘甜的乳汁哺育宝宝，在宝宝最初的生命里，享受纯母乳喂养的大好时光。

(3)生下来就会哭

出生后第一声啼哭，是宝宝的生命宣言。没有这哭声，宝宝的肺脏就不能顺利张开，就不会呼吸到氧气。在接下来的时日里，宝宝会用哭声和微笑，向爸爸妈妈表达自己的心情。用不同的哭声告诉爸爸妈妈他需要帮助；用不同的笑容告诉爸爸妈妈他很舒畅。

当宝宝哭的时候，爸爸妈妈不要着急，

宝宝／杨熠和

宝宝 30 天，还不能竖头，要这样托着宝宝。

不要烦恼，学会和宝宝对话，解读宝宝哭的语言含义。

当宝宝笑的时候，爸爸妈妈要报以欢笑，让宝宝从爸爸妈妈的笑脸中，体会幸福的含义。

(4)生下来脸很红

新生儿出生后，面部通常是红红的，最起码应该是粉红色，不应该是白色的，即便爸爸妈妈皮肤很白，宝宝刚出生皮肤也不应该是白色的。如果皮肤很白，可能是贫血或严重溶血等。所以，如果医生发现新生儿出生后面色很白，会担心有贫血存在，给宝宝做一些检查。

(5)生下来头发黑亮茂密，慢慢会变稀黄

宝宝发质受父母遗传影响，或像爸爸，或像妈妈。如果父母双方头发都非常好，宝宝头发一定不会差。但有时，宝宝刚生下来时的发质，并不受父母遗传影响，而是受母亲孕期营养状况的影响。尽管父母发质都不是很好，可宝宝发质却很好，乌黑浓密。但是，随着月龄增长，头发变得稀疏发黄，或像爸爸，或像妈妈。

如果父母发质很好，就要考虑宝宝自身营养状况了，是否因营养素缺乏或洗涤方法不对。

(6)足月身高无差异

无论爸爸妈妈身高如何，足月新生儿身高基本都是 50 厘米，与遗传无密切关系。随着宝宝月龄的增加，遗传作用开始显现，父母双方或一方高身材，宝宝身高通常会比较高。身高也有隔代遗传现象，尽管父母双方身高都比较矮，但是，曾祖父母有高身材，宝宝身高就有比父母高出很多的可能。身高除了与遗传有关外，还与营养、运动、睡眠、生活环境等诸多因素有关。所以，父母不要以遗传为借口，慰藉自己。要注重喂养，鼓励运动，保证睡眠，营造和谐的家庭气氛，给宝宝创造快乐舒适的生活环境。

47. 婴儿 35 种啼哭破译

(1)婴儿啼哭分类及意义

婴儿的啼哭分为两类，疾病性啼哭和非疾病性啼哭，表达的意思无非两种："爸爸妈妈，我需要！"或者是"爸爸妈妈，我病了！"

婴儿不具备说话能力，用什么方式述说自己的要求和需要、不适与痛苦？啼哭就是婴儿的语言，婴儿用这种特殊的语言和父母交流。新手爸爸妈妈可通过孩子的哭声了解孩子，给稚嫩的小生命以关怀、爱护，帮助他们解决饥饿、不适、痛苦与疾病等问题。

啼哭可以反映婴儿各种生理功能和内脏器官的疾病，啼哭有着丰富的内涵，父母应仔细观察、体会。根据啼哭的性质、时间、伴随的症状与体位的关系，以及不同阶段的啼哭，判断孩子为何啼哭，是非

疾病性啼哭，还是疾病性啼哭。

❖ **无病性啼哭对婴儿的意义**

•加大肺活量，吸入更多的氧气，排出二氧化碳，有利于气体交换和血液循环。

•是婴儿的一种运动形式，会加快身体的新陈代谢，促进生长发育。

•促进神经系统发育，逐渐使婴儿形成条件反射。

•促进胃肠道的运动，增加食欲，帮助消化与吸收。

•促进精神意识的生长发育，增强智力。

•促进语言发育。

•磨练意志。

❖ **疾病性啼哭对婴儿的意义**

婴儿啼哭有如此多的益处，是否就可对孩子的啼哭置之不理，让他哭个够呢？不是，孩子的哭有正常的，也有异常的，引起啼哭的原因很多，应根据不同的原因加以处理。父母能在第一时间发现婴儿生病，有赖于婴儿疾病性啼哭。婴儿用自己的哭声告诉父母："我生病了，赶快过来帮忙，如果帮不了，赶快带我去医院。"

(2)婴儿15种无病性啼哭破译

婴儿的无病啼哭实际是在说话："爸爸妈妈，我需要！"

新手爸爸妈妈听到宝宝哭闹就心急如焚，常常不知所措，有的抱着孩子又拍又晃，有的置之不理，有的一哭就喂奶，有的父母无端情绪烦躁，用最糟糕的心情和方式对待与你"说话"的宝宝。

面对啼哭的孩子，方法很简单，耐心听孩子是怎么说的，你也和他说话，为他排忧解难。

❖ **运动性啼哭**

"妈妈，我躺累了，需要运动了！"婴

儿正常的啼哭声抑扬顿挫，不刺耳，声音响亮，节奏感强，无泪液流出。每日累计啼哭时间可达2小时，这是运动的一种方式。婴儿正常的啼哭一般每日4~5次，均无伴随症状，不影响饮食、睡眠及玩耍，每次哭时较短。如果妈妈轻轻触摸宝宝或朝他笑笑，或把他的两只小手放在腹部轻轻摇两下，宝宝就会停止啼哭。

❖ **饥饿性啼哭**

"妈妈，我饿了，快给我吃奶吧。"这种哭声带有乞求味道，声音由小变大，很有节奏，不急不缓，当妈妈用手指触碰宝宝面颊时，宝宝会立即转过头来，并有吸吮动作；若把手拿开，不给喂哺，宝宝会哭得更厉害。一旦喂奶，哭声戛然而止。吃饱后绝不再哭，还会露出笑容。

❖ **过饱性啼哭**

"哎呀，妈妈把我撑着啦！"这样的情况多发生在喂哺后，哭声尖锐，两腿屈曲乱蹬，向外溢奶或吐奶。若把宝宝腹部贴着妈妈胸部抱起来，哭声会加剧，甚至呕吐。过饱性啼哭不必哄，哭可加快消化，但要注意防止溢奶。

❖ **口渴性哭闹**

"妈妈，我口渴，喂我点水喝吧！"表情不耐烦，嘴唇干燥，时常伸出舌头，舔嘴唇；当给宝宝喂水时，啼哭立即停止。

❖ **意向性啼哭**

"妈妈，我待腻烦了，抱抱我吧！"啼哭时，宝宝头部左右不停扭动，左顾右盼，哭声平和，带有颤音；妈妈来到宝宝跟前，啼哭就会停止，宝宝双眼盯着妈妈，很着急的样子，有哼哼的声音，小嘴唇翘起，这就是要你抱抱他。

❖ **尿湿性啼哭**

"我尿裤子了，给我换换吧！"啼哭强度较轻，无泪，大多在睡醒时或吃奶后啼哭；哭的同时，两腿蹬被。当妈妈为他换上一块干净的尿布时，宝宝就不哭了。

❖ 亮光性啼哭

"我已经睡醒了，怎么天还没亮呢？"宝宝白天睡得很好，一到晚上就哭闹不止。当打开灯光时，哭声就停止了，两眼睁得很大，眼神灵活，这多是白天睡得过多所致。应逐渐改变睡眠时间安排，保证宝宝晚上能进入甜美梦乡。

❖ 寒冷性啼哭

"妈妈给我盖得太少了，我冷啊！"哭声低沉，有节奏，哭时肢体少动，小手发凉，嘴唇发紫；当为宝宝加衣被，或把宝宝放到暖和地方时，他就安静了。

❖ 燥热性啼哭

"妈妈给我盖得太多了，不要这么惦记我。"宝宝多大声啼哭，不安，四肢舞动，颈部多汗；当妈妈为宝宝减少衣被，或把宝宝移至凉爽地方时，宝宝就会停止啼哭。

❖ 困倦性啼哭

"我困了，可我还不舍得睡觉，不要强逼我！"啼哭呈阵发性，一声声不耐烦地号叫，这就是习惯上称的"闹觉"。宝宝闹觉，常因室内人太多，声音嘈杂，空气污浊、过热。让宝宝在安静的房间躺下来，他很快就会停止啼哭，安然入睡。

❖ 疼痛性啼哭

"什么东西扎着我了！"异物刺痛，虫咬，硬物压在身下等，都会造成疼痛性啼哭。哭声比较尖利，妈妈要及时检查宝宝被褥、衣服中有无异物，皮肤有无蚊虫咬伤。

❖ 害怕性啼哭

"我好孤独啊，我有点害怕！"哭声突然发作，刺耳，伴有间断性号叫。害怕性啼哭多出于恐惧黑暗、独处、小动物、打针吃药或突如其来的声音等。要细心体

贴照看宝宝，消除宝宝恐惧心理。

❖ 便前啼哭

"我要拉屎了！"便前肠蠕动加快，宝宝感觉腹部不适，哭声低，两腿乱蹬。

❖ 伤感性啼哭

"我感到哪里不舒服！"哭声持续不断，有眼泪。比如宝宝养成了洗澡、换衣服的习惯，当不洗澡、不换衣服、被褥不平整、尿布不柔软时，宝宝就会伤感地啼哭。

❖ 吸吮性啼哭

"这奶头今天怎么回事！"这种啼哭，多发生在喂水或喂奶3~5分钟后，哭声突然，阵发。原因往往是因为水、奶过凉、过热；奶头孔太小，吸不出来奶水；奶头孔太大，奶水太冲，呛奶。

(3)婴儿20种疾病性啼哭破译

疾病性啼哭往往意味着宝宝说："爸爸妈妈，我病了！"

❖ 阵发性剧哭："我的肚子疼啊！"

阵发性剧哭就是一阵阵地、发作性地剧烈哭闹，发作的间隔时间长短不一，每次发作的持续时间也长短不一，常伴有躁动不安。由于间歇时嬉笑如常，有的父母就认为是孩子发脾气闹人，忽视了疾病的可能。突然的阵发性剧哭，可能是急腹症的表现，应及时看医生。

❖ 突发尖叫啼哭："啊！我头痛欲裂！"

突发尖叫啼哭就是哭声直，音调高，单调而无回声，哭声来得急，消失得快，即哭声突来突止，很易被认为是受惊吓或做噩梦。突发尖叫啼哭可能是头痛的表达，是一种危险信号。

❖ 连续短促的急哭："我喘不过气来了！"

连续短促的急哭，其特点是哭声低、短、急，连续而带急迫感，好像透不过气

来，同时伴有痛苦挣扎的表情，这是缺氧的信号。出现此种啼哭，父母应解开孩子衣领、裤带及各种束带，垫高肩部，使头略向后仰，颈部伸直，切莫紧抱着孩子。

❖ **小鸭叫样啼哭："嗓子难受得不行！"**

小鸭叫样啼哭顾名思义，哭声似小鸭鸣叫，若同时出现颈部强直，则应考虑是否有咽后壁脓肿，应把这种哭声与一般的声音嘶哑相鉴别。声音嘶哑是感冒引起的咽炎、喉炎，而咽后壁脓肿较危险，若脓肿溃破脓汁可堵塞呼吸道危及生命，故出现小鸭叫样啼哭应及时就医。

❖ **呻吟性啼哭："我病得很重，没有力气大声哭了。"**

呻吟和啼哭有所不同，它不带有情绪和要求，似哭又似微弱的"哼哼"声，表现无助的低声哭泣，是疾病严重的自然表露。孩子大哭大闹很易引起父母的重视，呻吟性啼哭往往被父母忽视。

❖ **夜间阵哭："我的屁屁奇痒难受！"**

白天玩耍如常，入睡前还嬉笑，入睡后不久（30分钟左右），突然出现一阵哭闹，好像用针扎了一下，哭得突然、剧烈，这可能是蛲虫作怪。

❖ **夜间啼哭："我总睡不稳，缺钙啊！"**

夜间睡眠不安，如同受惊吓一般，哭一会儿，睡一会儿，睡得很不安宁，很轻的动静就可引起哭闹。宝宝常呈睡状，闭着眼睛哭，同时出现肢体抖动，多是缺钙的表现。

❖ **嘶哑的啼哭："我嗓子是哑的！"**

哭声嘶哑，呼吸不畅，啼哭伴咳嗽，声似小狗叫，体温升高，发生的原因可能是急性喉炎，需立即就医。

❖ **阵发性啼哭伴屈腿："肚子总是疼！"**

孩子表现阵发性剧哭，双腿屈曲，2-3分钟后又一切正常，但精神不振，间歇

10-15分钟后再次啼哭，若再伴有呕吐、腹泻，则肠套叠的可能性极大。果酱样大便是确诊肠套叠的可靠指标，但为时已晚。一旦怀疑肠套叠，应立即看医生，不要等到排果酱样大便。

❖ **阵发性啼哭伴满床打滚："我的肚子剧痛！"**

孩子阵发性剧哭满床打滚，额部出汗，面色发白，哭声凄凉，拒绝任何人触摸腹部。若上前触摸时，孩子惊恐万状，很可能是胆道蛔虫、肠套叠。若哭闹并不很剧烈，忽缓忽急，时发时止，无节奏感，又喜欢让揉肚子，则可能是肠蛔虫症。

❖ **突发尖叫啼哭伴发烧，呕吐："我得了很严重的病！"**

突发尖叫啼哭同时伴发烧、射性呕吐、两眼发直，精神萎靡，面色发灰，可能患有脑膜炎等脑内感染性疾病。

❖ **突发尖叫啼哭伴阵发性青紫："我的脑子好像憋坏了！"**

新生儿出生时有产伤或窒息史，APGAR评分低，当出现尖叫样啼哭同时伴有阵发性青紫，面肌及手足抖动时，应想到脑出血的可能及缺血缺氧性脑病。

❖ **连续短促急哭伴咳喘："你看看我的呼吸道坏成什么样子了！"**

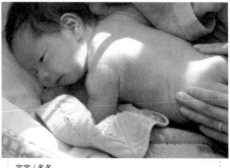

宝宝／多多
等我身体和头发干了，妈妈开始给我进行抚触。妈妈可要注意室内温度和时间哟。

宝宝洗澡后，要用浴巾给宝宝包裹起来保暖。

患了肺炎、毛细支气管炎，可表现连续短促的急哭伴咳嗽、喘憋、口唇发绀、鼻翼扇动、呼吸节律增快，还可伴发烧。

❖ 连续短促的急哭不能平卧，拒乳："我的心脏有毛病！"

患有先天性心脏病的婴儿，哭闹时表现为连续的短促急哭，同时伴有不能平卧，喜欢让妈妈竖着抱起，头部放到妈妈的肩上，拒乳，还可表现出口唇青紫、点头样呼吸等，表明孩子心脏可能有病患，应及时就医。

❖ 哭伴抓耳挠腮、发热："我的耳朵！我的耳朵！"

表现哭闹不安，夜间尤甚，同时伴抓耳挠腮，或头来回摇摆，不敢大声哭，如伴有发热，多是急性中耳炎，若有脓性分泌物自耳中流出则更易诊断。急性中耳炎需积极治疗，要及时看医生。如不伴有发热，很可能是外耳道疖子或异物，用手电照射，观察是否有异常，如未发现异常，又不能排除，请看医生。

❖ 哭伴流涎："我嘴里疼得要命！"

平时不怎么流口水，突然开始口水不断，流涎不止，下颌总是湿辘辘的，喂食会引起宝宝哭闹。夜间宝宝突然哭闹，妈妈以为宝宝饿了，给宝宝喂奶，宝宝哭得

更厉害了。检查一下宝宝口腔是否有溃疡、疱疹、糜烂、齿龈肿胀等。

❖ 哭伴某一肢体不动："动不了的地方疼啊！"

宝宝哭闹时多是四肢舞动，小手乱抓，小腿乱蹬，若哭闹时有某一肢体不动，或触动某一肢体时引起孩子哭闹，则可能有关节、骨骼或肌肉病变，如关节脱位、骨髓炎、关节炎、软组织感染等。脱去宝宝身上的衣物，仔细排查，观察是否有红肿、擦伤、皮疹等异常情况。活动活动肢体，观察是否有活动障碍，是否由于活动某一部位引起宝宝哭闹。

❖ 排便性啼哭："肛门疼得厉害。"

宝宝排大便时啼哭，是由于肛门疾病引起的，如肛周脓肿、肛裂、痔疮等；排尿时啼哭多由于尿道口炎症所致，男婴可由于包皮过长、包茎所致。便秘可导致肛裂和痔疮，患了肛裂和痔疮后，由于疼痛，宝宝拒绝排便，大便就更加干燥。所以，一定要积极治疗肛裂和痔疮，让宝宝不再感觉疼痛。同时，采取一些方法，使大便变软，易于排出，宁稀毋干。

❖ 患有疝气宝宝突发哭闹："我的疝气卡住了！"

患有疝气的婴儿，突发持续的剧烈哭闹，应注意有无疝气嵌顿。父母首先查看一下，宝宝疝气部位是否比平时增大，不能被还纳回去？疝气部位是否张力很高，触摸起来很硬？疝气局部皮肤是否与周围皮肤不同，颜色变色，甚至呈暗紫色？如果有这些情况，要及时看医生。

❖ 哭与维生素A中毒："补钙太多了，和缺钙一样难受！"

宝宝出现夜惊，诊断缺钙，就开始补充维生素AD和钙剂。摄入过多的维生素A可引起中毒，表现为哭闹不安、多汗，类

似缺钙。若忽视了维生素A中毒的可能，继续误认为是缺钙，加大维生素AD用量，很可能会出现维生素A中毒。这时，最好给宝宝服用单纯的维生素D制剂。另外，如果给宝宝服用含有磷的复合钙剂，要考虑到磷的用量，因为过多服用磷，同样会出现多汗、烦躁等缺钙症状。这时，最好给宝宝服用单纯的钙制剂。

(4)宝宝止哭窍门

• 把新生儿的两只小手放在他的胸腹部，爸爸妈妈握着宝宝的手，轻轻地摇晃，宝宝会停止哭闹，安静下来。

• 用左手掌腕部托住宝宝颈部和背部，五指托住宝宝头部，右手掌腕部托住宝宝腰部和骶部，五指分开托住臀部，宝宝膝盖以下贴在妈妈上腹部，与宝宝面对面，轻轻哼唱摇篮曲，宝宝会停止哭闹，安静下来。

• 2个月以后的小婴儿，可放在爸爸一侧肩上，妈妈面朝宝宝，轻轻呼唤宝宝，宝宝会停止哭闹。但要注意观察宝宝是否呼吸通畅，因为宝宝还不会竖头，宝宝伏在爸爸肩上有发生呼吸道堵塞的可能，如果没有妈妈在后面看着孩子，不要使用这种方法哄孩子。

48. 如何给新生儿喂药

给新生儿喂药的机会并不多，但出生两周的宝宝，需要喂维生素D胶丸，或鱼肝油滴剂、鱼肝油丸。滴剂还比较好喂，滴到宝宝嘴里就可以了，喂胶丸就有些麻烦了。

(1)喂胶丸

维生素D胶丸，是国际卫生组织推荐的预防婴幼儿佝偻病的药物。当母子出院时，医院会在宝宝袋中装上一瓶维生素D胶丸，一共是12粒，每粒含维生素D 20国际单位，

每月一丸，出生后半个月开始服用。

妈妈往往把维生素D胶丸中的液体挤出来，放到水中喂孩子。这样做，药物会部分浪费，致使药量不足。最好是整个胶丸喂下去。把胶丸放在小勺中，用温水浸泡约5分钟，用筷子轻轻按压胶丸，如果已经变软了，能够被压变形，就可以把胶丸放入宝宝口中，用奶瓶喂水或用乳头喂奶，胶丸会顺利进入宝宝胃中，不会噎着孩子的。

现在医生开给宝宝的多是鱼肝油胶囊，可以剪开，直接挤到宝宝嘴里，和喂滴剂一样方便。

(2)喂片剂

把片剂压成粉末，放在干净的白纸上，慢慢倒入孩子口中，再用奶瓶喂水。或将粉末直接放入奶瓶中，喝奶或喝水时一并服入。如果可用乳汁送服药物，可把药末沾在乳头上，让宝宝吃奶。

用勺给宝宝喂药末水剂，不要直接倒入孩子口中，一定要倒入舌下，这样不易呛入气管，造成窒息。

(3)肛门给药

新生儿肛门给药，吸收快，不刺激胃肠，不会因为喂药引起宝宝吐奶，是很好的给药途径。肛门给药时，注意不要把宝宝肛门弄破，要轻柔，姿势要正确，应让孩子侧卧，扒开臀部，轻轻塞入肛门，再横着抱孩子一会，药物吸收后，再把孩子放下，以免药物流出。

49. 新生儿免疫接种

新生儿出生后24小时内，要接种乙肝疫苗、卡介苗，如果母亲是乙肝病毒携带者，还要在生后立即注射高效价乙肝免疫

球蛋白。

生后注射维生素K1不属于预防免疫，但对预防新生儿出血和婴儿迟发维生素K缺乏性出血症，有明显作用。所以产院会为新生儿注射小剂量维生素K。

如有羊水污染、胎膜早破、难产等其他感染可能时，产院要给新生儿注射预防性抗菌素，注射3天。

新手爸爸妈妈不要因为心疼孩子，拒绝接受这些必要的注射。

满1个月的婴儿，国家计划免疫接种的疫苗是乙肝疫苗。（更多免疫接种内容见第十三章）

第二章 1-2 个月的婴儿 (29—60 天)

宝宝满月了；

结束了新生儿期，逐渐适应了离开母体以后的家居环境；

皮肤光泽，白嫩，富有弹性，胎毛减少、胎脂消失；

头形滚圆，眼睛明亮，喜欢凝视爸爸妈妈的脸；

会对爸爸妈妈的笑脸报以欢快的笑容；

发出哦哦声，和妈妈交流……

第1节　恭喜你的宝宝满月了！

50. 满月婴儿特点

(1)外貌

满月的婴儿，皮肤有光泽，细腻白嫩，弹性增强，皮下脂肪增厚，胖嘟嘟的；胎毛、胎脂减少，光鲜照人；头形滚圆，像个大头娃娃，实在招人喜爱。

(2)活动

觉醒时间延长，吃奶量增加，吸吮力增强，吃奶次数减少，四肢动作幅度增大，次数增多，表情更加丰富。大便开始有规律，后半夜可持续睡上6个小时左右。

(3)交流

对妈妈更有依赖性了，喜欢让爸爸妈妈抱着睡，哭的声音明显大于上个月，但次数减少。有时即使到了吃奶时间，也不哭，只是用小嘴到处找奶头，或嘴不停

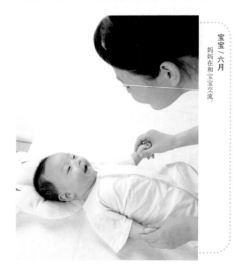

宝宝／六月

妈妈在和宝宝交流。

地空吸吮，或望着妈妈哼哼，是哭的表情，但并不大声哭，哭时则有眼泪流出。把宝宝抱在怀中，很容易把奶头放入宝宝嘴中。每次吸吮时间逐渐缩短，吃奶间隔时间逐渐延长。对白天黑夜有了初步感觉，白天觉醒时间逐渐延长，尤其在上午八九点钟时，宝宝可有一段较长时间觉醒，这时可和宝宝交流，给宝宝做操，对宝宝进行智力开发。

(4)妈妈的烦恼

不要把自己的孩子与别人的孩子进行比较，每个孩子都有自己的发育特点。许多妈妈常常有这样的烦恼："人家孩子和我的孩子一样大，却比我的孩子长得高"；"人家的宝宝每天晚上都能够睡上一大觉，可我们的孩子却一夜醒来好几次，不是个乖孩子"；"人家孩子一个月就长了八九斤，可我们的宝宝只长了四五斤"；"人家孩子会对着生人笑，我的孩子一见生人就哭"；"人家宝宝几乎不再拉在尿布上了，可我的孩子就不行，越把越不拉，放下就拉，真气人"；"人家宝宝一顿喝200毫升奶，我的孩子一顿才喝100毫升，比书上写的还少，是不是有病啦"……这样的烦恼数不胜数，确实应该解答清楚。

你的孩子怎么会和别人的孩子完全一样呢？孩子哪会完全照着书本上所写的那样长大呢？个体差异到处存在，处处体现。父母要在宝宝发育的一般规律中，理解宝

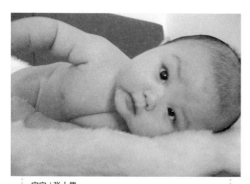

宝宝 / 张士儒

宝宝长着一双水灵灵的大眼睛，安安静静地躺在那里等拍照。小宝宝不宜使用长毛绒被褥和衣物，因为长毛绒会有飞毛脱落，会对宝宝呼吸道产生刺激，引起过敏反应。

宝发育的特殊性，有这种特殊性，才说明这就是您的宝宝啊。

哲学上说，特殊与一般的关系，就是特殊里面有一般，一般只能通过特殊来表现。婴儿发育规律或数值，是一般规律，这个一般规律具体到每一个婴儿，常常通过这个婴儿发育的特殊性表现出来。父母对哲学基本理论多有了解，现在就用上了。育儿不仅是科学，还需要哲学。

51. 满月婴儿生长发育

(1)体重：跳跃性增长常见

❖ 增加幅度

出生前半年的婴儿，体重增长较快，尤其是100天以前，体重增长更快，每月平均可增加1200克。但体重增加程度存在着显著的个体差异。有的宝宝一个月仅增长500克，这也不能认为是不正常的，孩子的增长并不总是均衡的，这个月长得慢，下个月也许会出现快速增长，呈阶梯性或跳跃性。如果您的宝宝在一个时期增长有些慢，不要过于着急，只要排除疾病所致，到了下一个月就可能出现补长现象。

满月婴儿，男婴体重均值5.11公斤，女婴体重均值4.73公斤。如果男婴体重低于3.90公斤或高于6.40公斤，女婴体重低于3.75公斤或高于5.90公斤，为体重过低或过高。

❖ 考虑"误差"

在测量宝宝体重时，要注意"误差"，如体重秤本身误差，宝宝穿衣多寡造成的误差，宝宝吃奶前后体重误差，吃多吃少的误差，排尿便前后体重的误差，不同季节导致的误差（如夏季宝宝体内水分蒸发快，体重轻，春秋冬季水分蒸发少，体重相对重）。经常会有这样的问题困扰父母，认为宝宝体重增长不理想，照书上的标准少了半斤八两。不用说个体有差异，就是测量本身也会有误差的。

(2)身高：遗传因素影响不明显

这个月宝宝身高增长也是比较快的，一个月可长3~4厘米。影响身高的因素很多，喂养、营养、疾病、环境、睡眠、运动等，都可影响宝宝身高的发育。但这个月孩子身高增长受遗传因素影响比较小。身高测量和体重测量一样，要量得标准，开始最好请专业人员指导，避免自己测量造成误差。身高增长也存在着个体差异，但不像体重那样显著，差异比较小。如果身高增长明显落后于平均值，要及时看医生。

本月婴儿，男婴身高均值56.8厘米，女婴身高均值55.6厘米。如果男婴身高低于52.1厘米或高于61.5厘米，女婴身高低于51.3厘米或高于59.8厘米，为身高过低或过高。

(3)头围：大脑发育的表征

爸爸妈妈很重视孩子的头围发育，也产生一些担心，比如头围大了，担心是否

宝宝 / 姜杼君

宝宝已经能够注视比较远的物体了，而且开始有选择地看他喜欢的东西。看他认识的东西，小嘴就会翘起来，发出哦哦的声音，告诉妈妈他看到了什么。婴儿随着月龄的增加视觉能力发育越来越好，能够集中精力注视越来越远的物体。

脑积水，影响智力发育；头围小了，担心阻碍大脑发育。

要掌握正确的测量方法，避免造成误差，带来烦恼。最好开始由医生来测量，父母观看，并对照正规测量方法，注意识别。如果认为医生测量方法不够标准，数值不准确，那就提出来，重新测量。只有测量值可靠，进一步分析才有意义。（测量方法详见7条新生儿各项指标测量方法）

❖ 评价标准

这个月宝宝头围可达36厘米。前半年头围平均月增长9厘米，但每月实际增长并不是平均的。所以，只要头围在逐渐增长，即使某个月增长稍微少了，也不必着急，要看总的趋势。总的趋势呈增长势头就是正常的，并不是这个月必须增长3-4厘米。经常会遇到父母为了孩子头围比正常平均值差0.5厘米，甚至是0.3厘米而焦急万分，这是没有必要的。

另外，这个月宝宝颅骨缝囟门都是开放的，很容易变形，受睡姿的影响较大，测量时要考虑这种情况的影响，还要考虑孩子头形的影响。

宝宝脑袋大小也受遗传因素影响，父母头部比较大，宝宝的脑袋可能就会比同龄宝宝的大些。

❖ 脑积水

脑积水时头围增长过速，超过正常很多，但不是超过一点就要考虑脑积水。在临床工作中常遇到这样的父母，因为孩子头围大，极力要求做进一步检查，做B超不放心，还要做脑部CT，甚至脑核磁共振。这样过度检查，不但经济上遭受损失，孩子还过多地接受了有害放射线照射，对健康造成实际的伤害。

❖ 医生忠告

在分析每项发育标准时，要全面，要综合，不要就一个问题钻牛角尖。现在父母文化水平普遍提高，对孩子智力发育非常重视。这是好事，但也不能见风就是雨。实际上，除了极个别孩子有先天性疾病，绝大多数孩子是完全健康的，头围数值在平均值上下浮动很正常。

(4)前囟：是孩子的命门吗？

孩子的前囟被众多的父母所重视，尤其是老人，更加重视孩子的前囟，认为是孩子的命门，不能触摸，触摸了，孩子会变成哑巴。触摸孩子的前囟不会使孩子变哑巴的。

但前囟是没有颅骨的地方，一定要注意保护，无必要时，不要触摸孩子的前囟，更不能用硬的东西磕碰前囟。孩子的前囟会出现跳动，这是正常的，孩子的前囟一般是与颅骨齐平的，过于隆起可能是颅压增高，过于凹陷，可能是脱水。

这个月宝宝的前囟大小与新生儿期没有太大区别。每个孩子前囟大小也存在着个体差异，如果不大于3.5厘米，不小于0.5厘米，就都是正常的。

52. 营养需求

满月后的宝宝可以完全靠母乳摄取所需的营养，不需添加辅助食品。如果母乳不足（一定不要轻易认为母乳不足），可添加配方奶。宝宝奶量存在个体差异，妈妈不要拿自己的孩子和周围的宝宝比，只要你的孩子生长发育指标都在正常范围，就说明你喂养得很好。除了维生素AD，不需要补充其他营养素。母乳喂养的妈妈需要补充钙剂、多种维生素和矿物质补充剂。

如果宝宝是早产儿或低出生体重儿，需要在医生指导下实施特殊喂养。如果是母乳喂养，需要额外补充母乳添加剂。如果是配方奶喂养，需要选择早产儿配方奶。（有关早产儿和双胞胎喂养问题，请参看《郑玉巧教妈妈喂养》一书）

53. 母乳喂养儿

(1)进入良性喂养阶段的问题

宝宝满月后，妈妈精力和体力得到恢复，活动增加，可以到户外活动，心情好转，压力减轻，精神放松了，乳量有所增加。宝宝所需乳量也不断增加，吸吮力增强，乳头大小已经适宜宝宝，母亲喂奶姿势也比较自然了，从此进入了良性喂养阶段。

尽管如此，喂养问题还是不少的。宝宝吸吮能力增强了，吸吮速度加快，吸吮一下所吸入的乳量也增加了，因此，吃奶时间缩短，这时妈妈往往认为奶少了，不够孩子吃了，这是多余的担心。这个月的婴儿比新生儿更加知道饱饿，吃不饱就不

会满意地入睡，即使一时睡着了，也很快就会醒来要奶吃的。如果一天都吃不饱，大便就会减少；即使次数不少，大便量也会减少；如果量不减少，次数也不少，甚至还增加，大便性质就会改变，排绿色稀便。如果长期奶量不足，孩子的生长发育就会受到影响，出现体重增长缓慢，身高和体重不在同一水平上，呈现瘦弱型体质，偏离正常的生长发育曲线。

妈妈不要总是担心宝宝吃不饱，担心自己的奶不够宝宝吃，这会导致过度喂养。宝宝吃不饱就不会踏踏实实地睡觉，也不会快快乐乐地玩耍。宝宝吃不饱体重增长会减缓，大便也不正常。如果宝宝一切都好，妈妈不要想当然认为宝宝吃不饱。

(2)防止混合喂养儿的产生

哺乳的妈妈不要总是认为，你的乳汁不够宝宝吃，这会削弱纯母乳喂养信心，混合喂养儿往往就是在这个月产生的。妈妈认为自己的奶量不足了，就会给孩子添加配方奶。橡皮奶头孔大，吸吮省力，配方奶比母乳甜，结果孩子可能就会喜欢上配方奶，而不再喜欢母乳了。因为添加了配方奶，下次吸吮母乳时间就会缩短，吃的奶量也会减少。母乳是越刺激奶量越多，如果每次都有吸不净的奶，就会使乳汁分泌量逐渐减少，最终成了母乳不足，人为地造成了混合喂养。

妈妈应该知道，4个月以内的婴儿，母乳是宝宝最佳食物。混合喂养是几种喂养方式中最不好掌握的，要尽量避免。当妈

妈认为孩子吃不饱，要添加配方奶时，要向儿科医生咨询，请医生判断是否真的吃不饱。当然，如果您认为这位医生的判断不能让您信服，要再向另一位医生请教，总之不要轻易放弃纯母乳喂养。

(3)生理性溢乳与疾病性呕吐快速鉴别方法

这个月的婴儿虽然吸吮力增强了，但是胃容量并没有显著增加，而宝宝的活动能力却增强了，运动增加，觉醒时间延长，新生儿期本来没有溢乳，这个月可能就会发生溢乳；新生儿期就有溢乳的，这个月可能会更加严重；溢乳的次数可能减少了，但是，溢乳的量可能会增加，而且会出现大口的漾奶。妈妈往往认为是孩子有病了，抱到医院看医生，医生却告诉妈妈，宝宝没有什么问题，只是贲门括约肌松弛，幽门括约肌有些紧张，随着月龄增加，这种情况会逐渐改善，宝宝就不再溢乳了，宝宝没有器质性疾病，只是生理性溢乳。

生理性溢乳的婴儿，吐奶前，没有异常表现，突然漾出一口奶，可以是刚刚吃进去的奶液，也可以是呈豆腐脑样的奶块，但不会混有黄绿色的胆汁样物。漾奶后，宝宝一切正常，精神好，照样吃奶。即使每天都漾奶，宝宝不但不瘦，还比较胖，生长发育也正常。

疾病所致的吐奶，吐奶前宝宝往往有痛苦表情，或哭闹，或来回来去地翻腾，挣劲，脸可能会憋得发红。有时会伴有腹泻、发热、腹胀等异常表现。

(4)"夜哭郎"的产生

宝宝吃奶次数可能会减少，但也有的不减少，反而增加，这可能是摄乳量不足造成的。后半夜吃奶间隔时间可能不断拉长，但有的孩子却比新生儿期还短，影响了妈妈睡眠，这主要是由于随着孩子的月龄增加，对母亲的依赖性增强了，把吃奶当做向妈妈撒娇的方式。有的宝宝是由于黑夜白昼颠倒，也有的宝宝就是"夜哭郎"。

遇到这种情况，首先要排除宝宝是否患有疾病或喂养不足。如果不属于上述情况，宝宝只是向妈妈撒娇，或是黑白颠倒的夜哭郎，妈妈都要耐心帮助宝宝，逐渐改变夜哭的习惯，不能让宝宝哭个没完。

有的父母有这样的观点，孩子哭，就让他尽情地哭，让他自己哭够，哭累，不要去哄他，以免把孩子惯坏。这样的观点是欠考虑的。孩子对妈妈有依恋的情感，妈妈如果无情地对待哭夜的孩子，不但不能纠正哭夜，还可能会改变孩子的性格，使孩子变得孤僻、易怒。不能过分哄，也不能撒手不管，要用父母的爱平复孩子。这样不但可以改变宝宝夜哭的习惯，还能形成孩子良好的性格。父母对孩子的呵护与关心，都会转化为孩子的情商积累，未来孩子长大成人，也就会呵护关心他人。情商培养就是从这里开始的。

(5)爸爸的作用

养育孩子是父母双方的事情，不要认为小婴儿主要是喂养问题，喂饱了就可以了，而喂养孩子是妈妈的事情，与爸爸没有什么关系。喂养孩子不是饲养，喂养孩子是在哺育孩子，除了哺，还要育。如果爸爸能够参加到哺育孩子的过程中，妈妈就不会那么疲劳，产后抑郁症的发生率也会有所降低，孩子的性格会更加健康。如果孩子夜间哭闹，爸爸也要给孩子一些关怀，抱抱孩子，和孩子亲切地交流。不要认为孩子小，听不懂话，孩子可以从父亲

宝宝/LUNA
爸爸和宝宝玩坐小船呢。

要把孩子的头放在妈妈臂窝内，用前臂稍微挡住孩子的后枕部，使得孩子突然回头时，幅度不会太大，不会伤及乳头。

(7)继续按需哺乳原则

仍然不要机械规定喂哺时间，继续按需哺乳。这个阶段的婴儿，基本可以一次完成吃奶，吃奶间隔时间也延长了，一般2.5–3小时一次，一天7次。但并不是所有的宝宝都这样，2个小时吃一次也是正常的，4个小时不吃奶也不算异常。一天吃5次或一天吃10次，也不能认为是不正常。但如果一天吃奶次数少于5次，或大于10次，要向医生询问或请医生判断是否有异常情况。晚上还要吃4次奶也不能认为是闹夜，可以试着后半夜停一次奶，如果不行，就每天向后延长，从几分钟到几小时。不要急于求成，要耐心。

宝宝到底一次能够吃多少母乳，这个时期再通过吃奶前后测量体重就比较困难了，吃奶前宝宝不会老实等待给他测量体重；吃奶后，马上测量体重，宝宝不再像新生儿期那样安静，动来动去的，很容易溢乳。这个月也没有太大必要了解母乳量了，是否吃饱了，孩子的反应就能够说明问题——吃不饱，孩子是不干的。

的语气中感受到父亲的爱。

(6)乳头保护

出了满月，妈妈仍然要注意保护好孩子的"粮袋"：由于孩子吸吮能力增强，仍有发生乳头皲裂的可能。所以，每次喂奶后，还要在乳头上涂一点奶液，晾干后再放下乳罩，乳罩不要过紧，以免过分摩擦乳头。乳腺炎发生率已经大大降低，但仍有罹患的可能，因此要及时处理乳核。乳房疼痛要及时看医生。如果妈妈体温高了，首先就要考虑是否患了乳腺炎，而不是仅仅怀疑是否感冒了。

这个时期的婴儿，可能会出现吃奶不安心的现象，吃吃停停是常有的事，妈妈要有一定的耐心。孩子感受外界事物的能力增强了，听到声音就会停止吃奶，对周围的事情越来越感兴趣，注意力不再是百分之百集中在吃奶上了。有时突然听到声响，孩子会迅速把头掉转过来，还没有来得及吐出奶头，结果就把妈妈的奶头拽得很长，苦了妈妈。所以，喂奶时要注意固定好孩子的头部，不要让孩子头部架空，

(8)尿便问题：对付直肠子

人们都说婴儿是直肠子，一吃就拉。这个月的婴儿会出现这种情况，把尿布换得干干净净，抱起来吃奶，还没吃几口，就听到扑嚓嚓拉屎的声音。妈妈有时会认为孩子不正常，就给孩子吃药，或者马上给孩子更换尿布。遇到这种情况，妈妈不要急于换尿布。急着换尿布，一会打断孩子吃奶，导致孩子吃奶不成顿；二会引起孩子把刚刚吃进的奶溢出来，加重溢

宝宝 / 徐一沣
口唇分开，盖住乳晕，这样是正确的吸吮动作。

乳程度；三会增加护理负担，如果孩子在整个喂奶过程中拉几次，拉一次就马上换一次，恐怕要换几次，这就是在折腾孩子了。任其拉，等到孩子吃完奶再换，这才是正确的护理方法。如果睡着了，就先不要换尿布；如果没有睡着，先拍嗝，后换尿布（如果宝宝有溢乳习惯，最好不要换尿布）。这样的孩子容易发生尿布疹，可在清洗臀部后，涂抹一些鞣酸软膏，防止臀红。

这个月的婴儿，尿的次数仍然比较多，婴儿几乎每次醒后都排尿。如果妈妈想成功把尿，宝宝睡醒后即刻把尿，成功率非常高。

纯母乳喂养的孩子，大便次数仍然和新生儿时期差不多，有时甚至比新生儿时期次数还多。一般一天6次左右，极个别孩子会一天排大便十余次，甚至每块尿布上都有一点大便，这也不一定是异常的。如果大便性质好，生长发育正常，不需要吃药；如果大便性质不好，大便带水，或突然大便次数增加，要看医生，排除是否有乳糖不耐受或其他问题。

54. 混合喂养儿
(1)母乳和配方奶不要混着喂

妈妈认为自己母乳不足，就把母乳吸出来，与配方奶混合在一起喂宝宝，这种做法是错误的。这样做，不但会使母乳越来越少，还会引发宝宝胃肠道不适。正确的做法是，到了宝宝吃奶时间，无论你认为是否有奶，都要先给宝宝喂母乳。如果因为吸不出乳汁，宝宝哭闹打挺，首先要抱起宝宝安抚，等到宝宝不哭了，过十几分钟再给宝宝喂配方奶。

母乳不能攒，分泌的乳汁不能被及时吸出来，乳汁分泌就会自动减少；乳房吃得越空，乳汁分泌就会越多。所以不要攒母乳，有了就喂，慢慢或许会够宝宝吃了，不再需要添加配方奶了。

(2)不要放弃母乳!

混合喂养最容易发生的情况是放弃母乳。母乳少，宝宝吸吮困难。配方奶比母乳甜，宝宝喜欢吃；人工奶嘴孔大，吸吮省力，宝宝也喜欢；妈妈乳汁少，吃完没多长时间，就又要奶吃，影响孩子睡眠，妈妈也疲劳。干脆停掉母乳，喂配方奶算了。

还有另一种情况。有的宝宝，只吸吮妈妈的乳头，拒绝吸吮人工奶嘴，配方奶喂不进去。妈妈担心自己乳汁少，宝宝吃不饱，索性停掉少得可怜的母乳，改用配方奶喂养了。

妈妈千万不要作这样的决定！宝宝还不满2个月，多么需要妈妈的乳汁啊！只要你放松心情，保证休息和睡眠，吃饱吃好，就会有充足的乳汁喂养宝宝。

有的宝宝非常依赖母乳，说什么也不喝配方奶。遇到这种情况，妈妈可能选择停喂母乳，断了孩子对母乳的念想。没有母乳了，宝宝只好乖乖地喝配方奶。

我反对这样做。母乳是婴儿最佳的食品，我们不能剥夺孩子吃母乳的权利。周

郑玉巧育儿经·婴儿卷

围的亲人要劝导妈妈，让妈妈下决心用母乳喂养孩子。刚刚产后1个多月，还不满2个月，怎么就失去信心了呢？有的产妇，乳汁分泌比较晚，随着产后身体的恢复，乳量可能会不断增加，如果放弃了，就等于放弃了孩子吃母乳的希望。母乳喂养，不单单对母婴身体健康非常重要，对心理健康也有极大益处，母乳喂养可以使孩子获得最完美的母爱。不要遇到挫折就气馁，希望妈妈自信，你能够用自己的乳汁，哺育你可爱的宝宝。只有当了母亲，女人才变得坚强，这是母爱的力量。

也不否认，有少数产妇无论怎样的努力就是没有足够的乳汁哺育孩子。遇到这种情况，妈妈也不要伤心，不要自责，配方奶也一样能把你的宝宝喂好，喂得很健康。用奶瓶喂养，妈妈也要把宝宝抱在怀里，让宝宝享受母亲怀抱的温暖。

接下来我们就谈人工喂养的有关问题。如果你的宝宝是人工喂养，那就接着往下看；如果是母乳喂养，下面这段内容就可以跳过去了。

55. 人工喂养儿

(1)人工喂养标准和实际掌握

满月以后就可以喂全奶了，不再需要稀释（参见本书15.(5)条配方奶浓度）。每次喂奶量也开始增加，可从每次50毫升增加到80-120毫升。到底应该吃多少，每个婴儿都有个体差异，不能完全照本宣科。要根据宝宝的实际需要，决定喂奶量。

如果没有把握，那就按照如下提示执行：只要孩子吃，就喂；不吃了，就停止。不要反复往孩子嘴里塞奶嘴，已经把奶嘴吐出来了，就证明孩子吃饱了，就不要再喂了。

尽管有很精准的每日所需奶量，甚至能精准到每种营养成分，但落实到每个婴儿身上，应该吃多少，只有宝宝自己知道。即使是权威的育儿专家，也不会让妈妈完全按照他所推荐的量去喂养，根本上还是以婴儿正常发育为标准。世界著名育儿专家斯波克（美国）和松田道雄（日本）对此也都有精辟论述，他们都认为，孩子最有权利决定自己吃多少。

(2)配方奶品牌选择：质量最重要

给宝宝选择什么样的配方奶呢？爸爸妈妈往往为此犯愁。其实，无论什么品牌的，其基本原料都是牛奶，只是在维生素、矿物质、微量元素的添加上略有不同；热量、蛋白质、碳水化合物和脂肪比例有小的差异；在制作工艺和生产流程有些不同，但都要按照国家统一的婴幼儿配方奶生产标准加工制作。只要是国家批准的正规厂家生产，正规渠道经销的，适合这个月的婴儿的，都可以选用。

选用时要看是否标有批准文号、防伪商标、生产日期、有效期、储存方法，厂家地址、电话、配方奶成分及含量、所释放的热量、调配方法等。一旦选择了一种品牌的配方奶，没有特殊情况，不要轻易更换。

大豆基配方奶、低乳糖或无乳糖配方奶、部分水解和完全水解蛋白配方奶、氨基酸配方奶、早产儿配方奶、母乳添加剂等特殊配方奶，一定要在专业人员指导下选择。（更多详细内容请参考《郑玉巧教妈妈喂养》）

(3)奶具消毒

出了满月，孩子对细菌的抵抗力仍然较弱，仍然要注意奶具的消毒。尤其是夏季，更要格外注意。

第3节　满月婴儿护理中的问题

56. 衣服被褥床、室内环境

(1)衣服被褥床，品质第一

❖ **服装：防止皮肤糜烂和肢体坏死**

给宝宝选择纯棉、质地柔软、宽松、脚脖子和手腕部不是紧口的衣服。最好不穿带纽扣的衣服。衣领最好选择和尚服式的领子，不要太紧，婴儿脖子短，充分暴露脖子是很重要的，不但利于宝宝呼吸通畅，还可避免颈部湿疹和皮肤糜烂。

不建议穿连脚裤，如果亲朋好友送的是连脚裤，最好把连脚剪掉，缝制成普通裤子样再给宝宝穿。裤裆开得要足够大，如果过小，要剪开，前面要暴露到耻骨联合处，后面要把整个臀部暴露出来，两裤腿开口达膝盖上约10厘米，如果开口太小，会影响换尿布，也容易尿湿，更重要的是可能会勒孩子的皮肤，造成皮肤损伤。

可以穿宽松的棉质小袜子，袜口不要过紧，一定不要勒着孩子的脚脖子；如果过紧，会影响脚的血液循环，这是很危险的。穿袜子前，要翻过来仔细检查一下，看是否有线头；如果有线头要剪掉，线头会缠在孩子的脚趾上，引起脚趾坏死。这不是耸人听闻，在临床中遇到过这种病例，后果不堪设想。不但穿袜子要注意这一点，穿衣服也要注意这一点。

给小婴儿买衣物，一定要注意质量。不能只看样式、价钱，最重要的是看质量，包括质地、做工等。

❖ **床上用品：放弃漂亮的小毛毯**

被褥与新生儿时期没有多大区别，还是要选择棉质，透气性能好的铺盖。许多父母给孩子盖颜色鲜艳、花色漂亮的小毛毯。我出诊或在病房、门诊，看到许多父母都用这种毛毯包裹孩子，漂亮是漂亮了，但小毛毯大多是晴纶制品，有的甚至就是化纤制品，这就成问题了。

无论是纯毛的还是晴纶的，毛毯在这里都不适宜。毛毯上不断脱落下来的绒毛，可能会被吸入孩子的咽部，刺激呼吸道黏膜，引起过敏反应。最好使用纯棉布做的小棉被子，虽然谈不上怎么好看，但对宝宝健康更有好处。

婴儿出了满月，肢体活动增加，因此不要给宝宝盖得太多；正常情况下，盖上小夹被就行了，不要包裹宝宝，不要在周围压枕头，这样都会影响宝宝的肢体运动，阻碍宝宝运动能力的发展。这个时期的婴儿，可能会出现不很严重的踢被子现象，这是宝宝长能力的表现，是锻炼腿力的一种方式。可以把宝宝的小脚丫露在外面，就不会把被子踢开了。穿上一双厚一点的袜子，宝宝的小脚就不会着凉了。

❖ **婴儿床**

可以让宝宝自己睡一张小床，但一定要放在爸爸妈妈大床旁边，和大床之间不要设置屏障，要随时能够抱起宝宝。尤其是夜间，当宝宝发生溢乳或呛奶时能够立即处理，否则会发生意想不到的危险。这个月的婴儿可能会翻身，一定不要让宝宝单独待着，尤其是觉醒状态时，注意避免宝宝的头或肢体卡在小床栏杆内。

郑玉巧育儿经·婴儿卷

这个月的婴儿对环境的要求仍然比较严格，室内温度不能忽高忽低，夏季保持在28℃左右，冬季保持在18℃左右，春秋自然温度就可以了。可以长时间开窗户，但不要有对流风。冬季开窗户时，要把孩子抱到其他室内。

❖ **爸爸戒烟的理由**

如果老公吸烟，妈妈可以把孩子健康作为撒手锏，劝导丈夫戒烟。为了下一代，爸爸戒烟别无选择。至少也能促使爸爸少抽烟，不在居室内吸烟。

做饭时，要把厨房门关紧，不要让油烟进入婴儿房内，以免刺激孩子呼吸道黏膜，埋下婴幼儿哮喘的隐患。

现在父母都很注意空气污染对孩子健康的影响等问题，也在怀孕前积极化验体内铅、汞等含量，这些都是很好的变化。同时还应注意小环境，特别是家庭居室内空气质量等问题，这一点常常被忽视。实际上，居室小环境质量高低，对婴儿健康的直接影响，要远远超过大环境的间接影响。

❖ **湿度降低会导致宝宝呼吸道患病几率增加**

室内要保持适宜的湿度（50%）。湿度太小，呼吸道黏膜干燥，就会降低黏膜对细菌病毒的抵抗能力。呼吸道细毛功能受损，黏膜防御功能下降，就会引起呼吸道感染。婴幼儿发病率最高的是呼吸道疾病，要降低呼吸道疾病，保证室内湿度适宜，是非常重要的措施。

57. 即使冬季也每天洗澡

(1)每天给宝宝洗澡

宝宝已经适应每天给他洗澡了，如果有几天不洗澡，宝宝就会感到不舒服而哭闹。1个月以后的婴儿不再像新生儿那样软，

爸爸妈妈没有经验抱也抱不好。现在好了，已经积累了1个月的经验，洗澡已经很顺利了，再也不是几个人弄得满头大汗，还险些把孩子掉到水中。虽然不能说轻车熟路，但也不那么紧张了。

这个月的婴儿可以不必像新生儿那样，一部分一部分地洗，可以把孩子完全放在浴盆中，但要注意水的深度不要超过孩子的腹部，水的温度要保持在37.5℃–38℃。如果没有水温计，妈妈可以用手腕内侧部或手试一下，感到热，但不烫；感到不凉或温水就说明水温不够。不要让爸爸试，爸爸皮肤较厚，往往把水温定得偏低。当然，如果爸爸很用心，由爸爸来试水温也是很好的亲子活动，相信新手爸爸们会出色地完成这项任务。

洗澡时间不要太长，一般不要超过15分钟，以5–10分钟为最佳。不要每次都使用洗发剂，一周使用1次就可以。更不要使用香皂，一周使用1次婴儿浴液就可以，一定要用清水把浴液冲洗干净。

冬季如果条件允许，最好每天都洗澡，夏季一天要洗2–3次。上午正式洗1次，下午和晚上大人睡觉前简单冲一下就可以。如果天气炎热，孩子出汗较多，随时给宝宝冲凉，至少要洗洗皮肤皱褶处。

把宝宝从浴盆中抱出来后，要用清水

宝宝 /LUNA

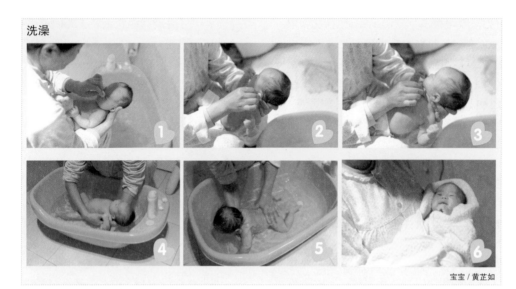

宝宝/黄芷如

冲洗宝宝的小屁股。女婴要冲洗外阴，如果发现有分泌物，要用消毒棉签擦拭干净，再用清水冲洗。男婴如果包皮过长或有包茎，要把过长或过紧的包皮向上捋起，露出龟头和尿道口，用清水冲洗干净，如果发现有分泌物，可轻轻用消毒棉签擦拭掉，动作一定要轻柔。

(2)保护脐、眼、耳

仍然要注意不要把水弄到耳朵里。宝宝肚脐已经长好了，不必担心感染，但如果肚脐凹窝过深，要用消毒棉签沾干肚脐凹窝内的水。不要把洗发剂弄到孩子的眼睛里去，给宝宝戴上一顶婴儿专用的浴帽，可避免洗发液流进眼睛里。洗澡时一定不要有对流风。洗后，要用干爽的浴巾包裹，用干爽的毛巾把头包裹上，等待干后再穿衣服。用毛巾擦干身上的水后，不要马上穿衣服，这样容易使孩子受凉。把湿淋淋的孩子用干浴巾包裹起来是最好的，丢失的热量最少。

(3)10分钟后喂奶

洗澡完毕后，喂宝宝一点白开水，不要马上喂奶，这对消化有好处。洗澡时，外周血管扩张，内脏血液供应相对减少，这时马上喂奶，会使血液马上向胃肠道转移，使皮肤血液减少，皮肤温度下降，宝宝会有冷感，甚至发抖；而消化道又不能马上有充足的血液供应，会因此影响消化功能。洗澡后10分钟再开始喂奶，是比较好的安排。

58. 睡眠、尿便管理

(1)睡眠管理

❖ 醒着的时间延长了

这个月的婴儿，睡眠时间比新生儿期有所减少，不再是吃了睡，醒了吃，几乎一天总是在睡眠状态。满月后的宝宝，觉醒的时间越来越长，每天上午八九点钟可能是觉醒时间最长的，不再是每次吃奶后都能入睡。每天可能睡16~18个小时，后半夜可能会停食一次奶。

❖ 睡眠长短也存在个体差异

有的婴儿睡眠时间比较长，属于能睡的孩子，有的就比较短。孩子尽管睡眠时间不长，精力却很旺盛，这就属于觉少的。孩子觉少，和父母的遗传、生活习惯、养育方法都可能有一定的关系。只要宝宝精神好，生长发育正常，就不要担心宝宝睡眠过少或过多，这是每个婴儿的个体差异。其实，婴儿到底应该睡多长时间，是没有硬性规定的，父母总是按照自己的意愿要求孩子睡多长时间，什么时候应该睡眠，这是不对的。

从小帮孩子养成良好的生活习惯，非常重要。这里的关键是父母创造了什么样的睡眠环境。如果父母自己就没有形成良好的睡眠习惯，生活没有规律性，那很可能会影响到孩子的睡眠习惯，使孩子难以形成睡眠规律。

❖ **夜间睡眠问题折磨父母**

父母劳累了一天，到了晚上，感到困倦疲劳，可孩子却精神得很，就是不睡觉。1~2个月的孩子，还不会玩耍，对周围的事物缺乏兴趣，看、听能力还比较弱，所以觉醒时哭的时候多。这往往让新手妈妈爸爸不知所措，困、累、急、闹交织在一起，情形可想而知。

爸爸妈妈情急之下，多会认为孩子不正常，向医生咨询，带孩子看病，补钙（现在父母对钙的重视程度远远超过了医生，动不动就说孩子缺钙）等等，手忙脚乱，感叹育儿的不易。实际上，这时爸爸妈妈最需要的是用心灵去感应孩子。

孩子也有喜怒哀乐。孩子这时不想睡了，您就认为孩子有病，那成人有时不想睡，看一会电视，也是有病吗？有一对父母带孩子看病，说这几天孩子晚上不好好睡觉，半夜两点醒来，到了三四点才睡。我检查了孩子，没有发现任何异常，再询问白天睡眠情况，结果白天睡眠时间比平时延长了，为什么呢？因为足球比赛，夫妇俩早早睡觉，半夜起来看足球，结果孩子的睡眠规律被打破了。这不是孩子有病，

仅仅是临时睡眠时间的变化。崭新的生命哪里有那么多病！

如果孩子夜间睡眠时间短，影响父母休息，父母就要帮助孩子逐渐改变过来，白天让孩子少睡，慢慢把觉推移到晚上。白天妈妈忙家务，爸爸要上班，孩子睡觉时间越长越好，晚上父母要休息，孩子应该睡觉，不睡就认为是孩子有病，这对孩子来说是很不公平的。

❖ **正确对待育儿书籍**

新手爸爸妈妈们总是希望从书本中找到百分之百正确的答案。这样的心态，很容易认为孩子的表现与书上说的不一样，孩子一定有问题。

书上说一个月的孩子每天应该睡16~18个小时，可宝宝每天只睡13~14个小时，睡眠时间不够，肯定会影响宝宝身高增长！

书上说每天应该吃7次奶，每次吃100~110毫升，可宝宝每天仅吃5次，或吃9次，每次吃60~150毫升，有时还吃180毫升，有时吃50毫升，这也太不正常了，孩子肠道肯定有问题了！

如此这般的不正常，每天都能找出来许多，爸爸妈妈整天提心吊胆，哪里还有育儿的乐趣！

宝宝是一个活生生的小生命，怎能教条地对待。不要照着书本上的条条框框要求孩子，要科学、灵活地运用育儿知识，要分析地看待宝宝个体的差异。

还是回到一个月孩子的睡眠问题。只要孩子精神好，生长发育正常，何必再去刻意追求孩子睡眠时间的长短！睡眠时间的长短，有个体差异；就是睡眠习惯，也有个体差异。有的人喜欢晚睡晚起，是"夜猫子"；有的人喜欢日出而作，日落而息。成人如此，刚刚出生一个多月的孩子也如此，不必太过苛求。

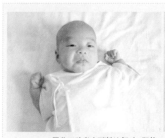
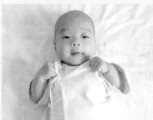

婴儿四肢喜欢不断地舞动，即使睡着了，也会时常舞动肢体，有时还会伸伸懒腰，把小脸憋得通红，父母管这叫"挣劲"。睡醒了，伸伸懒腰，解解乏，很舒服。这可不预示着宝宝有什么问题，是正常运动。

再打打太极拳，舒展一下筋骨。

运动完毕，感到很轻松，这时妈妈可以和宝宝说说话。宝宝处于最佳情绪状态，对宝宝的潜能开发才能起到效果。

宝宝 / 姜杼君

(2)尿便管理

❖ 随意大小便，男婴可以接尿

1个月以上的婴儿，仍然是随意大便，训练大小便还为时太早，没有必要为此投入精力。即使把屎把尿成功了，也不是真正意义上的尿便控制。如果多数情况下都能顺利完成，可继续这么做下去。如果多数情况下不成功，或宝宝反对这么做，就不要再坚持给宝宝把屎把尿了。宝宝大多数是在醒后排尿，或看到男婴阴茎立起来时，都可马上接尿，一般都会成功。

❖ 大便次数呈现个体差异

母乳喂养的婴儿，大便次数比较多，呈黏稠的金黄色，不成形，偏稀，有时有奶瓣或发绿。配方奶喂养的婴儿，大便次数比较少，呈淡黄色，有时也会发绿，偏稠或成形便。

乳糖耐受差或对乳蛋白过敏的宝宝，大便次数多而稀，可有泡沫，宝宝排便前可能会有哭闹。婴儿大便异常不都是感染导致的，不要动辄就给宝宝服用消炎药。

59. 不同季节护理要点

(1)春季护理要点

春暖花开季节，已经出了满月的宝宝是否可以抱到户外？

❖ 北方初春不要把孩子抱到户外

春天是一年中气候变化最无常的季节，春寒料峭。根据我国养育孩子的习惯，北方地区初春时节还是不要把孩子抱到户外的好，这么大的孩子对自然界的适应能力还比较弱；春末夏初，气候变化小，冷空气少了，风也不那么大了，在天气晴朗的中午可以把孩子抱到户外20分钟左右，但要在孩子醒的时候抱出去，不要让强烈的阳光直射到孩子的眼睛。不要在阴天或风较大时抱孩子到户外，尤其不要让孩子迎着风。

❖ 避免紫外线伤害

南方地区，初春气候就比较热了，风也相对小，南方的户外比室内更温暖，所以，南方的孩子很小就在户外活动，时间也比较长。但是南方雨天多，减少了户外活动。所以，南方的婴儿也需要补充维生素D。高原地区，紫外线照射比较强烈，要注意防护，过强的紫外线对婴儿是有伤害的，如云贵、甘肃、西藏等地区，妈妈就要更加注意。春季气候干燥，要保持室内湿度。适当给孩子补充水分。可以每天喂白开水一两次。妈妈也要多喝些水，这对乳汁分泌有利。

❖ 病毒细菌感染机会增多

春季万物复苏，微生物开始繁殖增加，病毒细菌感染机会增多。加之气候多变、干燥，呼吸道黏膜功能下降，婴儿容易患呼吸道感染，要注意预防，要注意与患病的儿童隔离。春季开窗时间延长，要避免对流风对孩子直接吹袭。

❖ 换季不换装的通病

春天了，气候转暖，成人都开始换装。这时最常见的是妈妈不敢给孩子换装，常常遇到这种情况，妈妈穿着春天的服装，可孩子不但仍然穿着冬季的服装，还裹着冬季的被子到医院看病。换季不换装是妈妈在护理孩子中常遇到的，尤其是从冷的季节到热的季节，妈妈总是不舍得给孩子减衣服。从热的季节到冷的季节，妈妈就急着给孩子加衣服，妈妈更喜欢"春捂秋不冻"。所以，不需告诉妈妈们不要冻着孩子，需要的是告诉妈妈们不要热着孩子，要及时给孩子换装、换铺盖。您感觉热了，孩子也就感觉热了，婴儿比成人多穿一层单衣就可以了。到了会跑跳阶段的孩子，衣服还要比成人少穿一些呢。

(2)夏季护理要点

❖ 预防皮肤糜烂

宝宝满月以后，体重进入快速增长阶段，皮下脂肪开始增多，胖嘟嘟的，样子非常可爱。有的宝宝连脖子都看不到了，这样的宝宝在炎热的夏季，颈部、腋窝、大腿根（腹股沟）、臀部、肘窝、腘窝、耳后、大腿皱褶、胳膊皱褶等处，很容易发生糜烂。（北方父母常把这叫"淹着了"，孩子的屁股淹了，下巴淹了）

夏季护理婴儿，最需要注意痱子问题。婴儿皮肤非常薄嫩，天气热，有汗，身体皮肤褶皱处不透气，而这么大的婴儿又好动，出了痱子再摩擦，可能昨天还好好的，今天就糜烂了。所以夏季一定要设法暴露身体褶皱部位，要勤洗澡。

❖ 不用爽身粉或痱子粉

父母都喜欢在宝宝身体褶皱部位擦爽身粉或痱子粉，一些书上也这样写。我不提倡给婴儿使用爽身粉或痱子粉，原因有以下几点：

• 夏季出汗，爽身粉或痱子粉遇湿后，就会贴在婴儿皮肤上，刺激稚嫩的皮肤，皮肤受到刺激后会发生红肿，加速糜烂。

• 干燥的粉才能起到润滑、减小摩擦的作用，湿粉不但不能起到这个作用，反而会增大摩擦，更易磨坏稚嫩的皮肤。

• 有的婴儿本身就对爽身粉中的一些成分过敏，这会加重对皮肤的刺激。

多用清水洗，这是预防皮肤糜烂最有效、副作用最小的方法。

❖ 只盖住胸腹部

环境要通风凉爽，不要给宝宝穿过多的衣服，盖过厚的被子。如果天气很热，只给宝宝穿一件小肚兜就可以，不要盖被子，睡着了，在身上搭一个小薄布单就可以。而且要两头都暴露着，仅搭在胸腹部就可以了。可以睡凉席，最好是草编的凉席。在凉席上铺一层棉质薄布单，最好是白色或浅色的，因为染料对婴儿皮肤有刺激作用。

❖ 空调或电风扇如何使用

不要让空调冷风口或电风扇直接对着宝宝吹，最好是把空调房设在其他房间，婴儿房温度间接得到空调的调节。无论天气多热，室内温度与室外环境温度之差要小于7℃，如果室外温度不是很高，室内温度最低不要低于24℃。即便使用空调，每天也要定时开窗换气。

❖ 妈妈宝宝勤补水

夏季水分丢失比较多，要注意补充水分，

天气热了，妈妈准备给宝宝剃个小秃瓢，免得生痱子。为了不让宝宝动，妈妈把宝宝喂饱了，哄着了，没想到宝宝真的很乖，很顺利地剃完了头。看剃头后和剃头前比，大不一样了吧。

宝宝／姜杼君

乳母要多喝水。如果是配方奶喂养，每天喂水至少4次。夏季气候炎热，宝宝奶量会有所下降，妈妈不要强迫孩子吃。可适当补充一些新鲜橘子汁。要注意奶瓶消毒，奶质量检测，严把病从口入关。一旦腹泻，要及时化验大便，如果有感染性腹泻，要在医生指导下治疗，注意口服补液盐的使用，严防脱水。

(3)秋季护理要点

如果新生儿期结束的时候，刚好赶上秋季，那妈妈宝宝可都要舒舒服服地松口气了。度过了炎热的夏季，终于迎来了凉爽的秋季！金秋时节，感觉到气压不再那么低，空气不再那么闷热，有了一丝淡淡的凉意。

金秋时节是儿童患病率最低的季节，这时的儿科门诊和病房，难得"门前冷落车马稀"了。据不完全统计，秋季儿童就

诊量，差不多是冬季的八分之一、春季的五分之一、夏季的三分之一。这个统计仅是粗略的概算，但也说明金秋时节对成人来说是好时节，对小小的婴儿来说，也是生长发育的好时节。

❖ 秋季护理注意事项

初秋，天气刚刚转凉，婴儿对外界环境的适应能力和自身调节能力都比较差，要注意防止孩子受凉，但不要过早添加衣物和被褥。初秋气温还不是很稳定，可能会有一段时间的燥热，如果过早添加了衣服，会使宝宝难以适应突如其来的冬季。

秋末，冬季就要来临，要注意预防上呼吸道感染。如果这时感冒咳嗽，可能会转成慢性咳嗽，冬季难以护理。

秋末是婴幼儿罹患轮状病毒肠炎高发季节，要注意预防。不要带孩子到人多的地方去。一旦发现孩子腹泻，不要认为是一般腹泻，擅自给宝宝喂止泻药；要及时看医生，如确诊是轮状病毒感染，请医生对症开具治疗轮状病毒肠炎的处方药，注意电解质和水的补充，口服补液盐的使用是极其关键的。

(4)冬季护理要点

❖ 呼吸道感染的高发季节

冬季和春初是呼吸道感染的多发季节，尤其要预防婴儿肺炎，一两个月的婴儿一旦患肺炎，多数是喘憋性肺炎，虽然发病率并不高，但患上了，可就是百分之百的发病率，给父母带来很大负担。

❖ 得病的原因是室内温度过高

冬季护理孩子，问题早已经不是受凉，爸爸妈妈哪里会冻着孩子！护理的误区倒是把孩子热着了。大冬天，满月宝宝在家，父母大多都是门窗紧闭，室内温度比室外温度高几十度，温差很大。室内温度过高，

导致室内湿度过小，加上通风换气不够，宝宝呼吸道黏膜抵抗病毒、细菌的能力大大下降。

❖ 不同的房间存在较大温差

孩子住的房间和居室其他房间，在温度上差异也往往很大，这又造成孩子间接受凉的机会增加。父母总要在居室各房间出出进进，其他房间或厅堂温度相对低的空气，就会进入宝宝的暖房。而宝宝在暖房里，由于温度高，周身毛孔都处于开放状态；遇到冷一些的空气，毛孔还不会迅速收缩，阻挡冷空气的侵袭。

❖ 婴儿房不通气

宝宝暖房长时间不换空气，空气不新鲜、空气干燥，导致宝宝气管黏膜干燥，清理病毒细菌的能力下降，病毒细菌就会乘虚而入。宝宝冬季大病小病不断，成因就在这里。

因此，冬季护理孩子，主要的不是担心受凉，主要的应该是防止受热。新手爸爸妈妈的误区，正是过度关注了受凉而忽视了受热。

第4节 本月婴儿能力

60. 看的能力：对明暗和色彩有反应

(1)喜欢把头转向有亮光的窗户或灯光

1到2个月的婴儿，视觉能力进一步增强，视觉已相当敏锐，能够很容易地追随移动的物体，两眼的肌肉已能协调运动，能够追随亮光。妈妈会发现，孩子总是喜欢把头转向有亮光的窗户或灯光，喜欢看鲜艳的窗帘，这就是对明暗和色彩的反应。两个月以内的婴儿最佳注视距离是15~25厘米，太远或太近，虽然也可以看到，但不能看清楚。

(2)能够记住爸爸妈妈的脸

宝宝对所见的记忆能力进一步增强。特别表现在，当看到爸爸妈妈的脸时，会表现出欣喜的表情，眼睛放亮，显得非常兴奋。爸爸妈妈也会送给孩子爱的眼神，这种对视就是母爱和父爱的体现，孩子会很幸福，这对孩子身心发育是非常有利的。爸爸妈妈不要以为孩子小，什么都还不懂。

小家伙可是会察言观色，面对妈妈的怨言和不悦，宝宝或皱起眉头，或面露惊恐；面对妈妈的和颜悦色，宝宝或喜笑颜开，或手舞足蹈。

(3)视觉训练方法

❖ 暗室辨色训练

把几张黑白相间的图画卡和几张彩色图画卡贴到墙面上，高低程度略高于宝宝位置，使得宝宝刚好抬头往上看。宝宝距离图画卡约1米的距离。打开手电筒，光线投照在一张卡片上，引导宝宝看，并告诉宝宝卡片上的物体是什么，是什么颜色的。

这种训练，是在帮助宝宝辨别黑白与彩色的区别，增强宝宝视觉色彩辨别的敏锐度和准确度。

❖ 日光辨物训练

卡片贴法同上。用彩色小棒（也可用射灯）指着某一张卡片，引导宝宝看，并大声告诉宝宝卡片上的物品是什么。

这个训练一定要在宝宝清醒状态下进

行，并在宝宝尚未出现不耐烦表情前结束训练。通常情况下，每次训练5分钟左右，每张卡片重复3次。

请爸爸妈妈记住了，训练完毕要亲亲宝宝，并大声表扬宝宝，小家伙能感知到的。

这个训练，目的在于帮助宝宝辨识物品。因此要求画片上的物品，造型必须准确，以便宝宝在生活中看到实物，能有效联想。同时父母或看护人在做这项训练时，发音一定要准确，不要使用儿语，比如苹果就是苹果，不能叫"苹苹"或者"果果"，以免孩子发生概念混乱。

61. 听和嗅的能力

(1)对声音变得敏感起来

新生儿听力已经比较敏锐，这个月的婴儿听觉能力进一步增强，对音乐产生了兴趣。如果妈妈给孩子放噪音很大的声音，孩子会烦躁，皱眉头，甚至哭闹。如果播放舒缓悦耳的音乐，孩子会变得安静，会静静地听，还会把头转向放音的方向。妈妈要充分开发孩子这种能力，训练听觉。但孩子毕竟小，对不同分贝的声音辨别能力差，不要播放很复杂、变化较大的音乐。

新手爸爸妈妈们，自己就是在流行音乐中长大的一代，因此也都非常重视培养孩子的乐感，花钱购买很好的音响和光盘，给宝宝播放优美的音乐或歌曲，这已经很普遍了。

(2)听的能力训练

值得提醒的是，宝宝究竟最喜欢听什么音乐？爸爸妈妈知道吗？很简单，就是爸爸妈妈的歌声！爸爸用浑厚的嗓音哼唱几句，宝宝会安静地倾听。妈妈用甜美的嗓音轻轻哼唱，会让哭闹中的宝宝安静下

来，脸上露出欣喜的表情。对于宝宝来说，爸爸妈妈的歌声胜过最好的音响。

有的妈妈说了，自己的嗓音既不甜美也不动听，还有些五音不全，不敢张嘴，怕影响宝宝的乐感。妈妈千万不要这么想，大胆地唱给宝宝听吧！宝宝不是音乐评委，只是感情专家，只要妈妈情真意切，宝宝就会"照单全收"。

(3)嗅的能力，爱嗅妈妈的奶香

胎儿在母体中，嗅觉器官即已发育成熟。新生儿正是依靠健全的嗅觉能力，辨别妈妈的奶味，寻找乳头和妈妈。婴儿喜欢面朝妈妈睡觉，这就是嗅觉的作用，宝宝是在闻妈妈的奶香呢。

可以把不同味道的食物放在宝宝鼻前，让宝宝体验到各种味道。每拿一种食物，都要告诉宝宝，拿的是什么，是什么味道的，以此增强宝宝嗅觉灵敏度，帮助宝宝通过味道，记住食物。

62. 说的能力：仍然通过哭声表达情绪

(1)小嘴有说话的动作

1个多月的婴儿哪里会有说的能力？是的，婴儿还不能用语言来表达，但婴儿已经有了表达的意愿。当爸爸妈妈和宝宝说话时，会惊奇地发现，宝宝的小嘴在做说话动作，嘴唇微微向上翘，向前伸，成O形。这就是想模仿爸爸妈妈说话的意愿。爸爸妈妈要想象着宝宝在和你说话，你就像听懂了宝宝的话，和宝宝对话，这就是语言潜能的开发和训练。尽量多和宝宝说话，开发宝宝的语言学习能力。

(2)哭是婴儿的语言

哭也是婴儿的语言，（详细内容请看47条婴儿

35种啼哭破译）新手妈妈常常问我，孩子哭要不要抱？要不要哄？是孩子一哭就立即抱起来，还是等到孩子大哭了再抱起来呢？一哭就抱是不是会把孩子惯坏？让宝宝尽情地哭是不是能让孩子变得坚强和独立？孩子哭是不是一种很有益的运动方式？如果对孩子的哭置之不理的话，是否会伤害宝宝的心理健康？等等。

可以肯定地说，孩子一哭要哄。当宝宝哭闹时，爸爸妈妈反应越及时越好。请爸爸妈妈放心，宝宝不会因为你的积极反应而被惯坏。让宝宝尽情地哭，宝宝会因为缺乏安全感而变得越发的爱哭，越发的脆弱。很显然，对婴儿的哭置之不理是对婴儿的一种漠视，甚至是伤害！哭的确是宝宝的一种运动方式，但父母不理会，这种运动方式就走向了反面，会伤害孩子情商的正常发育。

(3)2个月婴儿语言训练

新生儿期语言训练中的倾听和对话，仍然是这个月宝宝语言训练的基本内容。有所不同的是，爸爸妈妈对宝宝说的话，宝宝通过自己嗯嗯啊啊的回应，对内容有了更深的理解。宝宝发音所表达的意思更广泛了，不仅在告诉妈妈他很舒服，还会告诉妈妈他饿了、困了、渴了、尿了、拉了，或者要妈妈抱了等等。宝宝开始会用愉悦的声调，表达对爸爸妈妈的爱；用歌声般的发音，告诉爸爸妈妈他很幸福；用哼哼唧唧表达他的不耐烦，而不是动不动就大哭。爸爸妈妈要用丰富的想象力来解读宝宝的语言，享受这段特有的育儿"默片"，和孩子一起度过快乐时光。

儿歌、打油诗、押韵的小段子、古今中外朗朗上口的诗、词、散文及各种题材

的小短文，都可以作为和宝宝交流的内容。语言训练可以随时随地进行，和宝宝玩耍的时候，给宝宝喂奶的时候，哄宝宝睡觉的时候，都可以进行语言训练。总之，爸爸妈妈和宝宝交谈得越多，宝宝语言发育就会越好。

63. 运动能力

(1)了解婴儿动作发展的意义

婴儿动作的发展，与神经系统发育和心理、智能发展密切相关。这个月的婴儿不能用言语表达，心理发展的水平主要是通过动作反映出来，只有动作发展成熟了，才能为其他方面的发展打下基础。

婴儿的体活能力是不断提高的，从最原始的无条件反射到复杂技能的获得，都遵循一定的原则，有严密的内在联系。新手爸爸妈妈要了解孩子体能的发展规律，相应给予合理的训练。

(2)这个月婴儿的泛化反应

1-2个月的婴儿，其动作还是全身性的。当爸爸妈妈走近宝宝时，宝宝的反应是全身活动，手脚不停地挥舞，面肌也不时地抽动，嘴一张一合的，这就是泛化反应。随着月龄的增大，逐渐发展到分化反

宝宝 / 王美泽
看宝宝坐得很稳，其实，宝宝还不会独坐，完全依靠沙发靠背呢，如果两边不用东西挡上，宝宝很快就会向两边倒。

应。从全身的乱动逐渐到局部有目的有意义的活动。婴儿动作的发展，是从上到下的，即从头到脚顺序发展。

(3)俯卧抬头

1个月以内的婴儿，俯卧位时还不能把头抬起；一个月以后，可能会有短暂的微微抬起，但很快就会落下去；接近2个月的婴儿，可以把头抬起片刻，但前胸还不能离开床面，可以自己把头偏过去，使口鼻不被堵住。

这个阶段，可以多让宝宝俯卧。但喂奶后不要立即让宝宝俯卧，以免吐奶。最好在喂奶前，宝宝还没有发出饿的信号时，让宝宝俯卧一会儿。宝宝俯卧时，妈妈要面对宝宝说话，宝宝为了看到妈妈，会努力抬头。如果不理睬宝宝，宝宝几乎一会儿也不想趴着，还会用哭来抗议。所以让宝宝俯卧，爸爸妈妈要面对宝宝说话，逗宝宝，这样锻炼抬头的目的才能达到。

(4)预防婴儿窒息

有的婴儿这时还没有俯卧侧头的能力！所以，妈妈不在时，不要让宝宝俯卧

位睡眠，也不要侧卧位，因为侧卧时，自己可能会变成俯卧位。如果婴儿不能把头偏过去，就会堵塞呼吸道造成窒息，这也是引发婴儿猝死的直接原因。

美国许多医生曾经呼吁让婴儿更多采取俯卧位，这样有利婴儿大脑发育和促进肺脏功能增强。但随后发现，俯卧和侧卧可能是婴儿猝死发生率增高的原因之一，因此认为仰卧还是安全的。

我国医学界一贯主张婴儿应该采取仰卧位，尽管溢奶时会有呛进气管的危险，但如果妈妈在身边，溢奶后马上把孩子侧过来，还是来得及的，还是比俯卧安全。

并不是不让这么大的婴儿俯卧或侧卧。当宝宝醒后或喂奶一个小时后，爸爸妈妈可以帮助孩子做俯卧位锻炼，这对孩子的脑发育和促进肺功能是很有益处的。可以每天做两三次，每次锻炼几分钟。

(5)握拳和吸吮拳

这个月的婴儿还不能主动把手张开，但会把攥着的小拳头放在嘴边吸吮；甚至放得很深，几乎可以放到嘴里，但不会把指头分开放到嘴里。也就是说，这么大的婴儿不是吸手指，而是吸吮拳头。小婴儿握拳是把拇指放在四指内，而不是放在四指外，这是小婴儿握拳的特点。

(6)2个月婴儿手的运动

新生儿期，宝宝已经接受了仰卧拉手和俯卧拉手的训练（参见35.(3)条新生儿手的训练），这个月还可以继续进行。同时，本阶段还可进行新的训练，如把小摇铃放在宝宝手里，当宝宝握紧摇铃把时，妈妈可稍微用力，试图把摇铃从宝宝手中抽出来。

也可以找两个小细木棒（一定要保证木棒上没有木刺），让宝宝两只手同时

握住，当宝宝握紧木棒时，可尝试着向前（宝宝俯卧位）、向上（宝宝仰卧位）拉。

这两项活动，不仅锻炼宝宝手的伸握能力，还锻炼宝宝的臂力。当然，活动时动作一定要轻，宝宝骨骼发育还处于初级阶段，避免发生危险。

(7)2个月婴儿体能训练

❖ 上下左右移动

妈妈托住宝宝腋下，向不同方向移动宝宝，边做运动边告诉宝宝方位，帮助宝宝了解方位的概念。

❖ 坐在摇椅上移动

妈妈坐在摇椅上，托住宝宝腋下，让宝宝面对面坐在妈妈腿上，妈妈用身体摇动转椅，"顺时针转喽"，"逆时针转喽"。妈妈不必担心宝宝听不懂，在玩耍中学习，宝宝学得最快。

❖ 左右摇动

这个运动需要一定的臂力，所以爸爸来做最好。爸爸坐在地板或床上，和宝宝面对面，两手托住宝宝腋下。轻轻后仰直到躺下，并同时举起双臂，举起宝宝。在整个运动中，爸爸要使宝宝始终与自己面部和胸部平行，爸爸的眼睛始终注视着宝宝的面部。边做边说，躺下了，起来了。这个运动其实就是抱着宝宝做仰卧起坐，不但锻炼了宝宝，还锻炼了爸爸的腹肌，消除爸爸的"将军肚"。爸爸不用去健身馆了，省下时间和孩子一起玩耍，可谓事半功倍。

❖ 平托移动

这项运动需要腕力和胆量，由爸爸来做最适合。宝宝仰卧在床上，爸爸伸出左手，五指完全张开，轻轻放在宝宝胸腹部，用右手帮助宝宝俯卧过来。这时，爸爸的左手正好托住宝宝胸腹部。抬起左手，右手扶住宝宝双脚以保护宝宝。爸爸向前、向后、向下、向上、向左、向右移动手臂，宝宝张开双臂，像小飞机一样飞翔。爸爸一边做动作，一边根据移动方向大声告诉宝宝。这样不但锻炼了宝宝的平衡能力，还能帮助宝宝将方位感和方位词联系起来。

❖ 前后摇动

这个运动要由爸爸和妈妈共同完成。爸爸在宝宝右侧，右手握住宝宝右脚踝，左手握住宝宝右手腕。妈妈在宝宝左侧，右手握住宝宝左手腕，左手握住宝宝左脚踝。爸爸妈妈同时向上抬起宝宝，使宝宝前后呈半圆形移动，就像荡秋千，但幅度和速度都要相当和缓。

> **提⋯⋯示**
>
> 做以上运动时一定要注意安全，下面放上软垫。最好不要在床上给宝宝做运动，在地板上做要安全些。

64. 潜能开发

(1)请牢记，孩子懂你

当孩子觉醒时，和孩子面对面说话，发音口型要准确，既轻柔又清晰，不但锻炼了孩子的听力，也锻炼了孩子的视力。

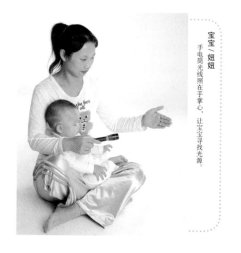

宝宝 / 妞妞
手电筒光线照在手掌心，让宝宝寻找光源。

当孩子注视着你时，可以慢慢地移动头的位置，设法吸引孩子的注意力，让孩子追随你。如果孩子的视线不能随你移动，可以向孩子发出声音："妈妈在这里，看看妈妈。"请牢牢记住，孩子什么都懂。抱着这样的信念训练孩子的潜能，是非常重要的。

(2)不要奢望孩子超常

不要刻意教孩子什么"本事"，与孩子玩耍、交谈、游戏，就能很好提高孩子的能力了。单纯教什么"本事"，或者为了训练而训练，把训练能力当成了任务，这样做，不仅会扼杀孩子的学习兴趣，也会让父母感到疲劳、不耐烦，甚至会训斥孩子。奢望孩子超常是导致教育失败的原因之一。要用一颗平常心对待孩子，给孩子最大的快乐，爸爸妈妈也从孩子那里得到快乐，这是最好的亲子互动方式。

第5节 本月婴儿生理现象

65. 溢乳、便稀、臀红、尿少、吃奶时间缩短

(1)溢乳

❖ 溢乳婴儿的喂养

新生儿溢乳，可能就是在嘴角流出一点奶液；满月后的宝宝动作可就大了，溢乳量可能会比较大，甚至溢出一大口，让爸爸妈妈很紧张。男婴溢乳发生率要比女婴高，程度也相对重。

如果宝宝发生了严重的溢乳现象，可以让宝宝把一侧乳房吸净后，另一侧乳房只吸一半。人工喂养儿，可以尝试着减少奶量。但以宝宝体重正常增长为前提。

这个月的婴儿，每天体重增长约40克左右，一周可增长200克左右。如果每周体重增长低于100克，就说明宝宝不但没有吃过量，还可能由于溢乳过多，影响了热量供应。生理性溢乳多不影响生长发育，如果生长发育受影响，就要鉴别是否属于病理性呕吐。

❖ 溢乳的护理方法

生理性溢乳不需要治疗，每次喂奶后都要拍嗝，把吸入的空气排出来。如果拍不出嗝，也不能持续拍下去，可持续竖立抱10～15分钟，这样也可减少溢乳。无论喂奶后宝宝是否拉尿，都不要换尿布，以减少溢乳的可能。不要等宝宝醒后大声哭闹了再抱起喂奶，那样会增加溢乳的可能。抱宝宝时，动作不要过猛，先抬起头部，再随后抱起上身、下身。就是说当把宝宝抱起时，宝宝略呈直立位。喂奶时，宝宝的头、上身始终要与水平位保持45度角，这样也会减少溢乳。少食多餐也可减少溢乳。

❖ 溢乳的药物治疗

特别严重的溢乳，可以使用万分之一的阿托品滴液，开始剂量是喂奶前15分钟滴一滴，逐日增加滴数，每日增加一滴（如第二天是每次喂奶前滴两滴），直到面部发红，再逐日递减，直至面色恢复正常。如果滴的过程中，溢乳减少或不溢乳了，就不要递增，保持原量，巩固几天停药。使用这种方法，一定要在医生指导下，最好是住院有护士协助进行，医生观察疗效更安全。切不要自行完成。

❖ 没有必要的担忧

爸爸妈妈常为宝宝溢乳而发愁，每吐

郑玉巧育儿经·婴儿卷

奶一次，尤其是大口吐奶，妈妈的心就很难受。其实，只要是生理性溢乳，早晚会好的，不会一直这样下去。溢出去的奶多是宝宝吃多的那一部分，所以不影响宝宝的生长发育。如果吐奶多了，宝宝会提前闹着吃奶。溢乳的宝宝食欲大都比较好。宝宝溢乳后，仍然精神饱满，还不时地笑，妈妈就不要担心了。

(2)大便稀绿，患肠炎了吗

宝宝的大便夹杂着奶瓣或发绿、发稀，这不要紧，不要认为是消化不良或患肠炎了。大便次数增加到每日6-7次，这也是正常的。只要孩子吃得很好，腹部不胀，大便中没有过多的水分或便水分离的现象，就不是异常的。

如果孩子大便稀少而绿，每次吃奶间隔时间缩短，好像总吃不饱似的，可能是母乳不足了。但不要轻易添加配方奶。每天在同一时间测体重，记录每天体重增加值，如果每日体重增加少于20克，或一周体重增加少于100克，可试着每天添加一次配方奶。观察宝宝是否变得安静，距离下次吃奶时间是否延长。如果是的话，就继续每天添一次配方奶。一周后测体重，如果增加了100 -150克以上，就可证明是

宝宝 / 王美泽
宝宝两只小手已经会勾在一起，还会把手指伸出来，握在另一只手里。

母乳不足导致大便溏稀发绿。

如果大便常规检查有异常，医生诊断患有肠炎，则遵医嘱服用药物，不要自行服药，以免破坏肠道内环境，尤其不能乱用抗生素。

有的宝宝从这个月开始出现乳糖不耐受现象。大便次数增加，或发稀发绿，伴有泡沫。如果是配方奶喂养，可尝试着更换低乳糖或无乳糖配方奶。如果是母乳喂养，可尝试着服用乳糖酶制剂。如果你怀疑宝宝可能存在乳糖不耐受情况，请向医生咨询，不要轻易更换配方奶或服用药物。绝不要因为宝宝大便不正常而停止母乳喂养。

(3)比新生儿还容易患臀红

有的婴儿后半夜可能会睡上五六个小时不吃奶。深睡眠时间也延长了，不再是尿了就哭。妈妈也睡得很香，潮湿的尿布浸着孩子，很容易患臀红。如果是夏天或盖得多，就更加严重。随着母乳量的增加，婴儿大便次数比新生儿期还多，一天可拉六七次，如果不及时更换有大便的尿布，更容易出现臀红。

发现宝宝臀部发红或有尿布疹，一定要及时处理。每次排大便后用清水洗臀部，涂上鞣酸软膏或其他有隔水作用的护肤霜。请注意，不要涂得太厚；太厚就会影响皮肤呼吸。对女婴来说，如果涂得过厚，霜剂会移行到女婴阴部，刺激外阴。要像涂面部一样涂抹均匀，几乎看不到护肤霜。也可尝试着涂食用油，如橄榄油、香油等。也可尝试着涂不含氟、薄荷和药用成分的牙膏。

要注意：如果臀红导致肛门四周皮肤溃破，细菌会侵入，造成肛周脓肿。肛周脓肿是婴儿期比较严重的感染性疾病，会给宝宝带来很大的痛苦，要做脓肿切开引流，如果治疗不及时还会引起肛瘘。所以，

宝宝一旦出现臀部发红，要及时处理。

(4)小便次数减少了，缺水吗

新生儿尿量虽然不是很多，但排尿次数却比较多。随着月龄的增加，膀胱容积增大，所以，宝宝排尿次数可能会有所减少，但一次排尿量却比原来增加了。如果是在夏季，天气热，宝宝可能会缺水分，不但排尿次数减少，每次尿量也不多，嘴唇还可能发干。这才是缺水的表现，要注意补充水分。

(5)为什么吃奶时间缩短了

吃奶时间不但不延长，反而缩短了，是奶量减少了，还是宝宝生病了？

新生儿吸吮力弱，胃容量小，睡眠多，妈妈乳量也少，乳头条件还不是很好。加上妈妈还不会舒服地抱宝宝喂奶，宝宝吃一会儿就疲劳地入睡了，吃奶间隔时间也短。

随着婴儿日龄的增加，吸吮力增强，妈妈能比较娴熟地喂奶了。宝宝吸吮速度明显加快，妈妈乳量也比坐月子时充足了。所以，吃奶时间会缩短，间隔时间会延长，这是好现象。

如果是奶少了，宝宝可不会像新生儿那样老实，现在他会大声哭闹。如果宝宝

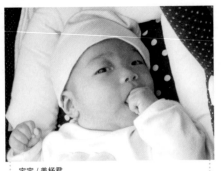

宝宝 / 姜杯君

和上个月不同，宝宝不再吸吮拳头，开始吸吮手指，宝宝最喜欢吸吮大拇指。妈妈不要害怕宝宝吸吮手指，总是把宝宝的手拿开，吸吮手指是婴儿认识事物的一种方式。

病了，吸吮力会减弱，还会有其他一些异常表现。

66. 哭闹、夜哭郎、抓脸、睡眠不踏实

(1)哭闹

这个月的婴儿比较喜欢哭闹，哭声也响亮了。哭不再是消极的，已经有了积极的意义。如总是让他躺着看房顶，会觉得寂寞，就会大声哭，希望爸爸妈妈抱抱他，也让他看看周围的东西。如果这时妈妈怕惯坏孩子而不去抱他，让他尽情去哭，宝宝会感到失望，心理发育会受到不良影响。

不要认为刚刚1个多月的婴儿没有这样的感受，婴儿有丰富的情感世界。爸爸妈妈学会理解宝宝的哭声，是要经过一段时间的，但是，把宝宝的哭，理解成语言，并与宝宝认真交流，对宝宝的心智发育有积极的作用。

(2)夜哭郎，受惊吓了

有的婴儿白天睡得很好，到了晚上开始闹人，睡一会就哭，还非常难哄，有的时候是越哄越哭，爸爸妈妈筋疲力尽。邻居也会问起孩子为什么总是哭，妈妈会觉得自己带孩子很失败，爸爸会由于白天工作劳累，晚上还不让睡个安稳觉而抱怨，甚至责怪妻子不会哄孩子。这不是妈妈的错，也不是宝宝的错。有的婴儿就是喜欢晚上哭，也找不出什么原因。

如果确定宝宝没有任何问题，父母首先不要急躁，不要过分哄，不要大声地"嗷嗷"抱着孩子。妈妈也不要火上浇油地唠叨，爸爸更不要冲宝宝发火。如果爸爸妈妈表现出急躁情绪，宝宝会越哭越厉害，程度也会与日俱增。

1-2个月的孩子已经能够感觉爸爸妈

妈的态度和语气。抱怨和责怪的语气会使安静的婴儿变得烦躁，会使快乐的婴儿哭起来，更不用说本来就哭闹的孩子了。心平气和地对待哭闹中的宝宝，会让宝宝渐渐地停止哭闹。

(3)宝宝用手抓脸，是不是不舒服

快2个月的婴儿，会用手抓脸。如果婴儿指甲长，会把脸抓破，即使不抓破，也会抓出一道道红印。老人都喜欢给孩子缝制一双小手套，用松紧带束上手套口或用绳系上。这样做是很不安全的。如果手套口过紧，会影响宝宝手的血液循环；如果缝制的手套内有线头，可能会缠在宝宝的手指上，使手指出现缺血，严重者出现手指坏死。儿童用品商店里出售的宝宝服，也常常带有小手套，最好不要选择这样的宝宝服。

我不赞成给宝宝戴小手套，这会给婴儿带来不便。试想一下，如果整天让你戴个手套，你会感到舒服吗？不管多么柔软的布，对婴儿稚嫩的小脸还是有摩擦的。婴儿的小手很稚嫩，对脸的摩擦和刺激，比布面要小得多。

指甲长的问题是可以解决的。把宝宝的指甲剪得稍微短些，然后再轻轻磨一下，让指甲圆钝。3天左右修剪一次比较合适。

从另一个角度考虑，手在大脑发育中占有重要位置。手的精细运动能力是婴儿发育中非常关键的。手的神经肌肉活动可以向脑提供刺激，这是智力发展的源泉之一。如果整天戴着手套，会极大地妨碍婴儿手的精细运动能力。

还有的妈妈怕孩子抓脸，就给孩子穿袖子很长的衣服。虽然避免了发生手指缺血的危险，但也同样会影响宝宝手运动能力的正常发展，也是不可取的。

(4)睡眠不踏实，是否缺钙

随着日龄的增加，宝宝睡眠时间减少，听、看、嗅等感知能力增强，对外界刺激更加敏感。如果周围环境不好，宝宝睡眠会不踏实。

这个月的婴儿开始做梦，做梦时会出现躁动。婴儿的运动能力也增强了，肢体活动增加，睡觉过程中会出现各种各样的动作。宝宝尽管动作多多，却仍处于睡眠状态，妈妈不要惊动宝宝。即使哭几声，拍几下很快就会入睡的，不要急着抱起宝宝。有时，宝宝会睁眼看看，如果妈妈在身边，会闭上眼睛接着睡；如果发现妈妈不在身边，会大声哭起来。这时，如果妈妈立即跑过来拍拍，宝宝会马上停止哭闹，很快入睡。如果仍然哭，握住宝宝的小手放到他的胸腹部，轻轻地摇一摇，会很快再次入睡。如果到了吃奶的时间，只有喂奶才会使宝宝停止哭闹。

上述情况下出现的睡眠不踏实，都不是缺钙引起的，切莫以偏概全，盲目补钙。

67. 奶痂、奶秃、枕秃、发黄
(1)头部奶痂

宝宝头部有奶痂，可能是因为整个月子也没有给宝宝洗头；或洗头时，没有间或使用洗头水，或仅仅用清水冲一下，或仅仅用湿毛巾轻轻沾几下。宝宝属于渗出体质，或皮肤长了湿疹等，也可能造成宝宝头部、眉间有厚厚一层颜色发黄的奶痂。

不要直接往下揭痂，那样会损伤宝宝毛囊。可用液体甘油（开塞露也可以）或婴儿护肤油，涂在奶痂表面浸泡几分钟，等到奶痂松软了，用婴儿梳子轻轻地梳理，把奶痂一点点梳理掉。不要急于一次弄干净，每天弄一点，慢慢弄干净。如果伴有湿疹，可能弄不掉。不要紧，随着月龄增

长，头部的奶痂会逐渐减轻、消失。

(2)头部奶秃

这个月的婴儿会出现脱发现象。出生后本来黑亮浓密的头发变得稀疏发黄，妈妈会认为宝宝营养不良或缺乏某种营养素。

婴儿脱发是生长过程中的一种生理现象，民间俗称奶秃。随着月龄的增长，开始添加辅食，脱落的头发会重新长出来。另外，胎儿期的头发与母亲孕期的营养有关，出生后与遗传、营养、身体状况等多种因素有关。如果父母发质很好，在不久的将来，宝宝定会长出浓黑光亮的头发。

(3)头部枕秃

大多数父母知道"枕秃"是缺钙引起的，而实际上，并不是所有的"枕秃"都是由缺钙引起的。

婴儿爱出汗，基本都是仰卧着睡觉，而且一天24小时大多数时间是躺着度过的。如果枕头过硬（有的父母为了给孩子睡头形用黄豆、玉米粒、小米、蚕沙装枕头），孩子整天在枕头上来回蹭，就会把枕后的头发磨掉了。常有人行走的草地不长草，道理是一样的。不要看到宝宝有枕秃，就盲目增加钙的摄入量。

(4)鼻根部和掌心发黄

这个月的婴儿如果出现手足心，鼻根部发黄，但眼睛巩膜却蓝蓝的，这可能是给宝宝添加了过多的橘子汁、胡萝卜汁、西红柿汁等黄红色食物引起的。不要紧，暂时停止或减少剂量后，会慢慢消退。

68. 出满月了，妈妈自由了吗

(1)出满月了，妈妈可以随便吃了吗？

母乳喂养的妈妈，即使孩子出了满月，也不能随便吃生冷不易消化的饮食。乳母如果不注意把住入口关，宝宝就可能会腹泻。在炎热的夏季，妈妈可能喜欢吃冷饮、生蔬菜等，如果在哺乳前吃了，很可能会导致宝宝腹泻。妈妈一定要在喂完奶后吃，等到下次喂奶时，对宝宝的影响就不大了。

(2)满月了，妈妈去哪都可以了吗？

顺产妇产后恢复需要42天，剖腹产妇产后恢复需要56天。出了满月就逛商店，逛市场，会导致疲劳，子宫恢复还不完全，会导致出血等情况。离开宝宝时间过长，也会影响宝宝哺乳。如果风风火火来到家后马上给孩子喂奶，会导致宝宝腹泻。

出了满月，可能会带宝宝到奶奶或外婆家里，要注意两家环境的差别，不要把孩子弄感冒了。这么大的婴儿呼吸道防御功能差，一旦感冒，很容易发展成肺炎。尽管这时宝宝体内有来自于妈妈身体中的抗体，但总体来说抵抗力还是比较低的。途中不要把孩子捂得过于严密，以免导致婴儿蒙被综合征。

69. 这个月婴儿需要免疫接种吗

满1个月的婴儿，国家计划免疫接种的疫苗是乙肝疫苗。满2个月婴儿，国家计划免疫接种的疫苗是脊髓灰质炎（麻痹糖丸）疫苗。满2个月婴儿，国家扩大免疫接种的疫苗是嗜血流感杆菌（HIE）疫苗。

（关于免疫接种详细内容，请参见第十三章的有关内容）

第三章　2-3个月的婴儿（60—90天）

这个月的宝宝开始有翻身的意愿；

先是头和肩部侧翻，小胳膊上举，努力练习翻身；

俯卧位，抬头 90 度；

仰卧能盯着自己的小拳头看，很容易凝视人和物体；

在眼前移动物体，转头 90 度追视；

发出"哦哦、喔喔"的声音……

第1节 本月婴儿特点和生长发育

70. 本月婴儿特点

(1)外貌

2~3个月的婴儿，已经完全脱离了新生儿状态，进入婴儿期。宝宝的眼睛变得更有神了，能够有目的地看东西了。皮肤细腻，有光泽，弹性好。面部皮肤变得干净，奶痂消退，湿疹减轻。

但也有的婴儿湿疹反而加重了。遇到这种情况，妈妈不要紧张，如果是母乳喂养，注意饮食对宝宝湿疹的影响。如果妈妈吃了某种食物，宝宝湿疹就加重了，暂时就不要吃这种食物了，过一段时间再吃，并观察宝宝湿疹是否有加重。

如果是配方奶喂养，可尝试着更换低敏配方奶，观察宝宝湿疹是否有所减轻。更换配方奶，最好在医生指导下进行。

(2)体能

肢体活动频繁，力量增大，学会了踢被子。盖上后，会迅速踢掉，让爸爸妈妈无可奈何。盖被子时，把宝宝小脚露在外面，宝宝就踢不着被子了。不要给宝宝盖厚被子，宝宝因为太热睡不安稳，踢被子会更频繁。

俯卧位时，几乎可以自己抬头了，能够用上臂支撑前胸。但有的宝宝喜欢把双臂伸到身体两侧，前胸得不到支撑，头部抬得不是很高。妈妈不要着急，这不是异常表现。

把带把的小玩具放到宝宝手中，能够抓住。但有的宝宝还不会主动张开手指接过递给他的玩具。宝宝还不会伸手够东西。

竖立着抱宝宝，宝宝头部也能够竖立起来，但不能坚持太久。有的宝宝还不能很好竖头，竖立着抱时，仍要注意保护头部。快3个月时，多数婴儿都能够很好地把头竖起来了。

(3)情感

笑的时候更多，有时会发出"啊、哦、喔"的声音，见到妈妈会有急迫的表情流露出来，同时两手臂上伸，渴望妈妈抱起。

吃配方奶的婴儿见到奶瓶会表现出很兴奋的样子，但也有婴儿反应并不强烈。这或许就和遗传有关了，如果爸爸或者妈妈属于内向性格，宝宝接受了这样的性格遗传，不喜欢表达，或情感反应不强烈，也就实属正常了。

食欲不太好或对吃不太感兴趣的婴儿见了奶瓶子非但不兴奋，可能还会拒斥。如果妈妈怀疑宝宝反应不够灵敏，在例行健康检查时，准确向医生反映情况，咨询处理意见。

有的宝宝环境反应更加强烈，喜欢在亮亮堂堂的地方，被抱到室外，那会非常高兴。爸爸妈妈和周围人逗他，会出声地笑，有时会发出一连串的笑声。

也有的宝宝"沸点"比较高，不轻易露出笑模样，即使笑也是宛然一笑，或张开小嘴无声地笑。认生的宝宝对陌生人的逗笑，表现出一脸的严肃；或许会皱起小眉头凝视着对方；或许会露出微微的笑容；或许会撇着小嘴要哭。这时，妈妈可要打破僵局，和客人搭话，使客人暂时停止对宝宝的关注，否则宝宝可能会大哭起来。

宝宝对妈妈笑得最多；吃奶时手脚不停地舞动，把小脚高高地跷起来，小手会摸着妈妈的乳房；吃奶不再那么认真，可能会东张西望。

(4)喂养

白天睡眠时间缩短，晚上睡觉时间延长。但有的婴儿晚上仍然会频繁醒来，尤其是母乳喂养儿，夜间醒来吃奶的次数并不减少，甚至还增加了。妈妈不要疑惑，更不要轻易认为母乳不足而添加配方奶。随着月龄的增加，宝宝奶量会有所增加，但并不是不断增加。

配方奶喂养儿的妈妈千万不要急于增加奶量，否则会事与愿违，出现厌食，甚至拒绝喝奶。母乳喂养儿的妈妈可能会感觉乳房不像以前那么胀，由此认为乳汁不足，硬是给宝宝添加配方奶，导致乳头倒错，宝宝拒绝使用人工奶嘴，给喂养带来困难。

大便次数可能会减少，或出现腹泻，也可能会出现大便干燥，这个时期大便性质不稳定。出现水样便或每天大便次数超过4次，请留取大便去医院化验并向医生咨询处理办法。如果宝宝有异常表现，需要带宝宝看医生。

大便留取一定要放在干净的小瓶子中，盖好盖子，时间不要超过2小时，新留取的大便能获得更可靠的化验结果。不要轻易给宝宝服用抗菌素。

(5)发育程度出现个体差异

体格发育上，有的婴儿体重和身长都超标，胖嘟嘟圆滚滚的，非常招人喜爱。有的婴儿则不然，小胳膊小腿细溜溜，身材匀称，穿衣服有模有样，标准的小模特。有的婴儿比较安静，吃饱睡，睡醒吃，醒着的时候能自己玩一会儿，只要有人哄着，很少哭闹。有的宝宝相当的活跃，几乎没有停歇的时候，四肢总是在舞动中，属于精力旺盛型。有的宝宝，比较爱哭闹，睡觉要哄，喂奶也难。面对这样的宝宝，爸爸妈妈最需要的是耐心，不发火、不急躁、不抱怨、不吵架。宝宝的脾气秉性与他所处的环境关系密切，也与其自身

推荐哺乳方式

宝宝／杨熠和

第三章 2 I 3 个月的婴儿（60~90天）

119

性格有关。

71. 本月婴儿生长发育

(1)身高

本月身高可增长3.5厘米左右。满3个月，身高可达60厘米左右。

男婴身高均值60.5厘米，女婴身高均值59.1厘米。如果男婴身高低于56.0厘米或高于65.2厘米，女婴身高低于54.7厘米或高于63.5厘米，为身高过低或过高。

测量身高时，应该采取仰卧位测量，测量起来并不像想象的那么容易。婴儿对外界刺激比较敏感，即使是睡着了，当试图测量身高时，宝宝也会醒来，或很快就把腿蜷起来。醒着的时候就更不好测量了。因此，测得的数据往往不是很准确，妈妈就不要为宝宝身高与标准相差一点而焦急了。

当宝宝身高偏低时，父母往往会焦躁不安，以为是喂养不当或营养不良了。与体重相比，身高受种族、遗传和性别的影响较为明显。父母需结合种族、父母和直系亲属身高水平综合分析。只要不低于正常值范围，随着月龄的增加，身高匀速增长，就是正常的。

如果按照百分数表示身高水平，只有

宝宝 / 李浩岩
宝宝这么小已经会哈哈地笑，显示出开朗的性格特点。

低于第3百分位时，才被视为低于正常；高于第97百分位时，被视为高于正常。宝宝身高是矮小或高大，需要医生来鉴别。（参见附录身高发育表）

不要为某一次身高测量值而烦恼，要连续观察宝宝身高变化。在儿童身高发育曲线图上，标注每月测量值，宝宝就有了自己的身高曲线图。如果曲线有显著偏离，需要看医生。

(2)体重

❖ **体重标准与规律**

体重与身高相比，受遗传、种族影响比较小，更多的是受营养、身体健康状况、疾病等因素影响，所以，体重是衡量婴儿体格发育和营养状况的重要指标。本月婴儿，体重平均增加0.7公斤。

在体重增长方面，存在着显著的个体差异。增长快的，1个月可增加1.0公斤以上；增长慢的，仅增加0.5公斤。

本月男婴体重均值6.3公斤，女婴体重均值5.8公斤。

如果男婴体重低于5.0公斤或高于7.8公斤，女婴体重低于4.6公斤或高于7.2公斤，为体重过低或过高，需要看医生。

新手妈妈咨询喂养问题，大多是问宝宝吃奶少、太瘦、只吃母乳、不喝配方奶、不喝白开水等等怎么办这样的问题。关于营养方面，咨询补钙问题的妈妈最多。

有许多重要问题反倒被忽略了，如缺铁性贫血、补钙过量、忽视运动补钙、盲目补锌、不重视日光浴摄取维生素D、过度喂养、肥胖儿、营养摄入不均衡、低蛋白和低热量喂养、辅食添加不合理等问题，妈妈们很少提及。这正是科学育儿需要回答的问题，可见许多妈妈的喂养知识还不够全面。

❤ 体重增长缓慢

出现体重增长缓慢的原因可能有以下几点：

* 宝宝天生胃口小，吃奶费劲，总是被妈妈强迫着吃奶。但宝宝精神不错，睡眠好，身高增长速度并不慢。

* 宝宝胃口非常好，喜欢大口吃奶，很着急的样子，见到妈妈的乳头就会晃着脑袋，小嘴张着快速地寻找乳头，一旦吸到乳头就会用力地吸吮，但吐奶比较严重。这样的宝宝，如果吐奶不严重，很可能是个小胖墩。

* 吃奶很好精神特别好睡眠不多非常好活动。给妈妈的印象是整天闲不着，精力旺盛，根本不像两三个月的婴儿。虽然体重增长不是很快，但个头不小比较结实感觉并不像几个月的婴儿那样柔软，腿力比较大，踢到妈妈肚子上还真有些受不了呢。

* 疾病导致的体重增长缓慢。这种情况比较少见，需要看医生。

❤ 不要轻易给宝宝服用消化药

婴儿肠道正处于各种酶类成熟生长期，如果过多地干预，就会影响自身消化功能的正常建立和完善。父母不要擅自给宝宝吃这样那样的消化药。

如果有病，要在医生指导下使用。最起码要化验大便常规，如果有较多的脂肪滴和淀粉颗粒，可能是消化不良了，再给药也不迟。

父母是最了解孩子的，在就诊时要提供给医生准确客观的病史，不要夸大其词，以免缺乏经验的医生采取不必要的治疗。

❤ 宝宝太胖怎么办

有的婴儿胃口大，吃奶急，也不溢乳，体重增长快，喂养这样的孩子爸爸妈妈是最高兴的了。爸爸妈妈感觉宝宝每天都在长，抱着一天比一天压胳膊。

配方奶喂养的，喂奶前，先喂20毫升水。母乳喂养的，可以这样喂奶：这一次先吃右侧一半就换过来，让孩子吃左侧的，吃空，下一次就吃左侧的一半，然后换过来吃右侧的，吃空。这样，就减少了后奶的摄入，后奶含脂肪较多，适当减少脂肪的摄入，可以使过胖的孩子体重增长速度减慢些。

❤ 预防婴儿期肥胖越早越好

小胖墩不是一天之功。父母很少有看到自己孩子胖的，总是看别人家的孩子胖，千方百计喂孩子。结果不是把孩子喂得过胖，就是可能把孩子弄得厌食。父母在喂养中一定要注意这一点，要客观地评价孩子的吃奶情况，了解孩子在体重增长方面的特点和个体差异。

(3)头围

月龄越小头围增长速度越快。这个月婴儿头围可增长约1.9厘米。头围的增长也有生长曲线图，其特点是呈逐渐递增的上升曲线。（参见附录的头围发育曲线图）

和身高、体重一样，头围的增长也存在着个体差异。到了多大月龄头围应该达到什么值，其值是平均的，并不能完全代替所有的婴儿。有一个范围，那就是用百分位数法表示的头围增长曲线图，如果大于第97百分位线，就是头围增长过快；如果小于第3百分位线，就是头围增长过慢。

头围增长过快，需排除脑积水。头围增长过慢要注意婴儿智能发育，是否有狭颅症。头的大小也受遗传因素影响，父母一方或双方，头部比较大，宝宝头会比较大。如果妈妈有所怀疑，向医生咨询，请医生亲自测量一下宝宝头围。

(4)前囟

前囟和上月没有多大变化，不会明显缩小，也不会增大。前囟是平坦的，张力不高。看到和心跳频率一样的搏动，是正常的，妈妈不要惊慌。

父母对囟门的观察只是用眼看，判断往往是不准确的。在咨询中也常常会遇到这样的问题，说孩子的囟门好像很鼓（饱满，膨隆）或比较塌（凹陷），快速地跳动。父母对囟门有一种神秘感，就使得囟门问题多了起来，而实际上婴儿很少有囟门的问题。

囟门大小也有个体差异，有的孩子囟门比较小，有的囟门就比较大。不能单凭囟门大小来判断孩子是否有疾病，如囟门大就是佝偻病，囟门小就影响脑发育。腹泻脱水时，囟门可凹陷；发热时，囟门可隆起。囟门处没有颅骨，要注意保护。

第2节 能力发展与训练

72. 看的能力：会调节视焦距

这个月，婴儿开始按照物体的不同距离来调节视焦距，这是婴儿看的能力的一次质的飞跃。父母要充分利用这一有利时机，锻炼婴儿的视觉能力。当宝宝醒来时，要通过变化物体的距离，锻炼孩子调节视焦距的能力。

❖ **颜色的偏爱程度依次是：红、黄、绿、橙、蓝**

新生儿视觉容易集中在色彩对比鲜明的轮廓部分，婴儿视觉容易注视图形复杂的区域。这个月的婴儿，颜色视觉已经有了很大的发展。满两个月的婴儿，已经能够对某些不同波长的光线做出区分。到了近三个月，颜色视觉基本功能已经距离成人很近了。对颜色的偏爱程度依次是：红、黄、绿、橙、蓝。父母要利用不同的颜色，锻炼孩子的色觉能力。

❖ **本月宝宝视觉训练**

在宝宝清醒、情绪好的情况下，把室内各种物品指给宝宝看，并说出物品名称。室内光线一定要明亮。

让宝宝找亮光。在没有光亮的地方，用手电筒照射在墙上或手上，问宝宝亮光在哪里。当宝宝看到亮光时，拥抱和亲吻宝宝。

让宝宝看图案。在明亮的地方，让宝宝看卡片上的图案。图案上的光照要足够。图案要简单明了，如一个苹果、一只小猫。每张卡片上只有一个图案。选择一部分黑白图案，选择一部分彩色图案，彩色图案上的色彩要简单明了，如红苹果、黄香蕉、绿青椒。

73. 听的能力：能区分不同语音

听的能力始于五六个月的胎儿，这

宝宝 / 杨熠和
给宝宝看图卡。

时的胎儿可以听到透过母体传来的频率在1000赫兹以下的外界声音。婴儿在高频区的听力要比成年人还好。婴儿不仅能够听声音，对声音的频率也很敏感。

❖ **已经能初步区别音乐的音高**

这个时期的婴儿已经能够区分语言和非语言，还能区分不同的语音。人在胚胎期便对音乐有感知能力，妈妈在孕期可能已有这样的体会。当悦耳的音乐响起时，腹中的胎儿会比较安静；遇到噪音时，胎儿会出现乱动情况，如路过施工现场。有研究证明，孕妇在孕期时，如果居住区有施工现场，出生后的孩子会爱哭，易烦躁。这个月的婴儿已经能初步区别音乐的音高。

❖ **不要在婴儿面前吵架**

父母应该了解孩子听力发展的规律和具备的能力，父母不要在婴儿面前吵架。吵架的语气婴儿能够辨别出来，会表现出厌烦的情绪，对孩子的情感发育是不利的。多给孩子听优美的音乐，和孩子交谈时要用不同的语气、语速，提高孩子听力水平。

❖ **本月宝宝听觉训练**

家用物品，只要能敲的，都可敲出不同的声音。声源距宝宝大约3米左右为好。如果宝宝表现出不耐烦或哭闹，要立即停止敲打，以后也不要再敲出同样的声音。

爸爸妈妈用不同的声调和宝宝说话。对着宝宝耳部喃喃细语；逐渐离开宝宝耳部，并逐步加大音量。宝宝对爸爸妈妈的语音最敏感，和宝宝多说话，给宝宝多唱歌，是对宝宝听觉能力的很好训练。

74. 说的能力：会简单发音

婴儿分辨和发出语声是一个发展的过程，两周的新生儿能区分人的语声和其他声音，2个月的婴儿对父母说话时的情绪

宝宝/王震坤

宝宝小嘴张着，使出全身力气，试图用这胳膊把身体支撑起来，让自己看得更远。宝宝已经进入快速语言发展阶段，爸爸妈妈要多和宝宝说话。

表现，似乎有所反应。当爸爸妈妈用严厉怒斥的语气和孩子说话时，孩子会哭；用和蔼亲切的语声和孩子说话时，孩子会笑，四肢还会愉快地舞动，露出欢快的神情。

两三个月的婴儿处于简单发音阶段。婴儿出生后的第一声啼哭就是最早的发音，不但是生命的宣言，也是今后语言的基础。新生儿的哭，可以说是原始的语言表达，满月后的哭就是和父母交流的手段了，但这种交流方法上仍然是消极的。

本月婴儿开始有了积极的表示，妈妈可以听到婴儿舒服、高兴时的发音，如"啊、哦、噢"等。婴儿越高兴发音越多，所以要给孩子创造舒适的环境，孩子情绪好就会不断练习发音，这是语言学习的开始。语言的发育不是孤立的，听、看、闻、摸、运动等能力都是相互联系、互为因果的，要综合训练孩子的各项能力。

❖ **本月宝宝语言能力训练**

随着宝宝月龄的增加，发出的声音越来越丰富，与爸爸妈妈沟通的欲望越来越强烈。爸爸妈妈要不遗余力理解宝宝的语言，把宝宝发出的所有声音都当做语言，认真倾听，努力理解。

光是理解还不够，重要的是和宝宝对话，就按照你所理解的来回应。当宝宝知

道你在倾听他说话的时候，他就会积极地表达，发出各种各样的声音。当宝宝听到了你的回应，就会表现出极大的喜悦，甚至是手舞足蹈。宝宝的语言不仅仅表现在发声上，他的全身都在和你说话，与你进行着沟通。

爸爸妈妈有足够的智慧回应宝宝的语言，就尽情地发挥吧。

每天给宝宝朗诵一首小诗，可以选择朗朗上口的名诗名段，也可以自己编几首顺口溜。朗诵时，要声情并茂、绘声绘色、抑扬顿挫。这样才能引起宝宝的兴致。重重读最后一个字并拉长声音，慢慢地，朗诵时，到最后一个字，稍事停顿，把最后一个字留给宝宝来读。以后等宝宝会说话了，只要你朗诵诗的第一个字，宝宝就会接下全句。让宝宝参与进来，宝宝会有浓厚的学习兴趣。

75. 味觉能力：天生喜欢甜味

味觉是新生儿时期最发达的感觉，而且在整个婴儿期都是非常发达的。过去认为婴儿好喂药，是因为婴儿不知道苦，这是错误的认识。婴儿比成年人的味觉更敏感，而且婴儿对甜味表现出天生的积极态度，而对咸、苦、辣、酸的味道反应是消极的、不喜欢的。

总是遇到这样的问题，妈妈说她的孩子不喜欢喝白开水，而喜欢喝加糖的水，这是婴儿的天性。如果妈妈用奶瓶给孩子喂糖水，再用奶瓶喂白开水时，孩子就不喝，他仍然想喝令他喜欢的糖水。如果拿奶瓶给孩子喂药，再拿奶瓶给孩子喂水或奶，孩子就会拒绝奶瓶，因为他记住了奶瓶里的东西是苦的。当你把奶瓶中的糖水滴入孩子的嘴里时，孩子尝到了甜味，才会重新吸吮奶瓶。妈妈知道了这个道理，

遇到这种情况就不会迷惑不解了。

要想让婴儿喜欢喝白开水，从一开始就不给宝宝喝甜水。宝宝习惯了喝甜水，再喂宝宝白开水，会比较困难的。可见，在喂养中的一些问题是可以避免的。妈妈常说，给宝宝喝甜水的原因是宝宝不喝白开水，是无奈之举啊！妈妈说的没错，问题是给宝宝喂的补钙水很甜，甚至给宝宝喂的药水都有些甜味，果水更是酸甜可口。婴儿喜欢重复愉快的感觉，喝甜水的感觉令婴儿愉快，婴儿期望他吸到的是甜甜的水，而不是没滋味的白开水，除非他渴急了。如果你的宝宝说什么也不喝白开水，逐渐降低甜度，让宝宝慢慢接受白开水是唯一的选择。任何强迫手段都是不可取的，会使宝宝更加拒绝喝白开水。但有的宝宝精得很，稍微降低甜度，他都能品尝出来，喝几口就不喝了。对于比妈妈还精的宝宝，妈妈要从这件事情上吸取教训，不好的习惯从一开始就不要让宝宝养成。婴儿的习惯是我们成人后天帮助养成的。帮助宝宝养成了习惯，再千方百计去改，是很徒劳的事情，爸爸妈妈可要未雨绸缪哟。

76. 嗅的能力：回避难闻的气味

前面已经说过，早在胎儿七八个月时，嗅觉器官就已经相当成熟了，新生儿生后就能通过嗅觉寻找妈妈的乳头和妈妈的奶垫。

这个月的婴儿嗅到有特殊刺激性的气味时，会有轻微的受到惊吓的反应，慢慢地就学会了回避难闻的气味，会转过头去。人类嗅的能力没有动物发达，这是因为出生后没有特意训练嗅的能力，使其逐渐萎缩的缘故。让宝宝嗅到能够嗅到的各种味道，并告知宝宝，这是什么味道，是什么物质释放出来的。

77. 运动能力：每天都有新动作

这个月的婴儿动作能力发育比较快，父母几乎每天都能够发现孩子有新的动作能力。

❖ 用手够东西和看手

宝宝开始会有目的地用手够东西，并能把放在他手中的玩具紧紧地握住，尝试着放到嘴里，但还不够准确，时常打在脸上其他部位。一旦放到嘴里，就会像吸吮乳头那样吸吮玩具，而不是啃玩具。手指可以伸展或握起，会把一只手放在胸前看着自己的小手。慢慢地，宝宝就开始双手互握，在眼前摆弄自己的小手了。

❖ 吸吮大拇指

开始学着吸吮大拇指，而不是仅仅吸吮他的小拳头了。有的妈妈会认为孩子吸吮手指，是不好的习惯，要加以制止。每当孩子把手或拇指放到嘴里吸吮时，就马上把孩子手拿开，或认为孩子没有吃饱，开始给孩子喂奶，这是不对的。这么大的婴儿吸吮手指是这个时期的婴儿所具备的运动能力，妈妈不要制止。随着月龄的增

宝宝／六月
宝宝在练习抓物。

长，宝宝会把这个运动转化为手的其他运动能力。

如果爸爸妈妈和其他看护人，总是不断地把宝宝的小手从他的嘴边拿开，并重复着"宝宝不要吃手"，事情的发展会与妈妈的愿望背道而驰，妈妈管得越紧，宝宝吃得越欢。要充分满足宝宝"口欲期"对吃手的执着。要想让宝宝不那么拼命地吸吮自己的小手，爸爸妈妈能够做的是，不让宝宝感到孤独。在宝宝醒着的时候，尽可能地和宝宝做亲子活动，给宝宝更多的搂抱、亲吻、呵护和关爱，比如时常递给孩子小玩具，手就被占上了，孩子也就忘了吸吮手指了。

❖ 把头抬得很高

当宝宝俯卧位时，会把头高高抬起，可以离开床面45度以上，还会慢慢向左右转头。虽然转动的幅度很小，但这已经说明宝宝开始学着用站立的眼光看东西，这是不小的进步。这一能力的出现，对婴儿认识周围物品有很大的帮助。妈妈可以向左右两边运动，让宝宝追随着，以此来锻炼宝宝颈部肌肉。宝宝还会用肘部支撑着上身，试图把胸部抬起。

多让宝宝趴着是对宝宝很好的训练，趴的好处有：

• 锻炼宝宝抬头，从而增强宝宝颈部和腰背部肌力。

• 提高宝宝心肺功能，加大肺活量，这不但对宝宝健康有利，还能促进宝宝语言发育能力。

• 加快宝宝向前爬的速度，不让宝宝趴着，宝宝不可能学会爬，爬行对宝宝发育意义重大。

• 扩大宝宝视野。宝宝趴着，妈妈也趴下，和宝宝面对面交流，如同宝宝坐着或站着和妈妈交流一般。

不能让宝宝自己趴着，那样，宝宝很快就厌烦起来。如果让宝宝趴在床上，妈

宝宝/六月

妈就蹲在地上，面对着宝宝，让宝宝能够平视妈妈的眼睛。如果让宝宝趴在地板上，妈妈也要趴在地板上，和宝宝面对面。如果宝宝趴着，妈妈坐着，宝宝看到的是妈妈的大腿和脚。对于宝宝来说，那什么也不是，相当于没有妈妈陪伴，趴一会儿，宝宝就会感到孤独，拒绝继续趴着。

多趴好，但也要看宝宝情绪，如果宝宝就是不喜欢趴着，妈妈切不可强迫。为宝宝做任何事情，都要以宝宝快乐为前提。

❖ 靠上身和上肢的力量翻身

这个月的婴儿，开始有翻身的倾向。当妈妈轻轻地托起宝宝后背时，宝宝会主动向前翻身。本月婴儿翻身，主要靠的是上身和上肢的力量，还不太会使用下肢的力量。所以，往往把头和上身翻过去，臀部和下肢仍是原来体位。如果妈妈在宝宝臀部稍稍给些推力，或移动一侧大腿，宝宝会很容易地翻成俯卧位。

当妈妈练习宝宝翻身时，宝宝会把头向后仰，这是正常现象。慢慢地，宝宝就会把头向前使劲。

婴儿的运动能力存在着个体差异。有的宝宝好动，运动能力比较强，体能发育超前。有的宝宝比较安静，运动能力不是很强，体能发育稍显落后。爸爸妈妈不要着急，多给宝宝运动机会。如果总是抱着宝宝，翻身、爬等运动能力都有可能落后。如果宝宝各项体能发育都落后，要向医生

咨询。

78. 潜能开发

(1)婴儿的潜能需要适时开发

爸爸妈妈可能会听从某种意见，认为不必刻意去训练宝宝，到时候就"什么都会"了。是的，宝宝的确拥有"什么都会"的潜能，但如果我们不给宝宝创造发挥潜能的机会和平台，不给宝宝施以适时的帮助和鼓励，不让宝宝体会到拥有某些能力的便利和快乐，宝宝将不会努力去这么做。我们无须教宝宝如何爬，但我们必须给宝宝创造能够趴着的机会，提供能够爬的场地，宝宝才能够发挥他潜在的爬的能力。

爸爸妈妈知道，学习任何一种能力都需要付出努力。人的潜意识中，都有这样的信念：之所以付出，是因为一定会有收获的喜悦。爸爸妈妈一定体会到了，当你给宝宝一个笑脸时，宝宝也会回报你一个灿烂的笑容。当你呵斥宝宝时，宝宝会委屈地撇起小嘴，甚至大哭。付出笑脸，得到笑容，这就是对宝宝的潜能开发。

(2)宝宝需要爸爸妈妈的陪伴

宝宝每一步成长都离不开爸爸妈妈的帮助和扶持。宝宝每一个进步都离不开爸爸妈妈的协助和鼓励。请爸爸妈妈再忙也要抽出时间，陪伴宝宝健康成长。

如果爸爸总是以工作忙、没时间为借

口，那确实不会拿出时间陪可爱的宝宝了。最终，工作永远忙不完，失去的却是天伦之乐，留下的是宝宝缺少爸爸陪伴的成长缺憾，后悔晚矣！

如果妈妈总是以家务活多，抱怨没时间陪宝宝玩，也很难从繁杂的家庭琐事中抽出时间和宝宝享受快乐时光。最终，家务事还是没完没了，丧失的却是陪伴宝宝成长的大好时光。

请爸爸妈妈仔细想一想吧，你真的那么忙吗？时间是否被有效地利用了？爸爸的事业、妈妈的家务和陪伴宝宝成长，真的那样矛盾吗？工作、事业、学习和育儿是完全可以兼顾、彼此促进的啊！爸爸试试看，增加和宝宝嬉戏的时间，你的工作效率也许会提高。妈妈也试试，把家务活和育儿巧妙地结合起来，繁重的家务活也许会变得轻松很多。

(3)和父母开始了真正意义上的交流

这个月的婴儿开始认识自己的手，喜欢把小手放在眼前看，两只手放在一起，最喜欢的是把手放在嘴里吸吮。开始有图像识别的能力，喜欢看笑脸，喜欢看对称的图形。当听到音乐时能从哭闹中安静下来，眼睛会有目的地追随移动的物体。会转头寻找声音的来源，能够对陌生的声音、环境、人物有所觉察。开始发出"咿呀"声。和宝宝说话时，偶尔能够发现，宝宝好像出声应答你的话，这使得父母兴奋异常！逗宝宝时，宝宝会发出会心的笑声，不再是偶尔地，而是经常地被逗笑。宝宝和爸爸妈妈开始了真正意义上的交流。

(4)快乐健康地育儿

日本育儿专家内藤寿七郎是这样看待育儿活动的：

● 婴儿也有人格，应该受到尊重,只有尊重婴儿，理解婴儿，才能开启婴儿的心灵。

● 用欢快的笑脸培养婴儿的心灵，母亲安详的笑脸对婴儿是最好的爱抚。

● 全身心地倾注父母的爱。父母能够用最朴实的感情养育孩子，孩子长大后肯定会懂得爱别人，有广阔的胸怀。

● 培养有干劲有奋进精神的孩子。孩子有了进步，哪怕是一点点，也要给予最热烈的赞赏，婴儿就会萌生喜悦的心情。

● 培养良好的心理素质和稳定的情绪。经常搂抱孩子，和孩子进行肌肤接触，对孩子的心理健康很有益。

● 把孩子当做父母心灵的一面镜子，时刻映照父母的形象；父母的表现和培养孩子的方法对孩子的影响很大，时刻映照在孩子的内心。

● 培养婴儿具有良好的习惯。这句话说起来

一起做运动

宝宝／六月

一起做运动

宝宝／六月

容易，做起来就很难了。在实际生活中，遇到很多问题，都与良好习惯的建立有密切的关系，睡觉、吃饭、大小便、洗澡、玩耍等。有些麻烦就是没有从一开始意识到这一点，等形成了不好的习惯，再反过来改正就困难多了。

(5)潜能开发的精髓

父母不是仅仅要把孩子养大，还要把孩子培养成人，不仅仅是教孩子生活的技巧，还要培养孩子正确的人生观。高楼大厦始于地基，不要认为孩子长大了，会自然懂得做人的道理。要从点滴开始培养孩子，但并不是紧紧地管住孩子，而是要在宽松的环境中培养孩子。

婴儿有巨大潜能，爸爸妈妈是宝宝潜能得以发展的最佳引导人。没有做不到的，只有想不到的。爸爸妈妈要时刻把宝宝当做懂事的孩子；不厌其烦地和宝宝进行交流；经常地搂抱和亲吻，时常地夸奖和鼓励；给宝宝最深的理解和体恤；为宝宝营造和谐宽松的家庭气氛。

(6)丰富的视觉和语言训练

❖ 宝宝能够听懂妈妈说的每一句话

给婴儿看色彩鲜艳的画报、好看的玩具、人物画像，要不断更新，吸引宝宝兴趣，不断讲解宝宝看到的东西是什么。不要认为宝宝听不懂。在这方面，我有切身的体验。从孩子出生的那天起，我就认为孩子能够听懂我说的每一句话，只要孩子醒了就和孩子交谈，结果孩子1岁时，还不认识字，就可以看着婴儿画报讲述故事，编得非常精彩。上了一年级，在看图说话比赛中获得全市第一名。实际上孩子的爸爸和我都是不善于表达的人，可孩子却很善于表达，这可能就是语言训练的结果吧。

❖ 给宝宝特制图字卡

妈妈可能会问，可以购买到各式各样的图字卡，省时省力又好看，自己做的图字卡，费时费力缺乏标准，何必要自己做呢？从小就应该让宝宝欣赏精美的图画呀。

事实是，宝宝更喜欢爸爸妈妈为他亲手做的图字卡。带过孩子的妈妈都有这样的体会，购买的玩具很贵，但宝宝玩一会儿就扔到一边了。可家里的其他东西，包括一把小勺、一把小木梳，甚至一根树枝，宝宝都能玩上好半天。尤其是有实际功能的物品，更能引起宝宝的兴趣。再精美的印刷图字卡，宝宝看熟了，认识了，也就不喜欢看了。爸爸妈妈制作的图字卡，就有充分发挥的余地了。把宝宝能够看到的，爸爸妈妈能够想象并表达出来的，都画在纸上。把日常常对宝宝说的字、词、句都写在纸上。这样，可以系统地开发宝宝的认知能力。

❖ 婴儿的社会化发展

多和孩子说话，并和孩子建立互动式的交谈，对刺激婴儿神经系统的语言加工能力是很重要的，有利于婴儿社会化的发展，对日后个性发展、与人交往能力和社会适应能力的形成都有深远的影响。

79. 体能训练和户外活动

(1)体能训练

❖ 竖头训练

每天在宝宝觉醒状态下练习，把宝宝立着抱起来，用两手分别支撑住枕后、颈部、腰部、臀部，以免伤及脊椎。

也可把宝宝面朝前抱着，头和背部贴在妈妈胸部，一手在前托住宝宝胸部，另一只手在后托住臀部。面朝前，可以看到前方的东西，不但练习了抬头，还练习了看的能力，增加新的乐趣。

如果宝宝还不能把头竖立起来，妈妈竖立着抱宝宝时，一定要注意保护颈部，不要让宝宝的头东倒西歪的。

❖ 抬头训练

让宝宝俯卧抬头，满3个月时，会把头抬起90度，并用上肢把前胸支撑起来。要在喂奶后一个小时或喂奶前训练，以免吐奶。抬头训练对婴儿颈、背肌肉、肺活量、大脑发育等很有帮助。

有的婴儿不喜欢俯卧，只要趴着就烦躁或哭闹。遇到这种情况，既不能任由宝宝哭，也不能放弃抬头训练。在宝宝情绪好的时候让宝宝趴着，爸爸妈妈面部和宝宝头部保持水平，和宝宝说话，转移宝宝注意力，争取多让宝宝趴着。一旦宝宝不愿意了，立即把宝宝抱起来，夸赞宝宝。

❖ 手足训练

再次强调不要把宝宝的手包起来，手

足运动对刺激大脑发育非常重要。当宝宝凝视着自己的小手时，妈妈要告诉宝宝，这是他的小手，可以用来吃饭、写字、玩玩具等。让宝宝握住小摇铃，这时婴儿还不能握住玩具，要不厌其烦一遍遍把玩具递到宝宝手中。

把宝宝放在踢垫上，鼓励宝宝用脚踢悬挂着的各种小玩具。不要把玩具悬挂在宝宝头部正前方，以免宝宝长时间凝视着玩具形成"对眼"。

(2)户外活动，体质智力双优

春季，不刮沙尘，阳光明媚的时光，多带宝宝到户外活动，让宝宝接触大自然，看看刚刚发芽的树枝、返青的小草、花草树木、鸟雀飞燕、猫狗宠物，都能引起宝宝兴趣。

秋季，对宝宝来说是黄金季节，秋高气爽的日子，让宝宝与大自然亲密接触，体质智力双优。

夏季，在树下乘凉，是很惬意的。

北方的冬季，尽管冰天雪地，但在阳光灿烂的时候，找个背风的地方，同样能感到暖洋洋的，所以并非冬季不能带宝宝到户外。南方的冬季户外要比室内更暖和，户外活动更不成问题。

要创造机会，让宝宝多接触其他人，

宝宝 / 杨熠和
妈妈做了一个"腹爬槽"，鼓励宝宝向前爬。

这么大的婴儿，还不会主动和小朋友玩耍。所以，见了小朋友，宝宝没有兴奋的表情也是正常的。相反，对于能够和宝宝进行沟通的儿童或成人，宝宝显示出更大的兴致。因为，这么大的婴儿需要外界的刺激，才能使脑神经兴奋起来。

第3节 本月婴儿喂养

80. 喂养不当造成肥胖儿和瘦小儿

(1)几乎所有的婴儿都知道饱饿

这个月的婴儿每日所需的热量是每公斤体重100~120卡。如果每日摄入热量低于100卡，可能由于热量摄入不足，体重增长缓慢。如果每日摄入热量高于120卡，可能由于热量摄入过多使体重超过标准。

❖ **不必在奶量和热量上纠结**

计算每日摄入热量，需要知道每天摄入的食量。母乳喂养的，不知道每天奶量，也就无法计算每天摄入热量。实际上，对于生长发育正常的婴儿来说，计算每日所摄入多少热量没有什么必要。几乎所有婴儿都知道饱饿，按照婴儿所需，供给奶量就可以了。

个别宝宝食欲亢进或低下。只有极个别的孩子食欲亢进，摄入过多的热量成为肥胖儿；极个别的孩子食欲低下，摄入热量不足成为比较瘦小的孩子。这与家族遗传有关，还有的是喂养不当造成的。

❖ **体重增长与喂养关系密切**

体重增长与喂养有密切关系。如果没有任何疾病和其他异常情况，宝宝体重增长缓慢或停止增长，要首先向医生咨询喂养方面的问题。

(2)喂养不当可能会导致的后果

妈妈总是怕孩子吃不饱，孩子已经几次把奶头吐出来了，妈妈还是不厌其烦地把奶头硬塞入孩子嘴里，孩子无奈只好再吃两口。这样做的时间长了，就可能产生以下三种后果。

• 孩子胃口被逐渐撑大。奶量摄入逐渐增加，成了小胖孩。不要用奶头哄宝宝，宝宝一哭就喂奶，宝宝摄入过多的奶量，消耗不掉的热量就转化成脂肪了。

• 孩子食量下降。由于摄入过多的奶，消化道负担不了如此大的消化工作，干脆罢工了。好说话的婴儿，不抗拒妈妈的"超量喂养"，可宝宝的胃肠道并不那么好说话——罢工了。妈妈可要适可而止，不要一味地增加奶量。

• 精神性厌食。由于总是强迫孩子吃过多的奶，孩子不舒服，形成精神性厌

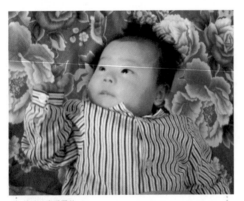

宝宝/尚潘柔美
美美生后78天，已经有了比较分化的随意动作，她举着右手的小拳头，看着小手。

食。这种情况在婴儿期虽然不多见，一旦形成，会严重影响孩子的身体健康，一定要避免。

宝宝如果能用语言表达的话，一定会与妈妈理论一番，告诉妈妈他目前的感受。宝宝总是被迫吃！吃！吃！被妈妈逼得身心疲惫。只要宝宝生长发育是正常的，吃多吃少只是个体差异。如果妈妈或者爸爸在自己的婴儿期就是"婴儿瘦"，你们的宝宝就可能会继承了你们的"婴儿瘦"。只要医生确认宝宝没问题，父母就放下包袱好了，给宝宝吃多吃少的自由。

(3)过度喂养的妈妈居多

为了让宝宝胖些，多数妈妈都是过度喂养，总是按照自己所认为的奶量衡量宝宝吃多吃少。宝宝没了"能吃多少吃多少"的权利，妈妈平添了许多烦恼。多数情况下，妈妈对宝宝的奶量不满意，总是认为宝宝应该吃得再多点。这样做的结果是，胃口好、消化能力强、食量大的宝宝，可能渐成小胖墩；消化能力弱的宝宝，可能就出现了厌食，越喂越瘦。从一开始就尊重宝宝食量，喂养问题就不会那么多了。

(4)营养素的摄入和补充

对蛋白质、脂肪、矿物质、维生素的需要，大都可以通过母乳和牛乳摄入，每天补充维生素D400国际单位。母乳喂养，妈妈需每天补充钙剂800~1000毫克，维生素D600国际单位。如果怀孕晚期有贫血，妈妈要化验血常规和血清铁，如果妈妈有缺铁性贫血，每天额外补充铁剂100毫克，饮食上增加高铁食物的摄入。早产儿，从这个月开始补充铁剂，2毫克/公斤/日。早产儿如果体重还没有追长到同龄儿水平，

可继续用早产儿配方奶喂养。

81. 母乳喂养儿

(1)不要叫醒睡得很香的孩子

到了这个月，宝宝吃奶间隔时间可能会延长，可从两三个小时一次，延长到三四个小时一次。到了晚上，可能延长到五六个小时。妈妈不要因担心孩子饿坏而叫醒睡得很香的孩子。睡觉时孩子对热量的需要量减少，上一顿吃进去的奶量足可以维持孩子所需的热量。

早产儿觉醒能力差，如果到了喂奶时间，宝宝仍没有醒来吃奶，妈妈可刺激宝宝脸颊部或嘴角边，观察是否有吸吮动作。如果有明显的吸吮反应，可抱起宝宝喂奶。如果超过6小时没有吃奶要求，妈妈可抱起宝宝试着喂奶。如果宝宝不吃，可刺激宝宝足心、手掌或面颊部，争取喂奶。

(2)没有吃奶兴趣的婴儿

有的婴儿吃得少，好像从来不饿，对奶也不亲。给奶就漫不经心地吃一会儿，不给奶吃，宝宝也不哭不闹，没有吃奶的愿望。对于这样的宝宝，妈妈可缩短喂奶时间，一旦孩子把奶头吐出来，把头转过去，就不要再喂了，过两三个小时再给孩子吃。这样每天摄入奶的总量并不少，足以提供每天的营养需要。

(3)要妈妈陪着玩的婴儿

到了这个月，妈妈开始担心自己的乳量是否足够，总是试图添加奶粉，孩子一哭就认为饿了，喂奶频率高。2-3个月的婴儿，觉醒时间延长，有了要人陪着玩的要求。妈妈不要用奶头哄孩子，多和宝宝聊天游戏。

82. 配方奶喂养的宝宝

如果宝宝食欲非常好，也不能没有限制地添加奶量。以免下个月出现厌食。婴儿的奶量存在着个体差异。奶量大的宝宝，到了这个月，每天奶量可达1000毫升以上。奶量小的宝宝，全天奶量可能还不足600毫升。通常情况下，宝宝奶量在700毫升至900毫升。妈妈不要为宝宝每天的奶量犯愁。衡量宝宝营养状况不仅仅是奶量，只要宝宝各项生长发育指标（身高、体重、头围和胸腹等）在正常范围内，沿着正常的生长发育曲线增长着，宝宝就没有缺铁性贫血和缺钙等营养问题，喂养就是成功的。

(1)妈妈的烦恼

和母乳喂养不同，配方奶喂养时，每一顿、每一天，宝宝喝奶情况，妈妈都清清楚楚。这顿和那顿有差异，今天和昨天不一样，妈妈就着急。尽管医生说宝宝没有问题，老人也说"孩子就是这样猫一天，狗一天"，但妈妈就是自寻烦恼，希望孩子每次都能按书本上说的最大量来吃。

有的宝宝就是食量小，别说180毫升，就是100毫升也喝不了，喂一次奶需

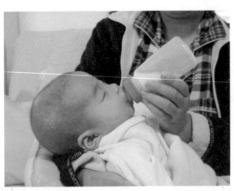

宝宝 / 姜杼君

喜欢边吃边睡的宝宝不在少数。如果宝宝吃饱了，你把奶瓶拿开，宝宝仍然会睡着；如果宝宝没有吃饱，宝宝就会哭闹，或用嘴紧紧地咬着奶嘴不放。这是因为，只有当宝宝吃饱的时候才可能睡实，没吃饱时是在假睡。

要很长时间。但是，除了宝宝喝奶量减少了，一切都是正常的。在临床工作和健康咨询中，喂养问题最多的是宝宝吃得少，喂养困难。有的妈妈说她的孩子几乎不吃奶，但孩子一天到晚都精力充沛，醒着就不停地运动。遇到这样的问题，我常常问妈妈，孩子一点奶也不吃，怎么能生长得这么好呢？显而易见，宝宝已经摄入了足够的奶量，只不过不是那种食量大的宝宝。如果宝宝不但奶量小，生长发育也缓慢，就要看医生，排除疾病可能了。

(2)源于喂养的厌奶

某一天，某一段时间，宝宝由于某种妈妈不知的原因，突然不愿意喝奶了，奶量或多或少地减下来了。这样妈妈和周围的亲人很是焦急，甚是担心。担心宝宝饿坏了，担心宝宝是否生病了，担心宝宝体重下降，担心宝宝长不高。一连串的担心涌上心头。看了医生，也没有查出什么问题，开了助消化和健脾胃的药，没什么效果。于是，妈妈开始在周围人的帮助下，唱歌、跳舞、玩具逗、扮鬼脸、睡得迷迷糊糊时喂、用小勺喂、换奶嘴、换奶粉、在奶中添加其他食物……使出浑身解数，以达到宝宝喝应该喝的奶量。结果，宝宝非但没有完成喝奶任务，还越来越少，最后一口也不喝了。这就是源于喂养的厌奶。

由于某种我们不知的原因，宝宝奶量减少了，我们能做的就是尊重宝宝，给宝宝时间，细心观察，耐心等待，适当增加喂水量，也可以在水中加些新鲜果汁，宝宝很快就会恢复以往的奶量。如果妈妈能够忍耐几天，宝宝厌奶的时间就会缩短。妈妈要明白欲速则不达的道理。

83. 混合喂养儿

(1)添加配方奶的依据

母乳是否不足，最好根据宝宝体重增长情况分析，如果一周体重增长低于200克，可能是母乳量不足了，添加一次配方奶，可在下午四五点添一次，添多少，根据宝宝需要，一顿能喝多少就添多少。

❖ **具体办法**

给宝宝冲调100毫升配方奶，如果一次都喝了，好像还不饱，下次就冲120毫升。如果剩下20毫升，下次就少冲20毫升。不要给宝宝喝得过多，以免影响下次母乳喂养。

如果宝宝仍然饿得哭，夜里醒的次数增加，体重增长不理想，可再增加一次。妈妈在添加配方奶时，一定不要忘记，母乳是婴儿最佳食品，不要放弃母乳喂养。

(2)宝宝不喝配方奶怎么办

有的宝宝一开始很爱喝配方奶，但突然有一天就不喜欢了，甚至完全拒绝喝配方奶，想了很多办法都无济于事。遇到这种情况，妈妈不要着急，更不要强迫宝宝喝奶。等宝宝睡得迷迷糊糊后喂奶，也不是好的选择，那样的话，宝宝醒来就更不喝奶了，结果会更糟。随着月龄增加，宝宝睡眠时间逐渐缩短，等着宝宝睡觉后喂奶变得越来越困难。为了不给以后喂奶增加困难，从一开始就要避免。在宝宝拒绝喝配方奶的时日里，喂母乳就可以了，不会饿坏宝宝的。如果妈妈着急，宝宝也烦了，宝宝拒绝喝奶的时间会更长。

因为宝宝不喝配方奶，频繁更换奶粉品牌和人工奶头的做法是不可取的。配方奶的口感都差不多，人工奶头的吸吮感觉也没有很大差异。对于拒绝喝配方奶的婴儿来说，都是"天下乌鸦一般黑"。

妈妈不要和宝宝较劲，如果采取不喝配方奶，就不喂母乳的制裁方法，结果会适得其反。宝宝饿极了，却给他不喜欢喝的配方奶，宝宝会因此愤怒，更加"憎恨"奶瓶子。应该在宝宝还不是很饿，情绪也比较好的时候让宝宝喝奶，成功的几率更高些。

(3)对母乳不感兴趣怎么办

这样的婴儿可不多。当妈妈给宝宝加配方奶后，宝宝一下子喜欢上了配方奶，喝起来省力，吃得痛快。配方奶和母乳相比，甜度更大些，也是宝宝喜欢喝的原因。遇到这种情况。妈妈可不要随宝宝的兴趣来，不要忘了母乳是婴儿最佳的食物来源。

第4节 本月婴儿护理要点

84. 不同季节护理要点

(1)春季护理要点，不急于减衣

到了春季，大地回春，春暖花开，是宝宝户外活动的好季节。在没有风沙，天气晴朗的情况下，多带宝宝到户外，不但对宝宝身体健康有好处，对开发宝宝智力也大有益处。

早春时节，气温不稳定，要根据气温变化，给宝宝加减衣服和被褥，不要急于减衣。可参考妈妈穿衣情况，妈妈在安静状态下，既不感觉到穿多了，也不感觉到穿得少，那就按照妈妈穿衣的厚薄，给

宝宝穿衣就可以了。

(2)夏季护理要点，怎样避免"空调病"

在高温季节，衣着单薄，汗腺敞开，当进入低温环境中时，皮肤血管收缩，汗腺孔闭合，交感神经兴奋，内脏血管收缩，胃肠运动减弱，宝宝出现鼻塞、咽喉痛等症状。另外，空调环境往往是门窗紧闭，室内空气不新鲜，氧气稀薄，特别是空间比较狭小的地方。

❖ "空调病"有哪些表现

妈妈的空调病主要表现是：易疲倦、皮肤干燥、工作效率下降、手足麻木、头晕、头痛、咽喉痛、胃肠不适、胃肠胀气、大便溏稀、食欲不振、月经失调、小腹胀满隐痛。宝宝的空调病主要表现是：大便溏稀色绿、反复流鼻涕咳嗽、食欲减退、面色发白、口周发青、烦躁不安等。

典型病例

3个月男婴就诊，持续腹泻，绿色稀便20余天，阵阵哭闹，吮乳量下降，体重不增。大便检验，细菌培养均未见异常。服用多种止泻药、消炎药均无效。仔细询问方知，空调温度调到22℃，与自然温度差10℃以上。告诉妈妈把空调温度调到26℃－28℃，白天定时打开门窗，晚上把窗户半开。几天后宝宝上述症状好转。

宝宝／美美

妈妈带宝宝到户外接受阳光照射。

❖ 如何避免"空调病"

• 缩小室内外温差。一般情况下，在气温较高时，可将温差调到6℃－7℃左右，气温不太高时，可将温差调至3℃－5℃。

• 定时通风。每4小时打开门窗，令空气流通20分钟。

• 避免冷风直吹，宝宝的床不宜放在空调机的风口处。

• 从炎热的室外进入空调环境，要擦干身上汗水，略增加衣物或用薄被单盖住腹部。

• 长期在空调环境中，应定时活动身体。

• 每日洗温水澡，揉搓全身。

• 不要在空调车内睡觉，因车内空间狭小，易出现缺氧。

(3)秋季护理要点，耐寒锻炼好时机

来到这个世上刚刚2个多月，就经历了两个季节，宝宝这才感觉到生出来比在妈妈子宫中舒服，原来世间并不总是闷热难忍啊。这种凉爽的天气，使宝宝食欲增加，睡眠安稳，不再烦躁。身上的痱子也消失了，尿布皮疹减轻，皮肤皱褶不再淹着了。妈妈可不要忙着关窗关门，给孩子加衣服被褥，更不能停止户外活动。

如果刚刚见凉，就把孩子"捂"起来，不敢到户外，宝宝的呼吸道对寒冷耐受性就会非常差；寒冷来临，即使足不出户，也容易患呼吸道感染；到了半岁，从妈妈体内获得的免疫球蛋白也大部分消失，自己的免疫球蛋白还没有完全生长出来，对病原菌的抵抗力比较弱，尤其是呼吸道分泌型IGA的不足更使得呼吸道免疫能力低下；冬季气压低，空气不流通，湿度小，呼吸道黏膜干燥，很容易患呼吸道感染。

秋季是宝宝最不易患病的季节，要利

用这个季节提高孩子体质。父母要有意锻炼孩子的耐寒能力，增强其呼吸道抵抗力，使孩子安全度过肺炎高发的冬季。继续户外活动，使宝宝接受更多的阳光照射，可有效预防佝偻病，这比药物补钙要好得多。秋末要预防秋季腹泻。

(4)冬季护理要点，不要过度保暖

北方地区寒冷的冬季几乎达五六个月之久，如果刚刚入冬就不敢到室外活动，穿得很多，盖得很厚，对环境的适应力和对疾病的抵抗力就会降低；穿得多，不利于四肢活动，阻碍运动能力的发展；要保持室内湿度和温度，室内温度不要太高，保持在18℃左右。如果与室外温差过大，当宝宝到户外时，呼吸道就不能抵御冷空气的刺激。温度过高，则不容易保持适宜的湿度。

冬季应该按时洗澡，有条件的家庭最好每天给宝宝洗澡。

85. 男婴与女婴护理上的差异

(1)男婴并不比女婴容易"上火"

父母总是这样认为，男婴比女婴怕热，男婴容易"上火"。其实，男婴和女婴一样，只是男婴爱活动，女婴相对安静些；但也不尽如此，现在的男婴和女婴，在活动上的差异越来越小了。

其实，男婴和女婴的差异，很大程度上是人们潜移默化的影响造成的。比如父母总是喜欢这样对男孩子说"男子汉不能动不动就流泪，让人家笑话"，这就告诉男孩子流泪是耻辱的，是不光彩的。对女孩子则喜欢说"看你淘气的，像个男孩子似的，一点文静劲都没有"，这就给女孩子传递一种信息，女孩子是应该文静的。

(2)男婴生殖系统的保护

男婴可能会有鞘膜积液，包皮过长，包皮藏匿污垢，引起龟头炎症。

男婴鞘膜积液，1岁前有自行吸收的可能，所以，如果不是很严重，不必治疗。在给男婴洗臀部时，首先要清洗包皮处，轻轻把包皮向上翻起，暴露龟头，用清水涮一涮，把积存在包皮内的尿酸盐结晶清理干净。

(3)女婴外阴的保护

女婴尿道与阴道口紧密相邻，又都是开放的，如果不注意卫生，容易患尿道口炎和阴道炎。

清洗女婴尿道口和臀部时一定要用流动水，从上向下冲洗，这是预防尿道和阴道炎的关键；给女婴擦肛门时，一定要从前向后擦，千万不能从后向前擦，否则容易使肛门口的大肠杆菌污染尿道和阴道口而引起发炎。这是护理女婴的关键。

(4)女婴小阴唇粘连

女婴小阴唇粘连发生率越来越高，究其原因可能有几下几点：

* 长时间穿不透气的尿裤；
* 一次性尿布储存过多的尿液；
* 护肤霜涂得过多迁徙到外阴，或干脆把护肤霜涂到外阴部；
* 过度清洁外阴或常用洗液清洗外阴，降低了外阴的自洁能力。

妈妈要不时查看，及时发现问题，如果有怀疑就去看医生。通常情况下，在例行的健康检查中，医生都会按常规给宝宝检查的。

❖ <u>小阴唇粘连后的处理方法</u>

粘连不很牢固时，医生可用棉签进行剥离，粘连得比较牢固了，就需要手术剥

宝宝／姜杼君

有妈妈陪着，睡得当然很踏实。通常情况下，有妈妈陪伴在身边，宝宝不但睡得实，睡的时间也要长些。

离了。剥离后要注意护理，每天用很淡的高锰酸钾水清洗外阴，再用灭菌水冲洗，用无菌棉签沾干，在小阴唇两侧涂上红霉素眼药膏。至少要护理一周，一周后到医院复诊。

86. 睡眠、尿便管理

(1)睡眠管理

❖ 觉醒时间有所延长

这个月的婴儿，睡眠问题不多。如果宝宝睡醒了，自己在玩耍，妈妈暂时不要打扰宝宝，婴儿也需要有自己的空间啊。

早晨，宝宝醒着的时间相对较长，可利用这段时间，给宝宝做操，和宝宝交流，做一些亲子活动。妈妈对着宝宝笑，宝宝也会对着妈妈笑。妈妈和宝宝说话，宝宝也会呀呀出声，回应妈妈。

睡眠时间延长，一觉可以睡4个小时左右。有时，宝宝吃奶后不再入睡，会满意地对着妈妈笑。妈妈回应给宝宝一个甜甜的微笑就可以了，可不要在这时逗笑宝宝，以免宝宝兴奋，活动过多溢奶。如果宝宝溢奶了，妈妈不要紧张，那只是把食道中的奶溢出来而已，不必再补喂。

❖ 出现的睡眠问题要冷处理

最好让宝宝自然入睡，养成孩子自然入睡的好习惯，以免以后出现睡眠问题。

即使出现了一些睡眠问题，父母也不要着急。着急的结果会使睡眠问题更加严重。婴儿哪一天睡得少了，哪一天晚上不好好睡了，睡醒后哭闹了等等，都是正常的。如果父母过于干预、着急、焦虑，会使婴儿产生不良反应，对父母产生依赖。对偶然出现的睡眠问题，父母要冷处理，让宝宝有自己调节的时间和空间。

(2)尿便管理

❖ 婴儿随意排尿排便是再正常不过的事了

细心的父母能够观察到孩子排尿和排便前的表情，当宝宝发出信号时，及时把尿把便。如果是男婴，用小尿壶去接，准确率很高。这给父母节省了洗尿布的时间和使用一次性尿布的费用，也降低了尿布性皮炎的发生率。

在宝宝不能控制尿便前，把尿只是妈妈的一相情愿，随着月龄的增加，宝宝很可能会拒绝把尿。当宝宝拒绝妈妈这么做时，一定要尊重宝宝，暂时放弃把尿。婴儿随意排尿排便是再正常不过的事了。早早训练尿便是徒劳的，应把更多精力用在宝宝的喂养和智能、情感、体能的训练上。

过去的妈妈多用葫芦瓜瓢接尿，现在能够买到漂亮的卡通小尿盆，很少使用自然物品了。说起来，我还是赞成使用天然的，不但有利于环保，还可培养宝宝对大自然的热爱。妈妈不妨动动脑筋，为宝宝寻找更多的自然物品来代替工业品。

❖ 便秘对策

母乳喂养的婴儿，大便次数相对多些，每天可排4次以上，金黄色，比较稀，但应该是均匀黏糊、没有便水分离现象。配方奶喂养的婴儿，大便颜色淡黄色，有些发白，比较稠，甚至成形，大便次数相对少，一天一两次，甚至隔天一次。

但也有例外，有便秘家族史的，即使是母乳喂养，大便次数也比较少；配方奶喂养的，甚至一周大便才两三次。遇到这种情况，妈妈不要急于采取通便措施，避免导致腹泻，多喂些白开水就可以了。

这个月的婴儿，还不能添加辅食，因此不能通过食物调整便秘。如果是母乳喂养，妈妈要注意饮食调理，增加缓解便秘的食物，多喝水。如果是配方奶喂养，增加喂水量，每喂100毫升奶，喂水20-30毫升。如果大便干硬，宝宝排便困难，要向医生咨询，排除疾病所致。

·每天在固定时间进行排便尝试。

·按摩腹部。手掌心放在宝宝脐部，顺时针方向按摩腹部20圈，向下稍用力加压，手掌不要离开腹部。

·屈胯运动。宝宝膝关节处于屈曲状态，妈妈双手握住宝宝膝部，向腹部做屈曲髋部运动20下，使大腿挤压腹部，解除挤压时，膝关节和髋关节仍呈屈曲位。

·按摩肛门皱褶。用把尿姿势抱起宝宝，双手中指分别置于宝宝肛门皱褶处（即时钟九点和三点的位置），轻轻挤压肛门20下。

·热气熏蒸。在口径小于20厘米的容器中，放入75℃左右的热水，用把尿姿势抱起宝宝，使热气刚好熏到宝宝肛门处，持续约3分钟。千万要注意安全，不要烫着宝宝。

·刺激肛门。用沾有香油或甘油的棉签，也可用肥皂条，轻轻塞入肛门约1厘米。注意不要用力过猛，宝宝哭闹时不要强行塞入，以免损伤肛门。

·把便。这么大的婴儿，不是训练尿便的时候，定时把便是帮助宝宝建立定时排便习惯，缓解便秘。

注意！一定要在宝宝允许的情况下去做，宝宝哭闹反对时，要立即停止尝试。

❖ **尿的次数与每次尿泡大小有关**

母乳喂养时，如果妈妈喜欢喝水，可以不额外给孩子喂水；夏季皮肤蒸发水分多，可适当每天喂水一两次，每次20-30毫升。

配方奶喂养儿，每喂奶100毫升，喂水15-20毫升。多数婴儿不喜欢喝无味的白开水，尤其是尝过甜水的宝宝，更是不喜欢白开水。所以，从一开始就不要给宝宝喝甜水。

❖ **不必为小便次数的多寡而担心**

每天尿六七次或十余次都是正常的，有的婴儿一整夜都不排尿，妈妈也不要担心。看看白天排尿情况，白天尿泡大，次数也不少，就没有关系了。夏季尿少，水分都通过皮肤蒸发掉了。可通过宝宝尿液颜色判断，如果尿色很黄，就意味着缺水了。如果尿色清亮略黄，就说明宝宝不缺水。

宝宝 / 姜杼君
　　婴儿就是喜欢把手放到嘴里。现在还抓不到脚，如果能抓到脚的话，宝宝也会把自己的小脚丫放到嘴里啃。妈妈常问我宝宝为什么要啃自己，其实宝宝还不能明确知道手脚是身体的一部分，是抓到什么啃什么，后来啃玩具、物品，最后才认识食物，所以就不再啃不能吃的东西了。

87. 洗澡、衣物、玩具

(1)洗澡成为一项亲子活动

这个月宝宝会竖立头了，脊椎支撑力增强，洗澡容易多了。最好把宝宝抱到洗浴间洗澡，空间小，室温容易控制，也可避免有对流风。

洗澡最好是爸爸妈妈共同完成，不但减少洗澡的危险，还可以增加洗澡的乐趣，成为父母和孩子的亲子活动，而不是一项任务，一种负担。

几点注意事项

• 洗澡前要准备好一切该准备的事项和用品，包括：浴室温度、浴缸清洁、婴儿浴盆、洗发液、婴儿皂、浴巾、毛巾（一块干毛巾、一块洗澡用的湿毛巾）、小布帽、水温计（有经验的妈妈用手也能试出合适的水温）。

• 洗澡时间不要太长，即使孩子很高兴，也不要超过15分钟。没有必要每天都使用洗发液和婴儿皂，一周使用一次就可以了。

• 水温在35℃左右，如果用手试温，最好用手背或手腕前臂（做皮试针的部位），这两个部位比较敏感，感到温暖、不烫就可以了。

• 水深：宝宝坐着时，刚好到耻骨水平（没过生殖器），躺时（一定不能把头放下，头要枕在妈妈的上臂上）刚好露着肚脐。

宝宝／尚潘柔美

爸爸参与护理宝宝是值得提倡的。其实，这并不能削弱爸爸的威严，也不耽误爸爸的工作。爸爸亲自参加育儿，对塑造宝宝健全性格有很大帮助。

• 洗头时不要把水弄到耳朵里，不要把洗发液或婴儿皂弄到眼睛里。

• 女婴洗完最好用流动水冲一下小便处。

• 洗完后马上用浴巾包裹好，戴上小布帽，抱出浴室，和宝宝玩一会，待到皮肤干后再穿衣服。

• 先喂点水再喂奶。洗澡后，最好让宝宝睡上一小觉，对宝宝恢复体力很有帮助。

• 妈妈可能习惯洗澡后给宝宝做抚触。如果宝宝很高兴接受，妈妈就这么做。如果做抚触时，宝宝不配合或烦躁，甚至哭闹，妈妈要停下来，给宝宝喝点水喂些奶，让宝宝小睡一会儿。

(2)衣物被褥床

这个月的婴儿继续使用以前的被褥衣物床，不需要更换。宝宝可能会翻身，所以周围不要放置物品，尤其是塑料薄膜，这会有发生婴儿窒息的危险。

开始使用婴儿枕头，不枕枕头会使婴儿感到不舒适。但有的婴儿不喜欢躺在枕头上，妈妈也不需强求，不会因为不枕枕头而使头形变得不好看。

提示

两种枕头不宜

不要使用太软的，因为这么大的婴儿已经会转头，如果把头侧过来，枕头太软，就会堵塞孩子口鼻，这是危险的。也不再适合使用马鞍型枕。当婴儿发生溢乳时，吐出去的奶有可能堵塞孩子的口鼻。

(3)玩具

孩子已经能够握住带把的玩具，并在面前晃动，可能会打到脸上，要注意玩具的质地和硬度。孩子可能会把玩具放到嘴里，要注意玩具的清洁。

88. 户外活动、摔伤、异物吸入

(1)有意义的户外活动

多做户外活动，婴儿可呼吸到新鲜空气，增强呼吸道的防御能力。让婴儿接触大自然中的景物，刺激视觉、嗅觉等能力的发育。

户外活动时要注意安全，遇到有人带宠物时，要远离宠物。别人家的宠物对你的孩子不熟悉，可能会有攻击行为。

不要在马路旁散步，以免吸入过多的汽车尾气。带宝宝到花园、居民区活动场所等环境好的地方。如果把婴儿放到小推车里，距离地面不到一米，正是废气浓度最高的悬浮带，孩子成了吸尘器。所以，在马路旁行走时，应该抱着宝宝。

夏季的傍晚，蚊虫已经开始活动，要避免蚊虫叮咬。在树下玩时，要注意树上的虫子，可能会掉到宝宝身上。树上的鸟粪、虫粪也可能会掉到宝宝头或脸上，不要在树下让宝宝仰头看，以免鸟粪掉入宝宝眼睛里。

带宝宝到户外，要时刻在宝宝身边，不要让宝宝离开你的视线。如果和周围的妈妈交换喂养心得，不要忘记身边的宝宝。实际生活中曾出现过这样的过失，妈妈忘情地和其他妈妈交换育儿心得，婴儿没人管，溢奶了没及时处理，发生了危险。保姆等看护人带孩子到户外晒太阳，妈妈特别要嘱咐到位，避免发生类似不测。

(2)摔伤是危险的

这个月的婴儿，多数还不会翻身，妈妈不担心孩子会从床上摔下来。当孩子睡着后，妈妈会抽空干些家务，保姆也会休息一会儿。可是，不知道哪一天，孩子会翻身了，而且翻得很快，或在睡眠中踢被子，身体会移动到床边，稍微一翻身，就可能掉下去。婴儿在睡眠中会移动身体，如果把宝宝放在没有床

宝宝／王美泽

宝宝脊椎生理弯曲还没有完全形成，背部肌肉还不发达，脊椎还不能抵抗地心引力，支撑起身体，就是说宝宝还没有达到独坐的生理成熟度。

挡的床上，有摔下床的危险。所以，即使在宝宝睡眠时，也要注意安全防护措施的到位。

意外就是意料之外！如果知道了孩子会翻身或会爬，妈妈会格外小心，反而不容易发生这样的意外。这个月是最容易发生这种意外的，父母一定要加以注意。如果是保姆看管孩子，一定要再三嘱咐，千万不要远离孩子，时刻要想到孩子会翻到床下去。

有位朋友，家里就发生了这样的意外。爸爸妈妈外出上班，奶奶看着宝宝，宝宝在大床上睡着了，奶奶借机去厨房收拾。突然听到宝宝哭声，奶奶急忙跑过去，宝宝已经摔到地上，恰好摔到床与衣柜之间的缝隙中。奶奶急忙把宝宝抱起来哄，可是越哄越哭，哭累了又睡了。宝宝醒来，奶奶抱起宝宝，这一抱不要紧，宝宝大哭起来。晚上爸爸妈妈回来了，怎么也哄不好，越哄越哭。我过去后发现，只要动宝宝右胳膊，就会大哭，到医院拍了X光片，结果是右锁骨骨折。

❖ 乘车时的危险

带孩子乘车时要注意，妈妈要始终保

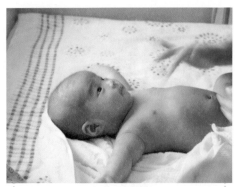

宝宝／姜杼君
宝宝开始喜欢与人交流。妈妈在为宝宝做抚触，边做边和宝宝聊天，宝宝看着妈妈，非常兴奋，眼神中透着对妈妈的爱。

护孩子的头部，紧急刹车时，会引起很大的冲击力，使孩子的头部或脊髓受到伤害。乘坐私家车，一定要让孩子坐在优质的婴儿专用汽车座椅上，并系好安全带，确定安全无误后再行启动。未满12岁以前，绝对不允许孩子自己或抱着孩子坐在副驾驶的座位上。

(3)防止异物吸入和意外窒息

婴儿吐奶，可能会堵塞呼吸道，如果没有及时发现，有发生窒息的可能，这一点不容忽视。

可以蒙住口鼻的东西不要放在婴儿身边，婴儿已经会用手抓东西，如果把一块塑料布抓起，放在了脸上，就有可能堵塞口鼻，引起窒息。

我的忠告：意外事故没有先兆！

这些琐碎的问题让妈妈看了，也许会不以为然，也许一万个孩子里也不会有这种事情发生，在你周围从来就没有过这样的事情，但是一旦发生了，就是百分之百的灾难。所有不该发生的意外，在医院中都可以看到，这就是为什么医生总是不厌其烦地嘱咐父母要避免意外事故发生的原因。意外，就是意料之外的事情，如果父母能够预料到了，就不会发生了。我总是这样告诉孩子们的父母，也这样要求护士。

典型案例

3个月的婴儿，半夜三点多吐奶了，孩子口鼻腔内充满了奶水，发生了窒息。经过奋力抢救，却回天无力，医生们都无可奈何地叹息。悲伤的妈妈回忆说，她在梦中好像听到了孩子尖叫一声，而妈妈实在是太累了，没有及时醒来看护孩子。这就是意外！

89. 保姆看护婴儿

职业女性分娩后，会有4个月的产假，上班前开始考虑由谁看护宝宝。通常情况下，妈妈上班不在家的时候，由爷爷奶奶或姥姥姥爷帮助看护。现在，依靠保姆看护婴儿的家庭越来越多了。

频繁地更换保姆，对婴儿的心理健康不利。可是也不能为此使用令人不满意的保姆。找保姆成了让父母很头痛的事。

(1)隔辈人看护宝宝

隔辈人帮忙带孩子，是最让父母放心的。但也存在着一些问题，在育儿观念上，往往会存在比较大的分歧。隔辈人容易溺爱孩子，重视喂养，轻视教育，喜欢传统的养育方式。父母则更加重视教育，崇尚科学育儿。隔辈人比较节省，父母则讲究时尚，喜欢消费。

两代人之间存在矛盾和分歧是难免的，但要学会化解矛盾，减少分歧。不能因为有分歧而影响情绪，更不能为此争吵。和谐的家庭气氛对宝宝身心健康是很重要的。如果宝宝生活在争吵不断的环境里，对宝宝的心智发育不利。有分歧不怕，坐下来心平气和地讨论。老人要学会接受科学的育儿理念和新的育儿方法。年轻父母要尊重老人，好的育儿经验要继承下来，不能全部否认。

请大家记住，让宝宝快乐、健康地成长，是共同的心愿，方法和认识上的不同，不是什么大问题。老人本该享清福了，却帮助你们带孩子，做儿女的要心存感激，不要责备挂嘴边。老人也要理解儿女，工作压力大，又要养家养儿，很是辛苦。

让育儿的经历多些快乐，少些烦恼，要从我做起，从心做起。如果都想着自己的不容易，别人的不是，怎么能有快乐呢？

(2)请保姆看护宝宝

现在多是通过家政服务公司挑选保姆，和公司签订用人合同，这样做比较有保证。如果你是通过个人关系找的保姆，一定要签订合同，双方签字，最好经过公证，以免日后出现问题无法解决。即使是有亲属关系的，也最好这么做，人情代替不了法律，不出问题什么事都没有，一旦出问题了，没有法律依据，就会扯皮，令人头痛。有了合同也就有了法律约束，对双方都有好处。选择保姆可参考以下几点：

• 人品。这是软件，不好考证，可通过公司评价、拜访以往雇用过的家庭、面对面交流等方式作出初步判断。

• 爱心。喜欢孩子，对孩子富有爱心是重要的参考指标。

• 性格。性格开朗，有感染力，对宝宝心智发育有利。

• 幸福感。有幸福感，拥有幸福家庭，乐观向上的生活态度，对宝宝有积极的影响。

• 做过母亲。做过母亲，对宝宝会更加有耐心和爱心，也会积累些育儿经验。

• 文化水平。文化水平太低，获取喂养知识的能力较差，沟通可能不是很顺畅，最好有高中文化水平。

• 看护经历。有工作经历的保姆应该优先考虑。

• 年龄。25 岁 -45 岁左右比较合适。

(3)不要频繁更换保姆

频繁更换保姆，会使婴儿缺乏安全感，变得焦躁不安，睡眠不踏实，食欲降低。如果找不到合适的保姆，宁愿先不找，不要抱着先找一个试试看的念头。要找就认认真真去找，找一个基本让你满意的保姆，请来后，要真诚对待保姆，建立良好的沟通关系，不猜疑、不责骂，不要把保姆当下人，保姆的心情不好，对宝宝的态度就很难保证。对保姆缺乏尊重，也会给宝宝带来不好的影响，让宝宝学会平等待人就成了一句空话。

(4)提前找保姆

如果妈妈要上班，必须找保姆看管孩子，最好提前1个月找，和保姆共同带孩子，磨合一段时间，相互熟悉，相互了解。让宝宝在妈妈陪伴下逐渐熟悉保姆，接受保姆的照管，建立对保姆的信任。

如果妈妈的薪水刚好够雇用保姆的，或者高些但很有限，那就不如在家里看孩

宝宝 / 吴怡萱
这是在宝宝94天照的，别看我们还不到百天，可宝宝很硬实，头抬得很好，还很配合摄影师。家妮很爱笑，一逗就笑。

子了，等到孩子能上托儿所、幼儿园时，再考虑上班。这不是贬低女性的价值，恰恰相反，这正是女性特有的价值。男女平等不是男女必须一同上班，男女平等的真正含义，仅仅是男女各自的价值都得到同样的尊重和肯定。妈妈暂时在家带孩子，正是对女性价值的肯定和尊重。爸爸要充分认识这一点，给妻子足够的心理支撑。

已经有这样的爸爸，自己在家带孩子，妻子风风火火在职场建功立业。这是男女平等的最新文明成果，这个成果再次说明，谁在家带孩子，只要看经济上划算不划算，不一定非得是妈妈，也不一定非得是爸爸。

(5)选择婴儿托管所

婴儿托管所非常少。半岁以下的婴儿，需要一对一照看。如果一个保育员，同时看管几个婴儿，护理质量就会大打折扣。把婴儿送到托管所，要考虑护送问题，如果每天都接送，在寒冷的冬季是很麻烦的，家里和托管所的室温差异会使婴儿不适应。所以，最好是把保姆请到家里。婴儿每天都需要父母的爱抚，不可选择全托。0~6个月婴儿是全乳喂养，母乳是婴儿最佳食物来源，应该由妈妈全职看护。

宝宝 / 陶禹熹
壮壮生下来就开始游泳，起初还有些紧张，现在，宝宝已有3个月的游泳经验，坦然多了。

(6)寄养到奶奶或姥姥家

为了工作，把孩子送到外地的奶奶或姥姥家看护，不是一个好的选择，应该争取奶奶或姥姥到家里照看宝宝。这样做，妈妈既不耽误工作，也不影响母乳喂养，宝宝还能在父母身边成长。即使不喂母乳了，也不建议把孩子送全托，每天都能看到爸爸妈妈，和爸爸妈妈度过快乐时光，有利于宝宝身心健康。

(7)送到保姆家

这种情况适合居住在一个小区，或临近小区。如果你不希望家里有外人居住，小区里或在附近居住的人当中，有人希望在家看管婴儿，可以选择这样的看护方式。

(8)国外计时保姆

发达国家人工费昂贵，不是特别有钱的人家，或出于特殊需要，多数妈妈都采取阶段就业的办法，即在一段时间内做全职妈妈，自己护理宝宝。

有一种计时保姆服务非常好。有婴儿或者幼儿的家庭，会在社区内物色12岁以上的大孩子，要求品学兼优、有责任心、来自良好家庭的孩子，还会对他们的家庭进行访问，然后在孩子的假期和课余提供一份有报酬的婴幼儿计时看护工作。拥有婴幼儿看护经验的孩子被认为是可靠的，大孩子的家长非常支持。这种看护可以是单独照看婴幼儿，也可以是协助照看，比如旅游度假时，与婴幼儿的父母随行。

这样的情形在我们国家还比较少见，可能的原因应该是我们的小家庭基本是一孩化，孩子都是独生子，没有照顾弟弟妹妹的经验，只有被父母照顾的历程，当然不可能去照顾别人家的小婴儿。

第5节 本月护理常见问题

90. 吐奶、鼻塞

(1)吐奶，警惕肠套叠的危险

这个月的宝宝，溢乳程度会有所减轻，但有的婴儿，溢乳仍比较严重。如果婴儿从来没有过溢乳，到了这个月的某一天，突然溢乳了，要注意排除肠套叠的可能。

肠套叠的危险征兆：近来有腹泻、大便突然减少、呕吐、阵发性哭闹。停止哭闹的时候，很安静，但不像原来那样爱动、爱玩，很难把孩子逗笑，好像等待着什么，有恐惧的表情。

一旦排果酱样大便，就可以确诊了，但这时往往失去了保守治疗的机会。肠套叠是急症，早期发现非常重要。当宝宝出现上述危险征兆时，要想到这个病，及时带孩子到医院就诊。

(2)鼻塞，别让宝宝白白"走过场"

❖ **非疾病性鼻塞**

非疾病性鼻塞往往会有如下情景：

到了晚上或喂奶时，宝宝由于鼻塞而烦躁不安，甚至哭闹；妈妈首先想到的是感冒了，受凉了，想帮助清理鼻道，但稚嫩的小鼻孔实在不敢动；无奈抱到医院看医生，医生诊断上感，开了几种药；吃了几天药，没见有什么效果；去看耳鼻喉科医生，开了滴鼻药，滴了几天无效；再次看医生，吃药不见效就输液吧。药吃了，液输了，该走的"过场"都走完了，宝宝的鼻子仍然塞着，为什么呢？这就是非疾病性鼻塞。

如果宝宝眉弓或脸颊上有小红疹，或眉弓上有脱屑，或有黄色渗出物，或有硬痂，宝宝很可能是"渗出体质"。渗出体质的宝宝多比较胖，时常腹泻，容易鼻塞。如果父母有过敏史，如过敏性鼻炎、荨麻疹、长期咳嗽或哮喘发作等，宝宝的鼻塞，很可能就是遗传了父母的过敏体质。

91. 吸吮手指、踢被子

(1)吸吮手指，了不起的进步

这个月的婴儿会把小手或大拇指伸到嘴里吸吮，妈妈怕宝宝养成吸手指癖好，就加以纠正，这是不对的。这么大的婴儿，吸吮手指是一种运动能力，婴儿能够把手准确地放到嘴里吸吮，是个很了不起的进步。吸手指也不是饿了，因此不必抱过来喂奶。

如果1岁以后还不断吸吮手指，要稍加引导。一定不要强行把手拿开，不能嘴里叨唠着"不要吃手"，更不能吓唬孩子。积极的办法是把玩具放到宝宝手中，或握着宝宝的手和宝宝聊天，转移其注意力。有的宝宝，1岁后就不再吸吮手指了，有的宝宝，3岁后还在吸吮手指。对此，父母千万不要横加干涉，父母管得越紧，孩子吸得越频。有效的方法是，用宝宝感兴趣的事情转移其注意力，如果有比吸吮手指更有趣的事情，宝宝当然就不会吸吮手指了。

(2)吸吮手指多发生在以下几种情形

❖ **入睡前**

解决方法：入睡前陪伴着宝宝，握着

宝宝小手，讲故事，唱摇篮曲。

❖ **独自玩耍感到无聊的时候**

解决方法：一旦发现宝宝吸吮手指，既不说"不要吃手"，也不要把宝宝的手从嘴里拿出，而是用有趣的事情转移宝宝的注意力，使宝宝不再吃手。

❖ **害怕的时候**

解决方法：把宝宝搂在怀里，与宝宝亲昵，给宝宝安全感。

❖ **被训斥的时候**

解决方法：任何时候都不应该大声训斥孩子。

❖ **精神紧张的时候**

解决方法：宝宝到了陌生坏境，在陌生人面前，因精神紧张而拼命吸吮手指。不要说"宝宝不要怕""宝宝不吃手"等。你需要做的是和宝宝比谁的手大、谁的手小，或谁的手干净、谁的手脏，带宝宝去洗洗手，来缓解宝宝的紧张情绪，转移注意力。

(3)踢被子，和妈妈比本领

爱活动的婴儿开始学会了踢被子，而且踢得很有技巧，能够把盖在身上的被子毫不费力一脚蹬开，露出四肢，非常高兴地舞动肢体。妈妈认为是热了，换上一个薄被，照样踢开，这是婴儿在长力量，就是要和妈妈比试比试，看你盖得快，还是我踢得快。妈妈向我咨询这类问题时，都表示护理这样的孩子很费力，简直盖不过来，问如何不让孩子踢被子。不用担心，这是婴儿在发育过程中出现的正常现象。

如果怕宝宝受凉，教妈妈一个方法，别把被子盖到孩子的脚上，让脚露在外面，当宝宝把脚举起来时，被子在宝宝的身上，就不能把被子踢下去了，又不会影响宝宝肢体运动。如果气温比较低，怕宝宝冻着，

可把宝宝放在睡袋中。

92. 不认真吃奶、耍脾气、认生

(1)吃奶不认真

这个月的婴儿，视觉、听觉和运动能力进一步提高，对外界的反应能力进一步增强，变得警觉起来。在吃奶时，如果有意外的声响、走动的人影等，都会转移孩子吃奶的注意力，他会突然停止吃奶，或把奶头吐出来回过头去寻找声源或人影。妈妈不要误认为孩子食欲有问题。

(2)不饿也哭着要奶吃

母乳喂养的婴儿，开始对母亲有依恋情绪，喜欢妈妈抱着他吃奶。不要怕把孩子惯坏了，这是孩子情感发育中不可缺少的。妈妈至少每天要抱孩子2个小时，才能满足孩子对妈妈爱抚的需要。如果仅仅在喂奶时，妈妈才把孩子抱在怀里，孩子不饿也要奶吃，因为吃奶可以满足他对妈妈爱抚的需要啊。

(3)耍脾气

这么大的婴儿开始会耍脾气了，这不奇怪。孩子会突然无缘无故地哭闹，怎么哄也哄不好，给奶不吃，放下不行，就像有针扎似的，抱着不行，使劲打挺，妈妈几乎抱不住，什么办法也不好使了。

常常在急诊遇到这种情况，尤其是夜间急诊。父母风风火火把孩子带到医院，说孩子拼命地哭闹，怎么也哄不好，在车上还哭来着，可还没下车就不哭了。等到了门诊，医生把宝宝衣服解开，对孩子进行检查，孩子不但不哭，有时还冲医生笑，这常使得心急火燎的父母一头雾水——什么病啊？！

什么病也没有！最好的办法就是暂时

换一换人哄孩子，让爸爸抱一抱孩子，孩子就会变安静了。如果爸爸不在家，就带孩子到外面去换一换环境，或到亲戚家，换换手。孩子是腻歪了，发脾气了。新人新环境，孩子马上就不闹了，脾气没了。

(4)认生

快到 3 个月的婴儿，有的开始认生了，尤其是家里人少，只有妈妈或保姆看孩子，一旦有陌生人来到，孩子会看着生人大声啼哭，不让生人抱。孩子认生，和见人少有关，也与性格有关。宝宝认生或是不认生都是正常的，不要因为宝宝认生或是不认生，就认为宝宝有什么问题。

93. 闹觉

(1)宝宝喜欢抱着睡，是宝宝的错吗

刚刚出生 3 个多月的宝宝，在给全家人带来无尽欢乐的同时，也给爸爸妈妈带来了烦恼。婴儿怎么会让爸爸妈妈有如此感受呢？

典型案例：来自一位新手妈妈的困惑

我女儿 3 个多月，白天要抱着才能睡好，只要放到床上，睡得就不安稳，半个小时就会醒来。如果抱着睡能睡好几个小时。晚上七八点睡，能连续睡上四五个小时，吃奶后很快又入睡，直到凌晨三四点钟。一般 4 点以后就开始一个小时醒来一次，我们夫妇感觉带孩子好累啊，这是怎么回事？我该怎么办呀？

这位妈妈所遇到的问题是比较普遍的，许多新手父母都会遇到宝宝睡眠问题。其实，不但新手父母会遇到宝宝睡眠问题，到了幼儿时期也同样有这样的问题。

(2)这或许不是宝宝的错

关于睡眠问题，几乎在所有育儿书上都有比较详细的阐述。虽然在说法上各有

宝宝／王思睿

虽然很安全，宝宝还是有些紧张，小手紧紧扶着安全带，神情专注。坐在宝宝专用汽车座椅上，嘟嘟竖头已经很好，还能把头转过去。

不同，但大多数学者认为，在某种程度上可以说不是孩子的问题，而是父母的问题。良好的睡眠习惯是需要父母帮助孩子建立的。如果父母不能很好地理解孩子，就会把正常现象当异常，把孩子的正常反应当异样。父母对孩子的回应会直接影响孩子的行为。

(3)让孩子哭个够吗

让孩子哭个够的父母，大多有这样的理由：孩子一哭就抱会把孩子惯坏了，孩子很难独立。

我不赞成让孩子无休止地哭下去而不去管。孩子需要父母的关怀，没有哪个孩子不喜欢躺在妈妈温暖的怀抱里。这是很容易理解的。孩子哭得很厉害，需要父母的关心，或许遇到自己不能解决的问题，需要父母的帮助，而父母不能积极回应，就会伤害孩子的情感，使孩子失去安全感，长大了缺乏对人的信任，时时感到孤独，郁郁寡欢。

(4)一声也不能让孩子哭吗

我也不赞成一味迁就孩子。父母要允

许孩子有自己的情感流露。切莫动辄就去干扰孩子，不让孩子哭一声。其实再小的孩子也需要有自己的空间，尽管这样的需要持续的时间很短，父母还是应该体会到，并给予适当保证。

如果宝宝在睡觉中伸个懒腰、打个哈欠、皱一下眉头、做一个怪相……妈妈就马上去抱、去拍，这就过多地干预了孩子。如果妈妈不去马上碰孩子，孩子有自己的自由空间，就不会那样烦躁易醒了。

可能孩子本来就没有醒，妈妈一碰反倒醒了。妈妈恰恰就认为没有及时把孩子抱起来或拍一拍，孩子才醒了，这是认识上的误区。

姐姐出生26天的时候，我去家里看她，姐姐妈向我询问，姐姐为什么睡觉不踏实，一会儿就醒来。姐姐睡着了，我开始观察。二十分钟后，姐姐开始伸胳膊踢腿，还不时发出"嗯嗯"的声音，脸憋得通红，露出要哭的表情。妈妈赶紧上前要抱，我制止住了。过了一会儿，姐姐恢复平静，又安静地入睡了。就这样反反复复几次。一看表，姐姐竟然睡了3个小时！姐姐妈知道了不去打扰宝宝睡觉的道理。

宝宝 / 王震坤

爸爸妈妈总是喜欢宝宝笑的时候，每当宝宝哭的时候，大多数父母都会着急，如果我不到哭的原因，或较长时间哄不好，妈妈会以为宝宝哪里不舒服，甚至要带宝宝看医生。婴儿早在胎儿期就有了情感，新生儿就能分辨出喜悦和愤怒的表情。婴儿具有丰富的情感世界，父母可不要剥夺宝宝哭的权利。一声也不让宝宝哭并不是件好事。

现在姐姐已经十个月了，吃得好，睡得好，心情好，妈妈很是得意。

(5)父母是否知道这些

❖ **婴儿睡眠不分昼夜**

婴儿常常醒来，饿了，尿了，不舒服了，睡够了，天要亮了等等，都会醒来。

❖ **婴儿极少一夜睡到天明**

婴儿的睡眠周期比较短，不可能一觉睡很长时间。浅睡眠时，宝宝很容易醒来。在宝宝没有发出要抱或吃奶的信息时，不要去打扰他，让宝宝熟悉睡眠周期的变换。

❖ **婴儿浅睡眠时间长**

婴儿不可能长时间很安稳地睡觉。浅睡眠时，会出现面部表情的变化，身体四处扭动，脸憋得通红，还不时发出些声音，小嘴做出吸吮动作，这都不意味着宝宝已经醒来。

❖ **婴儿入睡方式与成人不同**

出现某些刺激因素，如噪音，宝宝会很容易重新醒来。

❖ **每个婴儿的睡眠习惯和方式不尽相同**

你的孩子不会和其他孩子一样，要尊重你的孩子的睡眠选择。

如果新手父母了解婴儿这些睡眠特点，是否能够对宝宝的某些睡眠问题释然了呢？应该如此吧！

❖ **真切告白**

关于睡眠问题，难以做出简单的答复和指令性的要求，每个婴儿都不一样。生活在孩子身边的父母会更多地知道孩子需要什么，怎么能让孩子入睡。需要睡多长时间，只有婴儿自己知道，父母应该给宝宝睡的自由。不要总是试图控制孩子，那不是对孩子的疼爱，有时反而会耽误了孩子正常的生长发育。

(6)新手妈妈，您的困惑还有吗

3个多月的孩子，白天不睡很长时间也是正常的，为什么非要让孩子一觉睡几个小时呢？如果孩子困倦了，会自然入睡的。如果孩子醒了，就和宝宝说说话，做一些小游戏。如果父母坚信宝宝必须抱着才能睡眠，父母就会整日抱着宝宝睡觉。有妈妈抱着睡当然比自己躺在床上睡舒服，孩子不会拒绝妈妈抱着他睡，慢慢就习惯父母抱着睡了。父母自然会感到很累，唯一的办法就是逐步改变，对难度要有充分的心理准备。

有的宝宝，一开始抱着能哄睡，慢慢的，抱着也不行了，父母就开始一边抱，一边摇，方能把宝宝哄睡；过一段时间，这一招又不灵了，开始站起来，在室内来回走动，甚至得站在席梦思床上悠着孩子，宝宝还不断打挺哭闹……宝宝闹人吗？不，这是爸爸妈妈不断"培养"的结果。

(7)排除轻微脑功能障碍儿

睡眠不好的婴儿，需要排除疾病性哭闹，有轻微脑功能障碍（如生产过程中有窒息史、难产史，新生儿期缺血缺氧性脑病、严重黄疸）的婴儿，多有睡眠问题。这样的婴儿长大后可能会患多动症，但这种情况并不多见。

❖ 办法

不要无休止地增加新的哄睡方法。白天，当孩子睡觉时，妈妈抓紧时间休息一下，备着精力陪晚上的精灵。随着月龄的增长，宝宝会自然好起来的，爸爸妈妈要相信这一点。

❖ 一个小名叫"六月"的宝宝

"六月"是爸爸妈妈相恋8年后得到的宝贝千金，有点儿不同凡响。比如吃饱了，放到床上或小推车里，自己咿咿呀呀说一会儿话，手舞足蹈玩一会儿，就闭上眼睛安静地入睡了。醒来时，比入睡前兴奋了很多，玩得欢，说得欢，你到她跟前，她比你还兴奋呢。爸爸妈妈的育儿心得，就是从一开始，就不抱着哄睡，所以宝宝睡觉不用妈妈费心，自己入睡。不过六月也有个小秘密，不高兴的时候，妈妈抱起来哄，还不如安抚奶嘴管用呢。

94. 婴儿身体的奇怪声响

有父母询问，宝宝身体时而会出现奇怪的声响，很是担心，不知患了什么怪病。婴儿身体为什么会响呢？

(1)关节弹响声

婴儿韧带较薄弱，关节窝浅。关节周围韧带松弛，骨质软，长骨端部有软骨板，关节做屈伸活动时可出现弹响声。随着月龄增大，韧带变得结实了，肌肉也发达了，这种关节弹响声就消失了。有的成年人，若关节活动不正常仍可出现弹响声，有的挤压指关节时可出现清脆的弹响声，如无特殊症状，属正常现象。若膝关节伸屈有响声，伴有膝部疼痛，应排除先天盘状半月板；若髋关节出现关节弹响声，应排除先天髋关节脱位。

(2)胃叫声

胃是空腔脏器，当胃内容物排空以后，胃部就开始收缩，这是一种比较剧烈的收缩，起自贲门，向幽门方向蠕动。我们都知道，不论什么时候，胃中总存在一定量的液体和气体，液体一般是胃黏膜分泌出来的消化液，气体是在进食时随着食物吞咽下去的，胃中的这些液体和气体，在胃壁剧烈收缩的情况下，就会被挤捏揉压，东跑西窜，发出唧唧咕咕的叫声，所以婴儿腹中出现叫声可能是饥饿的信号，但在

宝宝 / 陈北川

为了庆祝宝宝满 3 个月，特意给他买了个粉色的小马夹，刚刚买回来，给他试穿一下，看看效果，果然不错。

胃胀气、消化不良时也可出现这种声音。

(3)肠鸣声

肠管和胃一样，都属空腔脏器，肠管在蠕动时，肠管内的气体和液体被挤压，肠间隙之间的腹腔液与气体之间揉擦也可出现咕噜声，叫肠鸣音，一般情况下需要听诊器听诊方能听到。声响大时，不用听诊器也可听见。腹胀时或患肠炎、肠功能紊乱时可听到较明显、频繁的响声。

(4)疝气

人体内的脏器或者组织本来都有固定的位置，如果它离开了原来的位置，通过人体正常或不正常的薄弱点或缺损、间隙进入另一部位，即形成疝气。常见的有腹股沟斜疝、股疝、脐疝等，多是肠管疝入"疝囊"内，当令其复位时可出现响声。婴儿脐疝，当挤压"疝"时可发出"咯叽"的响声。还有罕见的横膈疝，食管裂孔疝，即腹腔中的空腔脏器疝入胸腔，在肺部听到肠鸣音或胃蠕动声。疝气是病症，应及时治疗。

95. 这个月免疫接种

满 2 个月的婴儿要服预防小儿麻痹糖丸。（更多有关预防接种问题请看第十三章）

宝宝/温腾飞

第四章　3-4个月的婴儿（90—120天）

这个月的宝宝肢体运动增多，幅度增大；

俯卧时，用手腕把上身支撑起来，头高高竖起，转头追物；

喜欢吃手，两手互握，用手抓物，并放到嘴里；

侧翻，或从仰卧位翻到俯卧位；

咯咯地笑出声来；喜欢妈妈抱抱……

第1节 本月婴儿特点和生长发育

96. 本月婴儿特点

(1)外貌，可爱动人

这个月的宝宝准备过"百天"了。百天以后的宝宝，非常招人喜爱，脖子挺得直直的，因为头相对较大，宝宝的头会微微摇晃，看起来像个会活动的大娃娃。

宝宝黑眼球很大，会用惊异的神情望着不认识的人。如果你对他笑，他会回报你一个欢快的笑。当你用手蒙住脸，突然把手拿开，并冲着宝宝笑时，宝宝会发出一连串咯咯的笑声。

给宝宝拍摄百日照，摄影师会让宝宝摆各种姿势，抓拍精彩瞬间。爸爸妈妈惊奇地发现，宝宝有这么大的能力，靠在沙发背上，竟然能坐了！趴在充气马背上，竟然没有摔下来！两眼盯着摄像头，竟然很有镜头感！

爸爸妈妈不由得喜上眉梢，宝宝真的长大了。不过，爸爸妈妈不要太过着急，这个月的宝宝还不能坐。不要总是抱着宝宝，把宝宝放下来，给宝宝练习翻身和爬的机会。

(2)能力，从仰卧翻到俯卧

竖立抱宝宝，宝宝的头已经竖立得很好了，小脖子直直地挺着，颈椎生理弯曲完全形成，胸椎生理弯曲也逐渐开始形成。竖立着抱宝宝时，感觉不再软塌塌的，身体已经能够挺起来了。

把两手放在宝宝腋下，让宝宝两脚站在你的腿上，宝宝会一蹭一蹭地跳跃。俯卧时，能够用手腕把上身支撑起来，头高高竖起。仰卧时，能够把身体侧过来，多数婴儿能够从仰卧位翻成俯卧位，但还不会从俯卧位翻到仰卧位。

冬天，宝宝穿得比较厚，运动能力稍显落后。夏季，宝宝光着身子，运动能力发展比较好，可能在上个月就会翻身了。

比较胖的宝宝翻身多比较晚，体重偏轻的宝宝，运动能力多比较强。运动能力也与父母有关，父母比较好动体能比较好的，孩子体能发展多会提前。

运动能力与养育方式关系密切，总是抱着孩子，很少给宝宝自由活动时间，宝宝运动能力可能会稍显落后。

(3)喂养，食量不同，睡觉开始推后

吃奶的次数和量，婴儿之间的差异更加明显。吃得多的可以一次喝200毫升的奶，吃得少的仅喝100毫升，甚至还少。混合喂养的宝宝，现在可能一点配方奶也不吃了，把奶瓶子放到宝宝嘴边，宝宝就

宝宝：王雨菲

婴儿眼睛的黑眼球比例比成人大得多，眼白蓝蓝的，不像成人，眼白部分有脂肪沉淀，就发黄了。

躲，勉强放到嘴里，宝宝也不吸吮。

不需要训练大小便，对于排便有规律的宝宝，可以把一把尿便。如果宝宝反对把尿，请妈妈立刻停止这么做。

有的宝宝会闹夜，不再是七八点就睡了，如果父母十点睡，宝宝会一直等着和爸妈一块睡。

溢乳的宝宝，到了这个月，溢乳程度可能减轻。但有的宝宝仍像以前那样溢乳。从来没有发生溢乳的宝宝，如果突然溢乳，需要看医生排除疾病所致。

有的宝宝开始流口水，这是由于唾液分泌开始旺盛了，也有的是因为宝宝要出牙了。

这个月护理的重点是避免厌奶，不要强迫宝宝吃奶。开发宝宝的潜能，增加户外活动时间。进行耐寒锻炼，提高宝宝的抵抗力。预防意外事故发生仍然是很重要的。

97. 本月婴儿生长发育

(1) 身高，增长速度略有减缓

这个月宝宝身高增长速度与前3个月相比，开始减慢，一个月增长约2.0厘米。但与一岁以后相比还是很快的。

❖ 有些宝宝先长，有些宝宝后长

常有父母问，自己的身高在同性别中属于高的，为什么宝宝却不高？这也不一定是宝宝生长缓慢，应该问一问奶奶和外婆，父母是不是小的时候也不高，是不是后长起来的。婴儿也有先长后长的。

只要没有疾病，就不要为宝宝一时的身高不理想而担心。身高的增长是连续动态的，一次或一个月静态的测量值，并不能说明是否偏离了正常生长曲线。

90-120天的宝宝，男婴身高均值63.3厘米，女婴身高均值62.0厘米。男婴身高低于59.3厘米或高于67.4厘米，女婴身高

低于58.0厘米或高于66.0厘米，为身高过低或过高。

(2) 体重

如果体重偏离同龄正常儿生长发育曲线第3百分位或第97百分位，要寻找原因。除了疾病所致，大多数是喂养或护理不当造成的。

可以利用生长曲线图监测宝宝的生长发育情况（见附录）。

❖ 使用方法

在测量月龄的位置找到相应体重所在的位置，并画上圆点，凡是落在第25-75百分位范围内属于中等，落在第75-97百分位范围内属于中上等，落在第97百分位以上为上等，落在第3-25百分位范围内属于中下等，落在第3百分位以下为下等。如果婴儿体重超过第97百分位或低于第3百分位，都应该找医生检查。

90-120天的宝宝，男婴体重均值7.17公斤，女婴体重均值6.56公斤。男婴体重低于5.80公斤或高于8.80公斤，女婴体重低于5.30公斤或高于8.10公斤，为体重过低或过高。

(3) 头围

这个月的婴儿头围可增长1.4厘米，婴儿期定时测量头围可以及时发现头围过大或过小。可以利用婴儿头围生长曲线图来检测婴儿的头围增长情况。把测量值点画在图上，如果超过第97百分位或低于第3百分位，则需要请医生检查，确定是正常的变异，还是疾病所致。

头围大小受遗传因素影响，父母双方或一方头部比较大或比较小，宝宝头围也会比同龄儿头围偏大或偏小。但如果宝宝头围低于同龄儿的正常范围最低限，则不

能轻易认为是随爸爸或随妈妈，而要认真监测头围增长情况，及时发现异常。

(4)前囟

后囟门闭合，前囟门对边连线可以在1.0~2.5厘米不等，但如果前囟门对边连线大于3.0厘米，或小于0.5厘米，应该请医生检查是否有异常情况。前囟门过大可见于脑积水、佝偻病；前囟门过小可见于狭颅症、小头畸形、石骨症等。

囟门的检查多要靠医生，有的医生在测量囟门时，没有考虑到囟门假性闭合（膜性闭合），就是说从外观上看囟门像是闭合了，实际上那是因为头皮张力比较大，看起来好像没有了，摸起来似乎闭合了，但实际上囟门并没有闭合。

因为囟门大就认为是佝偻病，盲目补钙或加大补钙量，要避免这种草率的做法。发热时，囟门可以膨隆、饱满。腹泻时，由于水分丢失，囟门会略显凹陷。

第2节 本月婴儿能力发展

98. 看的能力：注重视觉训练

视觉刺激对于婴儿大脑发育是极其重要的，训练宝宝的视觉能力是这个月的重点。

这个月婴儿的颜色视觉功能已经发育得比较好了，拥有了辨别不同颜色的能力。宝宝不断辨别颜色，准确性就会迅速发展。婴儿对颜色的反应和成人差不多，但对某些颜色却情有独钟，婴儿更喜欢红色，其次是黄色、绿色、橙色和蓝色。在训练婴儿颜色辨别能力时，要以这几种颜色为首选，依次训练宝宝的色觉能力。

❖ **电视广告的小粉丝**

这个月的宝宝，视力已经相当不错了，不再是仅仅能看清近距离的物体，已经具备了较强的远近焦距调节能力，可以看到远处比较鲜艳或移动的物体。变化快的影像会使婴儿感兴趣，开始会注视电视中的画面，而且对广告特别感兴趣，喜欢看变化快，色彩鲜艳，图像清晰的广告画面是婴儿的共性。

可以让婴儿短时间注视电视屏幕，但不能让婴儿长时间注视，以免造成视力疲劳。一般来说，这么大的婴儿可持续注视2~3分钟。如果时间长了，婴儿会自动转移视野，但往往已经造成了婴儿视力疲劳。

❖ **回归大自然**

带宝宝到户外活动，是锻炼宝宝视力的好方法。户外空间广阔，可看物体种类多，花草树木颜色多，有利于婴儿认识自然。

❖ **避免阳光和闪光灯照射**

不要让阳光直接照射宝宝的眼睛，过强的阳光会伤害宝宝。最好不要使用闪光灯在室内给宝宝拍照。

❖ **眼－手－脑配合的意义**

宝宝看到喜欢的玩具会很高兴用手去抓，这是看与肢体运动的有机结合，如果看到了却不能用大脑分析并指导行动，看就没有意义了。妈妈要利用这个特点，训练宝宝认识事物的能力，不断告诉宝宝这是什么，是什么颜色的。

❖ **辨别差异和记忆的能力**

3个月以后的婴儿，随着头部运动自控能力的加强，视觉注意力得到更大的发展，能够有目的地看某些物像。婴儿最喜欢看妈妈，也喜欢看玩具和食物。对新鲜物像能够保持更长时间的注视，注视后进行辨别差异的能力不断增强。

对看到的东西记忆比较清晰了，开始认识爸爸妈妈和周围亲人的脸，能够识别爸爸妈妈的表情好坏，能够认识玩具。如果爸爸从宝宝的视线中消失，宝宝会用眼睛去找，这就说明宝宝已经有了短时的，对看到物像的记忆能力。爸爸妈妈要利用这个阶段婴儿看的能力发展过程，对婴儿的视觉潜能进行开发。

❖ 视觉能力的训练

为了让宝宝集中注意力，需要在光线比较暗的环境中训练。把上面画有图案的卡片贴在墙上，宝宝距离卡片2米，一人抱着宝宝，一人用手电筒照亮墙上的卡片。当宝宝凝视卡片时，告诉宝宝卡片上的图案是什么。

每次让宝宝看几张卡片，要根据宝宝表现而定，如果宝宝注意力不再集中，没有兴奋的表情，就立即停止，休息一会儿再进行。即使宝宝一直表现出极大的兴趣，每次最多也不要超过10张卡片，要在宝宝不耐烦前停止训练。

可以购买现成的识字卡和视图卡。父母最好自己动手给宝宝做卡片，宝宝更喜欢看父母为他亲手画的卡片。

99. 说的能力：听－分辨－发音

婴儿语言的发展是有一定规律的。最初是语言的感知阶段，婴儿先是靠听、看来感知声音，并逐渐对语音进行分辨，最后发展到自己发出语音。

❖ 能够区分男声和女声

出生两周的婴儿，能够区分人的语声和其他声音。两个月的婴儿，对父母说话

时的情绪，能有所反应，当你用怒斥的语气和宝宝说话时，宝宝会哭。到了这个月，宝宝已经能够分辨出是妈妈在说话，还是爸爸在说话，能够区分男声和女声了。

❖ 婴儿情绪越好，发音越多

出生3个月以前，是婴儿的简单发音阶段。3个月以后婴儿慢慢会发出"啊、喔、哦"的元音了。婴儿情绪越好，发音越多。爸爸妈妈要在婴儿情绪高涨时，和宝宝交谈，为宝宝传达更多的语音，让宝宝有更多的机会练习发音。让宝宝多到户外，听小鸟叫，听流水声，听风刮树叶声，并不断告诉宝宝这是哪里发出的声音。给宝宝做元音发音口型，让宝宝模仿爸爸妈妈说话。

❖ 语言能力训练

语言训练，重要的还是倾听和对话。倾听是语言训练中的重要环节，如果只是单方面地和宝宝说，不给宝宝"说"的机会，不认真倾听宝宝说话并积极应答，就相当于剥夺了宝宝说的权利，削弱了宝宝说话的欲望。

把宝宝发出的所有声音，都当做语言来理解，发挥你最大的想象力，认真理解宝宝的语言。当宝宝发出语音，你试图理解并给予回应时，宝宝会体验到被理解的喜悦，说的愿望更加强烈，对话的愿望更

加积极。

和宝宝说，也要根据此情此景，有针对性、有意义、有目的地对话。如果你是不着边际地说，想说什么就说什么，对于宝宝来说，你所说的只是背景音而已。

在和宝宝说话的时候，要观察宝宝的视线和表情。宝宝视线停留在某一处，并表现出兴趣，你要立即给予回应。比如宝宝盯着洗衣机看，你首先告诉宝宝这是洗衣机，再告诉宝宝洗衣机是用来洗衣服的，并开动电源，让宝宝看到洗衣机滚筒的转动。哪天洗衣服时，让宝宝看到用洗衣机洗衣服的全过程。这样不但训练了宝宝的语言能力，还锻炼了宝宝观察事物的能力。

开发潜能不仅仅是让宝宝坐在教室中，由老师按部就班上课。在日常生活中，随处都有开发宝宝潜能，启迪宝宝智慧的机会，父母要学会利用随处可见的机会，以收事半功倍之效。

宝宝 / 万博远
听到妈妈在叫他，扭过头去，看到妈妈手中拿的手绢，露出惊异的神情。这样可锻炼宝宝的视、听和运动协调能力。

100. 听的能力：区分音色

这个月的婴儿已经能够静静地听音乐了，并且能够区分音色，更喜欢优美抒情的音乐。听、看、说是不可分割的感知能力的总和，是相互影响、相互促进、相互提高的，对视、听、说的训练是综合的、共同的。

❖ **听觉能力训练**

在任何时候、任何情景下，婴儿能够听到的声音，无论是语言、音乐，还是物体发出的响声，都会没有遗漏地传入婴儿的耳朵里。婴儿对大部分声音和语言没有回应，并非是没有听到，而是不能辨别所听到的是什么，也就无法给予回应。所以，父母的任务就是让宝宝明白，他听到的声音是什么，他听到的语音是什么意思。只是让宝宝去听是不够的，必须同时去看、

去触摸、去感受、去体验。这样一来，听对宝宝才有真正的意义。

如果你对宝宝说："妈妈爱你！"宝宝不会理解这句话的含义。但是，倘若你每次说这句话的时候，都深情地望着他，紧紧地拥抱他、亲近他，宝宝通过妈妈的行动体会到妈妈对他的爱，并把这种体验和这句话联系在一起，慢慢地理解了爱的含义，这就是语言学习的过程。

听、说、触、闻等能力的训练，是相互联系、相互促进、相互帮助的互补过程，而不是相互孤立、相互排斥的机械任务。

对宝宝进行潜能开发和能力训练，重要的不是学会某一种方法，父母要理解其精髓，学以致用，举一反三，融会贯通到日常生活的方方面面。

101. 嗅觉和味觉能力：灵敏的嗅觉

(1)灵敏的嗅觉能力

这个月的婴儿已经能够准确区分不同的气味，会有目的地回避难闻的气味，嗅觉变得更加灵敏。

❖ **闻的能力训练**

把不同气味的物品放在不同的容器中，

郑玉巧育儿经·婴儿卷

先把容器拿到宝宝眼前，让宝宝进行辨别，并告诉他，这里装的是什么，然后再让宝宝闻一闻。闻后，让宝宝看这个容器，并告诉他，闻到的是什么。观察宝宝闻到不同气味时的表情。

待宝宝熟悉这些气味后，把装有某种气味物品的容器拿到宝宝眼前，还没等到让他闻，宝宝就会出现闻到这种气味时的特定表情。如闻到醋酸味，皱起眉头。

待宝宝熟悉了这个过程，再把不同气味的物品放在相同的容器中，进行上面的训练。你会发现，当你把装有醋的容器拿到宝宝眼前，在没有闻到气味的时候，宝宝没有出现闻到这种气味时的特定表情。因为，他不能通过容器的差异提前知道这个容器中装的是什么。这就是婴儿的记忆和分析能力。你看，闻的能力训练，训练的不仅仅是婴儿的嗅觉，还有记忆和分析能力。

(2)味觉，不能过强刺激

味觉在婴儿期是最发达的，以后就逐渐削弱，这与味觉在人类种系演化进程中的趋势是一致的。

是否让婴儿越早尝到不同食物的味道，越有利于婴儿味觉的发育呢？是否越早让婴儿吃到味道鲜美的食物，发生挑食、厌食的可能性越小呢？

事实恰好相反，越早让婴儿尝到成人饭菜，添加婴儿辅食就越困难，也越多地发生厌食和挑食。其原因可能是婴儿尚未发育完全的味蕾细胞因成人饭菜的过度刺激而受到伤害。

妈妈都有这样的经验，宝宝喝过甜水后，很难喂进去白开水。一方面，婴儿天性喜欢甜味；另一方面，甜味对婴儿的味蕾细胞有麻痹作用，使得婴儿对弱于甜味的食物没有感觉，索然无味。

甜味食物会使胃部产生饱胀感，降低食欲。婴儿对糖的分解能力并非很强，未被分解的糖会在肠道内产生气体，出现腹胀。可见，不应该让婴儿过早尝到味道浓厚的食物，更不能让宝宝喝糖水。

102. 触觉和知觉能力：主动触觉很重要

(1)主动触觉很重要

触觉是婴儿认识世界的主要途径，婴儿出生后就有触觉反应，这就是婴儿抚触的基础。当婴儿啼哭时，抚摸宝宝的腹部、面部，可以使婴儿停止哭闹。3个月以后，婴儿视触觉协调能力开始发展，4个月的婴儿可以有意识地够物体，并学着感受物体的性质、形状，开始了通过触觉认识外界的过程。

给宝宝做抚触和按摩，仅仅是触觉训练的一个方面。婴儿主动的触觉训练是非常重要的。婴儿早在胎儿期就开始吸吮自己的小手，用四肢触摸子宫壁。出生后，吸吮手指成了婴儿最爱。会拿东西后，什么都放在嘴里尝一尝、啃一

宝宝 / 储宏英
宝宝见着什么都要吃，瞧，她拿起书就垂涎欲滴啦，她一定在想妈妈，我要吃！

啃。吃奶的时候，小手摸着妈妈的乳房；喝水的时候，小手抱着瓶子。这些都是宝宝主动的触觉训练。不要干涉宝宝吸吮手指，不要妨碍宝宝拿到什么吃什么，当然危险除外。

(2)知觉，"腹爬槽"

三四个月的婴儿已经出现了对形状的知觉，4个月时，对物体已经有了整体的知觉。当你把宝宝放到床边沿时，虽然这时婴儿还不会爬，但已经能够感知深度了，婴儿似乎屏住呼吸，露出惊恐的神情。丰富的环境刺激对婴儿的认知活动有着极其重要的作用。

尽管婴儿早在三四个月时，就已经有了初步的深度知觉，但在整个婴幼儿时期，都缺乏安全意识和自我保护能力。直到3岁，父母都要时刻关注宝宝的行动，防止意外事故的发生。

可通过"腹爬槽"，训练宝宝的深度知觉，准备一块宽20厘米的"腹爬槽"，训练宝宝对深度的感知能力，是不错的选择。

103. 运动能力：手的精细运动

这个月的宝宝已经能够用上肢支撑头和上身，和床面约成90度角。从这个月开始，多数婴儿学会翻身，先是从仰卧位翻到侧卧位，逐渐发展到从仰卧位翻到俯卧位。

❖ 婴儿手发展的意义

手的动作是精细运动的发展，在婴儿智能发育中是很重要的，是人类进化的重要标志。没有手的精细运动能力，就不会创造复杂的机器和劳动工具。因此促进婴儿手的发展，是早期教育的重要一环。

这个月的婴儿还不会主动用手抓东西，妈妈可以把玩具放到宝宝手中，握住宝宝小手，放到宝宝眼前晃动，再把玩具拿开，放在宝宝能够得着的地方，让宝宝自己去拿。也可以握住宝宝手腕部，帮助宝宝够到玩具，这样可以训练宝宝手眼协调能力。

3个月以前的婴儿，手还不能张开，触摸是被动的。到了3个月以后，婴儿的手就开始主动地有意识张开、触摸，开始了主动的活动。开始是大把的、不准确的抓握，以后逐渐发展到准确的手的精细动作。

❖ 宝宝通过触摸和嘴来认识物品

这一过程是渐进性的，有的父母怕宝宝拿东西放到嘴里吃，不卫生，或有危险，就不敢拿东西让宝宝抓，或仅让宝宝抓一种玩具，这是不对的。婴儿在抓东西的过程中，也是促进眼手协调能力，通过对东西的触摸认识物品，通过嘴来感受物品，这些对婴儿认识外界，感知外界，都是必不可少的。

应该让婴儿接触到更多的东西，有安全隐患的物品和玩具要远离婴儿。能够让宝宝玩的物品和玩具，都能够让宝宝放在嘴里，满足婴儿用嘴认识世界的愿望。

宝宝 / 白芮宁
新生儿对玩具没有特别兴趣，只对妈妈有兴趣。现在宝宝开始对玩具感兴趣了。宝宝还需要用胳膊支撑着身体，伸手够玩具还是有点困难的，宝宝已经把小手伸开准备拿了。

第3节 本月婴儿喂养

104. 本月婴儿营养需求

❖ **从乳类食物中获取生长发育所需营养**

这个月的婴儿每天所需热量为每公升体重110卡。母乳能够满足婴儿营养需求，不需添加其他食物。配方奶喂养的婴儿，这个月可能会出现"厌奶现象"，奶量明显减少。妈妈不要着急，千万不要强喂，更不要等到宝宝睡得迷迷糊糊的时候喂。那样的话，会使"厌奶期"延长，影响婴儿生长发育。给宝宝一两周的时间，让宝宝慢慢恢复对奶的渴望和需求。在"厌奶期"，为了保证每天液体摄入量，可增加水量。如果宝宝不喜欢喝白水，可在水中加些新鲜的果汁或菜汁，但不要给宝宝喂糖水。添加辅食还为时过早，即使宝宝不喝奶，也不要试图增加辅食。

❖ **预防缺铁性贫血**

这个时期的婴儿会出现缺铁性贫血。母乳喂养的，妈妈开始补充铁剂，每天100毫克，一直补充到添加辅食。妈妈需要继续补充钙剂，直至哺乳期结束。如果是早产儿，需给宝宝补充铁剂，2毫克/公斤每日。如果检查出宝宝有缺铁性贫血，在医生指导下，给宝宝补充铁剂。

❖ **不要担心母乳不足**

总是担心母乳不足是母乳喂养妈妈的共性。随着宝宝月龄的增加，妈妈越发担心起来，宝宝都长这么大个子了，自己的乳汁还能满足孩子的需要吗？这种担心迫使妈妈给宝宝添加配方奶。可是宝宝根本就不吃，连奶瓶子都不吸，怎么添加得了配方奶呢？妈妈开始着急，其结果是母乳减少，真的不够宝宝吃了，这不是自寻烦恼吗！这个月的婴儿就是这样，不再那么认真吃奶，吃不几口就把奶头放开，东瞧西望，有点动静就不吃奶了。要相信自己，宝宝身高体重增长很好，吃奶后不哭也不闹，妈妈就没有什么好担心的了。

105. 母乳喂养

如果宝宝每周体重增长低于120克，吃奶间隔时间明显缩短，体重生长曲线呈下降趋势，提示可能母乳不足，可尝试着添加配方奶。

一直母乳喂养的婴儿，添加配方奶时可能会遇到困难，宝宝一口也不喝，拒绝奶瓶子和配方奶。遇到这种情况，千万不要逼着宝宝吃，可试着用小杯子或小勺喂。如果仍然不吃，可采取吸管喂养。

❖ **吸管喂养法**

准备一根吸管，到母婴用品店购买或到药店购买婴儿胃管或输液管（前端连接针的细管）。把管的一端插入奶瓶嘴的开口处，把奶瓶子夹在你的腋下或挂在脖子上（与乳头平行或略低于乳头）。在宝宝吸吮母乳一段时间后（感觉乳汁被吸空了的时候），把吸管的另一端，沿着宝宝嘴角和乳房之间的缝隙，悄悄插入约2厘米，观察乳汁是否被宝宝吸入。使用这种方法既补充了母乳的不足，又解决了宝宝不用奶瓶的问题。

❖ **大便次数不均衡**

母乳喂养的婴儿大便可能会一天五六次，也可能变成了一天一两次，甚至两天

正确的哺乳方式

宝宝 / 王冠为

一次，这都不要紧。母乳喂养不像人工喂养那样均衡，乳量某天可能会少一些，某天可能会多一些。妈妈今天可能吃得硬一些，明天可能吃得软一些，可能会吃些生冷食品，这些都会影响宝宝的大便。

❖ **夜间吃奶情况**

母乳喂养次数仍然没有严格的限制，但如果母乳充足的话，宝宝往往是每三四个小时吃一次，后半夜可能会五六个小时吃一次。如果宝宝夜间不再醒来吃奶，妈妈没有必要把宝宝叫醒。

106. 人工或混合喂养

❖ **突然厌奶**

人工或混合喂养的宝宝，一直都很喜欢吃奶。可突然某一天，不再喜欢吃奶，甚至一把奶瓶子举到面前就引发宝宝哭闹。妈妈急得不知如何是好，使出浑身解数，换奶瓶，换奶粉，换人喂，换地方喂，在奶中加果汁或米粉……什么法子都使了，结果都无济于事。仔细询问，在发生"厌奶"前，宝宝吃奶吃得非常好，体重长得也很快。这恰恰就是宝宝"厌奶"的诱因。

❖ **厌奶原因**

3个月以下的婴儿，不能完全吸收奶

中的蛋白质，吃多了就排泄出去。3个月以上的婴儿，情形就不同了，能够相当多地吸收蛋白质，肝肾几乎全部动员起来，帮助消化吸收。而这时的婴儿，吃奶的能力也较以前大了，饥饿感和食欲也较以前强，总喜欢吃奶。结果，肝脏和肾脏的工作力度加大，婴儿胖了。可没过多久，婴儿的肝肾就因疲劳而"停歇"，婴儿"厌奶"开始了。

❖ **厌奶是病吗？**

除了配方奶，给其他食品，宝宝照样喜欢吃，尤其是果汁更是喜欢喝。除了厌奶，宝宝精神、玩耍、睡眠、尿便都很正常，几天不喝奶，精神头还那么大，也没见明显的消瘦。这就是非疾病性厌奶。

宝宝虽然还不会说话，却能用行动来表达自己的意愿。这种"厌奶"就是宝宝对妈妈的诉说："妈妈，不要再让我喝奶了，我的肝肾负担已经太大了，会把它们累坏的。再说，妈妈可不要把我喂成小胖子，让我在儿童期就患上成人病，让我歇一歇吧。"

❖ **这样的"厌奶"无须治疗**

"非疾病性厌奶"无须治疗，宝宝是在静养已经疲劳的脏器，在消化身体中多余的脂肪。妈妈不要担心会饿坏宝宝，宝宝体内有足够的能量储备。不强迫宝宝喝奶是最好的治疗。大约两周以后，肝肾、消化系统得到充分的休息后，功能逐渐恢复，宝宝会再度喜欢喝奶的。

❖ **食量存在差异**

每个婴儿食量各不相同。食量小的，一天只喝500~600毫升奶；食量大的，一天喝1000多毫升奶还不够呢。妈妈不要以奶量衡量宝宝是否吃饱，只要宝宝身高体重增长是正常的，就不要担心宝宝奶量是否"达标"。

第4节 本月婴儿护理要点

107. 不同季节护理要点

(1)春季护理要点

❖ 日光浴与空气浴

3~4个月的婴儿，赶上春光明媚的好时节，多带宝宝到户外接触大自然。一天可以带宝宝出去两次，每天上午9~10点，下午3~4点。一次活动一个小时左右。但什么时候进行户外空气浴，还要根据宝宝睡眠和吃奶习惯灵活掌握。如果宝宝正好在上午9~10点困了，就不要带宝宝出去了，要在宝宝高兴，精神状态好的时候出去进行户外活动。

❖ 户外活动时开发宝宝潜能

这么大的婴儿，到户外不再单纯是为了晒太阳。宝宝已经具备了相当的视觉能力。告诉宝宝，这是红花，这是绿叶，让小手触摸一下，使宝宝感知一下，让看到的、摸到的、闻到的，经过大脑进行整合，立体感受自然界中的事物。不要把宝宝就放在婴儿车里或抱在怀里和别人聊天。

宝宝嘴里发出声时，要积极和宝宝交流，这会刺激宝宝发音的积极性，使宝宝发更多的声音。慢慢地，宝宝会把听到的声音记忆下来，并和看到的联系起来，当再看到时，会想起它的发音，这就是语言学习的开始。

❖ 把宝宝抱出婴儿车

到了户外，最好不要再让宝宝躺在儿童车中，尤其是盖上车棚的儿童车。经常看到父母把宝宝放在有棚子的儿童车内，在路上或街心花园散步。这不是为宝宝做户外活动，是自己在散步。把宝宝抱出来吧。如果

太阳光比较强烈，可以给宝宝戴一顶有檐的小布帽，遮挡阳光对眼睛的照射。

❖ 干燥与过敏

北方春季气候比较干燥，要多给宝宝喝水。有的宝宝到了春季，面部皮肤可能会变得有些粗糙，湿疹会加重，这不要紧，随着夏季的到来，会很快好的。母乳喂养的妈妈在这个季节要少吃辛辣腥膻食品，减少宝宝皮肤过敏反应。

❖ 扬沙与雨天

初春，气候不是很稳定，要注意随时加减衣物。有扬沙天气时，不要带宝宝到户外。空气中的悬浮物会刺激宝宝的呼吸道。大风天气不要带宝宝到户外，不要让宝宝挨雨浇。春季的雨水浇在头上还是比较凉的，会使宝宝感冒，以后再遇到雨淋就会频繁引发感冒。

(2)夏季护理要点

❖ 预防脱水热

这么大的婴儿，汗腺已经开始发育，会因为气温高而出汗，这是释放热量的有效方式。如果出汗过多，皮肤蒸发水分过多，没有及时补充的话，会出现脱水热。

出现脱水热时，体温升高，尿量减少，烦躁不安。妈妈往往认为宝宝感冒了，就给吃退热药和感冒药。而退热药和感冒药使宝宝出汗更多，加重脱水，使体温更高。因此，夏季不要轻易给宝宝吃退热和感冒药。首先要补充水分，使宝宝的尿量增加，体温会逐渐下降。

当宝宝出现脱水热时，不能马上降低

室内温度，这会使宝宝在受热的基础上外感风寒，就是人们常说的热伤风。应该先通过补充水分把体温降下来，给宝宝洗个温水澡，降低室内温度，但幅度不要太大，28℃左右比较适宜。

(3)秋季护理要点

不要急于给宝宝添加衣服，继续保持每天2小时以上的户外活动，不要急于关窗关门，减小室内外温度差。

即使天气凉了下来，也要坚持户外活动，增强婴儿耐寒能力，增强呼吸道抵抗病毒侵袭能力，为婴儿度过寒冷的冬季做准备。过早把婴儿闷在家里，过早给宝宝穿得很厚，盖得很多，都会增加婴儿冬季

呼吸道感染的几率。

❖ **预防秋季腹泻**

这么大婴儿还没有服用轮状病毒疫苗，对轮状病毒还没有免疫能力，不要让宝宝接触腹泻患儿。给宝宝喂奶前，母婴都要认真洗手。

(4)冬季护理要点

❖ **呼吸道对温差的适应是有限的**

北方的冬季寒冷，室内外温差可达30℃，如果把婴儿从温暖的室内抱到寒冷的室外，是很难适应的。尽管给婴儿穿得很暖和，但其呼吸道对这种温差的适应能力是有限的，婴儿难以抵御冷空气对呼吸道黏膜的刺激。

应该每天在室外温度最高，阳光最充足的时候抱宝宝出去。不要让室内温度过高，24℃左右比较适宜。室温过低，宝宝穿着比较多，会影响宝宝运动能力。室温过高，难以维持适宜的湿度，宝宝的出现燥热，影响食欲，睡眠不安。所以，保持适宜的室内温度很重要。

❖ **冬季出诊经历**

我出诊到过许多婴儿的家里。冬季的北方，室内温度达28℃以上，爸爸穿着背心，妈妈穿着薄秋衣，宝宝却穿着小棉袄！宝宝满脸通红，湿疹严重，哭闹厉害，不爱吃奶。遇到这种情况，我总是让父母穿上和宝宝一样多的衣服，感受一下是怎样的不舒适。婴儿不是只怕冷，不怕热。

同样道理，当宝宝不爱吃奶时，妈妈想方设法喂宝宝，甚至在宝宝睡得迷迷糊糊时把奶嘴塞到宝宝口中，强迫宝宝吃。试想，如果你今天不爱吃饭，别人就趁你半睡状态时把饭塞到你口中，让你把它嚼完咽下去，你会怎样呢？宝宝不会说，就只有哭或拒绝吸吮了。

护理宝宝，要学会理解宝宝，爱的方式要正确。我在将近30年的从医经历中，始终贯穿着这样的宗旨：医生不是只开药方的，要从方方面面来考虑问题和疾病，不但看宝宝，还要了解父母。宝宝是崭新的生命，除极少数先天发育问题，各个脏器的功能都是完好的。大多数的问题和疾病都是父母护理不当所致。所以，大多数婴儿的"疾病"是可以"无药而医"的。

108. 睡眠、尿便、臀部护理问题

(1)睡眠，正常宝宝的一天

睡眠很好的婴儿，父母比较轻松。早晨起来，洗脸、吃奶、洗澡、听听音乐、和妈妈交流、练练发音，再到户外活动。

到了午饭前开始睡觉，等到妈妈把饭吃完了，会醒来吃奶，再和爸爸妈妈玩一会儿，开始睡午觉。一觉可能睡上三四个小时，醒来后吃奶。天气好的话，会非常高兴到户外晒太阳，看看花草树木、人来人往和穿梭的车辆，小猫、小狗、小鸟、小鸡更是宝宝喜欢追着看的小动物。

太阳快落山了，回到室内摇摇手里的玩具，听听音乐，看看新挂上的鲜艳的画，床旁新挂上的玩具。如果哭一会儿，那是要练嗓音，增加一下肺活量。或者是饿了、渴了，给宝宝吃喝就会安静下来。让宝宝看一眼动画片，不看了或开始闹人了，就马上把宝宝抱离，即使宝宝喜欢看，也不要超过5分钟。

给宝宝洗个温水澡，或洗洗脸，洗洗小脚，洗洗小屁股，喂足了奶，也到了7~8点，开始睡觉了。一睡可能就到了后半夜，即使半夜起来1~2次，也是正常的，换换尿布，喂点奶，宝宝会马上入睡的。

❖ 忠告：绝不要和宝宝半夜玩

养成这样的习惯，父母可就惨了。白

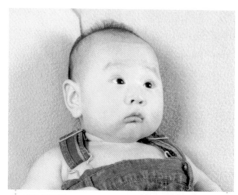

宝宝 / 刘昊伦

咦，妈妈手里拿的什么呀，今天拍照片我换上了一身新衣服，我觉得新鲜老低着头看，这样怎么拍照呢，妈妈就拿了一个摇铃晃啊晃的，果然我好奇地抬起头来喽。

天工作，晚上还要陪宝宝玩，时间一长，妈妈没了好脾气，甚至会呵斥宝宝，宝宝就开始哭闹，一来二去，成了爱闹夜的宝宝。父母开始责怪宝宝，认为宝宝不乖巧，缺钙，宝宝的睡眠问题就拉开了序幕。不好的习惯，都是一点点慢慢养成的。要想让宝宝拥有好的生活习惯，从一开始就不要这么做。

❖ 睡眠时间的个体差异有多少

不必完全按书本上要求的去做，认为一天应该睡14~16小时。有的宝宝只睡12个小时，甚至10个小时。有的宝宝一天仍然睡17~18个小时。只要宝宝没有什么异常，生长发育很好，吃得正常，玩得好，精神饱满，就说明宝宝只需睡这么长时间。贪吃的宝宝要比吃得少的宝宝一顿就能多吃七八十毫升的奶，贪睡的宝宝可以比睡觉少的宝宝一天多睡几个小时，个体差异无处不在。

不管宝宝睡多少，吃多少，以宝宝没有疾病，生长发育水平正常为准来判断正常与否。要全面分析，不要抽出某一点孤立地看待。

❖ 睡眠障碍

有胎儿窘迫综合征、新生儿窒息、新生儿胎粪吸入综合征、新生儿缺血缺氧性脑病、脑发育障碍、因疾病住院接受医疗、与母亲长时间分离、先天疾病等病史的婴儿，可能会有睡眠障碍、哭闹不安、喂养困难等情形。遇到这种情况，需要向医生寻求帮助。

总遇到这样的情形：妈妈身心憔悴，夫妻失和，育儿的乐趣荡然无存。究其原因，不是宝宝得了什么大病，仅仅是宝宝的睡眠、吃奶、尿便等习惯上的小问题。宝宝吃喝拉撒睡的问题演变得如此复杂，确实需要调整父母的情绪。我也是做了母亲的人，知道做父母的不易，育儿的辛苦。

这时，就要想一想：亿万宝宝，哪里会完全按一个模式生长呢？像喊预备，齐刷刷地，到了哪个时期，都吃那么多、睡那么长、长那么重、那么高、有那些能耐。不会的。宝宝会在一定的变化范围中长大，你的宝宝也许会有你想不到的与众不同的地方，因为他是唯一的、独特的。

(2)尿便，容易出现大便问题
❖ 和别的宝宝比没有意义

这个月的婴儿，训练尿便还为时太早。对于小便泡大的，次数少的，喜欢让妈妈把尿的宝宝，可以把一把。有的婴儿，一点也不喜欢把尿，一把就打挺，或越把越不尿，放下就尿。如果宝宝不喜欢，妈妈一定要罢手，以免伤了宝宝自尊心，给以后训练尿便埋下隐患。

如果宝宝大便比较有规律，妈妈总是能成功让宝宝把大便拉在便盆中，那就坚持这样做好了。但是，一定不能长时间把便，以免脱肛。在控制尿便方面，和别人家的孩子比较，实在没有意义。

❖ 冬、夏季小便的不同

夏季小便次数可能会少一些，冬季可能会多一些。冬季尿到容器里的尿会发白，底部会有白色沉淀物。这是尿酸盐，遇冷结晶，不是疾病。注意补充水，降低尿酸盐浓度，会有所减轻。天气转冷，尿在纸尿裤上的尿液看起来有些发红发黄，不要着急，更不要担心是血尿，同样是尿酸盐遇冷结晶所致。如果你很担心，可留取尿液到医院化验一下，把化验单拿给医生看，是否有什么问题。

❖ 最容易出现大便问题

母乳喂养的宝宝，大便次数可能仍然在四五次，有时会发绿，发稀，还会有些疙疙瘩瘩的奶瓣，这不要紧，不要为此给宝宝吃药。

配方奶喂养的宝宝，可能会发生便秘，多喂些白开水，不要用矿泉水冲调奶粉。如果大便比较干硬，可在奶中加些清火类的奶伴侣。

这个月的婴儿，可能会出现生理性腹泻，要注意与肠炎鉴别。不要轻易给宝宝服用抗生素，以免肠道菌群失调，导致经久不愈的腹泻。大便里会有黏液样、痰样的东西，这是肠道黏膜代谢脱落，或痰液咽进了消化道，不要误认为是痢疾。

❖ 不要随便用药

宝宝／赵子涵

宝宝尚未学会独坐，一旁的妈妈赶忙用纸巾盒逗引，宝宝抱着小脚，持不住了，爸爸还没有按动快门，宝宝已经坚大概是有安全感吧，奋力起身仰望，望着妈妈手中的新玩具。

如果高度怀疑是肠道疾病，可留取"不正常"的那部分大便，带到医院化验。不要轻易带宝宝到医院，以减少交叉感染。不要购买药店推荐的药物，要服用医生开具的或医生建议的药物。

婴儿出现大便问题，一定要避免乱用药，尤其是抗生素的使用，要慎之又慎，一旦破坏了肠道内环境，调理起来是比较困难的。防患于未然的根本方法就是不要乱投医，乱吃药。

(3)男婴与女婴护理上的差异

❖ **男婴护理**

如果发现男婴阴囊变大，阴囊皱褶减少，变得透明，可能是发生了鞘膜积液，多数在1岁左右自行吸收，不需治疗。如果有包皮过长，要注意护理，清洗时，轻轻翻起包皮，发现分泌物，要及时清洗干净，以免包皮粘连。如果有包茎，清洗时，可轻轻向上翻起，或许能使过紧的包皮慢慢松解，避免手术环切。

有疝气的婴儿一旦出现不明原因的哭闹，有疝气嵌顿的可能。安抚宝宝，使宝宝安静下来，让宝宝躺下，看看疝气是否还纳回去。如果不能还纳，局部张力很高，或已经发生颜色改变，要及时看医生。如果无法使宝宝停止哭闹，疝气张力很高，颜色发生了改变，要立即带宝宝看医生，排除疝气嵌顿。

❖ **女婴护理**

给宝宝洗擦屁股时，要从前向后洗擦，以免肛门周围的大肠杆菌污染阴道或尿道。女婴更容易患尿布疹，尤其在炎热的夏季，最好不使用尿布。如果使用尿布，也不要把尿布紧兜在臀部，要留有一定的空间。女婴容易发生小阴唇粘连，每次洗澡后，都要用清水冲洗外阴，并看一看是否有小阴唇粘连。

109. 洗澡、穿戴、户外活动

(1)洗澡，要注意安全

这个月的婴儿，不再像原来那样，老老实实地等着给他洗澡。婴儿开始用小手拍打水面，用小脚蹬浴盆的边缘，甚至从小浴床上滚下来。所以，妈妈一个人很难完成洗澡任务了。宝宝开始有自己的兴趣和要求，你要给他洗脸，他正喜欢用小手拨水玩，这时妈妈要和宝宝说，咱们先洗脸，洗完脸再玩，他可能不听话或听不懂，但每次都要这样对他说。

❖ **洗澡中的语言启蒙和行为约束**

宝宝的语言就是在爸爸妈妈不断的说话中学会的，这要比正正规规教宝宝省事、有效得多。妈妈要随时在琐碎的日常生活中教宝宝学习。这样不但让宝宝学会了语言，学会了如何听懂妈妈的话，也知道应该怎么做。

如果宝宝一点也不配合你完成洗澡任务，千万不要强制、呵斥孩子，也不能放弃不做。你需要做的是，找到宝宝喜欢的方式，完成洗澡任务。你总会想出一些方法，让宝宝接受洗澡，只要开动脑筋去想就一定会找到的。比如，宝宝很喜欢听你唱歌或朗诵诗歌，你就在给他洗澡的同时唱歌给他听，就会顺利地完成洗澡任务。

从婴儿期开始，就让宝宝感受到你的坚持，感受到有些事情是必须完成的，感受到行为的约束力。父母可能会说，这么小的婴儿知道什么？实际上，婴儿知道的比我们想象的多得多。父母要给孩子充分的自由，但自由不是绝对的，约束和禁止总是要有的。父母要学会辩证地看待孩子的教育问题。如果让小树先歪着长，等长大了，再正过来是很困难的。树毕竟还不是人，人是有

阴唇粘连。

思想，有情感的，纠正起来更难。

❖ 注意洗澡的安全

洗澡时，宝宝会从你手中溜出，掉到水里或磕到盆沿上。尤其是给宝宝身上打了婴儿皂或浴液，就更光滑了。如果已经把宝宝放到浴盆里了，不要因为水凉，在婴儿旁边加热水，这是危险的。尽管你有把握不烫着宝宝，但还是不要这样做，意外可能就是这样发生的。

(2)衣物、被褥床

这个月的婴儿穿起衣服来，不再是看不着腿在哪里，胳膊在哪里了。穿上宝宝服，可以做宝宝服装模特了。

❖ 衣服太多不清洁

不要给宝宝准备过多的衣服，衣服过多，轮换周期长。长久不穿的衣服，有可能滋生霉菌。让宝宝穿在阳光下晾晒过，放置一两天的衣服比较好。

一般情况下，冬季准备4套，夏季准备6套，春秋季准备3套比较合适。要纯棉衣，不要纯毛衣。因为，毛衣上的毛会掉下来，飞到婴儿的鼻腔、眼、口内，刺激黏膜，引起过敏反应。因此，最好给婴儿选用纯棉衣物和被褥。

❖ 阳光消毒与消毒液

太阳光是最好的消毒工具，被褥要经常拿到户外进行日晒。使用消毒液给宝宝洗衣服被褥，总会有些漂洗不净的残留物。衣服被褥，尤其是紧挨婴儿皮肤的内层衣服，最好用清水洗，并在阳光下暴晒。也不要用洗衣粉给婴儿洗衣服被褥，即使不含磷，洗衣粉也很难彻底漂洗干净。用婴儿皂或专用洗衣液要好得多。

❖ 婴儿服的防蛀

存放婴儿衣服被褥的箱柜里不要放卫生球、樟脑、清香剂等化学品，可以放置干花等纯植物清香品。

❖ 服装不能限制手、四肢、头

无论多冷的季节，不要用手套或过长的袖口禁锢宝宝的双手活动；也不要用被子把宝宝紧紧包裹起来，以至于宝宝不能活动。即使宝宝在睡眠时也不要这样包裹宝宝。限制宝宝肢体活动，会阻碍宝宝运动能力的发展。

如果把宝宝放在睡袋里，一定要选择宽大的睡袋。睡袋大多带有帽子，睡觉时不要把帽子戴在婴儿头上，更不能把帽子前面的抽带拉紧，这会影响婴儿的头部运动。

带宝宝外出时，也尽量不把与衣服相连的帽子戴在头上，最好单独戴帽子，这样宝宝能自由转动头部，不会影响宝宝视野。

❖ 给宝宝蒙纱巾不可取

冬季带宝宝到户外，不要给宝宝戴口罩或用纱巾蒙在宝宝的脸上。如果有风沙，就回到室内，蒙着纱巾会影响宝宝的视力。纱巾会被宝宝的口水弄湿，刮在纱巾上的灰尘，会被宝宝吃到嘴里。灰尘中会带有各种病原菌，尤其是结核菌，最容易夹杂在灰尘中。更严重的是，夹杂在灰尘中的结核菌会沾在宝宝的眼睫毛上，当宝宝搓眼睛时，进入眼内，造成结核性眼角炎。

❖ 穿衣戴帽不是小事

这些护理上的细节往往容易被父母忽视。爸爸妈妈要从护理的细微之处寻找宝宝患病的原因，这就会大大减少宝宝的患病几率。

出了问题再去解决，总不如把它消灭在萌芽中。把婴儿视为独立的、有情感、有思维、有特殊性的个体，这样养育、对待婴儿，就是科学的态度。我也希望爸爸妈妈们用这样的态度阅读我的书，这样我们的交流就更加有效了。

(3)户外活动

带宝宝到户外活动，要选择空气新鲜，有花草树木，没有车水马龙和人群聚集的地方。不要在污染源（如加油站、停车场、车库旁、油炸烧烤摊、炉火旁、吸烟处、垃圾点、电梯）等处逗留。

常看到看护人带着宝宝在道路旁玩耍，宝宝玩耍的地方距离道路很近，道路上有川流不息的汽车，汽车奔驰而过，卷起一阵灰尘，宝宝奔跑着，玩耍着，呼吸着汽车尾气和灰尘。婴儿坐在婴儿推车中，距离地面不到1米，是空气中的悬浮物最浓密的地带。

有机会，我会上前询问，为什么带宝宝在路边玩耍，并告诉看护人，这样对宝宝健康不利。看护人满脸无奈地告诉我，没有地方啊，要不就闷在家里，要不就在楼道门厅里玩一会儿，楼下就是大马路，没办法啊。

是的，城市到处是高楼大厦，没有小区花园的高层塔楼，的确让看护人为难，去公共花园离家比较远，带婴儿过去很不方便。如果暂时无法解决，看护人也不要带宝宝在车流不断的道路旁玩耍，要么去街心花园，要么在楼道门厅玩耍，周末双休日带宝宝到公园或远郊去。

第5节 本月护理常见问题

110. 溢乳、厌奶、腹泻、贫血

(1)溢乳有所减轻

有溢乳的宝宝，到了这个月，程度可能有所减轻，甚至不再溢乳了。如果宝宝仍然溢乳严重，向医生咨询，寻找缓解溢乳的方法。尽管宝宝溢乳明显，但生长发育一切正常，体重增长很好，妈妈不要着急，随着月龄的增长，终会减轻，直至消失的。

可采取少食多餐的方法喂养。喂奶后一个小时内，尽量让宝宝处于睡眠和安静的状态中，除了非做不可的事情，不给宝宝做任何锻炼。喂奶后，竖立着抱宝宝，轻轻拍嗝。

如果宝宝溢乳突然加重，或体重增长缓慢，要及时带宝宝看医生。溢乳严重的，可用万分之一阿托品治疗，这种治疗需要在医生指导下进行。

(2)忽然厌奶

❖ 拒绝喝配方奶

3个月以后的婴儿可能会在某一天突然厌奶，尤其是配方奶和混合喂养的婴儿，更容易出现厌奶，妈妈不要着急，这是宝宝的暂时现象，过一段时间会重新喜欢喝

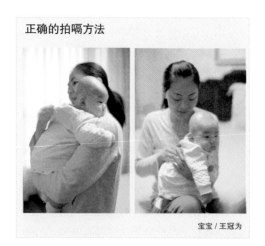

正确的拍嗝方法

宝宝 / 王冠为

奶的。（参见82、83条中的相关内容）

❖ 不喜欢吃母乳

这种情况可不多见。当母乳不足时，妈妈就开始给宝宝补充配方奶。对于嘴急、奶量大、给啥吃啥的宝宝来说，不但不拒绝配方奶，还可能不再喜欢吃妈妈的奶了，因为妈妈的奶吃起来已经比较费劲了。

宝宝留言

妈妈别难过！我长大啦，吃得痛快，不计较用什么餐具吃奶，管饱就行了。真的没想到，我不爱吃母乳，要比不爱吃配方奶或不爱吃辅食让你难过得多。我并没有情感问题，你依然是我最最最依恋的妈妈！

❖ 如何判断母乳不足

宝宝吃奶间隔时间缩短了，半夜不起来吃奶的宝宝开始起来哭闹，不给奶吃就不停地哭。

妈妈不再有奶胀、"奶惊"了，当宝宝吃奶时，突然把奶头拿出来，奶水只是一滴滴的，不成流。

宝宝大便次数或量减少，体重增长缓慢。

母乳是婴儿的最佳食品，不要为了让宝宝一心一意吃配方奶而把母乳断掉。

(3)腹泻

腹泻是婴幼儿最常见的消化道疾病，在整个育儿过程中，宝宝没有发生过腹泻的不多见。

所谓生理性腹泻，就不是疾病，和生理性溢乳、生理性贫血、生理性黄疸、功能性腹痛、生长痛等，是一样的概念。

❖ 生理性腹泻鉴别要点

次数每天不超过8次，每次大便量不多。虽然不成形，较稀，但含水分并不多，大便与水分不分离。没有特殊臭味，色黄，可有部分绿便，可含有奶瓣，尿量不少。宝宝精神好，吃奶正常，不发热，无腹胀，无腹痛（腹痛的宝宝哭闹，肢体蜷缩，臀部向后拱）。体重正常增长。大便常规正常或偶见白细胞、少量脂肪颗粒。

❖ 避免"医源性疾病"

如果是生理性腹泻，妈妈千万不要给宝宝乱吃药，尤其是抗生素类药物更不能盲目服用。如果服用了抗生素，就会杀灭肠道内非致病菌，使肠道菌群失调，还可能出现伪膜性肠炎，把本来正常的肠道环境破坏了。

肠道内环境被破坏后，就会出现肠功能失调症状，还会使本来不致病的细菌成为致病菌，使能够被正常菌群抑制的致病菌繁殖，达到致病的数量。妈妈要避免由于不当治疗引发的疾病。

❖ 生理性腹泻的有效对策

如果纯配方奶喂养，换用防腹泻配方奶，观察大便情况。

如果纯母乳喂养，妈妈要注意饮食，不要吃生冷、油腻和辛辣的食物。

如果是自添加辅食后出现腹泻，立即停止添加。

如果是感冒中或感冒后出现腹泻，待病愈后腹泻会好转。

(4)宝宝胖了

随着月龄增加，溢乳减少，吸吮力增强，户外活动增加，运动增多，周围的人看了宝宝，都说宝宝胖了。这是妈妈最得意的事，但这样的事情只发生在部分婴儿身上。有的宝宝吃得仍然不好，喂养起来妈妈仍然觉得困难，妈妈切不可焦急。只要宝宝身高和体重正常增长着，精力充沛，活泼可爱，吃多吃少都不要紧。

如果宝宝体重和身高偏离正常生长发育曲线，向儿科医生或儿童保健医生咨询。不要动不动就带孩子去医院，让宝宝经受本不该经受的过度就医。

典型病例

有位妈妈抱着孩子来就诊，流着泪说："我再也不忍心让孩子扎针了。"宝宝前额上的头发已经被剃去了一大半，像清朝人似的。额头上青一块紫一块，有好几处针眼。仔细询问才知，输液的原因是孩子睡觉和吃奶都不好，诊断缺钙，静脉补充葡萄糖酸钙，顺便补充些维生素、葡萄糖等营养物质。事实是，宝宝血钙不低，没有发生低钙惊厥，身高体重都在正常范围，精力充沛，就是晚上睡觉不踏实，总是醒来，喂奶后就能入睡。只吃妈妈的奶，就是不喝配方奶，拒绝吸吮奶瓶。这哪里是什么病啊! 宝宝遭受的是不必要的痛苦。

还有个宝宝，来的时候，一双小手肿肿的，原来是给宝宝"扎积"(治疗积食)。在宝宝每个指节上扎一针，挤出血来。宝宝的小手肿了，可宝宝仍然不爱吃饭。

妈妈都希望自己的孩子能吃能喝能睡，结结实实，胖胖乎乎，乐乐呵呵，聪明健康，活泼可爱。如果妈妈对宝宝没有那么多的要求和奢望，那么只要宝宝没有疾病，妈妈就应该接受宝宝的实际状况。只因妈妈太喜欢拿自己的孩子和别人家的孩子比，太爱把宝宝的正常表现归为异常，精神过于紧张，无缘无故生出许多烦恼，还给孩子带来无病就

医的痛苦。妈妈辛勤，妈妈爱子，这都不假，但妈妈要心态正常，育儿要有科学精神。

(5)贫血

新生儿血红蛋白可高达190克/升以上，生后一周内血红蛋白逐渐下降，直至八周后方停止。这种下降是生理性的，所以称为生理性贫血。

生后3个月内是体重增长最快的阶段，血容量扩充很多，红细胞被稀释，血红蛋白可降至90-110克/升。

在血红蛋白下降过程中，红细胞生成素开始增加，骨髓造血细胞的功能开始活跃，生产出更多红细胞，以弥补不足的红细胞和血红蛋白，更多地消耗造血原料铁、维生素B12和叶酸。

母乳中铁的含量少，配方奶中铁剂不易吸收。母孕期36周以后，胎儿肝脏开始储存铁剂，以备出生后纯乳期使用。所储存的铁，能够满足出生后4-6个月婴儿消耗。

❖ 造成宝宝缺铁性贫血的4种原因

第一，母孕期缺铁，没有充足的铁源供胎儿储存。第二，胎儿在36周前被娩出，胎儿还没来得及储存充足的铁剂。第三，在分娩过程中，脐带结扎稍有延迟，新生儿位置又恰好高于母亲，会出现胎-母输血 (胎儿血经脐带流向母亲)。第四，胎儿期或新生儿期发生溶血，红细胞破坏过多，造血原料过多消耗。

早产儿生理性贫血出现早而且程度重。婴儿贫血，需要做鉴别诊断，如遗传性红细胞增多症、溶血性贫血、地中海贫血、镰状红细胞贫血、出血性贫血等。

❖ 缺铁性贫血治疗

缺铁性贫血治疗，以食疗为主，多吃高铁食物，如动物肝和动物血、黑芝麻、红枣、蕨菜、瘦肉、黑木耳等。缺铁严重

者或食疗效果不佳，需要药物治疗，主要是铁剂和维生素B12。铁剂容易刺激胃黏膜，一定要饭后服用。在没添加辅食前，尽量不要给宝宝服用铁剂。

111. 啃手指、咬乳头、夜啼

(1)啃手指

这个月的婴儿不但会吸吮小拳头，还会吸吮拇指，啃小手，啃玩具。这是婴儿发育过程中出现的正常表现，不要把这些行为认为是不良习惯而加以限制。不要认为是宝宝没有吃饱，或由于宝宝缺乏爸爸妈妈的关照而感到孤独。

❖ **婴幼儿吸吮手指和"吮指癖"不是一回事**

在咨询中，经常会遇到这个问题，说宝宝开始吸吮手指了，妈妈很不安心，怕养成"吮指癖"。这也难怪，有些书上介绍"吮指癖"，却没有说明这么大的宝宝吸吮手指是生长发育中的正常现象。只有到了三四岁后还吸吮手指，才可能是"吮指癖"。

(2)咬乳头

有的宝宝4个月就开始有牙齿萌出。在牙齿萌出前，宝宝会咬乳头。妈妈的乳头本来让宝宝吸吮得很嫩了，宝宝一咬会很痛的。当宝宝咬乳头时，妈妈本能地向后躲闪，结果宝宝还咬吸着乳头，会把妈妈的乳头拽得很长，使妈妈更痛。宝宝还没有吃饱，往外一拽乳头，宝宝会更加死死地咬住乳头，使妈妈出现乳头皲裂。

❖ **如何避免这种情况发生**

很简单，当宝宝咬乳头时，妈妈马上用手按住宝宝的下颌，宝宝就会松开乳头了。如果宝宝要出牙，频繁咬乳头，喂奶前可以给宝宝一个没有孔的橡皮奶头，让宝宝吸吮磨磨牙床。10分钟后，再给宝宝喂奶，就会减少咬乳头了。

(3)夜啼

如果婴儿从生下来就一直是夜间睡眠不好，时常喜欢夜间哭闹，找不到什么原因，不是饿了，也不是渴了，不是拉了，也不是尿了，不是热了，也不是冷了，不是一哄就好，而是自己不哭够了就不会罢休。

妈妈可能会很着急，带宝宝到医院看病或把医生找到家里来，也许会连续几个晚上。结果医生总是说没有什么事，宝宝根本没有病，慢慢地妈妈就不害怕了。

❖ **以爱抚来缓解宝宝的焦虑**

有的妈妈可能会采取不予理睬的方法，但大多数父母不会这样做，都是想方设法地哄宝宝。所谓没有原因的哭闹，是根本不存在的。只是父母还不能够了解宝宝的需要，缺乏与宝宝有效交流信息的能力。在这种情况下，就只能以爱抚来缓解宝宝的焦虑，至少可以消除他的孤独感。

爸爸妈妈带着情绪哄宝宝，甚至急躁、焦虑、生气，乃至愤怒、抱怨、争吵，这比不予理睬更糟糕。父母的情绪如果比宝宝的情绪还糟糕，宝宝会哭得更厉害。

❖ **具体做法**

把宝宝的头放在妈妈的肩上，身体伏在妈妈的胸前，轻轻拍着或抚摸着宝宝的背部，轻轻哼着小曲，打开地灯或带罩的壁灯。对于没有任何疾病而哭闹的宝宝来说，这种方法是最奏效的。

❖ **及时觉察宝宝异常**

如果宝宝得病了，除了哭闹还会有其他异常。妈妈可能不了解疾病的症状，但肯定会觉察宝宝有异常。父母最了解宝宝，宝宝出现丝毫变化父母都会看在眼里，父母的任务就是发现异常及时看医生。如果父母对着书本判断宝宝是否生病，难免把握不准。父母看了许多描述宝宝疾病的书籍，总会觉得宝宝像患了某种病，知其一不知其二，并不真正懂得疾病的诊断，很容易耽误了宝宝，或者小题大做。如果孩子都按书上讲的那样得病，医生也就好当了。所以，对于父母来说，关键是及时发现孩子的异常情况。至于是什么病，要靠医生诊断鉴别。

(4)踢被子

这个月的婴儿，肢体运动能力进一步增强，踢被子已经变成了让妈妈头痛的事情了。就让宝宝踢好了，不要盖得太厚，宝宝热，就会踢得更凶。

112. 预防接种中常遇到的问题

(1)本月需要接种的疫苗

宝宝3个月，开始打"百白破三联"疫苗，第二次吃脊髓灰质炎疫苗糖丸。

满3个月以后就开始了各种预防接种，预防接种是一项重要的工作，父母对其重要性已经有了深刻的认识。几乎没有哪位

宝宝／宋骐同
还不会坐的婴儿坐起来兴奋不已，因为坐着可以看很多东西，而躺着只能看到天花板，但不建议过早坐，应该抱起来，保护好头颅和脊柱。

父母会拒绝给宝宝进行预防接种。但父母会遇到许多实际问题，首先应该向负责预防接种的保健医生咨询。他们有责任和义务向父母解释并给予相应的处理。

(2)正好到了预防接种时间，宝宝患病了怎么办？

如果宝宝仅仅是轻微的感冒，体温正常，不需要服用药物，可以按时接种。接种前后一周不吃抗生素类药物。如果必须使用，要向预防接种的医生说明，是否需要补种。如果发热或感冒病情较重，必须使用药物，可暂缓接种，向后推迟，直到病情稳定。

(3)如果向后推迟了某种疫苗接种，以后的接种是否推迟？

以后的接种可顺延向后推迟，但只需向后推迟那个被推迟的疫苗，其他疫苗可继续按照接种时间进行接种。如果和某种疫苗碰到一起了，预防接种医生会根据相碰的疫苗的种类，判断是否可以同时接种或是要间隔一段时间。间隔多长时间，先接种哪一种，也由预防接种医生根据具体情况决定。

(4)吃药对预防接种效果有影响吗？哪种药有影响，哪种药没有影响？

原则上讲，药物对预防接种效果是有影响的，所有的药物都不应该使用，都可能会有不同程度的影响。但抗生素对预防接种疫苗影响最大。如果是口服疫苗，益生菌对疫苗影响也不小。在接种疫苗前后1周，不使用任何药物。

(5)刚接种完疫苗就有病了，是否影响免疫效果，需要补种吗？

可能会降低免疫效果，但不会因此而

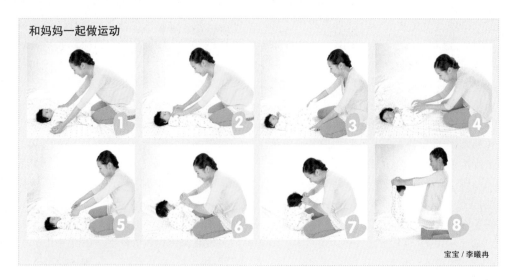

和妈妈一起做运动

宝宝 / 李曦冉

丧失了免疫效果，不需要补种。

(6)刚接种完疫苗就吃药了，是否需要补种？

会有影响，但不需要补种。

(7)接种疫苗后发热，如何鉴别是疫苗所致，还是疾病所致？

首先要排除疾病所致的发热，疾病可以是接种前就感染的，也可以是接种后感染的。如果是疾病所致，检查可见阳性体征，如咽部充血、扁桃体增大充血化脓、咳嗽、流涕等症状。疫苗所致发热没有任何症状和体征。如果既有疫苗反应，也有感冒发热，那症状就会比较重，体温也比较高。接种多长时间发热，与接种的疫苗种类有关，疫苗接种后的发热一般不需要治疗，会自行消退。

(8)接种某种疫苗会不会就患某种病啊？

爸爸妈妈不必担心这一点，接种免疫疫苗都是国家计划免疫项目，是很安全的。

(9)为了避免疫苗反应，就不接种疫苗，对吗？

这个决定是错误的，接种疫苗造成的反应是比较轻的，对婴儿没有什么伤害。严重的疫苗反应，是罕见的。比起对传染病的预防作用，几乎可以忽略不计。

(10)幼儿园和保健院推荐接种的计划外免疫疫苗，是否应该接种？

接种国家计划外的疫苗，必须向有关部门（防疫站、有权威的医疗机构等）咨询，了解疫苗的作用、不良反应、在临床中的应用情况、免疫效果、接种意义、疫苗的应用范围等。

宝宝/王震坤

第五章 4-5 个月的婴儿 (120—150 天)

这个月的宝宝很容易从俯卧位翻到仰卧位；

托住宝宝腋下，宝宝小腿有力地蹬着；

对色彩表现出浓厚的兴趣，喜欢鲜艳的色彩；

喜欢听节奏感强的音乐和抑扬顿挫的朗读声；

很容易被逗笑，高兴的时候手舞足蹈；

能够抓起身边的物体，并放到嘴里；

不断发出很多语音……

第1节 本月婴儿特点和生长发育

113. 本月婴儿特点

(1)生长特点

❖ 会用眼睛传递感情了

这个月的婴儿，眼睛已经能和父母对视，眼神能流露出感情交流的喜悦。看到爸爸妈妈，宝宝会高兴得手舞足蹈，脸上洋溢着欢快的笑容。

❖ 撑起上身抬起头几分钟

宝宝的活动能力进一步增强，会用手撑起前胸几分钟，头抬得高高的。发育很好的宝宝，还可能会转头，看看两边的东西。

❖ 小脚丫蹬着妈妈的腿跳跃

托住宝宝腋下，把脚放在妈妈的腿上，宝宝会来回地跳跃，还能站一会儿。宝宝的头已经竖立得很好。

❖ 很容易被逗笑

给宝宝一个微笑，宝宝会回应一个灿烂的笑脸。会"哦哦哦"地和你说话，表达他的喜悦心情。

(2)养育特点

❖ 坚持母乳喂养

随着宝宝月龄的增加，吸吮力增强，吃奶时间缩短；容易受到外界干扰，不再专心地吃奶，吃几口就停下来；妈妈乳胀的感觉会逐渐减轻。这几种情况，都会让妈妈怀疑自己的乳汁不足，从而萌生添加配方奶的想法。妈妈要有信心，不要总是怀疑宝宝吃不饱。只要宝宝体重增长良好，就说明你的乳汁能够满足宝宝需求。

❖ 不要急于添加辅食

乳类仍可以作为这个月宝宝唯一的食物来源，妈妈不要急于添加辅食。如果宝宝出现厌奶，可尝试着添加辅食，但不能因为添加辅食，使原有的奶量进一步下降。宝宝天生喜欢甜食，所以第一次添加辅食，不要选择果汁或果泥，否则添加没有甜味的菜汁，宝宝就不吃了，这会给妈妈带来不小的麻烦。

❖ 可能遇到的喂养问题

这个月，混合喂养的宝宝，可能会遇到不吃配方奶的问题。如果宝宝拒绝喝配方奶，妈妈千万不要强喂，更不要趁宝宝睡得迷迷糊糊时喂哺。这样做的结果是延长厌奶期。遇到这种情况，妈妈能做的就是坚持母乳喂养，尽可能地放松心情，增加睡眠，吃好喝好，争取有更多的乳汁供给宝宝。

❖ 不要拔苗助长

爸爸妈妈们不要急于锻炼宝宝坐、站、跳等运动潜能，不然会对宝宝骨骼发育和关节稳定造成负面影响。拔苗助长，会适得其反。正确的心态是：宝宝运动能力的发育有早有晚，横向比较，有的宝宝发育得比较慢，但纵向看来，宝宝还是一天天在进步，就是正常的。

❖ 正确处理"喘息性气管炎"

这个月的宝宝不容易患什么要紧的病，如果医生诊断你的宝宝有喘息性气管炎，你可不要没完没了地给宝宝吃药。所谓"喘息性气管炎"，可能就是宝宝气管黏膜分泌旺盛，自己不会清理，痰多咳不出来，可能没有任何感染情况。如果一味地吃抗生素，会出现副作用，反倒对宝宝健康造成危害。

❖ 防止意外事故发生

这个月的宝宝开始长本事了，父母高兴之余，也要小心意外事故的发生。虽然这个月还不是意外高发期，但预防意识还是早早建立为好。常见的意外是从床上掉下来。不要把宝宝放在没有栏杆的床上，即使用被子、枕头等床上用品将宝宝身体挡住，宝宝也有可能翻越障碍，从床边掉下。宝宝的能力常常让父母预料不到，特别是宝宝能力的积蓄，由量变发展到质变时，在临界点，猛然就飞跃了，这种飞跃也可能就是回头的工夫，宝宝掉在了地上。

114. 本月婴儿生长发育

(1)身高

这个月宝宝身高平均可增长2.0厘米。宝宝身高受种族、遗传、性别等诸多方面影响，个体间的差异，随着年龄的增长，逐渐变得明显起来。

身高是个连续的动态过程，要定期进行身高测量，了解身高的增长速度。和同月龄儿正常身高增长曲线对比，稍微高些或稍微低些无所谓，妈妈不必焦躁不安，只要在正常范围内就好。当宝宝的身高低于第3个百分位或高于第97个百分位时，需要向医生咨询，排除疾病或喂养失当的可能。

(2)体重

百天前，宝宝体重增长迅速，一个月甚至长一千克左右。从这个月开始，宝宝体重增加有所减缓，一个月增加700克左右。

定期给宝宝测量体重，按照儿童体重增长曲线图，分析宝宝体重增长情况，这是监测宝宝生长发育是否正常的重要途径，简便易行。

体重增长曲线图，表明的是正常情况下婴儿生长发育的一般规律。具体到每一个婴儿，不可能都按相同的数字生长，每个个体都有一定的差异。只要这些差异在曲线图上保持在第3百分位以上，第97百分位以下，都是正常的。

每个婴儿都有自己的体重增长曲线，但不管数字上有多大差异，这些曲线都应该是逐渐上升的。如果曲线平坦或下降，就不正常了，要及早就医。体重不按常规增长，除了疾病所致，更多的是喂养不当所致，必须及时纠正。

(3)头围

从这个月开始，婴儿头围的增长速度开始放缓，平均每个月可增长1.0厘米。头围的增长也存在着个体差异，婴儿头围增长曲线，呈规律性逐渐上升的趋势。

定期测量头围，可及时发现头围异常。如果头围过小，要观察婴儿是否有智能发育迟缓的征候；如果头围过大，应排除是

宝宝 / 黄芷如

宝宝 / 观哲仁
这么大的宝宝对玩具还没有兴趣。

否有脑积水、佝偻病等。

❖ 头围的测量方法

使用一根软尺，带有毫米刻度，妈妈将宝宝抱在腿上坐直，爸爸站在宝宝右侧，用左手拇指将软尺零点固定在头部右侧齐眉弓上缘。让软尺从宝宝头部右侧经过右耳上方，绕过枕骨凸隆最高处，再经过左耳上缘，延左侧齐眉弓上缘回至零点，与起始处交点读数。在测量过程中，软尺要平整均匀地紧贴头皮，但不能绷紧，左右高低要对称。这样测量出来的头围才比较准确。

把测量的数值与上个月测量的数值进行动态比较，把测量的数值点在相应月龄头围生长曲线图中，与正常值和正常变动范围比较。如果所测数值低于第3百分位或高于第97百分位，要看医生。

一次测量的数值变化不是很大，仅仅是1.0厘米左右。如果测量值与上个月相比，增长不理想，父母不要着急，观察宝宝有无异常。如果没有任何异常，可观察到下个月，再进行测量。如果心里没底，不放心，就请医生再帮助测量一下，并进行分析。不要因为正常的差异，而给宝宝做一些不必要的检查，加重心理负担。

我接诊过一个宝宝，妈妈认为宝宝头围过大，有异常。尽管医生经过分析认为没有异常，妈妈就是不放心，请求做进一步检查。结果给宝宝做了头颅CT和头颅B超。头颅CT报告额部前纵裂增宽，B超报告蛛网膜下腔增宽。妈妈更紧张起来，医生也不能作出什么解释。一个月后再次复查，头颅CT报告大脑廉增宽，B超报告未见明显异常影像。临床上不能诊断什么病，可孩子的妈妈就因为CT报告有"大脑廉增宽"，放心不下，弄得医生只好建议输一个疗程的脑活素。

CT额部前纵裂增宽是根据一般情况报告的，4个月龄大的宝宝，到底应该增宽到什么程度才算异常，并没有确切的范围。不可能所有的宝宝都是一个数值。这个宝宝头围并没有达到明显异常的程度，而且宝宝也没有任何异常的表现。应该结合宝宝家族史，综合分析，动态观察，不要急于做辅助检查。

后来了解到，宝宝的爸爸和爷爷头围都比较大，戴帽子买最大号的。现在都是独生子女，都很珍爱，如果父母提出要求，医生也难坚持不做，这也有责任问题。如果医生没有提出宝宝需要做某项检查，父母不要强烈要求做一些不必要的检查。

(4)囟门

这个月宝宝的囟门可能会有所减小了，也可能没有什么变化。如果婴儿头发比较茂密，就不容易发现前囟门的变化。如果头发比较稀疏，或把头发剃得光光的，前囟门就会看得很清楚。妈妈喂奶时，甚至会看到宝宝囟门一跳一跳的，不用担心，这是正常的。

如果宝宝发热，囟门会膨隆，或跳动比较明显，这也很正常。但如果宝宝高热，囟门异常隆起，宝宝精神也不好，或出现呕吐等症状，要及时看医生。

囟门处没有颅骨，做户外活动时要注

意保护。

❖ 门诊常见疑问

在儿科门诊，会有妈妈询问，说宝宝刚几个月，囟门就快闭合了，是否会影响宝宝大脑发育。这是观察上的错误，囟门小，不代表就要闭合。

也有妈妈询问，宝宝囟门很大，是否有佝偻病或脑积水。这也属于观察上有误，宝宝生下来时囟门有多大？如果生下来时囟门就比较大，而且一直比较大，并无其他异常，就不能仅凭这个诊断佝偻病或脑积水了。

有的宝宝天生囟门就比较大，但到该闭合的年龄自然会闭合的，妈妈不必紧张。

第2节　本月婴儿能力

115. 看的能力：能认颜色了

❖ 视焦距调节能力增强

这个月的婴儿，已经能够对远的和近的目标聚焦，眼睛视焦距的调节能力大大增强。但调节能力仍不够完善，仍会出现"对眼"现象。不要让宝宝很近距离看某一物体，每天让宝宝向远处眺望几次，把物体转向不同的方向，锻炼眼球运动能力，扩大视野。

❖ 对复杂图形识辨能力还很弱

这个月的婴儿，对复杂图形的觉察和辨认能力还比较弱。但宝宝却喜欢注视图形复杂的区域，这可能就是一种认知欲望，或是学习的兴趣吧。

❖ 视觉反射逐渐形成

因为目光已经能够集中于较远的物体，视觉反射也就逐渐形成了。当看到奶瓶时，宝宝会用手去够，并显出很高兴的样子，知道妈妈又要喂奶了。

妈妈要利用宝宝建立起来的视觉反射，教宝宝认识物品，教宝宝说这是奶瓶。慢慢地，宝宝看到奶瓶时，不但会联想到吃奶，还会联想到它叫什么，这就是语言与视觉的联系。以后宝宝看到奶瓶，就能够说出"奶瓶"这个词来了。而当妈妈说"奶瓶"这个词时，宝宝就会用眼睛到处找奶瓶，这就是听力与视力之间的联系。所以说，听、看、说、闻、嗅、运动、思维等这些活动都是相互联系的，训练也应是全方位的，不是孤立的。在训练听力的时候，也同时训练了看、说等能力。

❖ 会注意镜子中的人了

这个月的宝宝，开始会注意镜子中的自己。妈妈可以指着镜子说"这就是宝宝"（可说宝宝的名字），再说"抱着宝宝的是妈妈，身后站着的是爸爸"。

❖ 能辨别物体的远近了

宝宝已经能够辨别物体的远近了。爸爸可以拿着一个布娃娃，从远处走过来，逐渐靠近，当布娃娃快碰到宝宝时，观察宝宝是否有躲闪的反应。

带宝宝到户外时，看到什么就告诉宝宝这是什么，并指出是什么颜色的。比如这花是红的，这花是黄的，树叶是绿的。同时让宝宝看漂亮的大画报，丰富视觉内容。

❖ 视觉训练方法

随着月龄的增加，宝宝辨别颜色的能力不断进步。每天都要让宝宝看不同色彩的物体，训练宝宝的辨色能力。

在训练宝宝视觉能力的初期，要选择单一纯色板给宝宝看。

色板1：连续给宝宝看5天。

色板2：连续给宝宝看5天，从第3天开始，给宝宝看色板1。

色板3：连续给宝宝看5天，从第3天开始，给宝宝看色板2，从第4天开始，给宝宝看色板1。

色板4：连续给宝宝看5天，从第3天开始，给宝宝看色板3，从第4天开始，给宝宝看色板1、2。

色板5：连续给宝宝看5天，从第3天开始，给宝宝看色板4，从第4天开始，给宝宝看色板1、2、3。

以此类推，直到全部给宝宝看完你准备的所有色板。再从头开始，重复这样的过程2次，再让宝宝同时看2种色板，练习颜色的辨别和对比。慢慢地，宝宝就能够辨别颜色了。

如果不进行这样的训练，宝宝也能最终辨别颜色，只是进度要慢些，对色彩的敏感度不是很强。

训练宝宝的辨色能力，不仅仅是让宝宝认识颜色，更重要的是开发宝宝的潜能。

116. 说的能力：会咿呀学语

4个月以后，婴儿进入了连续音节阶段。妈妈可以明显地感觉到，宝宝发音增多，尤其在高兴时更明显，可发出如"ma—ma"、"ba—ba"、"da—da"等声音，但还没有具体的指向，属于自言自语，咿呀不停。

婴儿语言的开发，应该从宝宝生下来就开始。爸爸妈妈首先要学会倾听，而且要认真地听，努力去理解，把宝宝发的每一个声音，都当做是有意义的表达，在理解和思索的基础上，给予积极的回应。妈妈一定还记得我曾经谈过的"婴儿哭的破译"。不是把婴儿哭当做语言，婴儿哭就是语言！所以，当婴儿哭的时候，爸爸妈妈首先想到的不是宝宝哪里不舒服，而是立即和宝宝进行交流，在交流的同时给予行动上的回应。

日常生活中一点一滴都能够教宝宝语言，即使不准备任何教具，也会收到很好的效果。用日常生活中的东西教宝宝，还会增加宝宝学习的兴趣，这样教，妈妈轻松，宝宝也轻松。

❖ 语言训练方法

● 及时回应

视觉训练

妈妈拿着红色小球，告诉宝宝这是小红球。

妈妈拿着红色大球，告诉宝宝这是大红球。

宝宝随着球的移动，转头追随移动中的红球。

宝宝／黄芷如

爸爸妈妈对宝宝及时进行语言回应，同时付诸于行动，就是宝宝学习语言的过程。比如，妈妈认为宝宝是因为躺腻烦了而哭，就马上对宝宝说："哦，宝宝要妈妈抱了，妈妈来了。"在说话的同时抱起宝宝。妈妈认为宝宝是因为尿了而哭，就马上对宝宝说："哦，宝宝尿了，妈妈给宝宝换尿布了。"妈妈认为宝宝是因为饿了而哭，就马上对宝宝说："哦，宝宝饿了，妈妈给宝宝喂奶了。"

• 随时随地

随时随地都可以让宝宝学习语言，一个眼神、一个手势都是语言的交流和沟通，语言学习无处不在。爸爸妈妈和看护人，一定要时刻以饱满的热情和积极的心态，帮助宝宝学习语言。

爸爸回家了，就和宝宝说"爸爸回来了"；妈妈给宝宝吃奶时，就说"妈妈给宝宝喂奶了"。当使用奶瓶时，拿着奶瓶告诉宝宝"这是奶瓶，是用玻璃做的"，并把奶瓶放在宝宝手里，让宝宝感受一下，奶瓶是什么样的，玻璃是什么样的。

如果宝宝不经意发出"妈妈"的音节，就要马上亲吻宝宝，并称赞"宝宝会叫妈妈了，妈妈可真高兴"。尽管宝宝还没有意识到他发出的声音就是在呼唤妈妈，但随着妈妈不断强化"妈妈"，不断和宝宝说"妈妈要给你吃奶了"，"妈妈要给你洗澡了"等等，宝宝就会把"妈妈"这个音和妈妈这个人结合起来，就会有意识地喊妈妈了。这需要一段很长的时间，可宝宝就是这样学习语言的。

117. 听的能力：主动听音

这个月的婴儿，会积极地倾听音乐，并会随着音乐的旋律摇晃身体，虽然还不能与旋律完全吻合，但已经有节律感了。

听觉的灵敏，带动颈部运动的灵活。当宝宝听到声音时，会转头寻找声音的来源。听觉、视觉和语言能力是不可分割的，当训练宝宝听觉的时候，也同时在训练宝宝的视觉和语言。

❖ 听觉训练方法

• 听声寻找游戏

可以做这样的训练游戏：爸爸躲着宝宝，并叫宝宝的名字，妈妈告诉宝宝这是爸爸在叫他，让宝宝辨别这声音是爸爸发出来的。以后一听到爸爸的说话声，宝宝就会到处寻找爸爸，这时爸爸突然出现，告诉宝宝"爸爸在这里"，宝宝会因自己判断正确而高兴地笑起来。

• 模仿动物叫声

爸爸妈妈惟妙惟肖地模仿动物的叫声，也可以买各种动物叫的录音带，放给宝宝听，告诉宝宝这是什么动物在叫，宝宝最喜欢听小动物的叫声。当宝宝会说话时，会津津有味地不断学动物的叫声，这样不但锻炼了听力，还锻炼了发音。

118. 触觉能力：会主动触摸

婴儿4个月以后，视觉和触觉的协调能力发展起来了，看到什么东西，都会主动有意识地去摸一摸，通过触觉来探索外在世界。妈妈不要错过这个机会，宝宝看到的东西，能够让宝宝摸的，都尽量让宝宝摸一摸，建立视觉和触觉的联系和协调。

用嘴来触摸是婴儿的一大特点。早在胎儿期，胎儿小手不经意触碰到了自己的嘴唇，就会吸吮自己的小手。出生后，妈妈把任何东西放到婴儿嘴边，他就会出现吸吮动作。

4个月以前的婴儿，手的运动能力还比较差，不能随时随地把手放在嘴边，只有不经意碰到嘴唇时才开始吸吮自己的小手。

所以，吸吮手指并不频繁。随着婴儿月龄增加，手的运动能力增强，当婴儿很容易把手放到嘴边时，吸吮手指的频率相当之高。当婴儿能够自己拿物品时，会不加选择地把拿到的物品放到嘴里吸吮。

婴儿极其聪明，他用自己有限的运动能力，尽可能地认识事物。同时，婴儿也通过吸吮手指，缓解一时的紧张情绪，获取安全感。通过吸吮手指，打发无聊的时间，获取快乐。通过吸吮手指，缓解饥饿感，获得满足。通过吸吮手指，来哄自己睡觉，让自己更快进入梦乡。

婴儿吃手，许多父母也能认识到是正常的，但还是会不由自主地加以干涉。认为宝宝的小手不干净，吸吮手指不卫生；随便拿到什么就往嘴里放，这习惯不干涉还得了等等。这些都是爸爸妈妈干涉婴儿吸吮手指的强大理由。但从效果上看，没有什么收效，甚至效果相反，真的让宝宝染上了吮指癖，宝宝到三四岁了，还吃手。这恰恰是当时父母反应过度给宝宝留下的后遗症，不是宝宝天生就有吮指癖。

通过上面的叙述，父母会对宝宝吃手缘由有所了解。如果父母能够满足宝宝在婴儿期吃手，用正确方法引导宝宝，减少宝宝吃手频率，而不是横加干涉，那么到了幼儿期，宝宝拼命吃手的现象就不会发生了。

如果认为宝宝的小手不卫生，帮助宝宝洗干净就是了，不可因为小手不干净就剥夺宝宝吃手的自由。

如果认为宝宝拿的东西不卫生，那就换上卫生的东西给宝宝拿，矛盾也就解决了，哪里用得着剥夺宝宝认识物品的机会啊！

119. 运动能力：手的动作更多

❖ 开始抓东西

这个月的婴儿，会从父母手中接过玩具，会把自己的手放到胸前注视，并相互握在一起。宝宝眼手协调能力还比较差，抓不到想抓的东西，全身都用力，甚至急得满脸通红。这时，妈妈要适当帮助宝宝一下，让宝宝获得拿到东西的喜悦。不断进行这样的练习，眼手协调能力就提高了。能够准确抓到想要的东西，是一个不断训练、不断进步的过程。

如果你的宝宝还不会抓眼前的东西，不要着急，每天都给宝宝用手抓东西的机会。慢慢地，宝宝就能够很准确地把眼前的东西抓到手中了。

❖ 会翻身了

绝大多数婴儿会翻身了，但只能从仰卧翻到俯卧，极少能从俯卧翻到仰卧。俯卧时，能用前臂支撑起上身的前胸部，头抬得高高的。如果支撑累了，宝宝会把头

抓物训练

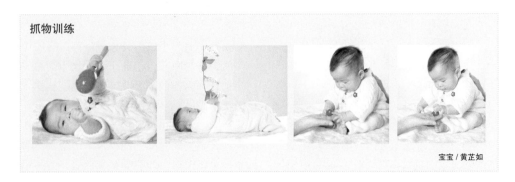

宝宝／黄芷如

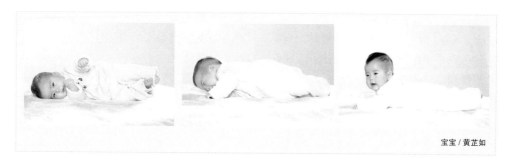

宝宝 / 黄芷如

偏过去，保持口鼻呼吸顺畅。

值得注意的是，父母仍然时刻不要离开婴儿，安全第一。不要把危险物品放在宝宝周围，如塑料薄膜和尖锐物品等。万一宝宝口鼻周围有东西堵住宝宝的呼吸道，那是很危险的。

❖ **还不会独坐**

这个月的婴儿，还不会坐，即使会坐一会儿，也不能坐得很稳。所以这个月练习坐为时过早。婴儿脊椎的生理曲度还没有完全建立，长时间让婴儿坐着是不合适的。

❖ **什么都往嘴里放**

这么大的宝宝，不管拿到什么，都会往嘴里放。所以一定要注意安全，有危险的物品要远离婴儿！

❖ **伸出手让妈妈抱**

当妈妈伸出手，同时说"妈妈抱抱"时，宝宝身体会向前倾，甚至伸出小手，让妈妈抱。这是让妈妈非常开心的事情！爸爸也不妨试一试。在语言和动作的配合下，宝宝会让爸爸妈妈抱。慢慢地，当宝宝看到爸爸妈妈时，不等爸爸妈妈说，宝宝就会伸出小手表示要抱了。

❖ **头颈运动灵活**

头颈运动越来越灵活。在仰卧、俯卧和直立位时，距离宝宝2米左右，用宝宝感兴趣的物体，向不同方向移动，宝宝会快速跟随物体转动头部。抓住宝宝手腕部，

轻轻向上拉起，宝宝头会用力向上抬起。有的宝宝仰卧位时，自己就会把头向上抬起，小脚也同时上抬，宝宝开始锻炼腹肌了。

❖ **动手能力进一步增强**

宝宝运用手的能力进一步增强了，可以锻炼着让宝宝自己拿奶瓶喝水或吃奶了。宝宝拿不住也不用怕，妈妈帮着宝宝拿。如果宝宝一点也拿不住，也不要紧，让宝宝摸着奶瓶就可以，慢慢就会拿了。这样做，不但锻炼宝宝手的动作能力，还可以增加宝宝吃奶的兴趣。对于食欲不好的宝宝来说，这是增加食欲的一种方法，并为以后吃饭自己用勺、用筷子打下基础。

120. 宝宝发育几点提醒

(1)发展并不都是均衡的

婴儿运动能力的发展存在着显著的个体差异。有的宝宝发展很快，样样提前。有的宝宝某一项能力很突出，但某一项能力却很弱。有的宝宝发展总是比其他宝宝稍显慢些，用妈妈的话说就是慢半拍。

父母都希望自己的孩子样样全能，什么都是最棒的，这无可非议。问题的关键是，我们的评价标准是否合理？我们的观察视角是否到位？我们对孩子的要求是否过高？这是需要我们思索的。

我们需要的是，给孩子提供适宜的生长环境，给孩子创造足够的成长空间。跟

随着孩子的成长足迹，陪伴着宝宝一天天长大。给宝宝以极大的鼓励和赞赏，为宝宝每一点小小的进步喝彩。给孩子恰到好处的推动力，做孩子坚强的后盾，而不是强拉着孩子磕磕绊绊前行。

这些说起来容易做起来难。有了孩子，就为人父，为人母了。但这并不一定意味着做了父母的人，就自然而然成了合格的父母。做父母是需要不断学习的，孩子成长的过程，也是父母学习并成长为合格父母的过程。

这样的新手爸爸妈妈最值得称道：承认自己并非无所不能、无所不知、无所不会，承认孩子并非啥都不懂，啥都不是，啥都不行；明白再浓再厚的爱意，也超不过对宝宝健康成长的信任和理解；知道做好父母是需要学习的，自己愿意在养育宝宝的过程中，再上一次"大学"；时刻清醒一件事，不理解孩子的时候，就不要干涉孩子，把自由的空间留给孩子。

(2)婴儿的运动能力

❖ 与婴儿自身性格有关

有的宝宝很好运动，运动能力发展就快；有的宝宝很安静，不淘气，肢体运动也少，运动能力发展就慢。

❖ 与带宝宝方式有关

婴儿运动能力的发展，也与父母带宝宝的方式有关。有些保姆或老人照看宝宝，可能不怎么和宝宝交流，也不给宝宝更多锻炼运动能力的机会，宝宝的运动能力可能会一时落后些。但有运动潜质的，长大后会奋起直追，赶上甚至超过同龄儿的运动能力。

❖ 与环境季节有关

婴儿运动能力的发展，也与环境和季节有关。如果在学习翻身的阶段，正好赶上冬季，穿得比较多，就不会翻身。这不是婴儿发育落后，而是客观原因造成的。如果妈妈总是用被子包裹着宝宝，新生儿期把宝宝包成"蜡烛包"；出了满月，怕宝宝踢被冻着，仍然把宝宝包得紧紧的，甚至用绳系上，用枕头压上，这都会极大影响宝宝的运动能力，对宝宝的生长发育和其他能力的发展都是不利的。

第3节 本月婴儿营养需求及喂养方法

121. 本月婴儿营养需求

这个月的婴儿对营养的需求仍然没有大的变化，每日需要热量为每公斤体重110卡。乳类食物仍能满足宝宝的营养需求。

母乳喂养的宝宝，妈妈不要担心自己的乳量不足，更不要担心乳汁营养不足。只要宝宝体重和身高等生长发育指标是正常的，就说明乳汁能够满足宝宝生长发育需要。妈妈要注意含铁食物的摄入，如宝宝血色素或血清铁偏低，妈妈可服用铁剂，每天100毫克，连服2周。没有医生指导，不要擅自给宝宝补充铁剂和其他营养剂。

配方奶喂养的宝宝，妈妈不要一味地增加乳量，以宝宝吃饱为准，宝宝不喝不要强喂。如果宝宝有"厌奶"情况，可尝试着添加辅食。但这个月的宝宝，辅食不能代替乳类食物，不要因为宝宝喜欢吃辅食，就不加限制地喂食。

混合喂养的宝宝，可能出现只吃母乳不喝配方奶的情况，不要用断母乳的方法达到让宝宝喝配方奶的目的。母乳是婴儿最佳食物来源，要珍惜母乳。

122. 母乳喂养儿

❖ 错误认识

有的妈妈认为，随着宝宝月龄增加，母乳营养价值逐渐下降，已经赶不上配方奶的营养价值，这样的认识是错误的。由于这样的错误认识，使得原本乳汁充足的妈妈，放弃纯母乳喂养，添加配方奶。

有的妈妈认为，到了添加辅食月龄，必须添加配方奶，这同样是错误的认识。配方奶和母乳都是乳类食物，且母乳优于配方奶，不要把配方奶当做辅食来添加。

有的妈妈认为，添加米粉和蛋黄等辅食，必须用母乳或配方奶调和，这样的认识也是片面的。如果是母乳喂养，没有必要把乳汁挤出来调和米粉和蛋黄。除非宝宝不吃用温水调和的，那就试着用母乳调和吧。

❖ 慎重添加配方奶

母乳是婴儿最佳食物来源，妈妈要树立母乳喂养的信心，把母乳喂养进行到底。不要轻易添加配方奶，一旦添加了配方奶，必定会减少母乳喂养，乳汁的分泌也会随之减少。妈妈认为，宝宝不喝配方奶，就会缺乏营养。可有的宝宝根本就不接受配方奶，添加配方奶，只是妈妈的一相情愿。结果喂养问题接踵而至，宝宝不欢，妈妈却闹。如果妈妈怀疑乳汁不足，应该向医生咨询；如果宝宝生长发育一切正常，就不要再疑心重重了。

❖ 辅食添加

这个月的宝宝，只要母乳吃得好，体重增长正常，仍可以纯母乳喂养，不需要添加任何辅食。如果妈妈想添加辅食，最好抱着试试看的态度，尝试着添加。（详见 **124条有关辅食添加的内容**）

❖ 咬妈妈的乳头

有的宝宝开始咬妈妈的乳头。可给宝宝牙咬胶，满足宝宝啃咬要求。如果宝宝咬住了乳头，妈妈千万不要大叫，这样会使宝宝紧张，乳头咬得更紧。当宝宝咬着乳头时，妈妈用拇指压住宝宝下颌并向下使劲，宝宝就会松口了。

123. 人工喂养儿

❖ 奶量变化不大

这个月宝宝奶量不会有大的变化。有一种错误认识，说随着宝宝月龄的增加，奶量会越来越大。爸爸妈妈要抛弃这种错误的认识，面对宝宝需求奶量的真正现实。如果这个月奶量和上个月差不多，并不意味着宝宝吃得少，要尊重婴儿的选择。喝多少奶宝宝说了算，父母的任务是为宝宝提供所需的奶量。

❖ 宝宝食量存在个体差异

食量小的，每天可能只喝几百毫升；食量大的，每天可能喝1000毫升以上；胃口小的，一顿可能只喝几十毫升；胃口大

宝宝 / 王辰旭
宝宝非常喜欢笑，胖嘟嘟的宝宝动作特别灵活，在床上翻来翻去的。虽然会翻身不早，可刚一会翻身就能很快学会了翻滚。这就是跳跃式发育模式。

的，一顿可能喝200毫升。妈妈看到奶粉袋上标明，这么大的婴儿每顿要喝180毫升，每天要喝1200毫升，而自己的孩子远远达不到这个量，就会很焦急。看了医生，没找出什么原因，也没有增加奶量的办法，妈妈就会很纠结。妈妈要放下包袱，宝宝的正常生长已经告诉妈妈，他目前喝的奶量就是他的需要量。

❖ **客观评价食量是关键**
• **食量与父母有关**

父母一方或双方食量比较小的，孩子的食量也多比较小。现在肥胖儿的比例在不断地增加，但在喂养咨询中，妈妈问的最多的还是宝宝吃得少怎么办。

• **源于妈妈不满意**

有的宝宝原本吃得很好，可妈妈总认为宝宝吃的少，总认为不如别人家的孩子能吃。

• **父母不怕宝宝胖**

认为宝宝胖的父母很少，认为宝宝瘦的父母比比皆是。有的宝宝吃的没一点问题，已经是胖嘟嘟的了，可在妈妈看来宝宝仍然不胖，仍然认为宝宝吃得少。

• **尊重宝宝食量**

要允许吃得少些的宝宝保持自己的食量。妈妈不应在意吃多吃少，而应监测宝宝身高、体重、头围及各种能力的发育情

宝宝／郑怡萱

况。真正由疾病引起食量偏小的并不多见，许多是人为所致。爸爸妈妈能否客观评价宝宝食量问题，是喂养的关键。

124. 本月婴儿辅食添加

(1)本月婴儿辅食添加"六不"原则

❖ **不操之过急**

添加辅食是帮助婴儿进行食物品种转换的过程，使以单纯乳类为食的乳儿，逐渐过度到摄入多种食物的幼儿。婴儿的咀嚼吞咽功能和消化吸收功能是随着月龄的增加，一步步逐渐成熟的，倘若操之过急，会给辅食添加带来很多麻烦。

❖ **不强求宝宝**

和父母饮食习惯有关，有的孩子就是不喜欢吃某种食物，遇到此种情况，不能强求宝宝，没有非吃不可的辅食。宝宝不吃某种食品，也只是暂时的。不必在此时此刻非让宝宝吃不可。应该尊重宝宝的个性，培养宝宝不偏食的良好饮食习惯。

❖ **不盲目添加**

要从最容易被婴儿吸收、接受的辅食开始，一个种类一个种类地添加。添加一种辅食后，要观察几天，如果不适应，就暂时停止，过几天再试。如果宝宝拒绝吃，也不要勉强，等几天再吃，但不要失去信心。让宝宝慢慢适应，不要一开始就把宝宝弄烦了。

❖ **不照本宣科**

添加辅食，不要完全照搬书本，要根据具体情况，灵活掌握，及时调整辅食的数量和品种，这是添加辅食中最值得父母注意的一点。

❖ **不在夏季和患病期添加**

在炎热的夏季，婴儿消化功能减弱，食量减少。如果恰好赶上炎热的夏天，宝宝到了添加辅食的月龄，可适当向后推延。

添加辅食要在婴儿身体健康，心情高兴的时候进行。当宝宝患有疾病时，不要添加从来没有吃过的辅食。

❖ 不违背生理发育

辅食添加要从少到多、从稀到稠、从细到粗、从软到硬，循序渐进，逐步适应婴儿咀嚼、吞咽、消化能力的发育。

(2)本月婴儿辅食添加过程

❖ 喂谷类的过程

从稀米粉糊开始，到稠米粉糊，再到稀粥、稠粥、软饭，最后到正常饭。面食是面条、面片、疙瘩汤、饼干、面包、馒头、饼。

❖ 喂菜的过程

从过滤后的菜汁开始，到菜泥做成的菜汤，然后到菜泥，再到碎菜。菜汤煮，菜泥炖，碎菜炒。青菜不好咀嚼，一定要碎软。

❖ 喂水果的过程

从过滤后的鲜果汁开始，到不过滤的纯果汁，再到用勺刮的水果泥，到切的水果块，到整个水果让宝宝自己拿着吃。

❖ 喂肉蛋类的过程

从蛋黄开始，再到动物肝、虾肉、鱼肉、鸡肉、猪肉、羊肉、牛肉、整蛋。肉类食物一定要做成泥状。

(3)自制辅食

❖ 蛋黄稀糊

把洗干净的鸡蛋放在冷水里煮熟，剥出蛋黄，切成四半，取其中的1/4放在小碗中，用温开水或奶调成稀糊状，用小勺喂。

如果宝宝不喜欢吃鸡蛋黄，可尝试着喂鹌鹑蛋黄。配方奶喂养的，妈妈喜欢把蛋黄放在奶中，这样喂养比较省力，但如果宝宝不喜欢吃蛋黄，可能会连奶也不喝了。所以，最好单独喂蛋黄。如果宝宝是过敏体质，添加蛋黄要谨慎，可推迟到6月龄添加，也可从微量添加，从一颗黄豆大小开始添加，观察添加后的反应，逐渐加量。

❖ 青菜汁

将洗净的蔬菜放入开水中焯一下，把焯过的蔬菜捞出来，放在干净的砧板上剁碎，再放少量水（刚好没过碎菜）煮熟，把碎菜滤出挤压出汁，连同煮菜的水，放温后喂给宝宝。还可以使用打碎机，把蔬菜打成汁并煮熟，也可先把蔬菜煮熟后，用榨汁机做成菜汁。

❖ 番茄汁

把番茄洗净，在番茄底部用刀划开十字口，在碗上放一块纱布，把番茄放在纱布上，放在锅里蒸上两三分钟，待凉些后，用纱布兜住番茄，用勺挤压番茄，把汁挤到碗里，放些温开水，就可给宝宝喝了。直接给宝宝喝原汁也可以。

❖ 胡萝卜汁

把胡萝卜切成片，放在锅里煮烂，把胡萝卜片取出来，放在菜板上剁碎，再放到煮胡萝卜水中继续煮几分钟，用纱布或漏勺（眼小的）把胡萝卜捞出来，在胡萝卜汤中放少许白糖。待放温后，就可以给宝宝喝了。

❖ 果汁

把水果（苹果、橘子、桃、葡萄、梨、草莓、西瓜、猕猴桃、火龙果等）洗净削皮去核，放在榨汁机里，做好的果汁，把渣滤出即可。如果没有榨汁机，可以把水果切成小块，放在研磨碗中捻碎，再放在纱布中，把果汁挤出来即可添加。

(4)添加辅食常见问题

❖ 添加辅食时机

4-6个月婴儿，需要添加乳类以外的食物。就是说，最早可以在婴儿4个月的时候添加辅食，最晚要在婴儿6个月的时候添加辅食。到底是4个月添加，还是6个月添加，要根据宝宝具体情况灵活把握。

在两次喂奶间隔的中间时段添加。每添加一种新的食物，要观察3-5天，观察宝宝是否爱吃，有无出现恶心、呕吐、腹泻、皮疹等异常。如发现异常，暂时停止添加，并听取医生的指导。

❖ **过敏体质如何添加辅食**

无论宝宝是否有过敏体质，在添加辅食的过程中，都有可能出现过敏现象。在添加辅食过程中，既不要因为怕过敏而不敢添加，也不能毫无顾忌随意添加。妈妈需要做的是，认真记录辅食添加的种类、量、时间和不良反应。如果怀疑某种食物

过敏，暂时停止添加，过一段时间后再尝试添加。如果出现显著的过敏反应，要向医生咨询。

❖ **需要考虑食物色泽吗**

食物有不同的色泽，婴儿代谢食物中色素的能力差，如果连续喂色泽较重的食物，会出现皮肤着色现象，如颜面和手足心发黄。在选择食物种类时，要考虑到这一点。一天中所添加的食物，要选择不同色泽的，如胡萝卜、南瓜、西红柿、橘子、芒果等不要放在同一天添加，也不要每天都给宝宝喂色泽相近的食物。

❖ **出现不良反应怎么办**

在添加辅食过程中，如果婴儿出现了腹泻、呕吐、皮疹、厌食等情况，应该暂时停止添加，等到宝宝消化功能恢复，再重新开始，但数量和种类都要比原来减少，然后逐渐增加。

第4节 本月婴儿护理要点

125. 不同季节护理要点

(1)春季护理要点

❖ **户外活动**

这个月的婴儿，可以竖直头部并能灵活转动了，喜欢看周围的花草树木。如果正值春暖花开时节，那就非常好了，带宝宝多做户外活动。

宝宝对看到的、听到的、摸到的、闻到的，已经有相互联系的能力，会用小手握东西，会对着人出声地笑，会和人"藏猫猫"，会咿呀学语，会看人的表情，听人的语气，认识谁是爸爸妈妈，谁是熟人和陌生人，对经常看到的面孔，会报以笑脸……与外界交往能力明显增强。春季可

以安排更多的户外活动，有利于婴儿能力的进一步发展。

❖ **注意风沙**

春季也存在一些需要注意的问题，比如初春气候多变，北方风沙较大，带宝宝出去，要注意沙尘落进宝宝眼中。婴儿在温暖的室内捂了一冬，乍一到户外，可能会不适应，需要挑选天气比较好的时候抱出来，时间从短到长，给宝宝一个逐渐适应的过程。

❖ **补钙**

春季，宝宝到户外接受充足阳光，会产生较多的骨化醇（维生素D前体），促使钙向骨转移，这是很好的事情，但血钙

水平可能会有短时降低，出现低血钙症状，如睡眠不安，易惊，严重的婴儿可能还会手足抽搐。出现这种情况，可给宝宝补充一定量的钙剂（葡萄糖酸钙10毫升/日，连服5~7天）。

❖ 补水

春季比较干燥，尤其是北方平原地带，因此要注意给宝宝补充水分。

❖ 避开病原菌

春季万物复苏，病原菌也开始繁殖增加，虽然这个月的宝宝，体内还有来自妈妈的免疫能力，但也有可能感染病毒细菌，因此不要到人群聚集的地方活动。

❖ 黑瘦属正常

户外活动会让宝宝的面部皮肤晒得黑一些，显得瘦了，爸爸妈妈不要为此就多给宝宝加奶，更不要吃助消化的药。

❖ 桃花癣不用治

有的宝宝会有桃花癣，不要紧，到夏季就会好的。有湿疹的宝宝到了这个季节也应该有所好转了，只要湿疹不很明显，就不要继续使用药物了。

❖ 不要误判气管炎

户外活动增多，造成宝宝呼吸道分泌

宝宝/杨力宁

宝宝5个月，初夏，当时他还不会坐，后面顶个枕头，让他练习。结果很快就溜下来。坐的时候，宝宝很快乐，也很紧张，口咧着，但手紧握着，脚趾都张着。

物增多，而宝宝还不会清理，嗓子总是呼哧呼哧的，好像是有痰。不要认为宝宝患了气管炎，不要乱使用抗生素。

(2)夏季护理要点

❖ 防痱子和臀红

这个月的宝宝如果正赶上炎热的夏季，护理也并不很困难。宝宝已经不像前几个月那样红屁股或皮肤皱褶糜烂了，也不容易生很多的眼屎和很严重的痱子了。宝宝一天可以洗几次澡，不用尿布，仅穿个肚兜，光光地躺在凉席上。凉席上可铺一层棉布单，如果不铺，必须保证凉席没有刺。

❖ 可把尿了

这么大的宝宝不再是吃了拉，喝了尿了。有经验的妈妈甚至可以知道宝宝什么时候拉，什么时候尿。即使有几次尿在拉在凉席上，也好收拾。

❖ 防蚊蝇

需要注意的是夏季蚊蝇较多，晚上把宝宝放在蚊帐里，避免蚊虫叮咬。小婴儿皮肤嫩，又有奶香味，即使在白天，仍很容易被叮咬。所以宝宝白天睡觉，最好也挂上蚊帐。户外活动时，不要在树木花草茂密的地方或狭道内，这些地方蚊子比较多。

❖ 食量略减是正常

夏季，宝宝消化功能会减弱，食量会有所减少，这是正常的，不要强迫宝宝按以前的量吃，那会破坏宝宝的消化功能。

❖ 多喂水

夏季，婴儿爱出汗，皮肤非显性失水也多，要注意多补充水分。即使是母乳喂养，也要每天给宝宝喂水。

❖ 户外活动防日晒

夏季阳光强烈，容易灼伤宝宝皮肤，

要注意遮挡。不要让烈日直射宝宝，在树荫下，让阳光在树叶的缝隙中照到宝宝身上是最好的。一点阳光没有，也起不到日光浴的作用。

❖ **创造舒适的环境**

夏季天气闷热，要给宝宝创造比较凉爽的睡眠环境。如果使用空调，室温调整到28℃左右，也不能太低。室内外温差太大，对宝宝不利，会引发感冒。要避免空调病，使用空调也要定时开窗通风，保持室内空气新鲜。使用空调时门窗紧闭，这时最好不要使用驱蚊药，以免影响婴儿健康。

❖ **餐具食物清洁尤为重要**

喂牛奶和添加辅食时，一定要注意餐具和食物的清洁。夏季最容易患肠道感染性疾病，一定要格外小心。剩下的奶和饭菜一定不要给宝宝再吃，冰箱里的熟食储藏时间不能超过72小时，食用前一定要加热。奶瓶餐具一定要消毒，烘（晾或擦）干。不能在奶瓶中存放奶、果汁、菜汁、水。不要给宝宝喝隔夜的白开水。放置宝宝的餐具和其他用具，一定要避免苍蝇污染。喂宝宝前爸爸妈妈要把手洗干净。

(3)秋季护理要点

❖ **午前午后活动**

秋季是婴儿患病率最低的季节，妈妈在这个季节也许是最轻松的。秋天早晚天气渐渐凉了，户外活动最好放在午前和午后。

❖ **珍惜秋阳**

北方的妈妈尤其要注意，不要天气稍微一凉，就不敢带宝宝出去晒太阳了。北方的冬季比较长，气温也很低，户外活动时间会大大缩短，晒太阳的时间很少，赶上大风雪天，几天都不能带宝宝出去，所

宝宝 / 徐弘毅
嘘，别出声，我在和妈妈玩藏猫猫呢。对于婴儿来说，用小手把眼睛蒙上，用小手绢把脸蒙上就算是藏起来了。宝宝非常喜欢藏猫猫游戏，有一种失而复得的欣喜。

以要珍惜秋天的阳光。

❖ **储存太阳能**

在秋季让宝宝很好地接受阳光，宝宝体内就储存了一定量的维生素D，来年春季就不容易患维生素D缺乏性佝偻病。

❖ **户外活动更重要**

妈妈要抓住秋季，多带宝宝到户外，不要把精力过多放在做辅食、收拾卫生、洗刷等事情上。做户外活动，不仅对宝宝身体健康有好处，对宝宝智能开发和能力训练也有很大的益处。让宝宝逐渐适应不断转凉的空气，会提高呼吸道对寒冷刺激的抵御能力。

❖ **预防秋季腹泻**

秋末冬初要预防轮状病毒性肠炎（详见第十三章中"腹泻"相关内容）。

❖ **辅食一次做够一天的**

天气凉爽了，不必每顿都准备新的辅食，可以一天做一次，在宝宝睡觉时把果汁、菜汁、蛋黄准备好，够这一天吃的。这么大的宝宝还是以乳类为主。

(4)冬季护理要点

❖ **坚持户外活动**

郑玉巧育儿经·婴儿卷

这个月的宝宝即使赶上冬季，也不要间断户外活动，哪怕一天几十分钟也好，这样能够使宝宝呼吸道抵抗力增强，降低呼吸道感染发生率。

❖ 温度、湿度和通风

冬季护理婴儿最常出现的误区是，室内温度很高，湿度很低，通风很差。这样的喂养环境，对婴儿健康发育极为不利。室内温度保持在18-22℃比较适合，这样的室温，也能保持湿度适中。每天定时开窗换气，至少要通风10-15分钟。通风时可把宝宝抱到别的房间，一个房间一个房间地通风换气。隔着玻璃晒太阳对宝宝也有好处，要把宝宝安排在有充足阳光的房间里。

❖ 增加维生素D

隔着玻璃晒太阳，会阻挡紫外线照射。因此冬季要适当增加维生素D的摄入量，每天补充400IU。如果补充鱼肝油制剂，要选择A：D为2：1的比例。这样不至于补充过量的维生素A。

❖ 添加辅食容易了

冬季辅食的添加比较省事了，可以不必每顿都做新的，宝宝也比较喜欢吃了。

❖ 不必多穿衣

冬季婴儿穿的衣服相对多，活动会受到一定的限制。这个月龄的宝宝正是锻炼翻身的时候，如果穿得过多，宝宝翻身能力得不到锻炼，妈妈还会以为宝宝发育不正常。其实现在家庭取暖已经保证了足够的室温，北方虽然冷，但室内却很暖和，宝宝在室内正常穿衣就可以了，这样有利于运动。

❖ 南方要穿薄棉衣

南方冬季温度不像北方那样低，但室内却相对潮湿阴冷，婴儿穿得都比较多，因为不习惯穿棉衣，妈妈往往给宝宝穿好几层毛衣或线衣，宝宝活动受到很大的限制。建议南方的父母给宝宝准备薄一些的小棉衣，这要比穿毛衣或线衣好得多。

❖ 不要让宝宝受热

在冬季护理中，几乎没必要提醒父母不要把宝宝冻感冒了。冻着孩子的父母太少了，而把孩子穿成个大圆球的父母却不少。父母在家里只穿一件羊毛衫，却给宝宝穿很厚很多的冬衣，宝宝活动受限，燥热难忍，不爱吃奶，夜眠不安，湿疹加重。

❖ 冻疮已成为过去

育儿书籍中经常会有类似这样的内容：如何避免婴儿冻疮。其实在我国，婴儿冻疮已经是过去的事情了。现在的问题不是婴儿受冻，而是婴儿受热。由受热引起的一系列问题，已经成为冬季婴儿护理的首要问题。在发达国家中，新生儿硬肿症（新生儿寒冷损伤综合征）早已经在育儿书籍中销声匿迹，就非常能说明问题。

126. 睡眠、尿便、哭闹护理
(1)睡眠问题
❖ 与上个月差别不大

这个月的婴儿，睡觉与上个月没有什么差别。睡眠好的宝宝，可能一夜不吃奶，不哭不闹。睡在妈妈身边的母乳喂养儿，在浅睡眠期会醒来要奶吃。婴儿在浅睡眠期，会翻转身体，肢体舞动，还会伸懒腰，发出各种声音。如果妈妈怕宝宝醒来，每到这时都喂奶或抱起宝宝哄，就可能让孩子形成不良的睡眠习惯了。

❖ 睡眠习惯随父母

随着月龄的增加，宝宝睡眠习惯越发与父母的相像了。父母晚睡晚起，宝宝很容易也晚睡晚起。如果宝宝早睡早起，父母却晚睡晚起，麻烦就来了：宝宝早晨醒来不会自己玩，妈妈即使很困，也要陪宝宝玩，爸爸妈妈都会因为缺觉而一天精神不振。

❖ 白天贪睡莫影响户外活动

白天睡眠时间比较长，再加上喂奶喂辅食，几乎没有时间到户外活动。妈妈最好把宝宝的觉调整到晚上，以增加户外活动时间。

❖ 像个小精灵

这个月龄的宝宝，爱睡觉的并不多。晚上能睡10个多小时，白天能睡2个多小时就不少了。妈妈总是希望宝宝能睡能吃，但宝宝的表现常常不能如妈妈所愿。现在宝宝营养好，体能和智能发育都大大提前了，像个小精灵，睡眠时间也就不像原来那样长了。过去刚生下来的宝宝3天以后才会睁眼睛，如今宝宝刚出生，就睁开了大眼睛。我们已经不能按过去的标准来养育孩子了。

❖ 充足睡眠很重要

当然，婴儿还是要多睡的，只有保证充足的睡眠，才能使宝宝健康生长。但妈妈不要因为宝宝睡眠时间达不到书上写的标准，就忧心忡忡。睡眠长短也存在个体

宝宝·冯嘉运
在真正独坐之前，宝宝都有本能的自我保护动作。

差异，有的睡眠比较多，有的就比较少。只要宝宝吃得好，精神好，生长发育很正常，就不要硬要求宝宝睡得多了。

❖ 良好的睡眠习惯需培养

睡眠习惯是父母帮助养成的，但有的宝宝到了该睡觉的时候就是不睡，不该睡的时候却大睡，而且每天都这样，就说明宝宝自己建立了睡眠习惯。要调整是个缓慢的过程。如果某一天宝宝该睡不睡、不该睡大睡，就要注意宝宝是否有别的问题了。

(2)尿便护理

❖ 不需训练尿便

父母把精力用在训练宝宝大小便上，不是明智之举。如果宝宝排便很有规律，在不费劲的前提下，让宝宝少尿床或少换尿布，是很好的育儿选择。但如果宝宝尿便没有什么规律，爸爸妈妈很难掌握，就不要费劲地把了，更不要训练宝宝。

❖ 晚上不要勤换尿布

有的宝宝一晚上都不用换尿布，也不吃奶，这对父母和宝宝的休息都是很好的，妈妈没必要把宝宝弄醒换尿布、把尿或喂奶。如果宝宝因为不换尿布而发生臀部糜烂，出现尿布疹，可以在夜里换一次尿布。但如果因为换尿布而引起婴儿哭闹，不能很快入睡，就不要更换尿布，睡前在臀部涂些鞣酸软膏，有效防止臀部糜烂。

❖ 大便改变源于辅食

吃辅食的宝宝，大便会有些改变，可能会呈黑绿色或黄褐色，还可能会带些奶瓣，大便次数增多，有些发稀。这都不算病态，是添加辅食的正常结果。

❖ 能控制大小便是假象

宝宝排便时会用力，眼神发呆，脸憋得发红。妈妈观察到这些表现，提前把宝

郑玉巧育儿经·婴儿卷

宝抱起来，放在便盆上。这么大的宝宝，还不会控制大小便，不要为自己的宝宝还不能"控制"而着急。如果大便很软，宝宝在排便时没有什么表情，你又没有格外注意，就不会发现宝宝已经大便了。

❖ 顽固便秘要看医生

如果宝宝出现便秘，可通过添加辅食进行调理。如果达不到缓解便秘的目的，要看医生。

(3)哭闹护理

❖ 爱哭爱笑存在个体差异

这个月的婴儿，个体差异更加明显了。爱哭的可能更爱哭，因为他懂得多了，喜怒哀乐会有所表示，感觉也更灵敏了，不高兴时就会大声哭，高兴时也会大声笑。不爱哭的宝宝可能仍然很乖。会玩的宝宝闹人的时候少了。

❖ 不再是消极表达

这么大的婴儿，用哭来表达消极意思的少了，会有意地闹人。如不让他拿什么，他会用哭抗议；看不到妈妈就会哭闹；醒了没有人陪他玩时，会因寂寞而哭闹。

❖ 表现出更多积极意思

宝宝的哭有了更积极的意义。妈妈不要再把宝宝的哭仅仅当做饿了、渴了、尿了。宝宝的哭已经表达更积极的意思了。如果爸爸妈妈总是忽视宝宝的哭，不愿多陪宝宝玩，也不多抱宝宝，怕把宝宝惯坏，这会使宝宝变得焦躁不安。

❖ 多做亲子游戏

爸爸妈妈要多拿出一些时间陪伴宝宝，抱抱宝宝，抚摸宝宝。多做亲子游戏，尤其是爸爸的参与，会对宝宝身心健康发展起到积极的作用。不要把养育孩子视为妈妈的事情，在养育孩子的过程中，爸爸的角色是很重要的。

宝宝 / 王震坤

这么大的婴儿会有目的地拿他想要的东西，如果父母不给或从宝宝手中抢过来，宝宝会以哭表示不满。

127. 衣服、被褥、床、玩具

(1)衣服

要穿宽松、柔软、透气好、质地好的衣服。婴儿生长发育迅速，如果购买合身的衣服，很快就穿不了，多数妈妈会因此给宝宝购买尺码大些的衣服。但不要购买过大的衣服，尺码太大的衣服，把宝宝手脚都盖上了，会影响宝宝的手脚运动。不要购买过多的衣服，够替换的就可以了。挑选贴身穿的内衣时，要注意接缝，如果接缝比较硬，会摩擦宝宝稚嫩的皮肤。最好挑选接缝朝外的内衣。

(2)被褥和床

对被褥和床的要求，与上个月没有太大的区别。宝宝开始踢被子了，如果给宝宝用睡袋了，一定要挑选宽敞的睡袋，以免影响宝宝肢体活动。不要让宝宝睡在很软的床垫上，以免影响宝宝的脊椎发育。

(3)玩具

❖ 适宜本月婴儿玩的玩具

带把的小摇铃、床上挂玲、带挂铃的爬垫、色彩鲜艳的动物模型、识物挂图、婴儿学习桌、各种彩球、日常生活中的小物件。

189

❖ **不适宜本月婴儿玩的玩具**

这个月的婴儿，手眼配合能力还有限，手里拿着玩具会碰着脸，不宜选用铁质和硬木质的玩具，最好让宝宝拿软塑玩具。

什么都放在嘴里吃，是这个月婴儿的特点，能够啃坏的玩具不要拿给宝宝玩。如果能够啃下来，宝宝可能会咽下去，堵塞嗓子眼，这是非常危险的。

❖ **踢着玩**

这么大的婴儿会用手玩玩具了，也会用脚踢床边挂着的玩具。开始对玩具产生兴趣，带声响的玩具会引起宝宝更大的兴趣，宝宝也很喜欢容易抓握的玩具。可以把玩具挂在婴儿床上，让宝宝用脚踢，当宝宝踢出响声时，会高兴地大笑，这是很好的运动项目。

❖ **慎选音乐玩具**

购买音乐玩具要谨慎，音质和音调差的，会影响宝宝的音乐感。要给宝宝听最好的唱片，最优美动听的乐曲。婴儿对音乐很敏感，不要破坏了婴儿先天的音乐鉴赏力。许多能发出音乐声响的玩具，音质很差，最好不要购买。

❖ **玩具的清洁**

婴儿肠道抵御病原菌的能力弱，而这时的婴儿拿到什么都会放到嘴里，玩具的清洁消毒很重要。每天早晨用清水清洗玩具，留待宝宝玩。每周用消毒液清洁玩具一次。

❖ **玩具品质**

要挑选品质好的玩具，宁少毋滥。掉色、掉零件、劣质的玩具不要拿给宝宝玩。对亲戚朋友送过来的玩具，一定要做质量检察，不可大意，免得引发危险，后悔已晚。

(4)洗澡

这个月洗澡护理与上个月没有什么区别，安全仍然是重点。如果宝宝皮肤比较干燥，就不要频繁使用洗浴液，用清水洗澡就可以了。如果宝宝有湿疹，要减少洗澡次数，每次洗澡后要涂保湿护肤品。

128. 防意外事故

(1)户外活动

本月龄宝宝户外活动的护理，在婴儿能力与护理的章节中比较详尽地谈到了。这里再次提醒父母们注意：户外活动不是只带宝宝出去就行了，还要不断和宝宝交谈，把看到的东西指给宝宝，教宝宝这是什么，那是什么。宝宝就是这样在爸爸妈妈不断唠叨中认识世界的。把宝宝带出去，就和周围成人聊天，把宝宝搁在一边，这样的户外活动失去了意义。

宝宝会翻身了，发生意外事故的几率增加了，宝宝从床上掉下来的事情最容易发生。在宝宝能触及到的范围内，不要放置可能引发危险的物品，如剪子、熨斗、暖水瓶、水果刀等坚硬的东西。婴儿会把能抓到的东西放到嘴里，所以不要把能吞到嘴里的小东西放在宝宝身边，不要把塑料布放在婴儿身边，以免发生堵住呼吸道的险情。

我曾接诊过这样一个患儿，女婴，5个月大，呼吸衰竭。不幸是这样发生的：妈妈在厨房做完饭回到婴儿房间，发现宝宝脸上蒙着一块塑料薄膜。宝宝脸色紫绀，正在呻吟。由于口鼻被塑料薄膜堵塞，宝宝没有能力把塑料薄膜拿开，呼吸道被堵，出现窒息，导致呼吸功能衰竭。妈妈急忙把宝宝抱到医院，经过紧张抢救，宝宝的生命总算保住了，可宝宝脑部由于缺氧时间过长，受到极大损伤，多么惨痛的教训啊！

由此我建议爸爸妈妈和其他看护人，要学习一些必要的急救知识和方法，比如人工呼吸方法、心肺复苏方法等。

(2)人工呼吸方法

第一步：用一只手轻轻压住宝宝前额，使头稍往后仰，另一只手的一个手指轻轻托起宝宝下颌，检查口腔内是否有异物，如有立即清除。如果头部平放，下颌没有抬高，舌头是下垂的，堵塞呼吸道，抬高后呼吸道是畅通的。

第二步：如果你确定宝宝已经没有呼吸了，开始实施人工呼吸。你把嘴张开，深吸一口气，捏住鼻子不漏气，用你的嘴盖住宝宝的口部吹气，然后松开口鼻，连续做2次，每一次都要吸进新鲜空气后进行。

第三步：如果宝宝有了生命迹象，每3秒钟进行1次人工呼吸，持续做1分钟。直到救护车到达为止，不要停止人工呼吸。

(3)心肺复苏方法

第一步：同人工呼吸第一步。

第二步：同人工呼吸第二步。

第三步：同人工呼吸第三步。

第四步：食指中指并拢，放在宝宝胸骨下三分之一处（两乳头连线中点下方），用力向下按压，使胸骨下陷约1.5-2厘米，

3秒钟内按压5次，另外一只手放在宝宝颈背下方，头部保持正位，使宝宝颈背下方没有空洞，保证按压力量能到达心脏。新生儿和小婴儿可用环抱法进行按摩，即用双手围绕胸部，用双手拇指进行按压，使胸骨下陷1.5-2厘米。

第五步：深吸一口气，把嘴唇完全盖住宝宝口部，捏住口鼻向宝宝吹气，进行人工呼吸。重复心脏按摩和人工呼吸约1分钟。在救护车没有到达前不要停止心肺复苏。

(4)窒息（气管异物）的救助步骤

第一步：拍击背部5次

把宝宝面部朝下放在你的一只胳膊或一条腿上，保持宝宝的头低于身体，用手指支撑宝宝的下巴，用另一只手的跟部连续拍击宝宝的背部（两肩胛骨中间部），共5次。检查宝宝的口腔，看是否有异物出来，及时清理干净。

第二步：挤压胸部5次

如果拍击背部没有成功，就把宝宝翻转过来，保持宝宝头部低于身体。把两个手指放在宝宝胸骨上（两乳头连线中下部），向上按压5次。如果宝宝口腔中有异

宝宝／观哲仁
　　宝宝并没有看镜头。婴儿对物体的注视是凭着对物体的兴趣。宝宝感兴趣的东西，一种是被动地吸引，比如声音、色彩。另一种是宝宝主动寻找的他感兴趣的东西。婴儿更喜欢看色彩斑斓的、活动着的物体。

物，立即清理。

第一步和第二步两个步骤连续做3次，并等待急救车的到来，或直接带宝宝去急诊就诊。

(5)鼻腔和耳内异物急救方法

当你发现宝宝把小东西塞到鼻孔或耳朵中时，千万不要慌张，以免吓到宝宝。

观察小东西部位，判断是否能够用手取出来，如果用手能够取出来是最好的，因为手是最好用的。

如果需要借助工具取出小东西，最好用小镊子。有父母会想到用筷子，但筷子太粗，可能会把小东西顶到深处，夹的力量也不足，很容易在半路脱落。用镊子取物时一定要固定好宝宝的头部，如果宝宝挣扎，镊子可能会伤及宝宝或把异物顶得更远。

如果父母没有把握，或宝宝不能配合你的行动，最好带宝宝去医院。由专业医生为宝宝取出异物是比较安全的。

不要擤鼻涕。妈妈可能会尝试着让宝宝像擤鼻涕一样把异物擤出来。这样做不是很好，因为当宝宝知道鼻腔内有异物时，通常会比较紧张，宝宝可能会向里吸鼻涕，结果异物被吸到深部。（更多内容请参阅《郑玉巧给宝宝看病》）

129. 护理难题：辅食、哭闹、便秘、湿疹

(1)辅食添加困难

添加辅食困难的婴儿并不少见。有的宝宝，除了母乳什么也不吃。是对辅食不感兴趣，还是不喜欢使用餐具？

在门诊中，常会遇到这样的妈妈，她们为了给宝宝添加辅食费尽心机，不断向医生讨教添加辅食的技巧，因为几乎所有

宝宝 / 王震坤
宝宝双手拿着玩具啃得非常认真。这么大的宝宝什么都往嘴里放，妈妈不必干预，只要是安全清洁的，就尽管让宝宝用嘴去认识。宝宝还不知道什么是能吃的，什么是不能吃的，对于这么大的宝宝来说，把东西放在嘴里，意义不在吃，而在对事物的认识。

的技巧都不管用。

有的妈妈甚至和宝宝较劲，不吃辅食就不给吃奶。这是完全错误的，宝宝不愿吃辅食，就只能暂时不加辅食了，也许到了下个月，宝宝就会很痛快地吃辅食了。

没有因为一直不吃辅食而断不了母乳的情况。吃辅食只是时间问题，妈妈不要因添加辅食困难而烦恼，总有一天宝宝会很高兴地吃辅食的。

这个月并非必须添加辅食，如果宝宝不喜欢吃辅食，可等到下个月再加。千万不要和宝宝较劲，更不能强迫宝宝吃辅食，那样的话，会使宝宝厌烦辅食。

(2)突然阵发性哭闹

这个月龄的婴儿，尤其是较胖的男婴，某一天会突然出现下列情况：

• 剧烈哭闹，无论如何也哄不好。

• 吃奶可能会吐，哭闹时似乎不敢使劲打挺。

• 脸色不是发红，反而可能会发白。

• 屁股可能向后撅着，腿蜷缩着。

• 哭了有10来分钟，哭闹戛然而止，变得比较安静。

• 喂奶能吃，也可能会被逗笑，与平时

无大区别，可过不了一会儿突然又哭闹。

• 这样的哭闹，一次比一次剧烈，反复发生。

爸爸妈妈应该意识到，宝宝可能患了肠套叠。肠套叠是婴儿期最严重的外科急症，如能早期发现，非手术方法就可治疗。但如果延误诊断，套叠的肠管会发生缺血坏死，需要手术切除坏死的肠管，使婴儿的健康受到很大危害。

肠套叠很容易被误判，关键是要想到这么大的婴儿可能会患这种病，这就会大大减少误诊的可能。如果父母没有想到这种可能，就可能不会半夜带宝宝看医生，可能会认为宝宝在耍脾气。尤其是平时爱哭闹的宝宝，爸爸妈妈更容易这么想当然。

肠套叠的宝宝，并不会持续哭闹，常常是哭一会儿，歇一会儿，这就使父母不急于去医院。即使到了医院，如果宝宝暂时没有哭闹，缺乏临床经验的医生，也可能会误诊的。如果父母这时能及时提醒医生说："我的宝宝会不会是肠套叠啊？"医生也会警惕起来。如果不能确诊，医生会请上级医生或X线医生会诊。提前几个小时能诊断出肠套叠，就可能使宝宝免除手术的痛苦。

如果正在腹泻的宝宝，突然阵发性哭闹，尽管不是胖宝宝或男宝宝，也要想到发生肠套叠的可能。

(3)便秘

无论是配方奶喂养，还是母乳喂养，都有可能出现便秘；绿叶菜中的芹菜和菠菜，含有较多的纤维素，对缓解便秘是比较有效的；多吃胡萝卜泥，对缓解便秘也比较有效；在菜里加些芝麻油也有一定的效果；水果中的葡萄、西瓜、梨、草莓、香蕉等，对缓解便秘也有一定效果；人们都知道蜂蜜有润肠作用，但1岁以内的婴儿最好不吃蜂蜜。

婴儿便秘不能使用泻药，如果不是拉不出来，最好不要使用开塞露或灌肠，以免产生依赖性。

父母双方或一方有便秘的，宝宝发生便秘的几率增加。有便秘家族史的，多难以纠正，宝宝一旦出现便秘，要认真对待，养成定时排便习惯，把排便当回事，如果宝宝两天没有排便，第三天一定要想办法，争取宝宝排便。

可采取腹部按摩、热气熏、刺激肛门皱褶处、棉签沾香油刺激肛门口、塞肥皂条等措施。采用这些方法时，一定要放松心情，不要让宝宝感觉到你的紧张情绪，不能引起宝宝的害怕心理。

发生肛裂要及时治疗，以免宝宝因疼痛而拒绝排便，形成恶性循环。肛裂的处理方法是，排便后，用淡的高锰酸钾水坐浴一两分钟，用清水冲洗臀部，在肛裂处涂上红霉素眼膏，也可涂龙胆紫少许。肛裂未治愈前，一定不要让宝宝排干硬的大便。如果大便干，可服用益生菌或乳果糖。

宝宝 / 杨力宁

宝宝很喜欢趴在床上，看着外面，好像在说外面的世界很精彩，我想出去看看。

(4)顽固的婴儿湿疹

如果宝宝是渗出体质，基本上会有这样的体质特点：比较胖，皮肤细、白、薄，爱出汗，头发黄稀，喉咙里好像总是呼哧呼哧有痰，妈妈把耳朵贴在婴儿胸部或背部，甚至能听到呼呼的喘气声，像小猫似的。渗出体质的婴儿湿疹多比较严重，一旦感冒可能会合并喘息性气管炎。

如果是母乳喂养的婴儿，妈妈要少吃辛辣和鱼虾等容易过敏的食物，多吃水果蔬菜。

如果是配方奶喂养，可选择低敏（部分水解蛋白）或无敏（完全水解蛋白）配方奶，补充维生素AD、维生素B和维生素C。钙、锌、铁缺乏，会加重湿疹，要注意补充。

130. 免疫接种

这个月婴儿应该接种第二针百白破疫苗，口服脊髓灰质炎糖丸。**(更多有关疫苗问题，请参阅第十三章)**

第六章　5-6 个月的婴儿 (150—180 天)

这个月的宝宝能快速从仰卧位翻到俯卧位；

部分宝宝能从俯卧位翻到仰卧；

会主动伸手够物，并把物体从一只手倒到另一只手；

什么都放在嘴里啃咬；

叽里哇啦，发出更多的语音；

尝试添加辅食……

第1节 本月婴儿特点和生长发育

131. 本月婴儿特点

(1)最初的生疏感

❖婴儿间的差异是正常的

与上个月相比，这个月婴儿在各个方面都有不同程度的进步。需要提醒爸爸妈妈的是，每个婴儿的发育进展程度不尽相同，如果您的宝宝比周围宝宝发育稍慢，并不说明宝宝发育落后。书中所写一般都是平均指标，许多个别情况并未涉及。爸爸妈妈无论读哪本育儿书籍，都要有所分析和取舍。遇到不解的问题，要向身边的医务人员询问。

宝宝／温腾飞

❖宝宝有了最初的生疏感

婴儿对外界事物越发感兴趣了，看到爸爸妈妈，会高兴地笑，手舞足蹈的。生人不再容易把宝宝从妈妈怀中抱走。看到陌生人，会瞪大惊异的眼睛，如果这时试图抱他，宝宝可能会大哭。但如果用吃的、玩具、到户外玩等方法引逗婴儿，他还是会高兴地让你抱过来的。这时宝宝已经有性格了，有的宝宝就是不让陌生人抱，有的见到陌生人照样笑，很快就会和陌生人玩起来。认生与否，与宝宝的聪明程度没有关系。

(2)梦中啼哭

这么大的婴儿，学会了害怕某些现象，睡眠时会突然哭闹（父母往往称为"受惊吓"）。这主要是因为，婴儿开始把白天遇到的不愉快或让他害怕的事情做到梦里了，梦见"可怕"场景，就突然尖叫或大声哭喊起来。如果宝宝在白天连续经历"害怕"的刺激，就可能成为"夜哭郎"。因此，爸爸妈妈或看护人在护理宝宝时，要尽量避免宝宝受到不良刺激。如果一直由妈妈看管宝宝，现在妈妈要上班，白天由看护人照看，夜间可能会哭闹。另外，让婴儿听到怪声，看到吓人的电视画面，看到爸爸妈妈吵架、摔东西，户外活动时小狗对着婴儿吠叫，扎针等刺激，都有可能变成宝宝晚上的梦魇。

(3)伸手够物、脚尖蹬地、啃脚丫

❖宝宝会主动伸手够物

宝宝的眼神更加灵活。比如，把玩具弄掉了，会转着头到处寻找；会伸手够东西或从别人手里接过东西。这时的宝宝仍然不知道什么能放到嘴里，什么不能放到嘴里，所以总是把手里的东西放到嘴里吸吮或啃咬。

❖脚尖蹬地不意味着发育异常

肢体活动能力增强，脚和腿的力量更大了，让宝宝站在你的腿上，会感到小脚丫蹬得你有些痛。宝宝会用脚尖蹬地，身

郑玉巧育儿经·婴儿卷

体不停地蹦来蹦去。但比较安静和内向的宝宝，可能会较少蹦跳。

❤ 用手抱着小脚丫啃

宝宝喜欢热闹了，人越多越好哄了，不再喜欢躺着了。多数宝宝还不会独坐，独坐时整个上身向前倾，头扎到脚丫上。躺着时，有的宝宝能用手把脚丫抱到嘴上啃。妈妈喂奶时，宝宝也常抱着自己的小脚丫。

(4)吃奶时对声响特别敏感

宝宝不再像原来那样认真吃奶了，吃奶时，会因为外界声响而停止，把头转过去，看个究竟。妈妈不要认为宝宝不好好吃奶，其实这正是宝宝对外界反应能力增强的表现。要尽量在比较安静的环境中吃奶，养成宝宝认真吃奶的习惯，以免以后吃饭不认真。

(5)大便的变化

添加辅食的婴儿，大便会有所改变，如变稀、发绿、次数增多、有奶瓣等，也有的非但不稀，还会干燥。不要因为大便轻微的变化就停止辅食添加，更不要轻易服用抗生素，除非患有细菌性肠炎。抗生素会杀灭肠道正常的菌群，破坏肠道正常的内环境。爸爸妈妈应该清醒地认识到这一点，切莫乱用抗生素。

❤ 不要动辄就带宝宝去大医院

医院是患儿聚集的场所，即使有很好的隔离措施，在候诊过程中，也难免会发生交叉感染，不要动辄就带宝宝去医院。宝宝流一点清鼻涕、咳嗽一两声、有些发热、大便有点稀、皮肤起几个小疙瘩等，都不需要马上去医院。多观察，多给宝宝喂些水，多让宝宝休息，别再疯玩等等，也许就好了。如果很担心，先向医生咨询。如果医生认为需要带宝宝看看，就近就医，最好先到社区医院，社区医生认为有必要时，再去大医院。这样对宝宝好，也减轻了大医院医生超负荷接诊的压力。

132. 本月婴儿生长发育

(1)身高

这个月的婴儿，身高可增长2.0厘米左右。运动对宝宝身高的增长有很大促进作用。户外活动，不但促进宝宝的智能发育，还能让宝宝沐浴阳光，促进钙质吸收，使骨骼强壮，长骨增长。

托住宝宝腋下，宝宝两腿会不断跳跃；宝宝躺在床上，会四肢舞动，用腿蹬被子，踢挂在床栏上的玩具；俯卧位时，用手够前方的物体，小脚蹬来蹬去。这些运动对身高的增长都是有好处的。多给宝宝活动机会，不要总是抱着宝宝或把宝宝放在车里。

(2)体重

这个月的婴儿，体重可增长700克左右，增长快的，一个月可增长1000克，长得慢的，一个月只增长500克。增长过快和过慢都不好，妈妈要尊重宝宝的食量，不需要刻意控制奶量，也不要强迫宝宝多吃。

(3)头围和囟门

这个月的婴儿，头围可增长1.0厘米。关于囟门，爸爸妈妈最担心两点：囟门小和囟门大。

❤ 囟门小

囟门小，并不等于闭合，也不意味着就要闭合，妈妈不必过于担心。有的宝宝生下来囟门就比较小，有的就比较大，是否异常，还需要结合头围增长情况综合考虑。囟门无论是小还是大，只要头围增长

宝宝 / 姜杼君
宝宝会独坐了，但还不能挺直腰板，时间长了还需要用上肢支撑着。
当宝宝不需要用手支撑着身体时，就能坐着玩玩具了。

正常，就极少有病症。

如果头围增长过快或过慢，在正常范围之外，就要排除疾病所致，如小头畸形、狭颅症、石骨症、脑积水、脑水肿、巨脑症等，这需要医生确定。如果医生说没有

问题，妈妈就不要自寻烦恼了。

❖ **囟门大**

有的妈妈认为，囟门大就是缺钙，这种认识很片面。妈妈所说的缺钙，医学上称为佝偻病，囟门大不能作为佝偻病的诊断依据，同样，囟门小，不能就此认为，补钙多了。仅凭囟门大小就判断宝宝缺钙或补钙多了，没有什么科学依据。

宝宝是否缺钙（佝偻病），需要症状、体征和辅助检查等综合依据来诊断。妈妈切不可因为宝宝囟门大就擅自增加维生素D和钙量，也不要因为宝宝囟门小就完全停服维生素D和钙。一个健康的婴儿，正确护理，科学喂养，有效预防，是不会无缘由缺钙或多钙的。妈妈切莫在这个问题上忽左忽右，要不就大补特补，要不就完全不补。

第2节 本月婴儿能力

133. 看的能力：单纯的看已经不是目的了

随着婴儿月龄的增加，白天睡眠时间逐渐缩短，头能够向任何方向转动，视野扩大，视觉灵敏度提高，手眼协调能力增强。这些都有利于婴儿积极探索身边世界，获取信息。

爸爸妈妈要把握每一时机，帮助宝宝观察认识周围的环境。室内物品都要让宝宝看看，并告诉宝宝这些物品的名称、作用、形状、颜色等。帮助婴儿视、听、触觉的相互结合与协调。

室外活动对婴儿发展非常有益，爸爸妈妈和看护人要引导宝宝看外面的事物，如路上跑的车、小动物、楼房、花草树木

和行走中的人。能够让宝宝触摸的就让宝宝摸一摸。单纯的看已经不是目的了，要在看的过程中引导宝宝分析看到的事物，获得认识事物的能力。

❖ **视觉能力训练**

制作或购买图卡。图卡单边长度不要小于20厘米，内容明确、形象准确、图画清晰、一目了然。比如画动物，就只画一个动物，并在画旁注上动物的名称（方块字单边不要小于2厘米）。每天给宝宝看和讲解至少5张的人物、动物和各种实物卡片，每周至少换上1张从未看过的卡片。

带宝宝玩耍和游戏时，要随时观察其反应：宝宝是否对目前的玩耍有兴趣？宝宝的情绪是否饱满？宝宝在注视着什么？

看到某物或某人时的表情是怎样的？这样能够帮助你和宝宝进行积极的互动和有效的沟通，这一点是非常重要的。

比如妈妈教宝宝认识墙上挂的钟表，常用的方法是向宝宝发问"钟表在哪里呢"，然后指着墙上的钟表给宝宝看。如果碰巧宝宝情绪不错，按照你的指引，宝宝看到了，你就会认为教学成功了。其实这只是在培养宝宝被动接受知识的习惯，没有满足宝宝主动探索的知识需求。

当妈妈观察到宝宝正盯着钟表看时，就马上告诉宝宝，宝宝正在看钟表，钟表是来记录时间的，再过10分钟（用手指示表盘），妈妈就该给宝宝喂奶了等等。这样的做法，就满足了宝宝主动探索时对生活常识的需求，有利于培养宝宝主动学习的精神。

爸爸妈妈们要特别注意，培养宝宝主动学习的精神，比教宝宝具体知识重要百倍。当宝宝注视某一物体，或关注某一事物时，爸爸妈妈及时给予回应，积极互动，这就是在培养宝宝积极探索的精神，满足宝宝主动学习的欲望。当宝宝对一个目标失去了兴趣，妈妈也要停止讲授，注意发现宝宝新的兴奋点。在宝宝兴趣盎然的时候引导宝宝，是最好的潜能开发。

134. 说的能力：咿呀学语

随着月龄的增加，婴儿对语音的感知逐渐丰富，发音变得主动，会不自觉地发出一些不很清晰的语音，会无意识地发出"ma-ma"、"ba-ba"、"da-da"等声音。

❖ 语言能力训练

这个阶段，训练婴儿学习语言的最佳途径仍然是倾听并解读宝宝在说什么，并给予积极回应。你所说的都是围绕着宝宝所做、所看、所想，而不是自顾自地说，更不是喃喃自语。让宝宝多看、多听、多摸、多做，不断感受语言、认识事物。

当宝宝发出语音时，爸爸妈妈要积极地作出反应。宝宝发出"ma-ma"的语音时，妈妈要马上说"妈妈在这里"（要给宝宝起个固定的乳名，经常用名字称呼宝宝，使宝宝把名字和自己联系起来）。

做任何事情之前，都应该说"妈妈要做……"。让宝宝熟悉妈妈这个称谓。把语言和实际结合起来，宝宝会快速学会发音，并能运用它。

135. 听的能力：能记住声音了

婴儿有着敏锐的听力，对听到的声音开始有短暂的记忆能力。能听出爸爸妈妈和看护人的声音，听到声音时会转头寻找声源。听是学习语言的基础，听不懂，就不会说，所以训练宝宝的听力是很重要的。

晚上关了灯，宝宝哭闹时，妈妈和宝宝说话，或者是哼唱摇篮曲，即使宝宝看不到妈妈，也没有用身体接触妈妈，哭声都会停止。如果是陌生人说话，就不会让宝宝停止哭声，可能会哭得更厉害。

当看到小狗并听到小狗叫时，告诉宝宝这是小狗在叫。经过多次反复强化，宝宝再听到小狗叫时，会寻找小狗在哪里。

婴儿期多听音乐是很有益的。婴儿对音乐旋律有特殊的感受，当播放音乐时，宝宝会随着音乐的旋律摇晃身体，能随着音乐的节拍晃动。宝宝对音乐有天生的感受，要多给宝宝听音乐。

❖ 听觉能力训练

每天在宝宝情绪好的时候（最好选择一个固定的时间）给宝宝朗诵诗、词和儿歌。婴儿非常喜欢节奏感，给宝宝朗诵时，节奏感要强，要富有情感，抑扬顿挫。妈妈可能会认为电视或广播语音准确，给宝宝放录音岂不是更好。不是这样的，婴儿不能从电视或广播中学习语言。婴儿是通过与爸爸妈妈全方位的沟通与交流学习语言的，婴儿更愿意，也更能接受来自爸爸妈妈的语言。

136. 运动能力

这个月的婴儿，能够很容易地从仰卧位翻到俯卧位。有的婴儿已经能够从俯卧位翻到仰卧位了。翻身时会把压在下面的手或胳膊拿出来，但不是每次都能够这样。当宝宝翻身时，要注意宝宝的手是否被压在下面了。

尽管大多数婴儿还不会在床上翻滚，但婴儿会通过很多种方法移动自己的身体，还是有掉到地上的可能。不要让婴儿单独玩耍，床上要有栏杆。

俯卧位时，宝宝会用胳膊把前胸支撑起来，累了，会把前臂放平，用肘关节和上臂支撑着。头抬得比较高，能够自由活动颈部，环顾四周，婴儿的视野扩大了。

把前胸放在叠起的被子上，让宝宝趴着。宝宝会伸开下肢，向前一挺一挺的。这样锻炼宝宝的腿力，对以后锻炼爬行有帮助。

宝宝背靠东西能坐，身体会向前倾斜，前胸几乎和下肢贴上，嘴能啃到小脚丫。快满6个月时，有的宝宝能够坐直一会儿了，但不要急于让宝宝独自坐着。

竖头使婴儿脊椎出现第一个生理弯曲。坐使婴儿脊椎出现第二个生理弯曲。婴儿的脊椎和骨盆肌肉、韧带、神经发育是有一定顺序的，过早让宝宝坐着，会影响婴儿各部位的正常发育。因此，不必在这个阶段经常训练宝宝坐，偶尔为之就可以了。

在训练婴儿运动能力时，不能拔苗助长。让婴儿俯卧位时，用手抵住婴儿的足底，婴儿会向前爬跃，但不会有四肢前后协调运动的爬行动作。这样的训练，对以后婴儿爬行是有益的，但动作要轻柔，不要让宝宝的脸栽到床上。

仰卧时，婴儿会蹬腿，还会两手同时掰着两只小脚丫往嘴里放。宝宝会认真地摆弄自己的两只小手，喜欢吸吮手指。有时会把手和脚统统塞到嘴里，出现干呕。一般还是最喜欢把拇指放到嘴里吸吮。

拿着玩具会来回摇晃，会把摇铃摇得很响，会用手拍打眼前的玩具。如果把不倒翁玩具放在婴儿面前，他会推着玩。会抱着奶瓶吃奶了。

爸爸妈妈托住婴儿腋下，让宝宝站立时，宝宝会欢快地跳跃。这既锻炼了宝宝的腿部肌肉，为学习走路打基础，还使宝宝心情愉快。

宝宝已能够准确抓握眼前的物品了，还会把东西比较准确地放到嘴里。要进一步练习抓握能力，锻炼宝宝的手眼协调能力。这时宝宝可以吃磨牙棒了，这对乳牙生长有益。

宝宝的运动能力和其他能力都是按一定的次序发展的，有一定规律性。但并不是每个婴儿都完全按照这样的模式发展，有的落后些，有的发展快些。有一些差别

宝宝／吕艾麟（女）、吕怡麟（男）
两个宝宝挤在沙发上，刚刚吃过菜泥，还沾在嘴巴上。能猜出来哪个是哥哥，哪个是妹妹吗？妈妈说哥哥肤色比较黑，妹妹比哥哥白皙些；哥哥看起来比较淘气，妹妹比较文静。

是正常的，不要因为您的宝宝和周围同龄宝宝发育不同步，或与书本上说的有细微差异而感到焦躁不安。只要宝宝在不断进步，就不要在乎某一项发育暂时落后。

❤ 运动能力训练重点

随着月龄增加，婴儿主动运动能力增强，要尽可能地给宝宝创造独自玩耍的机会，不要总是把宝宝抱在怀里。在宝宝吃饱喝足情绪好的时候，把宝宝放在安全的活动场地，让宝宝尽情地玩耍。这么大的婴儿还不能独处，爸爸妈妈或看护人要时刻守在宝宝身边。

❤ 训练爬

在地板上铺上爬行垫，让宝宝俯卧在爬行垫上，爸爸妈妈趴在宝宝前面，伸出手迎接宝宝，宝宝就会努力爬过去，也可以在宝宝前方放一些玩具，鼓励宝宝向前爬，够到玩具。玩具不要离宝宝太远，太远了，宝宝就索性放弃不够了。如果宝宝努力了一会儿，仍然没有向前移动够到玩具或妈妈的手，妈妈要适时递给宝宝，以增加宝宝信心。

137. 其他能力

宝宝开始喜欢和人交流，尽管不会用语言表达，但已经开始用身体的不同部位、动作、哭、哼哼、闹等方法，向爸爸妈妈诉说他要干什么。会伸出胳膊让爸爸妈妈抱，会看着爸爸妈妈不抱他而显出着急的样子，这在以前是看不到的。

躺够了，会"吭咪，吭咪"的，发出不愿意的声音；如果不理会他，会哭；再不理，会大声哭，最后几乎是喊叫地哭了；不满意时，会打挺。

如果不想吃奶，妈妈非要喂，就会在妈妈怀里打挺。如果用奶瓶喂，会用小手推开奶瓶，或把塞到嘴里的奶嘴很快地吐出来，把头转到一边去。

如果不爱吃辅食，会用小手把勺里的饭打掉，甚至会把端到他眼前的饭碗打翻。

如果喂白开水，他不爱喝，会嘟嘟地吹泡玩，一点也不见水下去，他根本就没有吸也没有咽。以前哪会玩这个小把戏！

站在镜子前，不再不知所措了，会啪啪地拍着镜子，乐得不得了。会抓爸爸妈妈的鼻子、脸，有时能把爸爸妈妈的脸抓疼了，如果没有剪指甲，还会抓出个大红道子呢。

高兴时，仰卧躺着，四肢像跳舞似的，有节奏地踢来踢去。宝宝会把腿举起来，重重地"捶打"床板，妈妈很担心宝宝被磕坏了脚后跟。不要有这样的担心，宝宝不会伤害自己。

如果不高兴，腿蹬得就没有节奏了，一会儿可能会大声哭起来，两腿挺直，气得肢体抖动，会把妈妈吓着，以为宝宝抽风了，其实这是耍脾气，抱起来哄一哄会好的。如果让宝宝哭的时间长了，哭得伤心了，哄也不管事，就是哭，谁让爸爸妈妈这么长时间不理呢，抱着宝宝好好出去玩一圈吧。

宝宝会要了，如果宝宝在哭闹，妈妈自然会认为宝宝饿了，渴了，尿了，拉了，热了，冷了，要不就是哪里疼了。可能什么都不是，他在要呢，宝宝在要什么呢？妈妈很难猜到，猜不到不要紧，给宝宝安慰就行了。

宝宝的情感世界也丰富多了。爸爸妈妈要更多地观察宝宝，理解宝宝。宝宝是本难懂的书，但只要用心去读，都会读懂的。

138. 能力开发的几个经典游戏

❤ 游戏前言

玩是婴儿的天性，是婴儿必不可少的

活动项目。爸爸妈妈不仅要把宝宝喂饱穿暖，别磕了、碰了、伤了，还要天天抽出时间和宝宝玩，这是育儿最重要的一项内容。在玩中开发婴儿的智力，在玩中教婴儿说话，认识世界，在玩中让宝宝快乐成长。

宝宝需要的是兴趣、乐趣和高涨的情绪，如果爸爸妈妈像孩子一样和宝宝玩耍，那是对宝宝健康发育的最大奉献。教练技能和传授知识对婴儿来说不是首要的，让婴儿在玩中体验快乐才是育儿的目的。

在和婴儿玩耍时，要舍得花时间，这样才能提高婴儿的主动能力。如果怕耽误时间，什么游戏都要爸爸妈妈主动帮助婴儿完成，就会打击婴儿的积极性，挫伤婴儿的自尊心（不要认为婴儿这么小，什么都不懂）。当婴儿要够一件玩具时，由于动作不协调，怎么也够不到，妈妈就把玩具拿到宝宝跟前，说"妈妈拿给你，看一个小笨熊"，这对婴儿是个不好的信息。如果妈妈能不动声色地悄悄把玩具推到婴儿能抓到的地方，最好还差那么一点，婴儿稍加努力就能抓到，那么婴儿抓到玩具后，就会非常高兴，会增强婴儿探索世界的勇气。

当爸爸妈妈抱着宝宝时，宝宝可能会用小手抓你的鼻子、眼睛、嘴。爸爸妈妈要把握住这个机会，告诉宝宝这是妈妈的鼻子，这是妈妈的嘴。这样就教会了婴儿认识人的五官。

每个婴儿都有自己的性格和喜好。有的婴儿喜欢比较剧烈的活动和比较有刺激性的游戏。有的婴儿喜欢相对安静、刺激小的游戏。爸爸妈妈要了解自己的宝宝，寻找适合您的宝宝的游戏，并和宝宝一起玩。

婴儿离不开玩具，但要选择合适的玩具。在陪宝宝玩耍时，也要针对宝宝的某些弱项，加以训练。如胆子小的婴儿，就不要再和宝宝玩蹑手蹑脚的游戏，那会夸大宝宝的弱点。

❖ 抓东西游戏

这个月的婴儿，已经能够比较准确地抓东西了，但仍然是大把抓，不能分开拇指和四指，更不会用拇指和食指捏东西，手、眼的协调能力还不是很好，手的运动能力还刚刚开始。要练习宝宝抓东西，尤其是抓小东西的能力。

可以让宝宝坐在妈妈腿上，坐在桌子前，在桌子上放些玩具，让宝宝去抓，爸爸妈妈不断改变宝宝与玩具的距离，当把宝宝抱离玩具时，就说"抓不到了"，当把宝宝抱到玩具跟前时，就说"宝宝可以抓到了"，"宝宝真是有本事"，这样使宝宝把抓玩具当做一种游戏，会玩得很开心。

如果婴儿把较大的玩具拿起来，就告诉宝宝这个玩具的名字，并说这是个大玩具。如果宝宝拿一个比较小的玩具，就告诉宝宝这个玩具是个小玩具，让宝宝认识小和大，重和轻，不同颜色的名称，在游戏中认知世界。

❖ 藏猫猫

这个古老的游戏是婴儿非常喜欢的。5个月以前的婴儿，外界物体在他的脑海里还不能形成具体的印象。5个月以后的婴儿就有了这种能力。我们可以利用婴儿的这种能力和婴儿"藏猫猫"，这不但可以调动婴儿积极愉快的情绪，也有助于婴儿想象力的提高。

和婴儿"藏猫猫"是很简单的，把手或手绢蒙在爸爸或妈妈的脸上，让宝宝找妈妈哪去了，爸爸哪去了。当宝宝两眼盯着手绢时，妈妈把手绢拿开，露出脸，对着宝宝笑，并说"妈妈在这里"。宝宝会因为找到妈妈，重新看到妈妈的脸而手舞足蹈，还会发出会心的笑声。

这个游戏会让宝宝意识到，虽然妈妈

的脸用手绢挡住了，但妈妈并没消失，就在手绢后面，拿开手绢，妈妈就会出现。从不同的方向露出妈妈的脸，会使婴儿知道物体从一方消失后会从另一方出现，但妈妈的脸总是存在的。如果妈妈用手绢蒙上脸，宝宝会用手去掀妈妈脸上的手绢，这可是不小的进步，对事物已经能够判断，并能付诸行动，这是手、眼、脑共同完成的，体现了婴儿大脑的思维活动。

❧ **找东西**

把会响的东西掉到地上，让婴儿去寻找，如果找不到，妈妈就指给宝宝，并抱着宝宝，让宝宝自己把掉下去的东西拿上来，再让宝宝自己把东西掉到地上，再捡起来，反复锻炼，让宝宝知道东西掉下去了，是暂时的消失，会被找到的。这个游戏主要培养婴儿的观察能力。

❧ **绳拴玩具**

把玩具用线绳拴上，通过拽线绳，让玩具从远的地方移动到近的地方。让婴儿自己反复操作，使婴儿认识线绳与被拴物体的关系。

❧ **两手拿东西**

教宝宝用两只手同时拿东西。把一个小球递给宝宝的一只手里，再把另一个小球递到宝宝的另一只手里，最后把两个球同时递给宝宝，观察宝宝是否会伸出两只手来接这两个球，如果还不会，就反复游戏，锻炼这个能力。

❧ **随音乐摇摆**

放节奏感较强的音乐，抱着宝宝旋转摇摆。可以让宝宝靠在被子上，让他自己随着音乐节奏摇摆，每次两三分钟。

❧ **照镜子**

抱着宝宝照镜子，告诉镜子里的婴儿就是宝宝，同时，指着宝宝的鼻子、眼睛、嘴等部位告诉这是什么，那是什么，有什么功能。宝宝会用小手拍打镜子里的影像。通过看镜子里的爸爸妈妈，宝宝逐渐认识镜子是用来照人的，照出来的人，是镜子前面的人。注意选购镜子一定要保证质量，买正品，这样的镜子，一是结实，二是影像无变形。

❧ **拉起站立**

宝宝躺在床上（爸爸站在床边）或地板上（爸爸双膝跪在地板上），让宝宝握住爸爸的拇指，爸爸的其他四指轻轻握住宝宝手背和腕部，向上拉起宝宝，观察宝宝的头部是否随着身体抬起，如果已经抬起，可加快拉起速度，向上牵拉，使宝宝呈站立位。然后把宝宝放在爸爸胸前，抱住宝宝亲吻并赞扬宝宝真棒。

第3节 本月婴儿喂养

139. 母乳喂养

母乳仍然是这个月婴儿最佳的食品，不要急于用辅食把母乳替换下来。不管宝宝是否爱吃辅食，都不要因为辅食的添加而影响母乳的喂养。

有的妈妈认为自己的乳汁已经没有什么营养了，一定要给宝宝喂很多的辅食，甚至有的妈妈认为，到了添加辅食的月龄，必须给宝宝加配方奶。这样的认识是偏颇的。任何时候，母乳都优于配方奶，妈妈一定要相信，对于0~6个月的婴儿来说，母乳是喂养宝宝的最佳食物。如果因为宝宝不吃辅食，就不给宝宝喂奶，以为宝宝会饥不择食，那就错了。宝宝在饥饿时吃不到他想吃的食物，会非常伤心，甚至气愤，当宝宝大哭起来的时候，连他喜欢吃的奶都开始拒绝了。妈妈疼爱宝宝，希望宝宝多吃多喝没有错，但方式方法错了，疼爱就变成了伤害。

如果添加辅食，要在两次喂奶间隔时间添加，不需要减少喂奶次数。有的宝宝食量比较小，食欲也不是很强，在两奶之间加辅食比较困难，可适当向后推延半小时1小时的，但最好不要因此而减少喂奶次数，这个月每天最好能喂奶4次以上。

妈妈不要总是担心母乳不够，随着宝宝月龄的增加，吸吮力增强，妈妈乳房胀感消失，因此会给妈妈一个假象，觉得宝宝吃的很少，奶水很少。这是妈妈过虑了，如果宝宝吃不饱，体重增长会放缓，睡眠也不会那么踏实。只要宝宝生长发育正常，精力充沛，吃奶后很满足的样子，妈妈就放心吧，你的奶足够宝宝享用的。

妈妈尽管不像月子里那样在意饮食了，但在整个哺乳期，都不能忽视食物的多样性和营养的均衡性，什么都吃是最好的。饮食中着重吃含钙铁锌高的食物，如动物肝或血、牡蛎等海产品和坚果等。水量是一定要保证的，每天喝1600毫升不算多，如果实在不想喝水，吃饭时要多喝些汤。每天继续补钙和维生素D，如果妈妈或孩子有贫血，妈妈可再服用铁剂几周，这对妈妈和孩子都有好处。

❖ 乳腺炎还有可能发生

辅食喂得过多，宝宝奶量少了，对于母乳很充足的妈妈来说，可能会感到乳房发胀，如果不及时挤奶，仍有发生乳腺炎的可能。宝宝长了白白的小乳牙，这让妈妈高兴不已，但很快，宝宝就开始咬乳头

了，如果乳头被咬破，细菌就有可能经破损的乳头侵入乳房，引发乳腺炎。如果宝宝咬破了妈妈的乳头，最好戴上乳头罩保护，喂奶后涂少许龙胆紫。

❖ 上班坚持母乳喂养

因为要上班而断了母乳是很可惜的。有的妈妈在距离上班一个月就开始准备，减少母乳喂养次数，开始加配方奶，以免上班后，宝宝不喝配方奶，饿坏了或哭坏了。妈妈不应该这样做，而应该抓紧在家的时间，好好喂奶，多陪孩子。当妈妈上班，不在家了，宝宝会很快熟悉这样的生活；白天妈妈不在家，用奶瓶子喝奶，用小勺子吃辅食；晚上妈妈回来，再美美地吃妈妈的奶。在妈妈上班的最初一段时间，宝宝或许会有些闹人，不用奶瓶子喝奶，不吃辅食，那都是暂时的，妈妈和看护人都不要着急，一两个星期就没事了。

上班后要坚持挤奶，如果班上有条件，就把挤出的奶放在冰箱或便携式冷藏包中，留待第二天你不在家时喂给宝宝。这样就不用喂配方奶了。也可在保温桶底部放些冰块，用密闭的小杯子或储奶袋盛母乳，放到保温桶里，这样更能够保证储奶的质量。

宝宝／赵子涵

帅哥6个月会坐了。宝宝注意力好，原本坐在小车中专心玩摇铃，却被新闻联播的片头曲深深吸引，瞪他那认真劲儿，分明看不出刚刚6个月。

❖ 挤奶

把手洗净，准备好消毒的容器。拇指放在乳晕上方，其他四指放在下面托住乳房，握成一个C形，做有规律的一挤一放的动作。挤奶时，手指不要在乳房上滑动，以免摩擦皮肤造成乳房红肿。手掌要绕着乳房周围，使所有的奶汁都能挤出。一侧乳房挤3到5分钟，再换另一侧，如此交替，挤净为止。

每次挤的奶量不一定相同，开始可能少些，多练习几次，就可以挤得比较干净了。将挤出的奶水存于保鲜容器中，让婴儿的看护人来喂他。使用挤奶器须按照商品说明书操作，每天必须清洗消毒。使用挤奶器挤奶前，应先进行乳房按摩，从乳房的外围向乳头方向按摩，然后以拇指和食指轻揉乳头。

❖ 漏奶的简快处理法

挤奶的次数，要看妈妈离开婴儿时间长短来定。通常最好3小时挤一次。如果奶水在工作的时候滴溢，可用手臂稍微压住乳头1至2分钟，有条件的，最好是挤出一点奶水。奶水流溢会让妈妈很尴尬，妈妈会为此萌生放弃母乳喂养的想法。其实，奶水流溢一般都是因为有人提起了您的宝宝，这是母性的自然反应。在工作中或其他重要场合，妈妈要避免提及宝宝，当有人提起时，最好找借口暂时离开，挤些奶出来，就会避免尴尬。慢慢地乳量会自然调节了，"漏奶"现象也会自然消失。上班时也可放上乳垫，以防奶液流出湿透衣物。挤出的乳汁要放在保鲜容器内。

140. 上班妈妈如何继续母乳喂养

❖ 在宝宝还没太饿时就用奶瓶喂

需要让看护人也明白，宝宝接受奶瓶需要一段时间。比较有效的办法是，在婴

儿还没饿的时候，就用奶瓶喂食。因为婴儿已经很饿了，吃到的不是妈妈的乳头，而是陌生的奶瓶，他会感到很委屈，被激怒了，哭闹甚至大哭，无论如何，也不能使宝宝停止哭闹。这时妈妈又真的不在家了，宝宝哭得死去活来，对奶瓶反感至极，以后把奶瓶拿出来，他会非常抵触。而在宝宝还没有饿的时候就用奶瓶喂，让婴儿熟悉奶瓶，即使他不爱吸，也不会因为饥饿而哭闹，耍脾气。

❖ 充分利用妈妈的气味

用奶瓶喂奶时，不要将奶嘴直接放入婴儿的口中，而是放在嘴边，让宝宝自己找寻，主动含入嘴里。把奶嘴用温水冲一下，使其变软些，和妈妈乳头的温度相近。给婴儿试用不同形状、大小、材质的奶嘴，并调整奶嘴孔隙的大小。试着用不同的姿势给婴儿喂食。喂奶前抱抱、摇摇、亲亲宝宝，在地上抱着宝宝走一走，使宝宝很愉悦，这时再用奶瓶喂可能会更好些。特别值得一提的是，奶瓶喂时，用妈妈的衣服裹着宝宝，让宝宝闻到妈妈的气味，会极大降低宝宝对奶瓶的陌生感。另外，在宝宝睡着的时候，把奶嘴放入他的嘴中，这样坚持下去，宝宝会很快习惯奶嘴。如果宝宝仍拒用奶瓶，可改用杯子、汤匙喂食。

❖ 别把奶瓶放到枕头上

一定要让看护人明白，你对母乳喂养宝宝的决心，以及母乳喂养对宝宝的好处。让看护人担负起这个责任，一定要把你挤出来的母乳，千方百计喂给宝宝。绝不能把奶瓶往枕头上一放，让宝宝自己吸食，这会极大影响宝宝心理健康发育。

❖ 溶解冷冻的母乳

从冰箱冷冻室中拿出盛有母乳的乳袋，放在盛有自来水的容器中，并把容器放在冰箱冷藏室内，大约1小时左右。解冻被

冷冻的奶时，需要把解冻的奶倒入奶瓶中，把奶瓶放在盛有75℃热水的容器中，或把奶瓶直接放到温奶器中，加热到42℃左右，就可以喂宝宝了。如果底部有些沉淀，须轻轻摇匀。

❖ 温过的母乳不可再冷冻

把母乳分成小量装，最好的容量约为60至120毫升，可根据婴儿需要的奶量来准备。解冻的母乳不可再冷冻。如果临时停电，一定要减少开冰箱的次数，以保证冷冻室的奶不被解冻。如果停电时间比较长，想办法把冷冻的奶暂时放到邻居家保存。

❖ 乳房的温度

妈妈尽量早起些，留出给宝宝喂奶的时间。一天的职场打拼后回到家里，妈妈一定想马上给宝宝喂奶了。妈妈没有意识到，这时的乳房温度还是室外的，宝宝马上吃母乳，等于吃了凉奶，有可能发生腹泻。妈妈进了家门，先喝一杯热水，等上10分钟，用温水洗一下乳房、乳头，轻轻揉搓几下，挤出一点奶不要，再抱宝宝美美地吃奶。但最好是不要挤掉"前奶"，这是因为，"前奶"的营养价值高。所以适当让乳房升温，是比较理想的选择。

宝宝 / 雨点

　　雨点5个月22天，还坐不太好，独坐还会东倒西歪。为了配合我们的拍摄，在即将歪倒的那一刻，舅妈伸出了援助之手。这不小家伙还浑然不知，对着舅妈乐呢。

❖ 和宝宝一起睡

职场妈妈由于白天喂奶次数少，乳汁分泌量可能会有所减少，所以妈妈晚上和宝宝睡在一起是最好的，可增加喂奶次数，刺激乳汁分泌。晚上，宝宝睡觉，妈妈最好也睡觉，不要坐在电视机旁到夜深。可能深夜您刚睡下，宝宝就醒了要吃奶，妈妈的睡眠整个被打乱了。

❖ 星期五

妈妈星期五上班时挤出的奶，可以冰冻至星期一喂宝宝，大周末妈妈可以亲自喂母乳了，这会刺激妈妈产生更多的母乳。星期一上班时，妈妈会稍感奶胀，其实这就更利于挤奶了。

❖ 咖啡因

妈妈多喝液体食物，多吃有营养的食物，每天多喝水、果汁或牛奶，少喝含有咖啡因的饮料。母亲体内咖啡因过多，会引起婴儿不良反应。

❖ 丈夫的体贴

上班后还坚持喂母乳的妈妈，面临的最大考验就是疲倦：工作人员、家庭主妇和哺乳妈妈这三种角色集于一身，操劳可想而知。丈夫一定要体谅妻子的操劳，担负起家庭生活的责任，尽量让妻子休息、睡眠，保证妻子有足够的体力和心情哺育宝宝。妻子也要知道自己操劳的极限，和丈夫讲明白，但不要唠叨，争取得到丈夫最大限度的帮助和疼爱。

141. 配方奶喂养
❖ 关于小胖子的临床感悟

胖宝宝招人喜爱，周围的人看到胖宝宝，会露出非常欣喜的样子，妈妈心里美滋滋的，很有满足感和成就感。相反，如果宝宝比较瘦，妈妈常常会心生内疚，觉得没喂养好宝宝，很是失败。周围的人也多会询问，孩子可不胖啊，你的奶是不是不够吃呀？是不是缺乏营养啊？带孩子看看医生吧。这些人绝对没有丝毫恶意，是真心实意关心孩子。妈妈听到这些话，心里更加难受。其实，我们在自觉不自觉中进入了一个误区，孩子胖嘟嘟的一定非常健康，孩子不胖一定有什么问题，消化不好吧？营养吸收不好吧？奶量不足吧？喂的不合理吧？事实是，宝宝体重在正常范围是最好的，过胖和过瘦都是不正常的。

原来食量就小的宝宝，辅食同样也吃得少。这种情况，纵使宝宝生长发育并不落后，长得也不瘦，爸爸妈妈仍会很着急。没有为婴儿肥胖发愁的父母，却有为宝宝不肥胖而焦虑的爸爸妈妈。

事实上，真正患有厌食症的宝宝是极少的。在大量育儿咨询中，我明显感到，妈妈总是希望宝宝吃得越多越好，体重长得越快越好。肥胖会影响孩子一生的健康和幸福，父母却意识不到，这是真正令人焦虑的。

有一位妈妈带宝宝来看我，咨询的主要问题是宝宝吃奶少，体重增长慢。宝宝3个半月，体重8公斤，身长67厘米，宝宝看起来胖嘟嘟的，两眼炯炯有神，情绪也很好。宝宝增长非常好呀！可是这个月没怎么长体重呀！原来，宝宝出生体重为3.5公斤，月子里长了将近2公斤，第二个月长了1.2公斤，第三个月长了0.9公斤，这大半个月过去了，才长了0.4公斤，现在几乎不喝配方奶。宝宝是混合喂养，从2个半月开始厌食配方奶，每天只能喂进去100多毫升的配方奶。妈妈说她的奶水少，根本不够孩子吃。

体重增长计算方法是：出生体重+月龄×0.7。按4个月计算，宝宝体重应达到6.3公斤。可见，宝宝"厌奶"的原因就是前一段的过度喂养造成的，宝宝胃肠难堪

重负啊。

142. 添加辅食

本月龄婴儿所需热量及各种营养成分，和上月龄相比无大的变化。从这个月开始，大部分婴儿可以接受辅食了，你可尝试着给宝宝添加辅食。在刚开始添加辅食时，一定记住尝试，不要强行添加。母乳仍是这个月婴儿最主要的食物来源，如果添加辅食后，影响母乳喂养，或出现其他不适情况，如腹泻呕吐等，就暂时停止辅食添加，等到下个月再添。早产儿，如果按照预产期计算满5个月了，可以尝试着添加辅食，以不影响乳类食物喂养为前提。

❖ 尊重宝宝对食物的选择

对于没有吃过的新食物，每个婴儿的反应不甚相同。有的喜欢尝鲜，没吃过的特别喜欢吃，过一段时间就腻烦不吃了。有的喜欢吃熟悉的食物，对新的食物比较拒斥。对于拒绝吃新食物的宝宝，妈妈一定要有耐心，每天都尝试着喂一点，7次过后，可能就接受了。但妈妈要掌握一个原则，绝不能强迫宝宝，一定要在愉快的气氛中喂食。宝宝把嘴里的辅食吐出来，或用舌尖把嘴里的辅食顶出来，用小手把饭勺打翻，把头扭到一旁等等，都表明他拒绝吃。妈妈要及时罢手。如果妈妈能够放宝宝一马，发生厌食的可能性就小得多了。

❖ 辅食种类

先添加什么辅食比较好呢？通常情况下是先添加谷物（米粉糊），然后是蛋类蛋黄泥、蔬菜泥、果泥、肉类等，依序进行。如果没有特殊情况，这样按步骤添加就可以了。喂养中会有一些特殊情况，有的宝宝刚吃谷物会出现腹泻，而吃蛋黄却没事，那就暂时停掉谷物，先添加蛋黄。有的妈妈母乳很足，宝宝已经比较胖了，营养状

况很好，这个月可以暂时不加辅食，只吃奶，等到下个月再添加。如果宝宝是配方奶喂养，奶吃得也很好，只是大便有些干燥或便秘，可先添加菜泥和果泥。

❤ 购买现成辅食

刚添加辅食，宝宝吃得很少，做多了吃不了，又不习惯做一丁点辅食。在添加辅食初期，可以购买现成的辅食，如米粉、菜泥、果泥、肉泥、肝蛋白粉、肝泥等。

❤ 成人饮食不是宝宝辅食

成人饭菜在咸淡、油量、生熟、粗细和品种上与婴儿辅食相差甚远。所以，不要给宝宝喂成人饭菜。婴儿适宜汤类、羹类、粥类后软固体食物，不适宜干饭、煎、炒、烹、炸等食物。

143. 本月喂养十点注意

•辅食要一种一种地添加。每添加一种辅食，都要观察5天，如出现呕吐、腹胀、腹泻、消化不良、拒食等，要暂时停止添加，也不要添加另一种新的辅食，但可继续添加已经适应的辅食。一周后，再重新添加新的辅食，但量要减少。

•即使婴儿特别爱吃辅食，也不要影响奶的摄入，这个月婴儿仍应以奶类为主要食物。

•如果婴儿总是把辅食吐出来，或用舌尖把辅食顶出来，就暂时停止添加，停一周后再尝试添加。

•不要因为宝宝不爱吃辅食就不给奶吃，惩罚宝宝是错误的。

•不要因为宝宝不爱吃辅食就认为宝宝厌食，给宝宝吃药。

•不要因为给宝宝做辅食，就减少和宝宝玩，带宝宝户外活动的时间。

•母乳喂养宝宝的妈妈，不要因为要工作而断母乳。

•不要只给宝宝吃商店出售的代乳食品，可以给宝宝制作新鲜的菜泥和果泥。

•不要因为宝宝不吃辅食，就填鸭式地喂宝宝，把宝宝逼成厌食儿。

•对辅食商品说明书上标注的喂养量，不可机械照办。宝宝食量是有差异的，应该灵活地对待说明书上的推荐量。如果宝宝吃不了推荐的量，妈妈不顾宝宝的反抗，当宝宝张嘴大哭时，乘机把一勺米粉塞到宝宝口中，这种做法是极端错误的。

第4节 本月婴儿护理要点

144. 不同季节护理要点

(1)春季护理要点

❤ 减D补钙

宝宝到户外接受更长时间的阳光照射，维生素D的补充量可从每天400国际单位，减至每天300国际单位。如果户外活动时间很长，每天在2小时以上，补充量可减至200国际单位。接受日照时间增多，可能会引起血钙一时降低，出现低血钙症状。所以开春后可以给宝宝补充一两周钙剂。

❤ 防感冒

北方春季风比较大，气候不稳定，带宝宝外出活动要注意防风和保暖。南方春季多是风和日丽，没有防风、防沙尘、保暖这样的问题，但连绵细雨的天气时常发生，带宝宝外出活动注意不要淋雨，避免感冒。

(2)夏季护理要点

❖ 少抱

夏季里，爸爸妈妈的身体可能更像火炉，这时要是再抱着宝宝，体温会传给宝宝，宝宝会更热。所以夏天不要老抱着宝宝，让宝宝坐在婴儿车里或在大床上、有铺垫的地板上自己玩，可以充分散热。宝宝在大床上自己玩，要有人看护，避免宝宝掉床。

❖ 多喝水

多给宝宝喝水，果汁、菜汁、米汤不能完全代替白开水。夏天给宝宝补充足够量的白开水，是防止中暑的好办法。有的宝宝就是不喜欢喝白开水，但很喜欢喝果水。尽管说喜甜是婴儿天性，也多是后天养成的。所以，不要为了多让宝宝喝水，就无限制地增加水的甜度。要慢慢降低甜度，养成喝白开水的习惯。

❖ 在树荫下乘凉

夏季阳光和紫外线很强，不要让宝宝直接暴露在阳光下，可以给宝宝戴一顶遮阳帽。在树下接受从树叶缝隙间射下来的阳光，是较好的日光浴。不要在高楼的背阴处，这样的地方一点阳光也没有，起不到日光浴的作用，而且容易有强风，对宝宝不利。

❖ 擦干汗水

爸爸妈妈都知道夏季要勤给宝宝洗澡，但如果宝宝这时正是汗流满面，一定要把宝宝身上的汗擦干后再洗澡。这样做的目的是避免宝宝感冒。

❖ 发热不能捂

夏季宝宝发热，首先要想到"夏季热病"。不要把宝宝捂起来，也不要多给宝宝穿衣服。应该多喂水，或洗个温水澡，或让宝宝在凉爽无风的地方玩，使宝宝能够充分散热。

宝宝 / 雨点
宝宝现在对镜子特别感兴趣，瞧他专心致志照镜子的同时，还不忘认真地吃着手指，怎一个可爱了得。

❖ 食量减少

夏季婴儿的消化功能减弱，食量会有不同程度下降。妈妈千万不要强喂宝宝，更不需要带宝宝去医院，也不要擅自给宝宝吃药。等天气凉爽了，宝宝自然就爱吃饭了。

❖ 冰箱不是消毒柜

天气炎热，食物容易变质，一定要注意卫生，不能吃剩下的食物。给宝宝喂食物前，看护人和宝宝都要清洁手部。妈妈喂奶前最好用清水清洗乳头。

不要认为放在冰箱里的食物就是安全的。放在冰箱里的熟食，尽量不给婴儿吃。冰箱里食物的储存时间最好不要超过24小时。储存时间超过24小时但未超过72小时的食品，吃前一定要加热至沸腾，不能温一温就给宝宝吃。超过72小时的，一定不要再吃了。

❖ 慎用痱子粉

夏季里婴儿很容易出痱子，妈妈多是给宝宝使用痱子粉。其实多给宝宝洗澡，才是预防痱子的最好方法。因为擦上痱子粉，婴儿出汗，痱子粉就开始和泥了，浸湿的痱子粉就会糊在皮肤上，刺激皮肤，痱子粉中的一些化学成分还可能被皮肤吸收。尽管痱子粉有吸汗、凉爽的作用，但

宝宝 / 姜杼君
宝宝坐着时，不再需要两手支撑了，可以把两只手腾出来玩玩具了。

在炎热的夏天，这种作用被大大削弱了。痱子粉更适宜在夏末初秋使用，那时也是婴儿比较易起痱子的时候，但那时出汗不是很多了，痱子粉能够较好起到防痱子的作用。一般来讲，痱子水（露）要优于痱子粉。如果痱子上有小白尖（俗称"毒痱子"），要用碘酒酒精或碘伏涂抹。

❖ 出汗不意味缺钙

婴儿睡觉时很爱出汗，尤其是头部，妈妈往往会以为宝宝缺钙。夏季婴儿出汗是很正常的，并不都是有病或缺钙的表现。爱出汗也与遗传有关，如果爸爸妈妈睡觉爱出汗，宝宝往往也爱出汗。有的妈妈说"我和他爸爸都不爱出汗"，这说的仅仅是现在的状况，小的时候可能很爱出汗，只是老人记不清楚了，或没有告诉你们。

❖ 防蚊虫叮咬

夏季蚊子滋生，苍蝇和小虫子也比其他季节的多，要想办法避免宝宝被蚊虫叮咬。蚊子叮咬宝宝，皮肤出几个包包是小事，被传染上疾病可就是大事了。蚊子是乙脑病毒的传播媒介，在宝宝没接种乙脑疫苗前，防蚊虫叮咬是非常重要的。

❖ 空调的使用

夏季昼长夜短，天气闷热，氧气不足，宝宝会睡眠不安，甚至频繁哭闹。多数家庭会使用空调调节室内温度。但多数父母担心婴儿会受凉，所以不敢长时间开空调。到了晚上，多会关闭空调，门窗也紧紧关闭，以免室外热气进入室内。但过不了多长时间，室内温度就会升高，空气不流通，室内闷热，婴儿不能忍受缺氧，会因氧气不足而哭闹。最好的办法是不关空调，把温度调到26℃左右。如果晚上室外不是很热，可关闭空调，打开窗户。

清晨起来，一定要通风换气半个小时，绝不能门窗关闭仅靠空调换气。不要让空调风口对着宝宝吹，室内湿度保持在50%左右。使用电风扇时，不要直接对着宝宝吹，最好把风扇头对着墙壁吹。

(3)秋季护理

❖ 秋季腹泻

在秋季腹泻开始流行之前，就给宝宝接种轮状病毒疫苗，这样可大大降低秋季腹泻的发生率。接种疫苗的宝宝，即使患病，病情也多比较轻。所以，接种疫苗是必要的。有的宝宝接种疫苗后，可能会出现轻微的秋季腹泻症状，这属于正常反应，多不用治疗，可很快自愈。

在秋季腹泻流行期，不要带宝宝到人群聚集的场所长时间逗留。秋季天气渐凉，宝宝会出现流鼻涕、打喷嚏等感冒症状，如果没有其他异常情况，不需要带宝宝去医院，以免感染上秋季腹泻。给宝宝饮用足够量的白开水，加大排尿量，轻微感冒症状也就会消失了。

宝宝一旦患了秋季腹泻，妈妈不要慌张。典型的秋季腹泻有发热、呕吐、腹泻三大症状，通常情况下，发热和呕吐不超过72小时，腹泻不超过7天。如果治疗得当，24小时内止吐，48小时内退热，5天

止泻。治疗的关键是口服补液盐（ORS液）的使用。（有关秋季腹泻的详细内容请看第十三章）

❖ 不要过早加衣

父母总是担心宝宝冻着，天气刚刚转凉，就把门窗紧闭，开始添加衣服，不敢带宝宝到户外活动。这样做的结果，反倒使宝宝更容易感冒生病了。宝宝穿得多，很容易出汗，汗毛孔打开，当有凉风吹过时，宝宝就会流涕打喷嚏；妈妈认为宝宝感冒了，就给宝宝服用感冒药，宝宝身体会越来越弱。

(4)冬季护理要点

❖ 适当多补维生素AD

婴儿出生后半个月开始补充维生素AD。许多妈妈问，宝宝补充维生素AD，是每天1粒，还是隔天1粒，应该如何把握呢？正确的办法是，计算服用量时，以维生素D的量为计算依据。维生素A与维生素D的比例是3：1，常用剂型有3种：维生素D300国际单位，维生素A900国际单位；维生素D500国际单位，维生素A1500国际单位；维生素D600国际单位，维生素A1800国际单位。

夏季阳光充足，紫外线强度大，婴儿户外活动时间长，维生素D的补充量可减少到每日200国际单位。冬季婴儿户外活动时间短，尤其是北方婴儿，户外活动时间更短，可增加到每日600国际单位。春秋季节每日400国际单位。

❖ 冬天也要到户外

北方的冬季的确很冷，父母多不敢再带宝宝到户外，整天闷在家里，这样做是不对的。在天气晴朗，风不大，阳光比较充足的时候，上午10点到下午3点这一段时间，可带宝宝到户外活动一两个小时。让宝宝逐渐适应气候的变化，增强对病毒

细菌的抵御能力。冬天户外活动能增强宝宝呼吸道耐寒能力，对预防呼吸道疾病有很大好处。

❖ 保持 20℃室内温度

没必要把室内温度弄得很高，20℃是比较适宜的。如果室内温度过高，婴儿一旦到户外活动，呼吸道就经受不住冷空气的刺激。另外，室内温度过高且空气不新鲜，宝宝本来已经消失的湿疹可能会卷土重来。

❖ 保持 50% 的室内湿度

室内温度过高，另一个结果就是室内湿度过低。湿度低，造成呼吸道黏膜干燥，纤毛运动能力降低，对病毒细菌的抵御能力降低，易患呼吸道感染。室内干燥还会让宝宝口鼻分泌物黏稠，不易被清理，嗓子呼哧呼哧的，鼻黏膜干燥，诱发鼻出血。冬季室内湿度保持在50%比较适宜，妈妈最好买个温湿度计挂在家里，随时观察室内温度和湿度的变化。

加湿器是保持室内适宜湿度的理想电器，对婴儿没有伤害，但要放在婴儿碰不到的地方。室内放水盆，暖气上放湿毛巾，地上泼水，也会增加室内湿度，但这种方法提高的湿度，对婴儿呼吸道黏膜的保护并没有太大的意义，还会由于水蒸发过快形成雾气，干扰视线清晰。

宝宝 / 张涵今

宝宝很幸福的样子，妈妈常常会说看宝宝那坏样，是疼爱的说法。

宝宝 / 刘奕霏

5个多月的宝宝,大脑逐渐走向成熟,视觉敏感度几乎接近成人了,非常机灵。热衷于开发婴儿潜能的父母,要在婴儿情绪饱满的时候,但时间不能太长,这么大的婴儿注意力集中时间很短。

145. 衣服、被褥床、玩具

(1)衣服

本月龄婴儿穿的衣服,要舒适、宽大、柔软、安全、易穿易脱、吸水性强、透气性好、色彩鲜艳、款式漂亮。5-6个月龄的婴儿感觉更灵敏了,如果穿着不舒适,就会哭。衣服瘦小,会影响宝宝生长发育。衣服不柔软,会伤及婴儿稚嫩的皮肤。

这个月的婴儿很可能会拿起比较小的东西,而一旦拿到手里,就会马上放到嘴里。如果小钮扣或饰物被宝宝拽下来,放到嘴里,那是很危险的,气管异物危及生命。给婴儿选择衣服,安全性第一。

宝宝活动能力增强,给宝宝穿脱衣服时,宝宝会手脚舞动。一般来说,婴儿喜欢脱衣服,不喜欢穿衣服,给宝宝买衣服,一定要买那种易穿易脱的衣服。

宝宝容易出汗,要选吸水性强、透气性好的衣服。宝宝对色彩已经有认识了,穿在身上的衣服,可通过镜子映照出来,对宝宝色彩感觉的正常发育有很好的刺激作用。妈妈最好能告诉宝宝这是什么颜色,那是什么颜色,宝宝通过自己的衣服就开始了解彩色世界了。

宝宝穿着色彩鲜艳、款式漂亮的衣服,

就会得到周围人的赞赏。宝宝已经能够感受陌生人说话的语气,周围人在夸奖宝宝时,宝宝会很愉快,这对婴儿未来社交能力的健康发展有很大益处。

(2)被褥床

对被褥床的要求,与上个月没有太大区别。床旁的玩具要不断更新,让宝宝躺在床上踢玩具玩,用手够玩具。

这么大的婴儿,如果长时间躺在床上,他会大声哭叫以示抗议。也不应该让宝宝总躺在床上。尽管宝宝已经会翻身了,但无论仰卧、侧卧,还是俯卧,宝宝的视野都没有在坐着或站着的时候开阔。看到的东西少,宝宝会感到寂寞。多抱着宝宝到处走走,比俯身逗宝宝玩更好些。

如果宝宝已经会翻滚了,带有围栏的小床就显得太小了。妈妈因此把宝宝放在大床上,但大床没有围栏,宝宝很容易从床上掉下来。这点常被父母忽略,认为不会发生这样的事情,可危险往往就在父母认为不可能发生的时候出现了。所以,最好的方法是在地板上铺上爬行垫,这样不但安全,宝宝活动空间也大了。

(3)玩具

这么大的宝宝,对玩具的兴趣增强了,但他真正感兴趣的还不是玩具,而是爸爸妈妈日常用的东西。妈妈会发现,再高级的玩具,宝宝玩熟了,就会把它扔到一边,淘汰玩具的速度越来越快。但对日常生活中的东西,却表现出极大的兴趣。比如一把吃饭的小勺,宝宝会不厌其烦地玩好长时间,还很开心。

等宝宝会走的时候,对户外的一草一木,会投入更大的兴趣。有一位妈妈告诉我,她的儿子两岁多,家里玩具几乎应有尽有，可宝宝玩儿下就够了，喜欢到外面玩地上的小树枝、小树叶、小石头，抓把土，看到小蚂蚁会兴奋得不得了，还拿着不同形状的树枝对妈妈说：看这个像我的手！妈妈一看，还真像宝宝的小手。

妈妈不解，宝宝为什么喜欢那些"破玩意"，而不喜欢高档玩具。其实这是宝宝的天性，喜欢大自然不正是人的天性吗？再高级的玩具也代替不了自然界的"破玩意"，不让宝宝在外面玩，怕脏了，怕碰了，这会扼杀宝宝对外面世界的探索，扼杀宝宝的兴趣。不必买太多的玩具，把日常用的东西拿给宝宝玩，带宝宝到外边玩，边玩边认，这是引导宝宝认识世间万物的最好方法。

146. 睡眠、尿便护理

(1)睡眠护理

❖ 睡眠时间

这个月的宝宝晚上应该睡多少，白天应该睡多少，应该睡几觉等等，并没有统一标准。有的宝宝一觉睡十多个小时，有的宝宝只睡三四个小时。有的宝宝白天能睡两三觉，一觉睡两个小时。有的宝宝，白天睡觉比较少，一觉不到一小时。只要宝宝精神好，吃得也不错，体重、身高增长正常，妈妈就不要为宝宝睡眠多寡着急了。

这么大的婴儿，每天睡十三四个小时，晚上八九点睡，早上六七点起，夜间会醒一两次喝奶。母乳喂养的宝宝，夜醒次数通常比较多。

如果宝宝夜里很晚了还不睡，那多是因为宝宝在傍晚睡了一觉。所以到了傍晚，最好不要再让宝宝睡觉了，和宝宝做些游戏，把觉都赶到晚上去睡。如果宝宝不喜欢这样，那就依着他好了，并非一定要校正。父母有晚睡晚起的习惯，宝宝也多

如此。

没必要按书本上说的睡眠时间强迫宝宝就范，逐步养成规律的睡眠习惯是最好的事情。但有的宝宝就是不同寻常，睡眠时间让父母迷惑不解。这多是因为宝宝出生以后，父母无意间给宝宝养成了一种睡眠习惯。如果这种睡眠习惯需要矫正，要知道是比较困难的，需要慢慢来，不可"急转弯"。

❖ 睡眠不安和觉少的婴儿

有的婴儿觉少，晚上睡得晚，早晨起得早，白天也不怎么睡，但却特别精神，妈妈常常不解地问，宝宝哪来那么大的精神啊？妈妈心中着急，担心影响宝宝生长发育。不必急，先回答四个问题：第一，父母双方或其中一方有觉少的吗？第二，宝宝出生开始睡眠就少吗？第三，宝宝精神状态和身高、体重等各项发育指标都正常吗？第四，除睡眠少外，无其他异常表现吗？如果这四个问题回答都为"是"，妈妈就不必着急了，宝宝就是觉少的孩子。

有的宝宝近来睡眠不安，尤其是夜间频繁醒来，妈妈很是焦虑。可从以下几点寻找宝宝睡眠不安的原因：

• 是否正在试图改变孩子的睡眠习惯。

• 是否与季节有关。如正处在炎热的夏季；春季接受较多日光，宝宝血钙暂时降低，睡眠不踏实；冬季室内温湿度不适宜，室内闷热，空气流通较差，气压低，氧浓度低，宝宝睡眠环境不舒服。

• 是否母乳不足。宝宝吃不饱，又拒绝喝配方奶，也不爱吃辅食。

• 是否宝宝因病扎针受了刺激，梦中惊醒。

• 是否户外小狗对着宝宝汪汪叫，吓着了宝宝？

• 是否宝宝生病不吃药，妈妈强行灌

药，宝宝很生气，睡眠中仍心情不安。

•是否宝宝近日曾掉到地上，或没有坐住突然翻过去了。

•是否妈妈上班，宝宝看不到妈妈，安全感不足，导致夜眠不安。

•是否换了保姆，宝宝心情焦虑不安，影响了睡眠。

•宝宝乳牙萌出，感觉不舒服而影响了睡眠。

•宝宝血清铁降低，出现贫血导致睡眠不安。

•宝宝感冒鼻塞，呼吸不畅而睡眠不安。

这些情况都可能使宝宝睡眠不安，妈妈要考虑到。常有这样的情况，宝宝从床上摔下来，保姆害怕主人责备，隐瞒了事实，这样宝宝睡眠不安，爸爸妈妈就不知道怎么回事。要仔细观察，多询问，不要动不动就带宝宝上医院，增加宝宝感染疾病的可能。如果掉到地上的宝宝常哭闹，精神差，睡眠增多，就要警惕是否摔伤了脑组织，及时看医生。如果宝宝突然在睡眠中哭闹，一阵阵的，不要忘记肠套叠的可能。

不要动不动就认为宝宝缺钙，只要正

规补着，就不会缺的，除非有疾病情况。宝宝睡眠多些，妈妈总是因为担心宝宝不聪明而把宝宝叫醒，这是非常不妥的。只有宝宝睡眠时间太长了，才有必要看一下医生，及时发现异常，解除疑虑。

(2)尿便护理

❖ 大便的变化

在尿便方面，困扰妈妈的问题主要是，宝宝稀便、绿便、便次多、便干和排便费劲。需要提醒妈妈的是，不要过度干预。当宝宝排便出现异常情况时，首先要从护理方面着手。如果是母乳喂养，妈妈要问一问，自己是否吃过生冷或过于油腻的食物，自己排便是否发生异常等。从自己饮食中找原因，往往就能解决了宝宝的问题。

如果添加了辅食，那就记录喂养情况，观察哪种辅食使宝宝大便异常；也可暂时停止添加，观察一两天，看宝宝大便是否好转，不要轻易服用药物。切莫因为化验大便有几个白细胞，就给宝宝服用抗生素。宝宝便干要多喝水，不要轻易服用缓解便秘的药物，更不能动辄就用开塞露。

因为本月正式添加辅食，宝宝的大便可能会变稀、发绿，次数增多，有些奶瓣。这不是婴儿腹泻，不需服药。如果宝宝大便次数突然增多，大便性质也发生了改变，排稀水便或便水分离，妈妈就要用干净的小瓶留取宝宝大便样本，到医院进行化验，并将结果提供给医生，咨询详情。切忌不要带宝宝去医院，尽量避免交叉感染。

如果化验结果显示，宝宝没有细菌感染性肠炎，那就不要给宝宝吃抗生素，否则不但不能治疗好腹泻，还会破坏肠道内环境，加重腹泻。如果怀疑是病毒性肠炎，要注意补充丢失的水和电解质。如果是新添加的辅食导致婴儿消化不良，就暂停添加那种辅食。

❖ 婴儿便秘应对方法

母乳喂养的婴儿，很少有便秘的，这再次显示了母乳喂养的优越性。配方奶喂养的婴儿，有些会出现便秘现象，到了本月龄开始添加辅食，便秘现象会有所改善。有家族便秘史的婴儿，会出现顽固的便秘。婴儿便秘的家庭护理，可采用以下方法缓解。

• 腹部按摩。手掌心对准婴儿脐部，向下按压约1厘米，从右下腹部轻轻向上、向左、向下到左下腹部，呈"？"形轨迹，刺激肠蠕动，使大便排出。

• 热气熏。把热水放在小口径的容器中，像把尿一样抱着宝宝，让热气熏在宝宝肛门处。

• 用沾有香油的棉签刺激宝宝肛门口。

• 用透明的肥皂条塞入宝宝肛门口约1厘米。

• 建立每天定时排便习惯。

• 多喝水。喝水不足可引起便秘，尤其是配方奶喂养的宝宝更要多喂水。母乳喂养的，妈妈一定要补充足够的水分。

• 食物调理。纤维素高的食物有利排便，如绿叶蔬菜、粗粮等。

有的婴儿，便秘很顽固，采取以上方法效果不佳。可给宝宝服用某些缓解便秘的食品和药物，比如，具有清火作用的奶伴侣、益生菌、乳果糖、大豆低聚糖等，但不能给婴儿服用泻药，用开塞露或灌肠要有医嘱。

如果宝宝几天才大便一次，每次大便前腹部都很胀，一次拉得很多，就要及时到医院，诊断宝宝是否患有巨结肠。

❖ "把便"的尴尬

这个月的宝宝，要排便时脸会发红，眼神发呆，肢体活动减少，突然变得安静

等等。如果妈妈有经验，知道宝宝要大便了，可以让宝宝坐便盆，或把一把宝宝。宝宝顺利把大便拉出来，妈妈很高兴，以为这就是在训练宝宝大便。其实，这并非是在训练宝宝控制尿便，只是给宝宝把尿便，不让宝宝把尿便排在尿布上而已。把便成功只是妈妈的经验，并不是宝宝会自我控制尿便了。

给宝宝把便，不会每次都如愿以偿，有的时候宝宝就是打挺，不让妈妈把，可刚一放下，就拉了。妈妈很恼火，但这再正常不过了。不要把精力用在训练宝宝尿便上，能够帮助宝宝尿便入盆，那就把一把；一时不能，也属正常，不必牵挂于此。

❖ 夜里把尿和换尿布

夜里排大便的宝宝不多，但夜里尿尿的宝宝不少。有的宝宝即使排尿，也不醒，妈妈换尿布，也不影响宝宝睡眠。有的宝宝排尿前就醒，甚至还哭，排尿后不能马上入睡，可能会玩一会儿，也可能会哭一会儿。有的宝宝尿在了尿布上，妈妈怕宝宝淹屁股，就换尿布，结果宝宝醒了，还大声哭。如果宝宝并没有尿布疹，尿湿了也并不哭闹，就不必急着换尿布。宝宝睡眠不受打扰是最重要的，换不换尿布，要看宝宝睡眠的需要。

❖ 并非疾病所致

冬天或宝宝缺水分，便盆中的尿会有白色沉淀，这是尿酸盐析出，不是宝宝病变的反映。如果尿黄，恐怕也与缺水无关，因为多喝了橘子汁，就会排出很黄的尿。

男婴排尿时哭闹，要看是否包皮过长或尿道口发炎。女婴排尿时哭闹，要看是否患有尿道炎和外阴炎。宝宝排大便时哭闹，要看是否有肛门疾患，如肛周感染、肛门裂伤、臀红等。如果把尿便时宝宝哭闹打挺，自己排尿排便并不哭闹，那就不

要再把了。

❖ 滥用抗生素

治疗和护理婴儿腹泻，最易出现的误区是在不该服用抗生素的情况下，给宝宝吃抗生素，而且吃很高级的广谱抗生素，这对宝宝的健康是一种伤害。

肠道内有大量的益生菌，这些正常的菌群，相互之间维持着一种生态平衡。不正确使用抗生素，尤其是广谱抗生素，会杀灭肠道内的正常菌群，导致菌群失调，使肠道内环境遭受破坏，从而出现肠道功能紊乱，致病菌就会乘虚而入引发细菌性肠炎。

只有确定患了细菌性肠炎（如细菌性痢疾，致病大肠杆菌肠炎等）才使用抗生素。而且必须在医生指导下合理选择抗生素的种类和用药方式。随便使用，只能加重腹泻，破坏肠道正常菌群，严重者引起伪膜性肠炎，这是致命的抗生素并发症。

❖ 静脉输液

细菌感染性腹泻是肠道疾病，静脉输抗生素不如肠道给药好。腹泻对婴儿的危害主要是丢失电解质和水分，口服补液盐是补充电解质的重要措施，如果宝宝没有严重的呕吐，经口补充丢失的液体，要比输液具有更大的优势。

❖ 不敢添加辅食

这个月的宝宝，还会由于不添加辅食而引起腹泻。随着宝宝月龄的增加，乳类食品已经不能满足宝宝的需要，有的婴儿还会从这个月开始，对乳糖或牛奶蛋白质不耐受，而乳量不足和乳糖不耐受都会使宝宝肠蠕动增强，排出又稀又绿的大便，大便次数也增多了。所以，如果宝宝这时

大便一直不好，妈妈就不敢添加辅食，那就错了，或许添加辅食后，大便就好转了。

147. 户外活动

户外活动的有关内容，已经在前面章节叙述过了，这里不再赘述。我只想重点说说，老人和保姆看管婴儿到户外活动，要特别注意的几个问题。

❖ 老人带宝宝户外活动

老人带宝宝到户外活动，大多是把宝宝放在婴儿车里，找一处阴凉地，坐在婴儿车旁看着宝宝，说说话，推推车，像摇婴儿的摇篮。这样的户外活动，安全系数很高，但利用外界景观开发婴儿潜能的努力是不够的。

准备一个户外地垫和一个薄棉被或毛巾被，找一处适宜的地方，把地垫和棉被铺好，让宝宝在上面活动，这样既安全又有利于宝宝活动。

老人抱宝宝不累的方法是，让宝宝背靠老人前胸，坐在老人腿上，老人用一只胳膊揽住宝宝胸部（从宝宝两腋下绕过），另一只胳膊揽住宝宝的下腹部。这样抱着宝宝，宝宝的视野会增大，对外界景物的观察也比较容易，老人也不会感觉很累。

❖ 保姆带宝宝户外活动

年轻保姆看护宝宝的情形，常常体现着她的品行、性格、受教育程度、家庭背景、责任心、生长环境等人文品质。同时还有一个共同之处，那就是她们一般很年轻，没有结婚，不是母亲。她们对宝宝的感情，更多的是像对待小弟弟小妹妹，有喜欢，有疼爱，有讨厌，有气愤。喜欢时会和宝宝疯玩，讨厌时会怒视宝宝，表情比较丰富，随意性很强。如果居住区有几个年轻保姆，她们带宝宝户外活动时，常会凑在一起说笑，交流主人家的种种情况，

而把宝宝晾在一边，有意外事故发生的隐患。一定要提醒年轻保姆注意，防止意外事故发生。

"育婴嫂"多是做了母亲的年长女性，有一定的育儿经验，责任心也比较强，现在请"育婴嫂"带孩子的家庭越来越多。无论是年轻保姆，还是年长育婴嫂，爱心是最重要的，如果她们不喜爱孩子，只是把看孩子当做赚钱的事来做，对孩子的身心健康是不利的。因此需要爸爸妈妈观察、提醒和帮助，使她们更有感情地投入工作。显然，对她们的工作给以最大的尊重，创造良好的家庭氛围，是她们心情愉悦地护理宝宝的情感前提，雇主要特别注意。

❖ <u>户外活动常出现的意外</u>

①摔伤。看护人坐着，帮助宝宝站立在自己腿上。这时宝宝两脚不断在看护人腿上跳跃，如果看护人没有揽住宝宝上身，只注意跳跃的小脚，宝宝很可能会摔下去，头脸部被擦伤。

②呛奶。看护人在户外喂奶时，可能忙着和别人说话，把奶瓶就放在婴儿车的枕头旁边，让婴儿自己吸吮，极有可能发生呛奶。

③意外烫伤。在户外给宝宝冲奶，暖水瓶很有可能随手放在了宝宝能碰到的地方，发生意外烫伤。

④意外窒息。推着婴儿车扭头看街景，一阵风可能把小小的塑料薄膜吹起，罩住了婴儿的口鼻，而看护人还完全不知道"眼下"正在发生的悲剧！另外，能引发呼吸道堵塞的东西，一定不要让婴儿抓到。这一点在室内是清楚的，但到室外，警惕性常常会放松。

⑤宠物抓伤。带婴儿到户外，不要让婴儿触摸别人养的小宠物，更不能让宠物舔到婴儿。宠物狗抓伤宝宝，可能会带来狂犬病等，爸爸妈妈可就紧张了。

随着生活水平和文明程度的提高，受过专门培训的保姆婴儿看护水平大大提高了。让专业人员看护婴儿会减轻爸爸妈妈的负担。双职工家庭把宝宝送到服务质量好的托婴机构，也是不错的选择。

第5节　本月婴儿护理难题

148. 添加辅食困难

尽管这个月婴儿喜欢吃乳类以外的食品，但仍会有辅食添加困难的婴儿。妈妈最想知道也最难知道的是怎样才能使婴儿爱吃辅食。其实知道这些并不难，只需分析一下宝宝不爱吃辅食的原因就可以了。

宝宝不爱吃辅食，可能有以下原因：

母乳充足，吃不下辅食；

依恋母乳；

厌食配方奶的情况刚刚好转，一时很喜欢喝奶；

喂完奶不长时间就喂辅食，宝宝还不饿；

妈妈做的辅食太没有滋味了；

不喜欢吃现成的辅食；

不喜欢使用喂辅食的餐具；

喂辅食时烫着过宝宝或呛着过宝宝，宝宝记住了不愉快的喂食经历；

用喂过苦药的奶瓶、小勺、小杯、小碗喂宝宝辅食（这事宝宝记得清楚着呢，他不想上当）；

喂奶时抱着宝宝，喂辅食时却让宝宝坐在小车里；喂奶是妈妈抱着，喂辅食却让爸爸或其他人抱着（婴儿认为"还是吃奶好"）；

早就缺铁了，食欲已经下来了，什么也吃不出味道来，开始厌食了。缺锌也一样，连奶都不爱吃了，辅食就更别提；

宝宝还不能消化谷物，对肉、油消化也不是太好，肚子总是胀胀的，实在不舒服；

辅食消毒不严，细菌感染了肠道，患了肠炎，不用说辅食，就是奶也要少吃了；

没有把放在冰箱中的辅食熬沸，只是热热，虽然不凉，但吃了肚子不舒服，影响了下一顿辅食添加；

天气太热了，成人消化功能都减低了，对婴儿的影响就更大；

宝宝爱吃某种辅食，就多喂，就上顿下顿地喂，直到吃够了，什么辅食也不想吃了；

宝宝本来不想吃了，可妈妈认为（按照某个标准）今天辅食添加的任务还没有

完成，就想尽办法让宝宝吃，哭也不管，正好张开嘴巴，顺势把辅食往嘴里放，宝宝能爱吃辅食吗？

宝宝睡得迷迷糊糊的，把奶嘴塞进宝宝嘴巴，让宝宝迷迷糊糊地把辅食喝进去，宝宝会非常反感，醒了就更不吃了；

宝宝积食了，应该歇歇了；

宝宝真的生病了。

149. 夜哭

夜哭与宝宝气质有关。有的宝宝无论白天还是黑夜，都很容易入睡，睡眠也比较安稳，很少哭闹，属于易养型气质。有的宝宝特别爱哭，睡前哭，睡的过程中也常哭醒，这样的宝宝多属于"难养型"气质。妈妈不要从字面上理解难养与易养，这只是心理学的叫法，没有好坏之分，也不意味着疾病。如果你的宝宝总是闹夜，其他方面一切正常，妈妈不必焦虑，随着月龄的增加，夜哭现象会逐渐好转，直至消失。

如果某一天，宝宝突然闹夜，或闹法与往常完全不同，就有可能是疾病所致，要引起父母注意。如果宝宝正在腹泻，突然闹夜，阵发性哭闹，拒绝吃奶，干呕或呕吐，最有可能的病因是肠套叠。一旦怀疑肠套叠，要立即带宝宝看医生，不要耽搁。

妈妈无论如何也找不到宝宝夜哭的原因，也没有对付夜哭的方法。就在妈妈烦恼至极时，宝宝突然不再哭夜了，变成了乖乖宝。妈妈心头一热，"我的宝宝长大了"。是的，宝宝不会一直夜哭的。

爸爸妈妈如果能冷静对待宝宝闹夜，宝宝夜哭的持续时间就会缩短，乖宝宝的日子就会早日到来。如果新手爸爸妈妈面对宝宝夜哭焦躁不安，并把烦恼、生气、

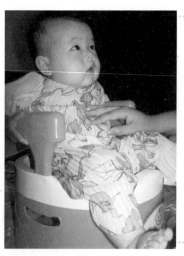

宝宝／尚潘柔美

美美乖乖地坐在便盆上。婴儿能够这样，再大些可能就要反抗了。1岁以后训练宝宝坐便盆比较合适。

无可奈何、相互抱怨、吵架等不良情绪传递给宝宝，宝宝会越闹越凶，夜哭也会持续更长的时间。

150. 不会翻身

有的宝宝3-4个月龄就总试图翻身，满5个月后就能翻身自如了，从仰卧位翻到侧卧位，再从侧卧位翻到俯卧位，但还不能从俯卧位翻到侧卧位或仰卧位。所以这时不要离开宝宝，避免发生窒息。

5-6个月龄的宝宝如果仍然不会翻身，应首先考虑护理方面的问题。

•是不是冬季宝宝穿得比较多，影响自由活动；

•是不是用了"蜡烛包"，盖被时用沙袋或枕头压在宝宝两边，限制了宝宝的活动；

•是不是总抱着宝宝，宝宝没有翻身的机会。

训练宝宝翻身的办法很简单。首先要给宝宝穿少些，盖少些。可以先教宝宝向右翻身，方法是：把宝宝头偏向右侧，托住宝宝左肩和臀部，使宝宝向右侧卧。从右侧卧转向俯卧的方法是：妈妈一手托住宝宝前胸，另一手轻轻推宝宝背部，使其俯卧；如果右侧上肢压在了身下，就轻轻帮助宝宝抽出来。宝宝的头会自动抬起来，这时再让婴儿用双手或用前臂撑起前胸。经过这样的锻炼，宝宝就学会翻身了。

如果练习多次宝宝仍然不会翻身，应该带宝宝看医生，排除运动功能障碍的可能。一般来说，运动功能障碍会出现一系列运动能力的落后，不会单单翻身落后。

151. 什么都放在嘴里啃

婴儿出生后不久，就会把小手放到嘴边吸吮。开始是把紧握的小拳头放到嘴边吸吮，随着月龄的增长，就开始吸吮拇指和其他手指了。婴儿吸吮手指是发育过程中的正常表现，科学研究证实，大约50%的婴儿会吸吮手指，其实，宝宝早在胎儿时期就会吸吮手指了。

这个时期吸吮手指与"吮指癖"是两码事。如果在婴儿期没能满足吸吮愿望，吃手可能会延续到幼儿，甚至到了学龄期还是啃手。所以，不要干预婴儿吸吮手指。如果宝宝几乎一刻也不停地吸吮手指，以至于影响吃奶和玩耍，也不能强行干预，而是采取有效转移注意力的方法，如握着宝宝小手玩耍、做操，把宝宝喜欢的玩具放到宝宝手里，这个月的宝宝把什么都放在嘴里啃是正常的。如果妈妈怕玩具不那么环保、不卫生，可让宝宝咬"牙咬胶"或吃"磨牙棒"，也可给宝宝使用"安抚奶嘴"。

除了吸吮手指外，这个月的宝宝会把拿到手里的任何东西放到嘴里啃，这也是婴儿特有的表现。所以给婴儿的东西要卫生、安全，能啃下来的玩具（如软塑料玩具）不要给宝宝玩，能放到宝宝嘴里的东西不要给宝宝玩，如小球、糖块、纽扣等，以免出现气管异物危险。

152. 流口水

这个月婴儿唾液腺分泌增加了，添加辅食后唾液分泌更多，再加上出乳牙，宝宝流口水就很多了。在婴儿胸前戴一个小兜嘴，同时多备几个，只要湿了就换下来。口水会把宝宝下巴淹红，因此不要用手绢或毛巾擦，而应用干爽的毛巾沾干，以免擦伤皮肤。如果喂了有可能刺激皮肤的辅食，就要先用清水洗一下，不能只是用毛巾沾，那样刺激物的成分仍会留在宝宝的下巴上。

宝宝 / 王思琪

春暖花开时节多带宝宝到户外活动是提高宝宝抵御疾病能力的好方法。宝宝的衣袖有些长了，这样不利于宝宝手的活动。宝宝穿的衣服要力求合体，以免影响宝宝活动。

153. 蚊子叮咬

蚊虫叮咬可传播痢疾、乙脑、肝炎等多种疾病。夏季防止蚊虫叮咬，最好的办法就是挂蚊帐。

蚊香的主要成分是杀虫剂，通常是除虫菊酯类，毒性较小。但也有一些蚊香选用了有机氯农药、有机磷农药、氨基甲酸酯类农药等，这类蚊香虽然加大了驱蚊作用，但它的毒性相对就大得多，一般情况下，宝宝的房间不宜用蚊香。

电蚊香毒性较小，但由于婴儿新陈代谢旺盛，皮肤吸收能力也强，最好也不要常用电蚊香；如果一定要用，尽量放在通风好的地方，切忌长时间使用。

宝宝房间绝对禁止喷洒杀虫剂，婴儿如吸入过量杀虫剂，会发生急性溶血反应，器官缺氧，严重者导致心力衰竭，脏器受损，或转为再生障碍性贫血。

采用纱门纱窗和挂蚊帐等物理方法避蚊蝇，是最有效且无副作用的好办法。

154. 把尿打挺，放下就尿

本月婴儿经过训练能否建立排尿规律？能否控制小便？答案是否定的。婴儿大小便是无条件反射，这么大的婴儿神经系统发育尚未完善，对大小便是不能自主控制的，全靠先天的生理机能自动排便，还不会主动地通过小腹肌运动来挤压排便，更不会意识到大小便来临，有意控制使其不出。

妈妈通过声音、姿势，可以建立宝宝大小便排泄的条件反射。但这种条件反射与宝宝大小便控制，是完全不同的两个概念。5-6个月龄婴儿对尿便排泄没有什么意识，不会主观控制。当婴儿的直肠或膀胱充满以后，就会产生一系列连锁反应，排出尿便。

通过嘘嘘的声音，或通过把尿、坐盆的动作，建立起来的条件反射，不意味着宝宝学会了控制大小便，只是妈妈学会了观察而已。宝宝排泄的信号一般是：眼神发呆、脸发红、突然停止玩耍、放屁、肚子呼哧呼哧响、小阴茎挺立、暗暗使劲等等。

过早训练宝宝大便，让婴儿长时间坐便盆，这是不好的。如果妈妈能够判断宝宝马上要大便，可以把一把。如果不能判断，就不要长时间把着宝宝了，这样可能会造成宝宝能力衰退，还有可能导致肛门乳头脱出。总是把小便，帮助宝宝建立了非主观排尿意识反射，妈妈一把，尽管宝宝膀胱并没充盈到排尿的程度，宝宝也会排尿，造成尿频。

155. 免疫接种

5-6个月龄的婴儿，应该接种第3针百白破疫苗了。接种后7-8个小时可能会出现低热，一般不需要处理，1-2天后就不发烧了。如果出现高热且持续不退，或伴有其他异常，应及时看医生。（关于免疫接种其他问题请看第十三章）

第七章　6-7 个月的婴儿 (180—210 天)

这个月的宝宝会用独特的方式和爸爸妈妈及周围人进行交流了；

多数婴儿会独坐了；部分婴儿能往前爬或向后爬；

主动移动身体，拿周围的玩具；

显现出不同的气质，有的见谁都笑，有的拒绝生人；

开始发出有意义的语音，如爸、妈、奶等；

开始正式添加辅食……

第1节 本月婴儿特点和生长发育

156. 本月婴儿特点

(1)有了更丰富的表情

本月婴儿虽然还不能用语言和爸爸妈妈交流，但是已经能用各种独特的方式和爸爸妈妈及周围人进行交流了。

婴儿的表情越来越丰富，高兴时欢愉的笑容让爸爸妈妈感到极大的欣慰；不高兴时，五官向一起皱，哼哼唧唧的，妈妈能很快判断这是孩子不耐烦了。有经验的妈妈还能通过孩子的表情判断是要吃还是要拉尿。会通过眼神，判断孩子是否要睡觉了。妈妈发现，宝宝开始有自己的主张，如果宝宝不想喝奶，任凭你想什么办法，宝宝都不妥协，把小嘴闭得紧紧的，或把喂进去的饭菜吐出来，或含着奶嘴不吸吮，或把头歪向一边，用小手打翻妈妈手中的小勺，如果妈妈强喂，宝宝就用哭闹表示抗议。总之，妈妈会感觉到，宝宝不再任由妈妈"摆布"了。

(2)父母与孩子情感互动

孩子更依恋妈妈，看不到妈妈就会不安，甚至哭闹；看到妈妈会手舞足蹈，欢天喜地，有时会做出类似鼓掌欢迎的动作。妈妈会被孩子的表现所感染，会急不可待地奔向孩子，抱起宝宝。母子之间、父子之间这种情感的互动，对婴儿身体、心理健康发育有着极其重要的作用。

如果是全职妈妈，也要有意安排这种场面，让婴儿感受短暂分离后重逢的喜悦。每天，妈妈抱着孩子一起迎接爸爸的到来，会使婴儿感受到和妈妈共同分享快乐的喜悦，使孩子心理更加健康，从小体会到共同的快乐。

妈妈要注意，宝宝是否喜欢和你对视，当你和宝宝说话时，宝宝是否常常凝视着你，好像看懂了你的心思，听懂了你的话语。如果你感觉到宝宝从来不和你对视，就要向医生咨询了。

(3)父母要坚信孩子会不断进步

有的孩子到了6个月开始会独坐了。具有了独坐能力，婴儿就能够自由地活动双手和胳膊了，会把跟前的玩具拿起来，这对手眼协调能力有很大帮助。

但父母也不要忘了，每个孩子身心发育速度、水平都不一样，存在着一定的差异。如果你的孩子还没有达到某种能力状态，也不要着急；只要不是病态，孩子都会在父母的呵护下不断进步，身心发育达到应有的能力状态。父母要坚信这一点，这本身就是对孩子的激励，是孩子身心正常发育的精神食粮。

宝宝 / 高锦华
宝宝坐得比上个月稳多了，可以把脊椎挺得直直的。

(4)本月添加辅食的常见错误和烦恼

❖ 添加辅食初期阶段

这个月是添加辅食的初期阶段，添加辅食的目的是让婴儿逐渐适应吃奶以外的食品，补充奶类中不足的营养成分。如果添加辅食过多而减少了宝宝的奶量，对宝宝生长发育会造成一定影响，因为这个月的宝宝，仍以乳类食物为主要营养来源。

本月婴儿一般会比较喜欢吃辅食，父母可以按辅食添加顺序和孩子适应程度，逐渐增加种类和剂量。

❖ 喂养宝宝，妈妈要调整心态

妈妈总是希望孩子吃多些，长胖些，长高些，这没什么错。但是，妈妈常常做得有些过分，总是千方百计喂孩子，一天大部分时间都在喂孩子食物，如果孩子不肯吃，就在孩子睡得迷迷糊糊，无法拒绝的时候喂孩子。这样做的结果只会使孩子更不喜欢吃饭。妈妈总是觉得宝宝吃得少，消化不好，就给孩子看病吃药。这属于过度关注，妈妈应该调整一下心态。

(5)孩子最需要的是快乐

孩子有权享受快快乐乐的生活。想想父母东奔西走，为孩子忙前忙后，盯着孩子的吃喝拉撒睡，盯着孩子的高矮胖瘦，盯着孩子的一举一动，可谓是关心备至。说父母不对，太冤枉了。这些都是孩子生长发育中不可缺少的哺育，可大多数父母往往忽视了：最应该给孩子的是什么？孩子最应该得到的是什么？孩子最需要的是什么？答案是，孩子最需要快乐。

❖ 父母不要这样养育孩子

•为了孩子长得胖，长得高，采取填鸭式的喂养方式。

•为了孩子快快长，使劲哄孩子睡觉。

•为了孩子健康，给孩子吃各种营养品。

•训练排尿排便（这个时期并不需要），尽管孩子打挺哭闹，妈妈仍是不厌其烦。

父母这样操劳，并没有给孩子带来快乐。妈妈们并不缺少哺育知识，只是关心得有些过了。给孩子多些自由的时间，多些自然的养育，多些孩子自己的选择，尊重孩子玩的天性，多和孩子一起玩，这是父母对孩子最大的爱。

157. 本月婴儿生长发育

(1)身高

这个月婴儿身高平均增长2.0厘米。这是平均值，婴儿之间可能存在一定差异。婴儿身高增长也像芝麻开花一样，一节一节的。这个月没怎么长，下个月却长得很快，父母要动态观察孩子的生长情况。

男婴身高均值69.8厘米，女婴身高均值68.1厘米。如果男婴身高低于65.2厘米，女婴身高低于63.6厘米，为身高过低。如果男婴身高高于74.5厘米，女婴身高高于72.6厘米，为身高过高。身高与遗传关系密切，遗传影响在这个月开始显露。

(2)体重

这个月婴儿体重平均增长0.45-0.75公斤。这也是平均值。体重与身高相比，有更大的波动性，受喂养因素影响比较大。对于孩子的体重问题，父母要学会分析，不要盲目认为孩子有病了，不要随便给孩子吃各种各样的消化药，那样会破坏孩子肠道内环境。

孩子不是越胖越好，胖可爱，但不能为了儿时的可爱，埋下疾病的祸根。有一些儿童成人病的形成，肥胖就是元凶。胖不是孩子健康的标志。

男婴体重均值8.75公斤，女婴体重均值8.13公斤。如果男婴体重低于7.00公斤，女婴体重低于6.54公斤，为体重过低。如果男婴体重高于10.91公斤，女婴体重高于10.10公斤，为体重过高。体重与喂养关系密切，不要过度喂养。

(3)头围和囟门

这个月婴儿头围平均增长1.0厘米。1.0厘米的增长，测量起来可能比较不出太大的差别，需要比较精确的测量才能发现。

咨询中，常有妈妈问及宝宝囟门问题，担心宝宝囟门小，会影响大脑发育；担心宝宝囟门大，是不是脑积水。也常有妈妈说，医生说她的宝宝囟门大，缺钙，要增加补钙剂量。曾有位妈妈告诉我，她每天给宝宝补充4袋钙（含钙400毫克，含磷200毫克），一次性补充维生素D15万单位。也常有妈妈说，医生说她的宝宝囟门小，不能再补钙了，结果把维生素AD和钙全部停掉。用囟门大小来诊断是否缺钙，是否需要加大补钙剂量，是否需要停止补充，太过武断了。囟门大小存在着个体差异，有的宝宝自出生后囟门就比较小，而有的囟门却比较大。不能仅仅依据囟门大小就判断是否缺钙。

第2节 本月婴儿喂养

158. 营养需求

这个月的婴儿，营养需求与上个月差别不大，热量仍然是每公斤体重100-110卡。

母乳喂养的宝宝，母乳仍然是这个月婴儿生长发育所需营养的主要食物来源。添加辅食不是因为母乳质量降低，妈妈一定要坚持母乳喂养。

配方奶喂养的宝宝，可继续维持原有奶量。如果因为添加辅食，明显影响乳量，要适当减少辅食添加量，但不能完全停止添加。配方奶不是辅食的一部分，不要把配方奶当做辅食添加。

从这个月开始，需要正规添加辅食。添加辅食时，一定要尊重宝宝的选择，如果宝宝不想吃，千万不要勉强，以免给以后喂养带来困难。重点是含铁高的辅食，如含铁米粉、蛋黄、动物肝（血）、绿叶蔬菜等。婴儿4个月后，胎儿期储存的铁基本消耗完结，需要从食物中获取生长发育所需要的铁。乳类含铁量比较低，尽管配方奶添加了铁剂，但吸收有限，所以要添加含铁辅食。

对维生素AD的需求没有变化，不需要增加维生素AD的补充量。如果没有缺乏，不需要额外补充钙铁锌等元素，也不需要补充多种维生素等营养品。如果你正在给宝宝补充DHA和牛初乳，可继续补充，但并非必须。益生菌不需要常规服用。

159. 母乳喂养儿

❖ **不要浪费母乳**

不要因为添加辅食而减少哺乳次数，只要孩子想吃，就给孩子吃，如果觉得宝宝一次不能把两侧奶全部吃空，常常有乳房胀的感觉，就用吸奶器把奶吸出来，存放在储奶袋中冷冻，等到你不在家的时候由看护人喂给宝宝。

❖ **不要照本宣科**

这个月的婴儿，到底应该吃几次母乳，添几顿辅食，要根据婴儿的具体情况而定，以宝宝爱吃，进食快乐为原则。不要和宝宝较劲，不要以妈妈的意愿去喂养宝宝，不要照本宣科。

❖ 几点建议

白天喂两次辅食、三次母乳，辅食在两次母乳之间喂食。晚上喂两次母乳（大多是在睡前和醒后）。

如果喂两次辅食，婴儿吃母乳的次数减少了，要适当减少辅食量，或每天喂一次辅食。

如果宝宝是母乳和配方奶混合喂养，添加辅食后，不要减少母乳喂养，可适当减少配方奶量。

如果宝宝特别喜欢吃辅食，不爱吃母乳，也不能无限制增加辅食量，这么大的宝宝奶量要占食物总量的80%以上。

如果宝宝仍然好吃夜奶，不喂就哭闹，现成的好办法就是立即给孩子喂奶。

160. 配方奶喂养

❖ 不要减少奶量

配方奶喂养的宝宝，可能比母乳喂养的宝宝更喜欢吃辅食。但这个月宝宝仍应以配方奶为主要食物来源。如果这次宝宝把妈妈做的辅食全吃光了，妈妈会非常高兴，下顿会多做些。这样一来二去的，可能会使孩子积食，或使孩子吃奶量大减。这样做是不对的，妈妈应该掌握好辅食的量，即便是配方奶，对这个月的婴儿来说，

其营养价值也是远远超过辅食的，不能完全由辅食替代配方奶。

❖ 确实不爱喝奶时

如果宝宝确实不爱吃奶，可以用奶调蛋黄或米粉，也可以把奶粉和在面粉中，做面糊或面片汤。如果宝宝很喜欢吃酸奶，可以用配方奶做酸奶，也可补充些奶酪。如果宝宝每天能喝600毫升以上的配方奶，妈妈就不要着急了。

婴儿可能会从这个月开始，拒绝喝配方奶。有的宝宝根本不含奶嘴，即使把奶嘴放进嘴里也不吸吮，甚至哭闹。如果是这样的，不要强迫宝宝，如等宝宝睡得迷迷糊糊的时候，把奶瓶塞进嘴里。这样做的结果，可能会使宝宝更不喜欢喝奶。

可以尝试用小勺或小杯子喂奶。如果仍然不喝，就暂时停几天，先以辅食补充，几天后再试着喂，可能那时他会很愉快地接受了。

混合喂养儿拒绝喝配方奶时，可尝试着用吸管法。购买一根专用吸管（母婴用品店有售），也可使用婴儿胃管或连接输液针的软管（医疗器械店或药店有售）。一端连接在奶瓶嘴上，另一端放在妈妈乳头旁，让宝宝在吸吮妈妈奶的同时吸吮部分配方奶。

161. 辅食添加

❖ 注重辅食搭配

需要添加的辅食有米粉、菜泥、果泥、

妈妈轻松愉快地喂宝宝，宝宝食欲大增。

宝宝 / 李曦冉

蛋黄。如果妈妈在宝宝四五个月大的时候，已经开始添加这些辅食，到了这个月，可以尝试着添加动物肝和肉类食物。

请妈妈注意，给宝宝添加辅食，不要只追求辅食量，要注重辅食品种和搭配。有的妈妈给宝宝喂米粉，宝宝很爱吃，就快速加量，这样不但会影响奶量，还会影响其他辅食的添加。

举例说明：开始添加米粉，第1天，宝宝吃了2克，宝宝很喜欢吃，妈妈非常高兴，又给宝宝调了3克。第2天，妈妈直接给宝宝调了5克米粉，结果，宝宝又全部吃完了，妈妈非常兴奋，立刻又给宝宝调了5克。第3天，妈妈直接给宝宝调了10克米粉。结果，或许宝宝不好好吃奶了，或许宝宝吃腻了，或许宝宝积食了，其他辅食再也加不上去了。

❖ 要这样添加

第1天，添加米粉2克，不管宝宝多爱吃，都不要再给了。如果添加2克，没有影响奶的摄入，也没有发现任何异常，就这样添加5天。

从第6天开始（米粉继续按原来的量添加）尝试着添加另一种辅食，如蛋黄，从1/4开始添加，如果没有发生什么问题，这样添加5天。

从第11天开始（米粉和蛋黄继续按原来的量添加）尝试着添加菜泥或果泥，如胡萝卜泥，从2克开始添加，如果没有异常表现，继续添加5天。

从第16天开始（米粉、蛋黄和菜泥继续按原来的量添加）尝试添加果泥，如苹果泥，从1/4开始添加，如果没有腹泻等异常，继续添加5天。

从第21天开始（米粉、蛋黄、菜泥和果泥继续按原来的量添加）尝试添加肉泥，如肝泥，从2克开始添加，如果没有过敏

及腹泻等异常，继续添加5天。

经过25天，谷物、蔬菜、水果、蛋/肉四大类食物都添加齐全了。

从第26天开始，合理搭配这四大类食物，每天添加2次辅食。观察宝宝喝奶和吃辅食情况，在保证每天奶量不少于600毫升的基础上（母乳继续按需哺乳，不要刻意减少喂奶次数），逐渐增加辅食量。

谷物添加顺序：米粉、米粥、面糊、面条、面片、面疙瘩、软米饭、馄饨、饺子、包子、烙饼的饼心儿。

蔬菜和水果：时令蔬菜和时令水果开始添加。

蛋/肉：从鸡蛋黄开始，然后是动物肝、鱼泥和虾泥（有湿疹或其他过敏情况就最后添加），逐渐添加禽肉泥和畜肉泥。

❖ 添加辅食方法要灵活

这个月，辅食添加的方法，要根据辅食添加的时间、量、婴儿对辅食的喜欢程度、母乳的多少、婴儿的睡眠类型等情况灵活掌握。

•习惯吃辅食的婴儿

如果宝宝早在四五个月时就添加了辅食，对辅食已经很熟悉了，妈妈和看护人也基本掌握了婴儿吃辅食的规律，可继续按照自己的习惯喂养宝宝，只要宝宝生长发育很正常就行。

•吞咽辅食有困难的婴儿

有的婴儿吃辅食很顺利，吞咽和咀嚼能力好，配合也很协调，喂辅食很顺利。有的婴儿吃辅食比较困难，常出现干呕、呛噎。遇到这种情况，妈妈要有耐心，随着宝宝月龄的增加，很快就能顺利吃辅食了。

•吃辅食慢的婴儿

有的婴儿，一顿辅食十几分钟就吃完了，可有的婴儿，喂一次辅食，要花掉妈

妈一个小时的时间。妈妈不要为了让宝宝多吃辅食，无限制地延长喂食时间，最好不要超过30分钟。

•因吃辅食而减少奶量的婴儿

添加辅食后，宝宝奶量明显减少了，就要适当减少辅食量。不要因为添加辅食而叫醒熟睡的宝宝。如果宝宝爱吃辅食，不爱喝奶，可延长辅食与奶的间隔时间，缩短奶与辅食的间隔时间。在宝宝刚刚喝奶后不久就喂辅食，宝宝即使很爱吃辅食，也吃不进去很多。适当减少辅食量，喝奶量就有可能增加了。

•半夜还要吃奶的婴儿

母乳喂养的宝宝，晚上仍需要喂奶的情况还很多见。尽量在妈妈还没有睡觉的前半夜多喂几次，减少后半夜喂奶次数。有的宝宝晚上睡得早，或睡前不能吃足够的奶，半夜会醒了要奶吃，不给就会哭，那就给宝宝吃。随着月龄增加，宝宝自然就不再半夜起来吃奶了。

•吞咽能力好的婴儿

有的婴儿吞咽和咀嚼能力很好，到了这个月已经能够吃半固体食物了，可鼓励宝宝自己动手，如自己拿着饼干（或磨牙棒）吃，既可增加孩子进食兴趣，也可锻炼孩子用手能力。

•避免不愉快的进食经历

婴儿对不愉快的经历有着深刻的印记，喜欢重复做让他愉快的事情，拒绝接受痛苦经历。但宝宝尽管有了对痛苦经历的记忆和拒绝能力，却缺乏对事物本质的认识和分析能力。带宝宝看病打针是典型的例子，如果宝宝有过打针的经历，再次见到穿白大衣的医生护士，尽管不给宝宝打针，宝宝也会哭闹。成人如果害怕打针，则会在针对准臀部时才开始紧张。如果用奶瓶子给宝宝喝过苦涩的药水，下次再用奶瓶子喂甜水，也会遭到宝宝拒绝。因此，在喂养宝宝过程中，一次不愉快的经历，足以让宝宝拒绝进食。这一点要引起妈妈高度重视，不要给宝宝造成不愉快的喂食经历。

•每个宝宝食量大小存在差异

妈妈不要以食量大小衡量宝宝是否健康。食量偏小的婴儿，并不意味着不健康；食量很大的婴儿，也并非是很健康的标志。每个婴儿食量都不尽相同，妈妈不要追求标准量。只要宝宝各项生长发育指标都正常，吃多吃少是个体差异，不必计较。

第3节 本月婴儿能力

162. 听的能力：喜欢听爸爸妈妈说话

婴儿喜欢听爸爸妈妈说话。因此，父母每做一件事，都要用简短的语言讲给宝宝听。和宝宝说话，要一字一句，不能含糊；要简明扼要，不要啰嗦；要指向明确，不要说非所指。要善于观察，宝宝把注意力集中在哪里，要及时向宝宝讲解。如果宝宝没有注意你说的人或物，讲解就无效了。多给宝宝听优美的音乐和歌曲，培养宝宝对音乐的感知力。

163. 看的能力：会注意，会辨别
❖ 偏爱看有意义的物像

227

随着运动能力的增强，扫视周围的环境更加容易，婴儿视觉更加发展，更加偏爱看有意义的物像，如母亲、食物、玩具。

❖ **能较长时间注意物像**

开始注意数量多、体积小的东西。对比较复杂、细致的物像能保持很长的注意时间。注视后，辨别差异的能力和转换注意的能力增强。爸爸妈妈要利用婴儿不断发展的视觉能力，开发婴儿的智力。让婴儿认识更多的人，增强婴儿记忆人物特征的能力，也为将来上幼儿园打基础。

❖ **能辨别不同物像**

婴儿对玩具有了更强的兴趣。爸爸妈妈可以把更多的东西拿给宝宝看，而不单单是玩具，这会使婴儿更早认识事物。这个月的婴儿能够注视较长时间，可以拿图画、物体等给宝宝看，讲解给宝宝听。这时的婴儿，已经具备了初步辨别不同物像的能力，再讲给婴儿听，会使婴儿潜能充分发挥。

❖ **对陌生人表现出惊异**

婴儿见到陌生人会表现出惊奇的神态（大眼睛一眨不眨地盯着陌生人），也会表现出不快，还可能把脸和身体转向亲人。比较认生的婴儿，看到陌生人会撇着小嘴要哭的样子，如果这时陌生人没有走开，而是试图把宝宝逗笑，宝宝可能会大哭起来。妈妈会因为宝宝"认生"而担心宝宝有交流障碍，妈妈也会因为宝宝"不认生"而担心宝宝不聪明。妈妈不要有这样的担心，认生与否是宝宝的性格使然，与交流能力和智力没有直接的关系。

❖ **看到吃的能认识**

对吃的有认识了，这时妈妈可以告诉宝宝什么是能吃的，什么是不能吃的。但是，宝宝仍然会把拿到手里的东西，不加区别地放到嘴里啃咬。妈妈不要过多干预，这是婴儿期特有现象。

❖ **让宝宝认识更多的人**

多给宝宝创造与人接触的机会，如参加宝宝生日Party、几个家庭周末一起出游、请小朋友到家中做客、参加亲子活动等。让宝宝有机会见到更多的人，给宝宝更多的社会接触和交往机会，让宝宝保持一种新鲜感。

❖ **与婴儿情感互动**

婴儿看到亲人会非常高兴。爸爸妈妈与宝宝分别后，再见到宝宝时，要拥抱亲吻宝宝，告诉宝宝爸爸妈妈非常想念宝宝。这有助于婴儿情感的健康发展，对以后建立良好的社会人际关系产生重要作用。

❖ **教婴儿认识照片上的父母**

如果常常让宝宝看爸爸妈妈的照片，宝宝就能够从照片上辨别出妈妈和爸爸。让宝宝看看爸爸的照片，再看看爸爸本人；看看妈妈照片，再看看妈妈本人。如果看了妈妈的照片，宝宝对着妈妈笑，哇！宝宝已经认识照片上的妈妈了。

才几个月的婴儿，认识了爸爸妈妈的照片，这就是对婴儿潜能的开发。这些都离不开爸爸妈妈的语言帮助。虽然宝宝不会说话，却能听懂爸爸妈妈的话。要多和宝宝说话，在爸爸妈妈眼里，没有宝宝听不懂的，这就是这个月潜能开发的秘诀。

宝宝 / 尚潘柔美
宝宝不但能稳当地独坐，还会转过头，侧过身子看妈妈呢。

164. 说的能力：会配合表情发音

❖ **发出父母听不懂的语音**

能无意发出"爸妈"等音，还能发出一些谁也听不懂的声音。有时好像要说话，有时还有不同的表情，发出不同的音，有高兴的、生气的。父母要鼓励孩子这种"语言创造"的能力。

❖ **交流是孩子学习语言必不可少的**

宝宝虽然还不会说，但宝宝已经会通过各种方式和父母交流了，父母传给宝宝的话语，就是宝宝学习语言的基础。听在先，说在后。爸爸妈妈和看护人无论和宝宝做什么事情，都要跟上语言。慢慢地，婴儿就能够听懂很多话了。

❖ **把语言和实际联系起来**

如果妈妈每次出去都给宝宝戴上小帽子，并说："我们要出去玩了，妈妈给宝宝戴上小帽子。"慢慢地，宝宝就会认识了帽子，并把帽子和出去玩联系起来。以后，妈妈一说要出去玩，宝宝就会用眼睛寻找小帽子。相反，当宝宝看到小帽子时，就会想到出去玩，做出向门外走的动作。将语言和实际行为联系起来，对宝宝学习语言来说，是特别重要的启发过程。

165. 运动能力：翻滚

❖ **喜欢探索**

婴儿注意力已经不完全集中在看了，而是从更多的感觉方面和活动表现出来。抓取物体看一看，摸一摸，来感觉它的形状、大小；放到嘴里尝一尝，啃一啃，来感觉它的软硬、滋味；拿着物体摇一摇，敲一敲，来感觉它的材质，听一听物体间碰撞发出的声音。婴儿对新鲜事感兴趣，开始有探索行为。爸爸妈妈和看护人，不但不要阻止，还要鼓励宝宝做这些事情。

❖ **坐与爬的能力**

宝宝 / 姜杼君
6个月以前，当宝宝把拇指放到嘴里时，总是不停地吸吮着，现在，宝宝只是把拇指放到嘴里含着，不再是不停地吸吮了。

有的婴儿能够不倚靠东西独坐了，腰部挺得直直的。有的婴儿会坐，但腰部向前倾，几乎趴在自己的腿上，嘴巴能啃到小脚丫。有的婴儿不能独坐，如果不扶着，就会向左右倾倒。妈妈不要着急，也不需要刻意训练宝宝，过段时间宝宝自然就会独坐了。

把宝宝放在安全的平面上，宝宝躺着活动活动手脚，手里拿着东西玩一玩，看一看。从仰卧到俯卧，再从俯卧到仰卧，来回翻滚，锻炼身体。宝宝趴着，在宝宝前方放些宝宝喜爱的物品，使宝宝有向前爬的愿望。随着婴儿月龄增加，主动运动能力逐渐增强，不再喜欢被动运动。所以，不要总是把宝宝抱在怀里，把宝宝放下来，陪着宝宝玩耍，对宝宝体能和智能发育非常有益。

❖ **运用手的能力**

手的运动能力有了很大的进步。会用双手同时握住较大的物体，两手开始了最初始的配合，抓物更准确了。最让爸爸妈妈感到惊奇的是，宝宝能把一个物体，从一只手传到另一只手，这可是不小的进步。还有一个能耐，能手拿着奶瓶，把奶嘴放到口中吸吮，迈出了自己吃饭的第一步。

不高兴或不喜欢手里的东西时，会把它扔掉，开始了自主选择。知道爸爸妈妈脸上戴的眼镜是能够拿下来的，所以，不断去抓。看到喜欢的东西，就要去拿，拿不到就会哭。

❖ 喜欢到大自然中去

在屋里待不住了，会用小手指着门，会在妈妈怀里向门的方向使劲，会用眼睛盯着到室外的门，表现出要出去的神情。如果妈妈这时用其他方法转移孩子的注意力，不是那么容易了。如果这时给他玩具，可能会把它摔到地上。

❖ 翻滚运动

原来能从仰卧翻到侧卧和俯卧，从这个月开始，宝宝可能会从俯卧翻过来到侧卧仰卧了，这就开始了翻滚动作。为了防止婴儿从床上掉下来，看护人一秒钟也不能离开婴儿，千万不要心存侥幸。用被子或枕头挡住，妈妈横躺在床边等等，你认为的安全措施，对于会移动的婴儿来说，都是无济于事的。可靠的方法就是把宝宝放在地板上或有围栏的地方。

有了深度知觉，当宝宝爬到床边时，会停下来踌躇片刻，似乎感觉到了他在高处，再往前移动，就有掉下去的危险。但这种危险意识似有似无，还不能真正保护

宝宝 / 尚潘柔美
妈妈这样举着宝宝，宝宝一脸的严肃，这是因为宝宝有些害怕。

宝宝不从高处落下，爸爸妈妈和看护人一定要注意防范。

166. 亲子游戏

❖ 藏猫猫

这个游戏对婴儿智能体能发育有很大的帮助。上个月，藏猫猫游戏是很简单的，妈妈用手或手绢把脸蒙起来，再把手或手绢拿开，又让宝宝看到了妈妈。从这个月开始，藏猫猫游戏的形式多了起来。

• 找爸爸

爸爸藏在妈妈身后，妈妈对着宝宝说："爸爸哪里去了？"宝宝会到处搜寻，是啊，刚才爸爸还在，这么一会儿哪去了？宝宝的表情很认真，疑惑的眼神很是招人喜爱。爸爸突然出现了："爸爸在这里呢。"宝宝高兴得手舞足蹈，甚至咯咯笑出声来。

• 寻找妈妈的手

妈妈把手藏在身后，问宝宝："妈妈的手哪去了？"宝宝不知道，这时妈妈把手拿出来："妈妈的手在这里呢。"在游戏中宝宝认识了妈妈的手。

• 寻找宝宝的手

妈妈拿着宝宝的手，放到宝宝的身后："宝宝的手哪去了？"再把宝宝的手拿过来："宝宝的手在这里。"宝宝也开始认识自己的手了。

• 寻找玩具、奶瓶

把手绢盖在玩具、奶瓶等物品上，一开始露出物品一角，让宝宝寻找，宝宝可能会把手伸到露出的物品上，把物品从手绢下拿出来。当宝宝知道物品被藏到手绢下的时候，就会直接把手绢掀开。

藏猫猫游戏的形式多种多样，父母一同开动脑筋，在游戏中开发宝宝潜能。

❖ 认识人和物

情感是婴儿建立人际关系的重要纽带。

婴儿刚刚出生，对外在的人、事、物是泛化反应、泛化认识。到了六七个月，婴儿开始表现怯生情绪，产生了与亲人相互依恋的情感，见到陌生人会哭，亲人不在时会表现出焦虑不安。

教婴儿认识人，可以让婴儿理解人与称谓的关系。每当有人进来，都要让宝宝猜一猜这是谁，宝宝肯定不会猜，也不会用语言表达，这不要紧，重要的是猜一猜这样的活动。

外公外婆进来了，妈妈对着宝宝说："宝宝，你看谁来了？""是宝宝的外公外婆。"以后随着月龄的增长，宝宝就会知道外公外婆就是妈妈的父母。

这是很容易做到的，只是有时父母会忽视这些细节和机会。培养是随时随地的，不能仅仅依靠每周1–2个小时的培训班，忽视日常生活中的培养和训练。

❖ 玩积木

用各种颜色的积木吸引婴儿，做以下有目的的训练：

•两块积木

妈妈递给宝宝积木A，当宝宝握住后，再递给宝宝积木B，宝宝可能有三种接积木的方式：

①把积木A扔掉，再接积木B；

②用另一只手接住积木B，积木A仍然握在手里；

③把积木A传到另一只手，腾出手来接积木B。

三种不同接法，表现出孩子运用手的三种能力：

如果用另一只手接住积木B，表明宝宝已经懂得了两只手可以分开使用。

如果把积木A传到另一只手，再去接积木B，表明宝宝已经会两手配合使用了。

如果把积木A扔掉，再接积木B，宝宝

宝宝 / 李曦冉

这么大的宝宝还不会自己玩玩具，需要妈妈带领宝宝玩。妈妈让球转动起来，镶嵌在球里的小动物欢快地跳了起来，宝宝要看个究竟，"哦，原来是这样。"宝宝似乎明白了什么。

可能还没有学会如何运用一双手。妈妈就要告诉宝宝，宝宝还有一只手啊，把积木递到另外一只手里。再教宝宝，把积木传到另外一只手里，再把积木接过来。这个游戏对于手的锻炼是非常有意义的。

•抓积木

手抓物体的动作先是大把抓，后是拇指和其他四指对捏，然后是拇指食指对捏。这个月宝宝可能会拇指和其他四指对捏，拇指和食指对捏能力还要经过2–3个月的时间。让婴儿练习抓小积木，能够锻炼手指的运动能力，锻炼指尖细小肌肉的协调动作，促进神经系统的发育。

❖ 亲子游戏

第一步：妈妈仰卧在床上，两腿屈曲。

第二步：让宝宝坐在妈妈的腹部，背靠在妈妈的大腿上，妈妈两手握住宝宝的小手。

第三步：当妈妈的两腿慢慢伸直的同时，妈妈也逐渐向上坐起（就像仰卧起坐），这时宝宝就呈仰卧位躺在了妈妈的腿上。

第四步：妈妈再慢慢躺下，躺下的同时两腿慢慢屈曲。两手轻轻拉着宝宝的手，宝宝又重新坐在了妈妈的腹部，靠在妈妈

宝宝 / 李曦冉
宝宝准备爬过去，刚刚7个月的夕希爬起来还不太协调，妈妈过去帮一把，宝宝非常高兴，也非常配合。

的腿上。

这个游戏，会锻炼婴儿仰卧起坐能力，妈妈也锻炼了腹肌，宝宝会高兴地大笑，在愉快的亲子游戏中锻炼了身体。

❖ **打转游戏**

这个月的婴儿，会有一种让爸爸妈妈捧腹大笑的动作，当宝宝俯卧位时，宝宝会把下肢和上肢同时腾空离开床面，只是腹部着床。

这时，爸爸妈妈拿一个好玩的东西或吃的东西，在宝宝的眼前，宝宝会用手去够，爸爸妈妈就向一边移动手里的东西，宝宝就会跟着移动，这时，宝宝就是以肚子为支点在床上打转，真是可爱极了。爸爸妈妈会高兴地笑，宝宝也会被爸爸妈妈的喜悦所感染，也高兴地笑。

可是，如果爸爸妈妈就是让宝宝够不到东西，宝宝不仅失去乐趣，还会因为受挫而哭。这时宝宝就会生气，对这种游戏失去兴趣。所以，爸爸妈妈要把握时机，适时让宝宝够到东西。

❖ **点头 yes，摇头 no**

爸爸妈妈站在宝宝跟前，妈妈指着爸爸问宝宝："他是妈妈吗？"爸爸就摇摇头，并说"不"。

妈妈又问："他是爸爸吗？"爸爸点点

头，并说"是"。

游戏规则提示：

爸爸不要说"是的"或说"我是爸爸"，也不要说"我不是妈妈，我是爸爸"或说"我是的"，因为这么大的婴儿对一句话的理解比较难，对单字理解容易些。

用单字"是"或"不"配合点头或摇头，使婴儿很快学会摇头和点头的含义。

不要用复杂的事物教婴儿，那会让婴儿感到为难。

反过来，爸爸也可以这样指着妈妈问。

用妈妈和爸爸来练习，宝宝最容易区分，因为这个时期的婴儿对爸爸妈妈已经比较熟悉了。宝宝第一个认识的是爸爸妈妈，会说的第一个词也是"爸爸"、"妈妈"。利用宝宝对爸爸妈妈的认识和依恋来开发婴儿的智能是最好的办法。

❖ **照镜子**

照镜子是婴儿喜欢的一项游戏。当宝宝看到镜子里的自己时，虽然意识不到那就是他自己，但会非常兴奋，对着镜子里的自己又是笑，又是说（发出音节，好像要和镜子里的宝宝说话），又是拍打，又是抓镜子。

妈妈可以利用这一点，教宝宝认识五官的名称和作用。妈妈对着镜子，指着宝宝（宝宝本人，而不是指向镜子）的鼻子、眼睛、嘴等部位，告诉宝宝，它们的名称和作用。这是很有趣的活动。宝宝不但看到镜子中妈妈指的五官部位，还能感受到五官的存在。如果指向镜子，一是宝宝感觉不多，二是指的部位不准确。

❖ **唱儿歌学动作**

适合婴儿的儿歌有不少，妈妈可以选择一些，边唱边做动作，这是一项很好的游戏。

如"小白兔，白又白，两只耳朵立起

来，立呀立，跑下去"。妈妈一边唱着，一边比画着。这个儿歌使宝宝认识了小动物——兔子，接触白色概念，熟悉耳朵的位置，知道什么是跑。

妈妈可以买一只玩具兔，唱"小白兔，白又白"。然后，把两只手的食指和中指伸开，做成剪子样，放在自己头顶上，唱着"两只耳朵立起来"。这时妈妈就站起来，做出跑的样子，边唱着"立呀立，跑下去"，边跑几步，让宝宝知道跑是怎么回事。

这比摸着玩具兔的耳朵，让白兔跑更能引起婴儿的兴趣，因为婴儿持久的注意能力很差。对不断变化着的事物和场景，不容易感到疲劳，不会失去兴趣。

❖ 教婴儿战胜挫折

这个月的婴儿还不会爬，当宝宝趴着时，在宝宝前面放一件玩具，这时宝宝会用手够，但因为宝宝不会向前爬，够不到他想够的东西，宝宝可能会哭。

妈妈可能会采取以下三种方法之一：直接把玩具递到宝宝手里；把玩具推到宝宝能够得到的地方；帮助宝宝向前爬，让宝宝自己努力够着。

哪种方法更好呢？当然是第三种方法最好了，可以使孩子的身体和心理都得到锻炼。爸爸妈妈用手掌轻轻推宝宝足底，使宝宝借助外力向前爬，够到他想要的东西。婴儿通过自己努力达到目的，这就培养了自信心。完全不帮助宝宝是不对的，婴儿还没有这个能力，会在心理上受到挫伤，产生孤独无助的消极情绪。

第4节 本月婴儿护理要点

167. 不同季节护理要点

(1)春季护理要点

婴儿过了6个月，从母体中获得的抗体慢慢消失，自身抗体尚未产生，所以对病毒细菌的抵抗能力下降；如果是人工喂养儿，缺乏初乳中抗体的摄入，尤其是IgA抗体缺乏，容易引起呼吸道感染，较之母乳喂养儿抵抗力可能低些。不要急于减衣服，带婴儿外出时，时间不要过长，多给宝宝喝水。

春季气候不稳定，冷热不均。如果一冬天也没怎么做户外活动，到了开春把宝宝带到户外，呼吸道对冷空气的抵御能力低下，容易患呼吸道感染。如果一冬天都坚持户外活动，到了开春就不会出现这种情况。

这个月的婴儿，容易发生出疹性疾病。如幼儿急疹、疱疹性咽峡炎、无名病毒疹等。(详见十三章)

(2)夏季护理要点

❖ 避免积食

炎热夏季，婴儿食欲会有不同程度下降，如果是在夏季开始添加辅食，就比较困难，宝宝本来就不爱吃奶，也不会喜欢吃辅食。妈妈不要强迫婴儿吃你认定的辅食和奶量，这会使婴儿积食，甚至腹泻。

❖ 餐具清洁

要注意奶瓶及配奶器具的消毒灭菌。最好买桶装配方奶粉，小袋分装更好，放在通风避光阴凉处，取出奶粉后要把封口

233

宝宝 / 尚潘柔美
宝宝不厌其烦地弹着电子琴。这个月龄的宝宝已经能够区分简单的声音，音调不准的玩具琴不宜给宝宝玩。

密闭好。喝剩下的奶可放置冰箱冷藏室中，留待下次喝，但不要把剩奶和新冲调的奶放在一起。最好是宝宝喝多少冲调多少，宁少毋多。

❖ **及时处理脓疱疮**

婴儿长痱子后，如果被抓破，感染化脓菌后形成脓包，可能会引起婴儿发热。脓疱也会出现疼痛，婴儿会为此哭闹，应及时治疗。先用碘酒消毒，再用酒精脱碘（把皮肤上面的碘脱掉），最后涂上红霉素软膏或雷夫奴尔霜，每天处理一次，直至脓疱消退。

❖ **防夏季热病和蚊虫叮咬**

这个月的婴儿，可能还没有接种乙脑疫苗，因此有感染乙脑病毒的危险。蚊虫叮咬是传播乙脑病毒的主要途径，要采取措施防宝宝被蚊虫叮咬。夏季，如果婴儿缺水，或天气过热，可能会发生夏季热病。母乳喂养的宝宝，妈妈一定要多喝水。配方奶喂养的宝宝，在喂奶间隔时间，尽量给宝宝喂些水，通常情况下，喂奶100毫升，需喂水20~30毫升。

❖ **防皮肤糜烂**

胖宝宝容易发生皮肤皱褶处糜烂，要勤洗皮肤皱褶处。对于爱出汗的婴儿，

使用爽身粉或痱子粉是不适合的，可涂痱子水或有防水功能的膏剂。有的宝宝对松花粉反应良好，妈妈可尝试着使用。用清水勤洗是预防皮肤糜烂和痱子的最好方法。

❖ **不提倡吃冷饮**

夏季，宝宝可以喝常温白开水，奶温要比常温高些，40℃左右比较合适。婴儿不宜吃过凉过热的食品。过冷的食品进入婴儿胃内，会使婴儿胃内血管收缩，胃黏膜缺血，使胃分泌功能受到抑制，消化酶减少，影响婴儿的消化吸收功能。婴儿黏膜薄嫩，过热食品会伤及宝宝黏膜。

(3)秋季护理要点

❖ **秋季少病**

秋季是个好季节，婴儿不爱患病，食欲也会随着天气的凉爽而增加。但秋季早晚凉，中午热，要随时给宝宝加减衣服。晨起凉，妈妈会给宝宝穿厚些的衣服，到了中午天气热，要在宝宝出汗前减衣，如果宝宝出汗了脱掉衣服，很可能会感冒。

❖ **爱吃奶也要适量**

值得注意的是，不要因为宝宝爱吃饭了，就拼命给宝宝吃，这会使宝宝积食。尽管宝宝很爱吃奶，也要适当掌握奶量。

❖ **应对爱咳嗽的婴儿**

随着天气转凉，有的婴儿会逐渐开始出现咳嗽，嗓子里呼噜呼噜的，好像有很多的痰，爱长湿疹的婴儿更是如此。妈妈就以为是患了气管炎，开始吃药打针，结果，一冬天也没好，吃了一冬天的药。

其实，宝宝根本不是感冒，也不是气管炎，更不是肺炎。这样的婴儿，就是气管分泌物多。天气一凉下来，就会这样。如果一看宝宝咳嗽了，就不敢带到户外，一直到第二年开春，才敢带宝宝出

去，那么气管分泌物会更多。户外锻炼很重要，尽管嗓子里呼噜呼噜的，也不妨碍带宝宝进行耐寒锻炼，这会改善气管健康状态。

(4)冬季护理要点

❖ 冬季呼吸道感染高发

冬季是感冒高发季节，本月龄婴儿要注意预防。室内空气新鲜，定时开窗开门通风。室内温湿度适宜（温度18-22℃，湿度40%-50%）。在室内，不要给宝宝穿得过多，如果宝宝总是有汗，脸红红的，到室外就会受凉外感风寒。

❖ 父母预防感冒也重要

父母预防感冒也是很重要的，这个月婴儿，被父母传上感冒是最常见的。父母一旦感冒，要注意隔离，给宝宝喂奶喂饭或抱宝宝时，最好戴上口罩，以免喷嚏、咳嗽飞沫传到宝宝的呼吸道。爸爸妈妈患感冒后，会经常擦鼻涕，病毒会沾在手上，如果没有清洗干净，可能会传到宝宝手上，宝宝吃手时，可能会感染病毒。还有给宝宝用的餐巾手绢等都要注意，不要被成人手上的病毒污染。

168. 衣物、被褥、床、玩具

❖ 带栏杆的床不适合醒着的婴儿

这个月婴儿开始会在床上翻滚，也开始学习爬，坐得也比较稳了。当婴儿醒着时，最好放在父母的大床上，或放在铺着地毯或木地板的地板上，使婴儿有足够的空间锻炼翻滚，爬、坐着也舒服。如果是坐在带栏杆的床里，会阻挡视线，让婴儿感到很不舒服。婴儿床比较小，宝宝翻滚时很容易撞在栏杆上，头会磕一个大包，脚也可能被卡在栏杆缝隙中。所以，妈妈不要为了安全而不顾孩子的感受，让宝宝

在地板上玩耍是最好的选择。

❖ 开始喜欢电玩

这个月的婴儿，对电动玩具会非常感兴趣，把电动玩具放在离婴儿一米远的地方，婴儿趴着时，会努力向前爬（尽管这时还不会爬，但爬的愿望促使婴儿学习爬行）。

当婴儿坐着时，把电动玩具放在距离婴儿一米远的地方时，婴儿会非常高兴地看着玩具，还可能会由坐位向前倾斜变成俯卧位，企图去够玩具，这是个比较复杂的体位变换，即使不能成功，对婴儿运动能力的提高也是有好处的。带响的玩具仍是婴儿喜欢的，婴儿会更加熟练地摇晃拨浪鼓、花铃棒。

❖ 玩具导致的气管异物

玩玩具时，应该注意的还是安全问题，气管异物可危及婴儿生命，一定要时刻想到。给孩子玩具前，每次都要仔细检查是否有破损（掉下的破损碎片可能会被孩子吃到嘴里，也可能会划破孩子皮肤），有无易脱落的螺丝和其他部件，还要注意玩具清洁。

❖ 谁来保护稚嫩的生命

作为儿科大夫，我注意到近年来，非食品类呼吸道异物患儿的比例不断上升。看到每一个稚嫩的生命承受痛苦，我都不禁要问：谁是罪魁？

我给许多婴幼儿检查过服装和玩具，但这不是儿科医生的职责。3岁前，幼童并没有明确的安全意识，因此从半岁到3岁这段时期，一个微乎其微的小疏忽就足以酿成大祸，甚至葬送幼小的生命。

危害婴幼儿的隐患表现在各个方面，作为一名儿科医生，我认为最要防范的是呼吸道异物对婴幼儿的危害。过去，造成呼吸道异物的主要是食品，如果仁、豆粒、果

核、鱼刺等。这些，通过提醒父母注意是可以避免的。近年来，非食品类呼吸道异物比例不断上升，主要是玩具零部件脱落、儿童服装上的纽扣及装饰物、商品上粘贴的各种标签、比较薄软的塑料包装袋等等。这种现象必须引起社会的高度重视。

还有胶皮玩具底座的金属响笛、玩具上的球珠、铅笔上的铁环橡皮、曲别针等等造成呼吸道异物，不胜枚举。异物堵住口、鼻、咽部，往往造成缺氧后脑损伤、脑瘫，甚至死亡。异物卡在气管、支气管中，则引起肺不张、肺感染、气胸、气管—食管瘘等，危害严重。

我在某儿童医院夜班急诊中，做过大致的统计，因气管异物就诊的患儿，占患儿总数的15%！在一些偏僻落后的地方，医院设备不完善，无法去除呼吸道异物。同时，此症具有发病急、恶化快的特点，不少婴幼儿不幸死于就医途中。

作为一名医生和母亲，我要发出呼吁：

第一，婴幼儿服装、玩具、用品设计生产者，应具备婴幼儿用品安全意识。有关行业管理机构应将婴幼儿用品是否对婴幼儿安全这一指标纳入产品生产标准。另外，国外玩具上有适宜年龄的明显标识，这一点值得借鉴。

第二，技术监督机构及工商管理部门，对市场上流通的危及婴幼儿安全的产品及劣质产品，应坚决取缔。

第三，家长为婴幼儿购物时，要仔细检查有无可能脱落的异物；不要购买来路不明的劣质商品；衣服、玩具在用过一段时间之后，应注意纽扣、部件等是否可能脱落。

让全社会都来保护幼小的孩子，消除他们身边的隐患，这是我们义不容辞的责任。

169. 睡眠、尿便护理

(1)睡眠护理

❖ 白天睡眠减少

从这个月起，婴儿的睡眠时间可能会有明显的变化，白天的睡眠减少了，玩的时间延长了，还可以留出时间吃辅食，晚上睡觉时间也向后推迟了。有的婴儿可能到了晚上10点还没有睡意，可早晨却起得很晚。

❖ 晚上睡得晚

父母都上班，保姆看护宝宝，她一般会以喂饱、喝足为喂养标准，对亲子游戏和户外活动等缺乏足够的重视。如果家里只有保姆一个人，忙不过来，没有时间做亲子游戏和户外活动。孩子又天生亲妈妈，妈妈回来后，就不舍得睡觉，妈妈也会和孩子做游戏，逗孩子玩。母乳喂养的孩子还会喂母乳，这就使得婴儿睡眠时间向后逐渐推延。有的孩子，到了傍晚还补上一觉，要等到妈妈七八点回来后再醒来，孩子就不可能早睡了。

❖ 父母的担忧

到了11点以后孩子还不睡觉，父母就开始担心了。孩子会不会睡眠太少，影响孩子长个？爸爸妈妈知道，晚上是生长激素分泌的高峰，错过了这个时期，就会导致生长激素分泌减少，孩子可能会长不高。有这种担心的父母，往往会带着孩子看医生。但这个问题医生往往是解决不了的，只能提些建议。

如果是保姆看护孩子，要改变这种状况，需要和保姆谈话，让保姆帮助改变这种睡眠习惯。早晨尽量叫醒孩子，带孩子到户外活动，傍晚不要让孩子再睡上一觉，这样会使孩子晚上八九点入睡。如果孩子已经养成了晚睡的习惯，那就不能勉强了，以免孩子睡眠不足，真的影响长个。

❖ 到底应该睡多长

父母会问，这么大的孩子一天应该睡多长时间，答案并不是统一的。有的孩子要睡14～16个小时，可有的孩子睡12个小时就够了。这要看孩子的生长发育是否正常，醒后是否有精神。

如果一切正常，即使睡得不如别的孩子长，也不必担心。宝宝可能就是睡眠少的孩子，也许父母就是睡眠少，宝宝遗传了父母的特点。

有的孩子，睡的时间比较长，妈妈就以为是孩子不机灵，总是睡着。有的孩子就喜欢睡觉，妈妈也不要干预。

如果孩子一夜都不醒，能睡十几个小时，白天睡得少，父母也没有必要非要延长孩子白天睡眠时间。白天睡得少，就增加白天活动的时间。

❖ 冬季夜眠不安

冬季，夜长昼短，宝宝户外活动时间减少，活动量降低。北方冬季室内温度多比较高，晚上关窗关门，室内空气流通差，如果室温高，湿度低，会感到闷热。因此，宝宝可能会出现夜眠不安现象。妈妈不要急躁，要尽可能改善室内环境，在天气晴朗，太阳充足，风不是很大的时段，带宝宝到户外活动，增加运动量，这对宝宝夜眠安稳很有帮助。

❖ 半夜频繁醒来

有的宝宝一个小时醒一次，一晚上醒三四次，甚至六七次，妈妈感到疲惫不堪，几近崩溃。这的确是令父母烦恼的事情。遇到这种情况，父母首先要保持冷静，切不可表现出急躁情绪，也不能为此争吵，更不能任宝宝哭闹而置之不理。心情平静，思绪稳定，开始分析宝宝频繁醒来的可能原因。如果找不到任何原因，医生也排除了疾病所致，父母就要耐心对待，柔声安抚宝宝，相信宝宝会在不久的将来，就能一夜睡到天明。

(2) 尿便护理

❖ 辅食带来大便变化

这个月是正式添加辅食的月龄，大便可能会发生一些变化。纯乳期大便次数多的婴儿，添加辅食后可能会减少，甚至一两天一次大便。有的婴儿原本每天一两次大便，添加辅食后，每天大便五六次。有的婴儿，原来大便比较稀，添加辅食后开始变稠，甚至成形变硬。也有的婴儿出现稀便。大便的变化会让妈妈着急给宝宝吃药，这样不好。如果大便改变与辅食有关，首先要调整辅食，尽量不要吃药，因为吃药有时不但没有帮助，反而会适得其反。

❖ 几天一次大便

如果宝宝几天大便一次，但大便并不干硬，甚至是不成形的软便，很容易排出来，宝宝没有任何异常表现，妈妈就不要着急，给宝宝按摩腹部，用沾有香油的棉签刺激一下肛门，帮助宝宝尽量缩短排便天数。如果大便干硬，宝宝排便困难或哭闹，那就是发生了便秘，妈妈就要分析：有便秘家族史吗？

宝宝／尚潘柔美

扶着宝宝腋下，能把一只脚抬起来了，再过两三个月，扶着宝宝双手，就能抬起一只脚了，现在妈妈可别这么做，以免把宝宝的肘关节拉脱位。

是否有喂养不当的地方？比如喝水少或这几天因生病吃得少？

添加的辅食是否不太合适？

大便干燥，可能会把肛门撑破，肛门的疼痛会让孩子不敢大便，结果大便就更干燥。一旦孩子出现大便干燥，要及时看医生，不要自行使用开塞露或服用泻药。有的婴儿尽管每天一次大便，但大便却干硬，甚至呈球状，这很可能是宝宝"上火"了。多给宝宝喝水，也可以在水中泡几根金银花，辅食适当增加菜泥，可喂些红薯和燕麦粥。

❖ 这不是停止添加辅食的原因

添加蔬菜和水果可使大便变软。以母乳为主的婴儿，大便次数可达3~4次，增加辅食种类时，可能使大便变稀、色绿，只要不是水样便，没有消化不良、肠炎，就不要停止添加辅食。

有的时候添加辅食后，出现了大便次数增加，妈妈可能会停止喂辅食，结果很长时间也不能使大便转为正常，孩子还会不停地哭闹，体重增长也不理想了，这可能是饥饿性腹泻。已经习惯吃辅食的婴儿，重新以母乳或配方奶为主，就会出现这种情况。所以，即使是添加辅食后出现了稀

便，也不能长期停止添加辅食，要考虑饥饿性腹泻的可能。

❖ 小便次数

小便次数多数在10次左右，夏季出汗，皮肤蒸发水分多，尿量可能会有所减少，次数也可能在6~7次，注意多喝水。夏季容易患尿布疹，要勤换尿布。

❖ 不要勤把尿

这么大的婴儿，对于妈妈把尿，多不会反抗，有时很容易成功，但这并不是真的控制小便的表现。如果正赶上孩子没有尿，妈妈可能会把得时间长些，有的婴儿就会不满意了，打挺或哭闹。有的婴儿，似乎很识相，一把就尿，妈妈就频繁把尿，几乎是一两个小时就把一次。这并不是好事，这样会使孩子的尿泡变得越来越小，到了该自行控制排尿的时候反而会很困难。

对于这个月的婴儿来说，训练尿便要掌握火候。如果能够观察出孩子要排泄，把一两分钟就能排，可以把尿便，甚至可以坐便盆；如果不是这样，就不要勉强。即使周围的孩子被妈妈训练得很好，也不要着急，1岁半以后才进入训练排便时期。

❖ 当婴儿排尿哭闹时

婴儿的尿发浑，尤其是女婴，排尿时哭闹，要想到患了尿道炎，及时到医院化验尿常规。男婴排尿时哭闹，要看一看尿道口是否发红，尿道口发炎，会致使排尿疼痛，可以用很淡的高锰酸钾水浸泡几分钟阴茎。包皮过长也会导致排尿不畅，要请医生诊断。但婴儿即使有包皮过长，也不要轻易手术，随着年龄的增长，包皮可能并不过长。过早切除，会导致包皮过短，使龟头裸露。

❖ 包皮粘连

妈妈可能会感到奇怪，只听说过女婴

会发生小阴唇粘连，没听说过男婴会发生包皮粘连呀。这是事实，男婴包皮过长或有包茎，长时间穿着纸尿裤，小屁股被裹在尿包里，透气性降低，积存在包皮内的尿酸盐结晶刺激皮肤发炎，尽管每天洗澡洗屁股，但妈妈不会把包皮往上捋着清洗，时间久了就有可能粘连。所以，男女婴的小屁股都需要妈妈好好护理。

第5节 护理中常见问题

170. 夜啼、趴着睡

(1)夜啼

这个月的婴儿，可能会出现夜啼；原来有夜啼的孩子，到了这个月，夜啼也许会消失，也有可能变得更加严重。

❖ **真正的夜啼儿——"高要求"的孩子**

对于真正的夜啼儿，要寻找夜啼的原因和解决办法是不容易的，针对夜啼的一些对策也很少能够奏效。对于这样的夜啼，可能会使父母感到带孩子异常艰辛。医生也很同情，但却没有好的解决方法。

这样的婴儿，可能就是"高要求"的孩子。既然是"高要求"，父母也就要给予更好的照顾，不然的话，孩子可能会变得灰心丧气，烦躁不安，哭得就更频繁，更剧烈了。

❖ **不理睬，让他哭个够行吗**

当然不行。或许会有人告诉你，对付夜啼的婴儿就是不理睬他，让他尽管哭个够，这是消极的办法，可能会使情况变得更糟。

❖ **父母耐下心来才是上策**

对于高要求的孩子，父母要耐下心来，共同担当起养育孩子的重任，而不是相互埋怨，丈夫抱怨妻子不会哄孩子，妻子抱怨丈夫不管孩子，甚至影响到婚姻的稳定。

❖ **不可忽视爸爸的作用**

要想使这样的孩子度过夜啼期，爸爸的作用是不可低估的。只靠妈妈是不行的，即使是全职妈妈，也很难达到高要求儿的需要。白天，妈妈要给孩子做辅食，喂奶，喂饭，做户外活动，洗刷，收拾家务。晚上，妈妈要哄孩子，不能好好睡觉，妈妈会感到筋疲力尽。

爸爸不该这样

爸爸白天上班，晚上休息，孩子夜啼影响睡眠，就对妻子大吼："连孩子也看不好，明天带孩子到医院。"或者干脆搬到另一间屋子里，可孩子的哭声仍然不绝于耳，爸爸气愤不已。夫妻间产生了隔阂，但婴儿仍然是我行我素，还是哭个没完，而且在爸爸的吼声和妈妈的抱怨中越哭越厉害。

❖ **我的请求**

宝宝／尚潘柔美

爸爸准备练习宝宝上肢的力量，看宝宝多厉害，用两只胳膊支撑起了身体。

宝宝 / 杨昊辰
拍于辰辰 6 个多月时，他喜欢玩水，平时还让他在家游泳。

在这里，我替夜啼儿向父母请求，如果您的孩子是个高要求儿，就应该正确面对。多给孩子一些关心和爱护，孩子不会一直哭下去的，在爸爸妈妈耐心呵护下，终会有那么一天，孩子突然不哭了，夜间能睡整觉了。

❖ 假性夜啼儿——有原因可寻

有些婴儿夜啼是有原因可寻的：

吃不饱；

白天活动过少；

白天受到刺激，夜间被噩梦惊醒；

对母乳依赖，不吸着乳头就睡不安稳；

肚子不舒服，可能是吃得太多，消化不了；

室内空气不新鲜，缺氧，孩子感到出气不畅快；

温度太高，热得睡不着觉；

室内温度太低，冻得睡不塌实；

有蚊子叮咬；

空气干燥，嗓子不舒服；

咳嗽以至于把奶都吐出来了，很不舒服；

大便干燥，晚上肛门堵着大便；

肚子发胀气，又不能把气排出来；

感冒鼻塞，嗓子里有痰，通气不畅；

皮肤湿疹，痒得慌，或尿布疹，臀部又痒又痛；

要出牙了，可能多少有些痛感。

这些原因可能是医生找不出来的，还要靠父母仔细观察，寻找可能的原因，试着改善一下，孩子可能就不会再夜啼了。

(2)趴着睡

❖ 为什么开始趴着睡

从这个月开始，有的婴儿会趴着睡，父母不知道孩子趴着睡是否正常，有的老人就会告诉年轻的妈妈，趴着睡，可能是肚子里有虫子或肚子痛。

其实，这个月的婴儿，能自由翻身了，虽然睡觉时妈妈明明看到孩子是仰着睡的，怎么现在趴过来了呢？而且，有许多婴儿开始喜欢上了这种睡觉姿势。妈妈把孩子变成仰卧，可是不一会，孩子就又趴过来了。

❖ 趴着睡正常吗

婴儿如果能够自由地变换体位，大多是采取他舒服的姿势睡眠。喜欢趴着睡的婴儿，大多是感觉这样睡比较舒服，而不是有什么疾病。婴儿可能也不会整个晚上都采取趴着睡的姿势，可能会仰卧或侧卧一会，再俯卧一会，不断地变换睡姿，这是很正常的。

❖ 趴着睡安全吗

父母对此不必担心。前面提过，婴儿应该采取仰卧位睡眠比较安全，那是针对 3 个月前的小小婴儿。小小婴儿还不会竖立头，趴着睡有堵塞口鼻引起窒息的危险。即使是侧着睡也会因为吐奶，堵塞口鼻，引发危险。婴儿大了，能自由转动头部和颈部，即使俯卧时也会把头转过来，脸朝一边躺着，而不会把脸埋在床上或枕头上。

如果脑后或背部臀部有疖肿，挨到床会疼，婴儿会被动采取俯卧位睡眠。但是，长疖肿的孩子，当妈妈让他仰卧时，会因为疼痛而哭闹。

171. 吸吮手指、耍脾气

(1)吸吮手指

通常情况下，婴儿在生后最初的6个月里，非常渴望吸吮，如果哪一天，碰巧婴儿的手指挨到了嘴唇，孩子就会吸吮起来，而且往往是一发不可收拾，吸吮得很来劲。如果妈妈试图拿开婴儿的手，婴儿就会大哭。6个月以后的婴儿，吸吮欲望有所减弱，但仍然非常喜欢吸手指，尤其是在入睡前和无聊时更是如此。

❖ 吸吮手指缘由

通常认为，吃母乳的婴儿吸吮手指的要少于人工喂养的婴儿。事实也许并非如此。为什么人工喂养儿要比母乳喂养更易吸吮手指呢？可能的原因是：

吸吮母乳的婴儿，能够较长时间地吸吮（一次吃两侧乳房，一侧乳房能吃十几分钟）。

母乳喂养次数多，是按需哺乳。

人工喂养儿，吸吮时间很短（吸吮力强的婴儿几分钟就能把奶瓶吸空）。

人工喂养次数少，是按时哺乳。

以上情况，使得人工喂养儿不能满足吸吮的欲望，吸吮手指正好弥补了这种不足。婴儿长期得不到满足，吸吮的欲望不但不会随着月龄的增加而减轻到消失，反而会增强这种难以满足的欲望，吸吮手指的现象延续下来，愈演愈烈，最终发展成"吮指癖"。

但是，为什么母乳喂养儿，也有"吮指癖"呢？

有的学者认为，有"吮指癖"的孩子，缺乏母爱，比较孤独，性格内向。然而，大多数吸吮手指的孩子，也是很开朗的，并不缺乏母爱。

更多的学者认为，恐惧心理是引起"吮指癖"的主要原因。但是，也并非都是这样。

我在临床中遇到的情况是：在婴儿阶段，无论是母乳喂养，还是人工喂养的婴儿，都会吸吮手指，比率并没有拉开距离。但是，真正发展到"吮指癖"的，确实是人工喂养儿多于母乳喂养儿。

❖ 如何对待吸吮手指的孩子

婴儿吸吮手指是正常现象，要满足婴儿吸吮的欲望，父母和看护人不要过多干预。如果父母总是强行干预，发展成"吮指癖"的可能性更大。

如果婴儿沉溺于吸吮手指，以至于影响吃奶和亲子游戏，甚至导致手指变形或长出茧子，就需要帮助了。干预方法要温和，妈妈可采取以下措施：

把宝宝喜爱的玩具放到宝宝手里；

拉着宝宝小手玩耍；

和宝宝做亲子互动游戏，把宝宝注意力转移到游戏上来；

宝宝 / 张洛宁
宝宝喜欢到户外活动活动，看各种运动着的物体。你看小家伙多么兴致高昂。

让宝宝吸吮安抚奶嘴；

晚上睡觉前可暂时给宝宝戴上小手套；

父母和看护人不能采取以下措施：

强行把孩子小手从嘴里拿出来；

唠叨、奚落、大声训斥孩子；

打孩子的小手；

把孩子的手或胳膊捆起来是极其错误的做法！

如果是大孩子，你用强制性的办法管教，孩子在你面前，可能不吃手了；离开你的视线，就会重新吸吮，而且是越吸越厉害，手指都变形了。

(2)耍脾气

❖ **这样耍脾气**

如果你喂他辅食，他不喜欢吃时，会用手打翻你拿着的饭勺或饭碗。

如果你非要把尿，就会打挺哭闹，把两腿伸直，甚至把尿盆弄翻。

无缘无故，突然要脾气，怎么都哄不好。

❖ **耍脾气是好还是坏**

随着月龄增加，婴儿情感逐渐丰富，如果父母不尊重孩子的选择，会遭到孩子

宝宝 / 尚潘柔美
宝宝的这个表演动作真精彩，用四肢支撑着整个身体，头向上仰着，这需要具有一定的臂力和腿力。

反抗，在妈妈看来就是要脾气了。婴儿要脾气，并不是坏事，说明孩子已经有了自己的主见，不能一遇到孩子要脾气，就一味地认为："这样的孩子应该管教，否则，长大了就管不了了。"这样的看法，对于这么大的婴儿来说，过于绝对了。

❖ **如何面对要脾气的孩子**

教育孩子要讲道理，同时通过情感抚慰，有效引导孩子。不能孩子要脾气，父母就要态度。这么大的婴儿，还不明白事理。如果孩子要脾气，父母生气、抱怨，孩子会因为不理解而加剧要脾气的势头。以温和的态度对待孩子要脾气，是最好的选择。

172. 不会坐、出牙迟、流口水

(1)不会坐

多数婴儿6个月以后基本上会坐了，但有的婴儿仍然坐不稳，后背还需要倚靠着东西，有时会往前倾，这都是正常的。但是，如果满6个月还一点也不会坐，甚至倚靠着东西也不能坐，整个上身向前倾，几乎趴在腿上，就需要看医生了。如果医生判断宝宝没有什么问题，就是还不能独坐，这说明宝宝脊椎还不能支撑起上身，那就不要刻意训练了，以免影响脊椎的正常发育。

(2)出牙迟

出牙早晚是有个体差异的。一般情况下，生后6个月，开始有乳牙萌出。但有的婴儿，早在出生后4个月，就会有乳牙萌出。有的婴儿迟至出生后10个月，甚至到了1岁，还没有乳牙萌出，这也是常见的现象。

小女孩悦悦的故事

悦悦直到1岁零2个月，才开始出牙。父母急

得团团转，看了一位医生又一位医生，走了一家医院又一家医院，没有发现任何问题，也没有发现器质性疾病。不但出牙迟，悦悦的身高也略低（妈妈身高是 1.62 米，爸爸身高是 1.76 米）。没有发现骨骼发育异常，也没有佝偻病。牙科检查也没有发现异常。

我询问病史，悦悦在新生儿期，只有妈妈爸爸，没有人帮忙，产妇心情不快，奶水很少，是混合喂养，但他们配的牛奶浓度很淡。结果，出了满月，悦悦的体重一点儿也没长，还比出生体重低了 100 克。3 个月前，悦悦一直比较瘦小。直到 1 岁零 2 个月，才开始萌出了下面的两颗乳牙。两周后，上面又萌出了两颗乳牙，以后在短短的 10 个月里，萌出了所有的乳牙，整整是 20 颗，出齐时，悦悦整整是两岁，和书上写的大约在两岁左右出齐乳牙相吻合。现在，悦悦已经 3 岁了，身高还高于同龄儿的平均值。

在我指导下，没采取任何治疗措施，只是好好地喂养，尽管没出牙，也没有耽误添加辅食。没有向后推迟固体食物添加时间，没有补充过多的维生素 D 和钙剂，没有吃什么补品和保健药品。按我的

建议，给悦悦吃所有能在菜市场买到的蔬菜，吃新鲜的水果，吃自己做的食物。即使是冬天也坚持户外活动，一天不少于 2 小时。春夏秋三季，几乎在户外活动近 4-5 个小时，悦悦脸红扑扑的，看起来健康极了。悦悦说话比较早，妈妈让悦悦叫我阿姨，悦悦总是调皮地纠正："不是阿姨，是郑大夫。"我就问："郑大夫是干什么的呀？"悦悦会笑眯眯地对着我说："是给悦悦看病的。"紧接着马上补充一句："郑大夫不让悦悦打针，也不让悦悦吃药，郑大夫最疼悦悦。"是的，悦悦非常懂事，因为在这以前，悦悦受了许多罪，最怕看见医院和大夫。

我讲这个故事的目的，不是让家长都不要看病，不给孩子吃药打针。只是要告诉家长，不要盲目给孩子吃药打针，能不吃药就不要吃药，能不打针就不要打针，能不输液就不要输液。药物治疗是一种最无奈的补救措施，孩子大多数问题和疾病，应该通过正确的喂养和护理来解决和预防。我之所以在这里说了这么多，就是在工作中，遇到太多的这类问题，孩子出牙晚一些了，出牙数与月份不符了，妈妈都会到处看病，吃很多的药，这是没有必要的。孩子间是存在着个体差异的。

(3)流口水

6 个月以后，大部分婴儿开始萌出乳牙，原来就爱流口水的婴儿，到了这个时期，口水流得更厉害了。原来不流口水的婴儿，从这个时期开始流口水了。要为婴儿多准备几个小布围嘴，湿了要及时更换，以免潮湿的围嘴浸坏了孩子的下颌和颈部皮肤，长出湿疹。有的婴儿流口水比较严重，下颌总是湿湿的，把皮肤都淹了。可以用清水洗净下颌后，涂一点橄榄油，能

够保护皮肤不被口水浸破。婴儿流口水不需要药物治疗。

173. 湿疹

到了这个月，大多数婴儿的湿疹有所减轻，有的就基本消失了。但也有的婴儿，不但不减轻，可能还会加重。这样的婴儿，多是对异体蛋白过敏，如鸡蛋蛋清、奶蛋白等。

湿疹严重的婴儿，多是嗓子里呼噜呼噜有痰，到了医院，医生往往诊断为气管炎或喘息性气管炎。这样的孩子一般比较胖，医学上称为渗出体质。对于这样的孩子，妈妈不必着急湿疹问题，随着月龄的增加，从以奶类为主食，逐渐向以饭菜为主食过度，湿疹会逐渐减轻的，无论多么严重的湿疹都会好的，不会留下瘢痕。

❖ 父母应该做的

湿疹严重的婴儿，在添加辅食时，妈妈要注意是什么使婴儿湿疹加重，如果吃海产品时湿疹加重，再进一步观察是虾类，还是鱼类。如果是改喝配方奶后湿疹加重，可换水解蛋白配方奶。如果是对蛋清过敏就暂时只吃蛋黄。如果是母乳喂养，母亲要少吃海产品和辛辣食品。

有的父母试图通过医学检查，查出过敏原来。婴儿做过敏原检查意义不大，结果也不太准确，还要接受扎针的痛苦。婴儿湿疹是可以自愈的，不是永久的，妈妈不要太着急了。

❖ 湿疹有不同类型

湿润型：多发于头顶、额、面颊等部位，对称分布。可有红斑、丘疹、小包、糜烂、结痂等表现，以渗出湿润为突出表现。

干燥型：多见于面部及躯干四肢，主要是潮红、丘疹及糠状鳞屑。

脂溢型：好发于头皮、面部、两眉间

及眉弓，皮肤潮红，有淡黄色透明物渗出，含有较多皮脂，渗出后结痂。

❖ 湿疹治疗要得法

•湿疹的治疗要根据湿疹类型选择外用药物。

•湿疹的治疗一般不需要服用药物，如果选用，可使用扑尔敏、维生素C、维生素B、钙，不能使用激素类药物。

•局部治疗也有一定的原则。

第一，湿润型应选用安抚性温和无刺激、具有收敛性保护作用的药物，不适宜使用洗剂、霜剂、软膏类。

第二，干燥型应选用具有保湿作用的膏剂和油剂。

第三，结痂较厚的，用氧化锌软膏或鱼肝油软膏，把结痂浸软后，再用甘油轻轻擦洗，使结痂自行脱落，不能硬揭。

第四，湿疹感染时可选择抗生素软膏。湿疹部位不能用各种洗涤剂，只能用清水冲洗。

❖ 湿疹护理要点

•热使湿疹加重，所以不能给婴儿穿得过多、过厚，室内温度不要过高。越热湿疹越重。凉爽一点，会使湿疹减轻，尤其是能使瘙痒减轻。所以长湿疹的婴儿凉爽

宝宝 / 张洛宁
宝宝在全神贯注地看着眼前的东西。这个年龄段的宝宝能够有几分钟的集中注意力时间了。

郑玉巧育儿经·婴儿卷

时比较安静，热时就会烦躁。

•妈妈认为孩子有湿疹看着比较脏，总是给婴儿用水洗，甚至用各种浴液、婴儿皂及各种市售的洗液给婴儿勤洗，这是错误的。越是有湿疹的部位，越不能勤洗。

•湿疹痒，婴儿会用手挠，妈妈不容易限制，要把婴儿指甲剪短，磨圆。妈妈不能替婴儿挠，如果婴儿痒得厉害，通过涂药解决，不能抓挠。

•如果宝宝皮肤比较干燥，保湿是很重要的，可以减轻湿疹。

•不要因为宝宝有湿疹，就什么也不敢给宝宝吃，食物品种单调，营养不均衡，会导致营养缺乏。

宝宝/李曦冉

宝宝就喜欢自己动手，尤其是吃饭，自己动手吃得认真投入。

174. 不吃辅食、厌食、拒绝奶瓶、不喝白开水

(1)添加辅食困难

❖ 哪些孩子添加辅食困难

食量小的婴儿比食量大的婴儿添加辅食困难。

很爱吃奶的婴儿，可能不爱吃辅食。

有的婴儿不喜欢吃奶，也不喜欢吃辅食。

❖ 不要强迫孩子吃辅食

一般来说，到了这个月添加辅食很困难的并不多。只是不那么喜欢吃或吃得少。

这个月婴儿添加辅食，仍然属于初期。只要孩子吃就行，不要求必须按照这个月婴儿辅食添加的种类和量完成。每个孩子对辅食需要的程度是不同的，不能千篇一律地要求。

❖ 添加辅食困难的原因是什么

添加的辅食不适合婴儿的口味。

添加辅食过晚了。

母乳很充足。

配方奶喝得很多。

不喜欢使用辅食的小勺小杯。

被妈妈撑着了，已经积食了。

如果添加辅食困难，又找不出什么原因，就要少加，只要吃一点就可以。如果一点也不吃，就改一改辅食的种类。

(2)厌食

❖ 厌食的孩子真那么多吗

什么阶段，都可能会有不爱吃饭的孩子。但真正厌食的孩子，并没有那么多。大多数孩子根本不是厌食，而是妈妈在喂养方式和观念上有问题。

❖ 真正厌食的孩子是什么样

食欲低下，什么也不肯吃，看到吃的就会不高兴。把放进嘴里的奶头吐出来，把喂进的辅食吐出来。如果强迫喂进去，可能会发生干呕。体重增长缓慢，生长发育落后，头发稀疏，缺乏光泽。这样的孩子就要看医生了，做必要的检查，服用必要的药物。

❖ 这些不是厌食的表现

在添加辅食过程中，妈妈按照食谱或书上推荐的食量喂孩子，如果宝宝不能把妈妈做的辅食吃下去，或不喜欢妈妈做的辅食，这可不是孩子厌食，是妈妈错怪了孩子。

如果孩子很爱吃某种食物，妈妈就没有限制地喂给孩子，而且第二天又做给孩子吃。这样，就会使孩子吃腻了。孩子不但不再吃他喜欢的这种食物，还会影响其他食物的摄入。

有的父母不知给孩子吃什么好，很喜欢听周围人的经验之谈，周围人说什么好，就不假思索地买给自己的孩子吃。你的孩子也许不适合吃这些，如你的孩子添加辅食时间晚，是6个月才添加辅食的，而那人的孩子是4个月开始添加的；那个孩子是人工喂养，你的孩子是母乳喂养，那人推荐的恰好是含油脂大的食品，不适合给刚添加辅食不久的孩子吃。结果导致孩子消化功能障碍，积食了，孩子辅食量和奶量都下降了，也不爱吃了。

凡此种种，父母都要加以辨别，不要动辄就认为孩子是厌食。

(3)拒绝奶瓶

单纯母乳喂养儿，平时没有使用奶瓶习惯，由于母乳不足，开始用奶瓶喂奶，有的婴儿拒绝使用奶瓶，这是正常现象。混合喂养的宝宝，在某一段时间，会突然拒绝喝配方奶或拒绝用奶瓶子喝奶。

如果用奶瓶喝水、喝果汁或菜汁都很好，只是拒绝用奶瓶喝奶，说明宝宝只是不喝配方奶，和奶瓶子没关。

如果孩子不喜欢使用奶瓶，就暂时用杯子或小勺喂，也许过一段时间，孩子自然而然就使用奶瓶了。

如果孩子不喜欢喝配方奶，喂母乳就行了，不要强迫宝宝喝，过几天再尝试着喂配方奶。如果没有母乳，孩子又拒绝喝配方奶，可把配方奶和在面粉里，给宝宝做面糊或面片汤，也可做奶粥和蔬菜水果奶汤，改变奶的味道，过几天再尝试喂奶。

(4)不喝白开水

❖ 宝宝为什么不喜欢白开水

即使从一出生就给婴儿喂白开水，也可能有那么一天，孩子会不喜欢喝白开水了。越明白事的孩子越不爱喝没有味道的白开水。

新生儿的味觉已经比较发达了，喜欢甜味。如果出生后给新生儿喝糖水，再给白开水时就很不情愿。到了六七个月，婴儿对味道的品尝能力已经很强了。喝惯了果汁、配方奶、咸淡适中的菜水、菜汁，对白开水就不感兴趣了。6个月以前，婴儿的吸吮欲望比较强，放到嘴里的奶瓶会很自然地去吸吮，尽管白开水没有什么味道，但是却能满足吸吮的欲望。6个月以后，婴儿天生的吸吮欲望减退，对于吸吮已经有更具体的目的了，喝他喜欢喝的东西。所以，婴儿不喜欢喝白开水是很自然的。

❖ 不给孩子喝白开水行吗

是不是孩子不愿意喝就可以不给孩子喝白开水了？这不能像吃奶瓶那样对待。任何饮料都不能代替水，6个月以前纯母乳喂养儿，可以不额外补充水，但在炎热的夏季和干燥的春季，还是要适当补充水分的，如果乳母口味比较重，就更应该给孩子补充水了。所以，尽管婴儿不爱喝白开水，也要想办法喂一些水。哪怕喝几口也是好的。

❖ 使孩子喜欢喝的办法

让婴儿自己拿着奶瓶喝水是最好的方法。婴儿喜欢自己做事，把喝水的任务交给婴儿自己，妈妈在一旁看着，孩子会喝下不少的水。这个方法很有效。妈妈不要怕婴儿自己拿不好奶瓶。不要担心，你只要在一旁看着，不会出什么问题的。

175. 意外隐患

❖ **能力强了，也多了意外隐患**

这个月的婴儿活泼多了，会坐、翻身、打滚等运动。

趴着时，抵住宝宝小脚丫，宝宝可能会向前蹿，像个小青蛙似的。

坐着时会试图变成俯卧位或仰卧位。

会拿起他周围的东西，不知道热的东西不能摸，也不知道刀子会扎手。

还会把小的东西放到嘴里。

躺着时会顺手把身边的毛巾、小被子、尿布等放到嘴里吃，还会蒙在脸上。当影响他呼吸时，不能意识到是他脸上的东西阻碍了他的呼吸，不会把它拿掉。

孩子在翻滚时，意识不到会摔到床下。

❖ **意外事故重在预防**

一切危险婴儿都不能预料。婴儿可能会对高度有感觉，如果把婴儿放在床边，婴儿看看床下，似乎能意识到下面危险，不再向前爬了。但在多数情况下，这么大的婴儿不能意识到危险。

不要把危险的东西放在婴儿能够得到的地方。

宝宝／李曦冉

乘坐私家车安全第一：婴幼儿一定要坐安全座椅；儿童一定要系好安全带；切莫让孩子坐在副驾驶座位上！晕车的宝宝提前吃晕车药；高速上不能开车窗；即使路上车很少也要控制在安全范围内。行车过程中不宜让孩子吃易噎呛的食物，如花生瓜子等。绝对不能超速行驶。

不要让婴儿自己在床上玩耍。

婴儿在没有栏杆的床上睡觉时，身边没有人，醒后可能会掉到床下。切记不要把能够堵住婴儿呼吸道的物品放在孩子能够拿到的地方，尤其是塑料薄膜。

• **从床上摔下来怎么办？**

婴儿是头重脚轻，从床上摔下来往往是头部着地，头部受伤的几率最大。当孩子从床上摔下来时，父母常常是惊慌失措，抱着孩子就向医院跑，到了医院当然是先做头颅CT，甚至做头颅核磁共振。孩子从床上摔下来是不是一定要到医院看医生？一定要做头颅CT？父母应该怎么办呢？

摔下后，孩子马上就哭了，哭声响亮有力，哭一会儿，大约十分钟左右。之后，面色很好，精神也不错，看不出有什么异常表现，又开始正常玩耍、喝水、吃奶了，这种情况下大脑受伤的可能性几乎为零，不必抱到医院，可在家继续观察孩子的变化。

在观察过程中，孩子出现不爱吃东西、精神欠佳、嗜睡（比平时爱睡觉，醒了也不精神，或醒了又睡）、不像伤前安静或过于安静。出现上述情况之一，就应该看医生。

在观察过程中出现呕吐应立即看医生。

在观察过程中出现发烧也要看医生。

摔下后，孩子没有马上就哭，似乎有片刻的失去知觉，不哭不闹，面色发白，把孩子抱起时，感觉到孩子有些发软。无论有无其他异常，都应该到医院看医生。

摔下后，头部有出血，应到医院处理。

头部磕个包块，表皮没有可见伤，也没有任何异常表现，不用看医生。

不要用手揉搓头部的包块有些父母可

247

能会这样做，认为揉一揉不但可以缓解孩子的疼痛，还能使包块变小，把淤血揉开。这是错误的做法。

头部有包块，无论有无皮肤损伤，都不要热敷。如果头皮没有损伤，可适当冷敷。

如果皮肤有擦伤，可用消毒水（双氧水）、酒精、碘酒消毒后，涂少许红药水。但不要包扎。如果伤口比较大，比较深，或出血比较多，就要到医院了。

无论有无异常，有无可见的外伤，只要是头部受伤，都要仔细观察48小时。出现异常及时看医生。

176. 免疫接种

婴儿满6个月应该接种第三针乙肝疫苗了。医生可能会询问妈妈，是否要给宝宝接种某些计划外疫苗，这常常让妈妈无法抉择，不知是接种好还是不接种好。我的建议是，首先要按时接种计划内疫苗，在不影响计划内疫苗接种的前提下，根据婴儿具体情况，有选择性地接种计划外疫苗。

宝宝/李曦冉

第八章　7-8个月的婴儿（210—240天）

这个月宝宝活动能力增强；能坐得很稳；能在床上翻滚；

有了更丰富的情感；

开始依恋妈妈；会伸手让妈妈抱抱；

仍把能拿到的东西放到嘴里啃咬；

托住腋下，双腿站立；

仰卧位时，用手掰着小脚丫，放到嘴里吸吮；

吃奶不再那么认真，常常吸几口就东张西望……

第1节 本月婴儿特点和生长发育

177. 本月婴儿特点

(1)患病几率增加

随着宝宝月龄的增加，活动范围大了，接触的人也多了，父母会带孩子到一些场所玩耍，会带宝宝走亲访友，和其他小朋友接触的机会也多了起来。

6个月以后的婴儿，从母体获取的抵御病原菌和病毒的抗体逐渐减少，开始靠自己逐步获取抗体。获取抗体的过程，就是小病不断的过程，切莫因为宝宝的一点小病就大动干戈，吃很多的药，甚至打针输液。那样会影响宝宝自身抗体形成，导致宝宝抵抗力进一步降低。宝宝生病，勤问医生，仔细观察，悉心照料，科学护理，尽可能少用药。

这个月的婴儿，多数能在床上翻滚，有的婴儿已经会向前匍匐爬行，从坐位能够变成俯卧位。运动能力的增强，加大了意外事故的风险，父母和看护人要加强对婴儿的护理，保证婴儿安全。如果由育婴嫂看护，父母要在肯定她的成绩、理解她的辛苦的基础上，提醒她注意各方面的护理。

(2)运动能力增强

上个月还坐不很稳的婴儿，到了这个月就能坐得很稳了。坐着时能自如地弯下腰取床上的东西。有的婴儿能从坐位变成俯卧位，有的婴儿还会勇敢地向后倒在床上，躺着玩一会儿。也许宝宝往后倒时会磕着后脑勺，要给宝宝的活动场所铺上防震垫。

上个月还不会从俯卧位变成仰卧位，

这个月就会了，甚至还能连续翻滚呢。所以，无论宝宝是否会翻滚，从这个月开始，都不要把宝宝放在没有栏杆的大床上，即使有被子枕头挡上，宝宝也有从床上掉下来的可能。晚上睡觉，如果宝宝和父母在同一张大床上睡，即使宝宝睡在爸妈之间，脚底下用枕头被子阻挡，宝宝仍有掉下去的可能。要让宝宝睡在有围栏的床上，也可以把宝宝的小床紧挨在爸妈的大床旁，这样既安全，照顾起来又方便。

胳膊和手的运动能力也强了。趴着能伸胳膊够前面的东西，够不到，还会一拱一拱地向前爬。可以随意拿起或扔下手里的东西，两手自如地倒换手里的玩具。会翻开盒盖，把东西放到盒子里，还能从盒子里取出物品。有的婴儿会用手掌拍击小鼓，一旦拍出声响，就会乐此不疲。

仍然喜欢把手里的东西放在嘴里，但已经不是吸吮了，而是开始啃了，如果长牙了，还会啃得咯吱咯吱响，很可能会咬下来点什么东西，如用泡沫塑料做的仿真水果和小动物，宝宝会把它当做食物来啃咬，妈妈要注意及时从宝宝嘴里取出啃咬下来的东西。

(3)情感更丰富了

把手中的玩具拿走，宝宝会大声地哭，但也有比较"憨厚大方"的宝宝，拿走就拿走，不在乎，如果眼前还有别的玩具，拿起来照玩不误。

见不到妈妈会不安，甚至哭闹。如果爸爸经常看孩子，抱孩子，宝宝也会和爸爸非常亲。

见到生人可能会一脸严肃，试图抱宝宝时，宝宝会向后躲，把脸转过去；如果非要抱他，他可能会以哭闹抗议。妈妈无须难为情，这并不能说明宝宝对来人不友好，这预示着宝宝正在萌发安全意识，开始拒绝他认为对他有威胁的事件。随着月龄增加，婴儿会越发认生。1岁以后的认生和婴儿期的认生有所不同。

1岁以内的婴儿，只是单纯的认生，缺乏强烈的反抗和明确的指向性。对陌生人的警觉并不长久，如果这位陌生人继续讨好宝宝，很快就能获取宝宝信任，玩得火热，说不定宝宝还不愿意这位陌生人离开呢。但并非所有的婴儿都是这样，有的婴儿见谁都不陌生，也不能就此认为缺乏安全意识。婴儿对待陌生人的态度与性格有关。随着月龄的增加，婴儿的性格逐渐变得明显起来，个体间的性格差异开始出现。

1岁以后的认生可就不同了，开始分出级别。如果你曾经给过他痛苦的经历，如在医院接受过医生护士打针输液，再见到穿白大衣的人，就会表现出恐惧，你试图接近时，他会剧烈哭闹。

(4)奶和辅食份额的把握

有的婴儿很喜欢吃辅食，如果因此奶量明显减少，要适当限制辅食喂养量。奶仍是本月婴儿的主要食物来源，所占份额不能小于70%。

母乳喂养儿，如果每次喂奶时间短于15分钟，每天哺乳次数少于5次，要分析原因，是否因为过多地添加了辅食。

配方奶喂养儿，每日奶量600-800毫升。

混合喂养儿，不要因为添加辅食而减少母乳喂养，可适当减少配方奶量。

宝宝 / 李悦宁
这是我7个月时趴着时候的照片，尽管我的额头抬得还不是特别的高，可和小时候的我比起来，能耐大了很多，动作也娴熟多了。

食量大的婴儿，即使添加了辅食，奶量也没有减少。食量小的婴儿，稍微增加辅食量，奶量就会明显减少。妈妈为此很为难，不喂辅食吧，怕营养不均衡，奶量太少也觉得不对。遇到这种情况，妈妈不要过于急躁，尽可能地分配好奶与辅食的份额（建议：奶量占70%，辅食占30%）。只要宝宝体重增长正常，就不要强求宝宝吃更多的辅食和奶。如果宝宝体重增长不理想，及时看医生，不要逼着宝宝吃，以免宝宝出现情绪性厌食。

要合理安排时间。全职妈妈有时间为婴儿制作辅食，上班妈妈时间比较宝贵，应该腾出更多的时间和宝宝玩。为了节省时间，可以购买现成的辅食。

(5)尿便改变缘于辅食

有便秘的婴儿，可能会因为辅食种类增多而结束便秘；便稀或次数多的婴儿，可能会因为辅食种类增加，大便变得更稀或次数更多。胃肠道功能好的婴儿，吃啥都没事，很少出现问题。胃肠道功能差的婴儿，即使很小心了，也时常出现问题。

胃肠道好坏与先天家族因素有关，比如父母双方或一方有顽固便秘史的，宝宝发生便秘的几率大。父母双方或一方消化能力弱，动不动就腹泻的，宝宝也常因为不经意的原因就发生腹泻。妈妈可能会问，那是不是就听其自然了呢？不是的，通过后天努力，精心喂养，规避不利因素，宝宝胃肠道会很健康的。

如果添加了一种新的辅食，宝宝大便出现异常情况，就暂时停止这种辅食。待异常症状消失后，恢复几天，再尝试着添加，但要减半。如果再次出现异常，就多停一段时间，再减半添加。除了很严重的过敏和异常，不要完全放弃某种或某类食物。

不要忘记药物对胃肠道的伤害，包括一些营养品。妈妈试想一下，婴儿对食物尚且不能全然耐受，对营养品（可以说是浓缩的食物）怎能耐受？药物则不是耐受与否的问题了，而是对胃肠道的一种伤害。所以，给婴儿服用药物，包括营养品，一定要考虑这一点，不要适得其反，因为要补充那点营养素而影响婴儿进食。

宝宝仍不会告诉妈妈"我要拉"，只是有的宝宝便前有所表现，妈妈能及时捕捉到，帮助宝宝把大便排到便盆里。奶量的

宝宝／李悦宁
宝宝睁着眼哭，说明宝宝有要求了。如果宝宝会用语言表达自己的要求，就不会动不动就用哭来说话了。

减少，导致尿量减少，排尿次数也不那么频繁了，但一天总得有十来次。

如果仅仅是尿量减少，最大的可能是进水量不足，适当补充水分，观察尿量是否增加，如果增加了，就说明是水量不足。

(6)睡眠时间和户外活动

❖ **睡眠时间昼短夜长**

婴儿到了这个月，白天睡眠次数和时间会有所减少，夜间持续睡眠时间相对延长，这是令爸爸妈妈高兴的事情。但也有的婴儿恰恰相反，白天睡的还不错，晚上入睡晚，半夜频繁醒来。有的婴儿天生觉少，在妈妈看来，白天晚上都不怎么爱睡，精力旺盛，总是动个不停，吃的也不多，妈妈奇怪宝宝哪来的那么大精神，更担心宝宝有多动症。妈妈不必担心，婴儿醒着就应该一刻也不停歇，爱运动是孩子的天性，妈妈应该为宝宝精力充沛感到高兴才是啊。

❖ **户外活动必不可少**

户外活动对婴儿健康成长必不可少。春、夏、秋三季，要多带宝宝到户外活动。冬季也不能让宝宝足不出户，除了风沙大或污染指数高的天气，其他时候都要争取带宝宝到户外活动。夏季紫外线强度大，要采取防晒措施，避免皮肤晒伤。北方的冬季气温低，要注意保暖，避免面部皮肤和手脚冻伤。

随着月龄的增加，婴儿的活动能力增强了，发生意外的几率也随之增加。因此，父母不能放松安全防范措施。要时刻记住您的宝宝不会自己保护自己，时刻需要父母的呵护。不要在路旁或加油站附近逗留，以免婴儿过多吸入汽车尾气。在树下乘凉，要防止树上掉下来的鸟粪或其他坠物，砸到婴儿头部或落入眼睛。如果周围有踢球

的小朋友，最好离开一定的距离，以免飞过来的球砸到婴儿。

178. 本月婴儿生长发育

(1)身高

婴儿身高增长呈现一条不规则的上升抛物线，可根据男婴或女婴身高增长曲线图，监测婴儿身高增长情况。连续、动态的监测，要比某一次测量数值有意义。

影响身高增长的主要因素是种族、遗传、性别。婴儿期，遗传因素对身高影响不显著，但婴儿间仍存在着个体差异。这种差异与遗传有关，也与出生时身高、营养状况、喂养情况、疾病等因素有关。3岁以后，身高会越来越显示出种族、遗传的影响。青春期前后，性别对身高的影响显露出来。

本月婴儿，男婴身高均值69.8厘米，女婴身高均值68.1厘米。如果男婴低于65.2厘米或高于74.5厘米，女婴身高低于63.6厘米或高于72.6厘米，为身高过低或过高。

(2)体重

可以根据男婴和女婴体重曲线图，监测婴儿体重增长情况。连续监测要比某一次测量更有意义。体重增长受营养、护理方式、疾病等因素影响，喂养好坏与婴儿体重关系密切。既要注重营养供给，又要避免营养过剩。

现在营养不良少见，营养过剩增多，肥胖儿增多。妈妈在喂养中，不要一味追求食量，不要和周围婴儿比谁胖。宝宝不胖不瘦，体形匀称适中，体重在平均水平是最理想的。

本月婴儿，男婴体重均值8.75公斤，女婴体重均值8.13公斤。如果男婴体重低于7.00公斤或高于10.91公斤，女婴体重低

宝宝 / 李悦宁

无奈、伤心、生气夹杂在一起，宝宝哪有不如此痛哭的理由。宝宝愿意做什么、不愿意做什么的时候多了起来。父母要学会正确处理宝宝的情绪。心理学家认为，哭泣是不好的，不要让宝宝养成婴的毛病。父母应该明确告诉宝宝，难受、就痛痛快快哭出来，妈妈知道你不好受，像高兴一样毫不掩饰。父母不同意的，毫无商量余地，第一次就严厉制止，让孩子没有要的理由。

于6.54公斤或高于10.10公斤，为体重过低或过高。

(3)头围

本月宝宝头围增长进一步放缓，平均数值在0.6-0.7厘米之间。头围增长规律和身高、体重的增长规律也是一样的，月龄越小，增长越快；月龄越大，增长越慢。

如果按出生时头围34厘米估算，满7个月，头围可达43厘米，满8个月，可达44厘米。

每个婴儿间，头围大小存在个体差异，头的大小也与遗传有关，父母双方或一方的头比较大，宝宝头围多比较大。只要头围在正常范围内，妈妈就不要为头围大点或小点焦急，更没必要为此做头颅CT或核磁检查。

(4)囟门

本月婴儿前囟大小没有大的变化，和上个月差不多。囟门大小，婴儿间也存在着个体差异。有的婴儿生下来囟门就比较

大，有的则比较小，妈妈不必担心。有的妈妈认为，囟门小，就是补钙多了，囟门大就是缺钙了。囟门大小与缺钙没直接关系，囟门大小不能决定补钙与否。

(5)出牙

绝大多数婴儿有乳牙萌出，动手能力也增强了，发生气管异物的危险系数增加。花生米、各种豆子、小玩具球、玩具上有可能掉下来的零部件、塑料薄膜等，一定要远离婴儿。一定要注意、注意、再注意！

婴儿大多在出生后6个月开始有乳牙萌出，萌出的顺序是：先萌出一对下乳中切牙；到了8个月，萌出一对上乳中切牙；以后其他乳牙大致顺序由前向后，左右相继成对萌出，一般是左右对称，同时萌出，先出下牙，后出上牙。到了9个月，萌出一对下乳侧切牙，再萌出一对上乳侧切牙；到了1岁2个月，先萌出一对下第一乳磨牙，再萌出一对上第一乳磨牙；到了1岁半，先萌出一对下乳尖牙，再萌出一对上乳尖牙；到了2周岁，先萌出一对下第二乳磨牙，再萌出一对上第二乳磨牙。这样，到了2周岁，20颗乳牙就出齐了。

乳牙数计算的方法是：2周岁以前的婴儿，月数减4-6。如8个月婴儿乳牙数是：8-（4-6）=4-2，8个月婴儿应该萌出乳牙2-4颗。

但并不是所有的婴儿都是如此规律地按照书本上写的萌出乳牙。有的婴儿早在出生后4个月就开始有乳牙萌出了，可有的婴儿迟到出生后一岁才开始长牙。如果因为乳牙萌出迟了，就认为缺钙，给孩子喂钙片钙水，是没有必要的，如果孩子吸收不了这些钙，会使孩子大便干燥。吸收了过多的钙对孩子的身体同样是有害的。况且乳牙早在胎儿期就开始生长了，只是没有萌出牙床，妈妈看不到而已，父母尽管放心。

第2节 本月婴儿喂养

179. 母乳喂养

❖ 爱吃辅食的宝宝多了起来

如果母乳很充足，吸吮时并不费力，婴儿还是比较喜欢吃母乳的。但如果母乳少了，吸吮时比较费力，吸几口就没有了，婴儿可能就不那么爱吃母乳了。随着月龄增加，对母乳的那份热爱和依恋慢慢降低。但有的婴儿正好相反，越来越依恋母乳，只要看到妈妈就要吃奶。如果妈妈白天不在家，到了晚上，宝宝可能会频繁醒来吃奶，不给就睡不安稳，甚至哭闹。妈妈感到很疲惫，白天要工作，晚上睡不好，着实让妈妈承受不住。遇到这种情况，丈夫一定要体谅妻子，多分担家务，多照看孩子，尽可能让妻子多休息。母乳喂养仍很重要，不该因此断掉母乳。有的婴儿不是很喜欢吃辅食，妈妈担心宝宝会营养不良，萌生断母乳的想法，这是不应该的。

❖ 必须添加辅食

如果现在还没有添加辅食，或者是偶尔添加，仍然单纯母乳喂养，这是错误的。另外需要说明，配方奶不是辅食，有的妈妈认为，到了添加辅食的月龄，必须添加配方奶，这同样是不对的。配方奶也是奶，随着婴儿月龄的增加，不能再以纯乳类食物喂养，必须添加谷物、蛋肉、蔬菜和水果等乳类以外的食物。

❖ **喂辅食的条件反射法**

妈妈尽量改善辅食的制作方法，增加宝宝吃辅食的欲望。喂辅食时，妈妈要边喂边和宝宝交流："宝宝真乖，能吃妈妈做的饭，妈妈非常喜欢宝宝，吃饱了带宝宝出去玩。"

喂婴儿辅食，要尽可能地在固定的时间和地点，采用一致的形式，建立条件反射，养成良好的进食习惯。比如，喂辅食前，帮助宝宝舒适地坐在餐椅上，系上围嘴，放上舒缓的音乐（每次吃辅食都放同一首音乐），用宝宝熟悉的餐具，一边喂饭，一边和宝宝交流，在愉快的气氛中完成吃饭过程。如果宝宝不想吃了，千万不要因为还剩下一口，就硬往嘴里塞，这样做会让宝宝反感，开始拒绝吃饭。

180. 人工喂养

❖ **保证奶量**

如果宝宝很爱吃辅食，因而减少奶量，每天不足600毫升，就要适当控制辅食量，但不能降低辅食种类。本月婴儿每天辅食种类可达5种。比如，鸡蛋黄、鱼肉泥、蔬菜泥、果泥、米粉糊或面汤。妈妈不要因为宝宝吃得少，每天只给宝宝喂一两种辅食。比如，一天喂一个蛋黄，一碗米粉或米粥。宝宝吃的不少，但种类单调。添加辅食，质和量都重要。

❖ **奶与辅食的合理安排**

如果宝宝每次喝奶200毫升以上，那就每天喂3次，早晨和午后2次，睡前一次。每天2次辅食，中午一次，傍晚一次，上午一次水果。

宝宝 / 姜杼君
宝宝在吃磨牙饼干。磨牙饼干有利于牙齿萌出，有的宝宝不喜欢吃磨牙饼干，妈妈不必强迫，吃其他固体食物同样有效。

如果宝宝每次喝奶200毫升以下，那就每天喂4次，早、中、晚3次，睡前一次。每天辅食2次，上午一次，下午一次，午后水果一次。

如果宝宝每次奶量比较小，就多喂几次，争取每天奶量在600毫升。如果宝宝喜欢喝奶，不喜欢吃辅食，可以缩短喂辅食和喂奶的时间间隔，延长喂奶和喂辅食的时间间隔。喂养的方法要灵活掌握，根据吃奶和辅食的情况适当调整。

❖ **食量小不是病**

食量小的婴儿，喂奶喂辅食都很费劲，一天中几乎总是在喂食，可仍然不能完成既定喂养量，爸爸妈妈很着急，担心宝宝生长发育受影响，怀疑宝宝有病。带宝宝跑医院，看医生，什么病也查不出来，药吃了不少，效果甚微。遇到这种情况，父母一定不要焦躁，放松心情。医生没有发现任何病症，宝宝生长发育正常，精力充沛，睡眠良好，说明宝宝是健康的，只是食量小而已，爸爸妈妈就不要计较了，放宝宝一马，不要再逼着宝宝吃喝了。

181. 混合喂养

母乳、配方奶、辅食，妈妈真不知道

宝宝 / 陈天一

宝宝这样躺着玩，妈妈不会有什么担心，但是如果宝宝睡觉时总是这样扭着脖子，妈妈可能会担心宝宝有什么问题，其实，宝宝没有任何问题，这个姿势会让宝宝感觉呼吸道更通畅。

该怎么安排了。其实，母乳和配方奶都是奶，只要把奶和辅食合理安排好也就行了。到了辅食时间就喂辅食，到了吃奶时间就喂奶。可是，混合喂养时，到了喂奶时间，妈妈不知道是喂母乳，还是喂配方奶，怎么办？很简单，一定以母乳为主，首先选择喂母乳，如果母乳实在不够吃，再适当补充配方奶。如果妈妈母乳不太充足，为了保证晚上睡得安稳，可在睡前喂一顿配方奶。如果宝宝不吃配方奶，可把配方奶粉放到辅食中，如可在蒸鸡蛋羹的时候放奶，也可把奶和到粥里，还有奶馒头、奶面条等。给宝宝包馄饨饺子时，也可在面粉中放些奶粉。

❖ 别忘户外活动

不管怎样喂养，都不要忘了带孩子到户外活动，和孩子开心地玩。这个时期，婴儿潜能开发是很重要的，爸爸妈妈和看护人不要和"吃"较劲，不要让宝宝见到吃的就烦，最后厌食。爸爸妈妈需要的就是掌握好膳食结构，科学喂养，而不是逼着孩子吃掉父母认为应该吃掉的食物。每个婴儿食量不同，对各种饮食喜好程度存在差异，随着月龄增加，差异越来越显著，"填鸭式喂养"不可取。

182. 本月婴儿辅食特点

❖ 不能一次添两种

除了继续添加上月添加的辅食以外，从这个月开始可以添加畜肉、豆制品、各种蔬菜和水果。不能一次添加两种以上新辅食，一天之内，不能吃两种以上的肉类食物。

❖ 制定食谱，合理搭配

从这个月开始，每顿辅食都要合理搭配，不能只吃单一食物。每顿辅食都包含粮食、蛋或肉、蔬菜。逐渐把饭和菜分开，让宝宝品尝出不同食品的味道，增加吃饭的乐趣，提高食欲。从这个月开始，可以尝试给宝宝吃碎菜、肉末、肉馅、粥等颗粒状食物。

❖ 不要总是比

在吃的方面，孩子间的个体差异是比较大的。不要和周围的婴儿比，也不要听过来人说"我的孩子到了这么大什么都能吃了"，因为听信这样的话，会给你心理上很大压力，觉得自己喂养孩子很失败，自己的宝宝不如人家的能耐。

❖ 增加高铁食物

本月婴儿每日所需热量与上月相同，每公斤体重95~100卡。蛋白质摄入量每天每公斤体重1.5~3.0克。脂肪摄入量比上个月有所减少，上个月脂肪占总热量的50%左右（半岁前都是如此），本月开始降到了40%左右。铁的需要量明显增加。半岁前每日需铁0.3毫克，从本月起，每日需要10毫克的铁，增加了30倍以上。鱼肝油的需要量没有什么变化，维生素D仍是每日400国际单位，维生素A每日1200国际单位。其他维生素和矿物质的需要量也没有多大变化。本月营养需求重点是铁剂，辅食中要侧重高铁食物的摄入，如动物肝或血、红枣、黑芝麻、蕨菜、瘦肉等。

有些父母认为，动物肝脏是解毒器官，一定有毒，不敢给宝宝吃。这种认识是片面的，不过，在购买时要注意，一定要购买经过国家检验合格的放心肉。肝脏有铁锈味道，宝宝不太喜欢吃。烹饪前，用料酒浸泡几分钟，再用清水冲洗干净。做成肝泥后，可放些西红柿汁或甜椒泥等蔬菜，中和肝的味道，宝宝会比较喜欢吃。大枣一定要去皮去核，做成枣泥。黑芝麻可碾碎放在粥里。

第3节　本月婴儿护理要点

183. 不同季节护理要点

❖ **春季护理要点**

春季易患疱疹性咽峡炎、风疹、幼儿急疹、无名病毒疹、咽结合膜热、上呼吸道感染等疾病。初春气温不稳定，北方春季来得晚，春寒料峭，冻人不冻水，不要急于减衣服。带宝宝外出郊游，要带上防寒物品，以免气候突变。多给宝宝饮水，保持室内空气湿度。北方停止供暖时，天气仍然比较冷，室内温度可能比冬季还低，要注意保温。如果宝宝患病了，能在社区医院解决的，就不要非去大医院。大医院就诊患儿多，原本一点小病，去了大医院反而传染了其他疾病。

冬季日光照射少，到了春暖花开时节，户外活动时间延长，光照促进骨钙增加，可能会造成宝宝的血钙暂时降低。宝宝因此会出现睡眠不安、易惊等低血钙症状，重的会出现婴儿手足搐搦症。妈妈不必紧张，适当补充一两周钙剂就可以了。

扬尘天气不要带孩子到户外。有风时，抱宝宝到户外，要让宝宝背对风向。带孩子出去活动一定要带上水，随时补充水分对孩子咽部有益处，在比较干燥的北方地区尤为必要。

❖ **夏季护理要点**

蚊子是传播乙脑病毒的媒介，如果宝宝还没接种全程乙脑疫苗，一定要注意防蚊虫叮咬。

在南方或中原一带，春季或春末就有蚊子了，乙脑病毒在5月份就有可能流行，传染高峰是7、8、9三个月。及时挂上蚊帐是很好的预防措施，傍晚到户外活动，不要带孩子到草多的地方。防痱子也同样重要，预防方法与前几个月龄大致相同。

❖ **秋季护理要点**

过敏体质的婴儿，在气候渐冷的秋末冬初季节，可重新出现痰鸣，喉咙里发出呼哧呼哧的声响。摸摸宝宝的后背、前胸，你会感到宝宝像小猫一样发喘。越到秋末，痰鸣就越严重了。

出现这种情况要不要就医呢？这需要

宝宝 / 尚潘柔美
妈妈亲亲是最让宝宝兴奋的。美美甜蜜的笑脸映衬着妈妈幸福的笑容，多么幸福的母女俩。

看具体情况。如果只是喉咙里呼哧呼哧的，偶尔咳嗽几声，没有其他异常症状，喝奶吃饭、睡眠、精神状态都还好，妈妈就不要紧张，也不需要特殊治疗。多给宝宝饮水，给宝宝拍拍后背，帮助痰液排出。

❖ **冬季护理要点**

即使在北方寒冷地区，也鼓励多带宝宝到户外活动。阳光充足，微风或没风的天气，就多活动一会儿；阴天和下雪的天气，就少活动一会儿；雾天和刮大风的天气，不要带宝宝外出。

冬季仍要坚持给宝宝洗澡和游泳，如果皮肤比较干燥或有湿疹，可一周洗一两次。整个冬天都不洗澡的，开春洗澡很可能会感冒。

冬季室内空气要流通，不能闷得燥热难耐。另外，这么大的婴儿在室内不要穿得太多了，宝宝活动量在增大，穿得过多容易出汗，外感风寒，发烧。穿得过多也限制宝宝活动，宝宝正是学爬时期，穿得太多，练习爬的进度自然减慢，爬行对促进婴儿协调能力的发展很有帮助。

184. 尿便、睡眠护理

(1)大便护理

这么大的婴儿，通常每天1~2次大便。色泽呈黄色或黄绿色，有的也呈黄褐色。

宝宝 / 解雨辰

性状呈细条形，也可能呈黏稠的稀便，但无便水分离现象（便是便，水是水，如同稀饭，米汤和米粒是分开的）。妈妈可能会闻到宝宝大便比原来臭味浓了，这是因为宝宝吃的食物种类增加的缘故，不再像单纯乳类喂养时那样"清淡"了。

有的婴儿可能一天要大便3~4次，但只要不是水样便，宝宝也没什么异常表现，就不用担心了。添加不同的辅食，宝宝大便就会出现不同的改变，比如次数增多了，大便不成形了，颜色发绿了等等。这样的变化都属正常，不要停喂辅食。如果回到单纯乳类喂养，宝宝会发生饥饿性腹泻。

有的婴儿可能会两天，甚至几天大便一次。妈妈不要担心，但要注意观察，大便是否干燥？排便是否困难？吃饭是否正常？大便是否带血？有无眼屎增多、口腔异味、肛门发红、手心热等"火大"症状？近来饮食有无大的改变？喝水是否太少？之前是否患过腹泻？如果没有这些问题，就没什么可担心的了。多给宝宝饮水，适当增加蔬菜量。可尝试添加红薯、玉米面、燕麦等粗粮。如果三天没排大便，可用棉签蘸香油或橄榄油刺激肛门，也可把肥皂条塞入肛门一厘米，帮助宝宝排便。尽可能不使用开塞露和泻药。

婴儿患感冒服药后，可能会出现其他异常，主要是腹泻。这是服用清热解毒感冒退热药所致，停用药物后可逐渐好转。如果同时合并了病毒性肠炎，腹泻症状比较重，就需要治疗了。感冒后，特别是发烧时，胃肠道消化功能减弱，食量会减少，妈妈不要强迫孩子吃更多的东西，避免增加肠道负担，出现消化不良或腹泻。感冒服用抗生素，发生腹泻的几率很高，因此一定要慎用抗生素。

郑玉巧育儿经 · 婴儿卷

如果妈妈能够掌握孩子的排便规律，可成功地把大便接到便盆里，那就这样做；如果坐便盆让孩子很反感，甚至会以哭来抗议，那就不要强迫孩子了。这个月还不需要训练宝宝排尿便。

(2)小便护理

这个月的婴儿是离不开尿布的，小便次数仍然不少，如果妈妈每次都试图让孩子把尿排在尿盆里，就会很劳累。倘若孩子小便比较有规律，妈妈已经掌握了这些规律，能把大部分的尿接在尿盆里，那也是很好的。

假如妈妈为了不让孩子尿湿尿布，总是把孩子尿尿，就有可能使孩子出现尿频；不如放开，让孩子随便排在尿布上。

对于那些喜欢把尿的婴儿，妈妈要掌握好时间，不要频繁把尿，发现孩子排尿的规律，适时地把尿，对训练尿便是有帮助的。

小便是反映缺水与否的一项指标，如果婴儿小便量少、色黄，就是缺水的信号。夏季通过皮肤丢失的水分比较多，要多补水。如果尿色发黄，说明尿液被浓缩了，应该多喝水以稀释尿液，否则会加重肾脏负担，对婴儿的健康不利。

冬天，小便排到便盆中，妈妈偶尔发现尿液发白，有一层白色沉淀物，像稀米汤，这是尿中尿酸盐较多，遇冷后结晶析出所致，把尿液稍微加热乳白色结晶即消失。父母不要害怕，这种情况在冬季时有发生，让宝宝多喝水，尿酸盐浓度就会得到稀释。

(3)睡眠护理

婴儿睡眠时间和踏实程度有了更明显的个体差异。大部分婴儿在这个月里，白

宝宝／尚潘柔美
宝宝开始学走路了，但把宝宝放在学步车里容易发生意外，家长一定要看护好。

天只睡两觉，一觉睡一两个小时，长的可睡两三个小时，一般下午睡的时间长些。如果妈妈陪伴着睡眠，会睡得踏实些，时间也相对长些。

如果宝宝傍晚不再睡上一觉，晚上睡得就比较早，多在八九点钟睡觉，一直睡到第二天早晨六七点。贪睡的孩子可睡到七八点，半夜会醒来一两次。

睡前能好好吃奶的孩子，半夜多不再醒来要吃。喂养母乳的，多在半夜醒了要奶，但不能很彻底醒来，只要妈妈把奶头塞入孩子的嘴里，孩子就会边睡边吸吮着，再慢慢地把奶头吐出来，又进入甜甜的梦乡。

大部分婴儿都能安稳地睡上一夜。即使孩子在睡眠中翻来覆去地滚动，还不时地出声，或哼哼唧唧的，或有一两声的抽啼，或咳嗽一两声，或干呕几下但并不呕吐，或用手臂狠狠地蹭几下脸，或用小嘴来回地找妈妈的奶头……这都是孩子在睡眠中出现的正常表现，睡在一旁的父母不要介意，不要去打扰孩子。

常常有这样的父母，把宝宝上述的正常现象视为异常，总是不放心，就把大灯

打开，又是把尿，又是换尿布，又是喂奶，看看这儿，摸摸那儿，结果把孩子真的弄醒了。

❖ 结果就出现了这些情况

• 如果是安静的孩子，可能会玩一会就睡了。

• 如果是爱闹的孩子，就会要求父母陪同一起玩，否则的话就会哭闹。

• 正睡在劲头上的孩子可能会因为父母的打搅而大耍脾气，父母就会又哄又抱，不奏效就只好用吃的把孩子嘴堵上了。

• 食量好的孩子会吃饱了接着睡，食量不好的孩子，会拒绝吃，还可能会为此哭得更厉害。

这一连串的问题，都是父母自己找的。如果孩子从此养成了半夜醒来吃奶的习惯，半夜醒来让父母陪着玩的习惯，半夜醒来啼哭（夜啼郎）的习惯，父母"困得痛不欲生"的育儿生活就来临了。父母会感到很冤枉，但事实就是如此。绝大多数孩子的疾病（先天性疾病中与遗传有关的疾病除外），诱因或直接原因都是父母或看护人喂养、护理造成的。对某一环节的忽视或疏忽，或错误认识，或对护理知识理解上有偏差，或固执己见等等，都会导致孩子有这样那样的问题，影响健康成长。

为什么那么多婴儿厌食？那么多婴儿闹夜？那么多儿童肥胖？那么多儿童患了成人病？那么多父母带孩子跑医院？……是爸爸妈妈没有学习育儿知识吗？不是。父母案头育儿书籍摆了一大堆，看得明明白白，可到了实际操作就不是那么回事了。是什么原因？我认为还是根本的育儿理念有问题。

我给新手爸爸妈妈们的医嘱，根本取向不是让爸爸妈妈怎样对付孩子，而是怎样理解孩子，怎样缓解护理中的压力和矛盾，让父母在困惑中解脱出来，纠正错误观念，矫正偏差，使父母回到正确、轻松、愉快的养育孩子的轨道上来。当然，这一切，都要建立在这样的基础之上：正确分析孩子的问题，正确理解医生对疾病的诊断，正确配合治疗和护理，正确把握喂养方式方法，用科学的态度对待宝宝生长发育中出现的一切问题，心态平和地与宝宝共度美好的育儿时光。

第 4 节　本月婴儿能力

185. 看的能力：对所见有了初步记忆

❖ 具有了直观思维能力

这个月龄的婴儿对看到的东西有直观的思维了。如看到奶瓶就会与他吃奶联系起来。看到妈妈端着饭碗过来，就知道妈妈要喂他吃饭了。看到电话，就会把电话放到耳朵上听。这是教婴儿认识物品名称，并将名称与物品功能联系起来的好时机。

❖ 对所见有了初步记忆

开始认识谁是生人，谁是熟人。生人不容易把婴儿抱走。可以给宝宝买婴儿画册，认识简单的色彩和图形，在画册上认识人物、动物和日常用品，再和实物比较，帮助宝宝记忆看到的东西。

❖ 开始有兴趣有选择地看

从这个月开始，不仅仅教婴儿看什么，还要训练婴儿把看到的东西和其功能、形

宝宝 / 李悦宁

我现在8个月大了，我4个月的时候就会看书了，你们看我看得多认真呀。妈妈说我以后能当小博士，我高兴得口水都流出来了，心里那叫一个美呀。

状、颜色、大小等结合起来，进行直观思维和想象，这是本月龄婴儿潜能开发的重点。本月婴儿开始有兴趣、有选择地看，会记住某种他感兴趣的东西，如果看不到了，会用眼睛到处寻找。当听到某种他熟悉的物品名称时，会用眼睛寻找。如果父母经常指着灯告诉宝宝：这是灯，晚上天黑了，会把房子照亮。慢慢地，妈妈问灯在哪里，宝宝就会抬起头看房顶上的灯。到后来，天黑了，宝宝就会嗯嗯，手指着灯，示意妈妈开灯。再往后，宝宝会自己直接把灯打开。宝宝能力发展的速度快得惊人，常常让父母意想不到。

❖ **认识了物件是实际存在的**

通过游戏活动，婴儿逐渐理解了：一种物品被另一种物品挡住了，那种物品还存在，只是被挡住或蒙上了，这是认识能力质的飞跃。玩具看不见了，不是没有了，而是蒙在布的下面。一开始，不能把玩具全蒙上，露出一点。根据露出来的那一点，宝宝知道整个玩具是蒙在布的下面；慢慢地，妈妈就在宝宝的眼前，把玩具全部蒙起来。宝宝会用手把布掀开，看到蒙在下面的玩具又重新回到了他的眼前，会很开

心地笑。

❖ **本月婴儿看的能力训练**

•**图卡训练**

前几个月，给宝宝看图卡，只告诉图卡名称。如举起画有苹果的图卡给宝宝看，并告诉宝宝"苹果"。从这个月开始，同时让宝宝看两张图卡，两张图卡相距20厘米左右，问宝宝"哪个是苹果"，观察宝宝，视线是否落到苹果图卡上。如果宝宝把视线落在苹果图卡上，再问宝宝"哪个是香蕉"，如果宝宝把视线移到香蕉图卡上，就表扬宝宝说："宝宝认识了苹果和香蕉。"以此类推，通过训练，宝宝可以在众多物品中，找出指定的物品。

•**寻物训练**

父母开动脑筋，运用多种方式进行寻物训练，"藏猫猫"也是一种寻物训练。比如，把几枚红枣放在桌子上，用碗或杯子等器皿盖上，问宝宝"红枣哪去了"，如果宝宝一脸的茫然，慢慢拿起碗或杯子，同时说"红枣在碗底（杯子）下"。经过几次训练，宝宝明白后，就会主动用手掀开盖着红枣的碗。

请注意，游戏结束，一定要把红枣收起来，以免宝宝把红枣放进嘴里，发生意外。用任何小物品做游戏，都要注意这一点。父母防意外这根神经时刻都要绷紧，任何疏忽，都可能带来意想不到的后果。

186. 听的能力：对自己的名字有反应了

婴儿听到指向明确的音节，开始产生定向反应。当妈妈呼唤宝宝的名字时，宝宝会明显意识到妈妈是在召唤自己。当问"妈妈在哪呢"，宝宝会把目光停留在妈妈身上。

宝宝 / 钟伊林
多带宝宝在这样的环境中玩耍，非常有利于宝宝的健康。

婴儿已经拥有这样的能力，听到妈妈爸爸说话声，即使看不到妈妈爸爸，也知道这是妈妈或爸爸在说话。

能够辨别人说话的语气，喜欢听亲切和蔼的语气，听到训斥的语气会害怕、哭啼。听到有节奏的音乐，会坐在那里随着节拍左右摇晃身体。会听小动物的叫声，能够把听到的和看到的结合起来。但不要让宠物接近宝宝，避免发生危险。

❖ **听力训练**

每天，宝宝吃饭时，播放舒缓轻快的音乐（声音不要过大，相当于背景音乐就可以了）。入睡前，给宝宝播放摇篮曲或小夜曲，让宝宝在美妙的音乐声中入眠。为宝宝做操或抚触时，播放节奏感强，韵律鲜明的音乐。宝宝最喜欢听妈妈唱歌，妈妈为了发音准确，可播放伴奏带，让宝宝听到妈妈动听的歌声。

和宝宝进行有效沟通，当宝宝眼光落在某一物体、某一景象、某一人物、某一事件上时，要不失时机地讲给宝宝听，这是什么，是做什么用的，是什么样的景象，他是谁，眼前发生了什么事。妈妈不要认为这么大的孩子懂什么呀，说了也是白说，这就大错特错了。凡是宝宝听到的、看到的、摸到的、感受到的、尝到的，都要讲给宝宝听。可能的话，还要让宝宝尝试体验和亲历。

187. 说的能力：会发爸爸妈妈奶奶等音

有的婴儿开始发出简单的音节，如妈妈、爸爸、奶奶、打打、拿拿等。有的婴儿前几个月还不断地"说话"，到了这个月反而不说了。妈妈不要着急，宝宝正在学习，积累语言能力。原来只是练发音，现在要说话了，可积累还不够，还不能用语言表达。

❖ **说话能力训练**

对婴儿语言能力的训练，要靠爸爸妈妈和看护人不断和宝宝说话，让宝宝听和看，在日常生活和实践中训练语言能力。在训练语言过程中，妈妈容易犯这样的错误，就像"教八哥"一样教孩子说话，这样教，不但对孩子学习语言没有帮助，还会引起孩子厌烦，产生抵触情绪——"我就是不说，看你能把我怎么样"。妈妈开始着急，向医生询问，这孩子，怎么教都不说话，是不是语言发育有问题呀？孩子什么问题也没有，是妈妈的方法出了问题。

虽然婴儿还不会说话，但已经开始理解语言，要帮助婴儿逐渐建立起语言与动作的联系。教宝宝每种能力时，都要使用确切的语言。

家里的客人要走了，和客人说再见，并做出再见手势。外公外婆给宝宝送东西来了，要说声谢谢，双手合十做出谢谢手势。爸爸妈妈常这么做，宝宝就学会了。这不但锻炼了婴儿的语言能力，还锻炼了与人交往能力。

听到小动物叫声时，要指着耳朵，问：宝宝听到小狗叫了吗？使宝宝明白耳朵是用来听声音的。宝宝已经认识了一些玩具和日常用品，妈妈有意让宝宝把奶瓶、小勺、布熊、拨浪鼓递过来，让宝宝能在几件物品中找到你要的。这是训练婴儿理解语言的一种简便易行的方法。找到妈妈要的东西，妈妈高兴地赞扬宝宝，宝宝会兴趣盎然。

给宝宝输送的语言信息越多，宝宝掌握的语言能力就越强，一旦会说话了，就会释放出极大的语言能力，会让父母大吃一惊，好像一夜之间就学会了说话。其实，宝宝学习语言是从出生就开始了，再早些，是从胎儿期就开始了。1岁以前是婴儿语言能力开发的关键期。父母日复一日、清晰明白地和孩子交流，为孩子创造了丰富的语言环境，开发了孩子的语言能力。3岁的幼儿已经基本掌握了母语的语言基础，能比较自由地用语言来表达了。

188. 活动能力：小手更加灵活

❖ **坐得稳了**

多数婴儿到了这个月，已经坐得很稳了，腰板挺直，不再像"虾米"一样弯着腰。有的婴儿坐得还不是很稳。如果除了坐不稳，还有其他方面的发育落后，要及时看医生。如果只是坐得不太稳，其他各

宝宝／尚潘柔美
　喜欢抓东西是这个年龄段宝宝的特点之一。多给宝宝创造这样的动手机会，对开发宝宝智力有很大帮助。

方面发育都正常，妈妈不要着急，再观察一段时间，下个月还不会独坐的话，再看医生也不迟。

有的婴儿不是不会坐，是不愿意坐，很容易被妈妈误认为宝宝还不能独坐。遇到这种情况，妈妈要想办法让宝宝注意力集中起来，爸爸帮助宝宝坐下。这时，宝宝的注意力完全集中在妈妈身上，全然不领会自己处于什么位置。如果宝宝能稳稳地独坐，说明宝宝已经能很好地独坐了。

能稳稳独坐的婴儿，可自由地利用胳膊和手玩玩具；可拿起身边的东西，能自由地转动头颈部和上半身。所以训练宝宝独坐的能力，对宝宝身体综合能力的发展有很大意义。

❖ **手的能力**

婴儿能有目的地够眼前的玩具；会用拇指和四指对捏抓起物体；能把物体从一只手倒到另一只手；会把物体主动放下，再拿起来；能紧紧地握住手里的东西，但手里的东西还是会不由自主地掉下来。会把两只手往一块够，有时好像在鼓掌欢迎，但总是不能很好地把两只手合在一起。如果妈妈总是用热烈掌声赞扬宝宝，宝宝高兴时，也会做出鼓掌动作。

会把手里的物体拿到眼前端详一会儿。如果妈妈不断地教孩子再见，当爸爸出门上班时，宝宝可能会向爸爸摆摆手。但也许就这么一次，妈妈不要气馁，这已经是非常不错了。大多数宝宝要在1岁才学会和别人再见。

这个月的婴儿喜欢撕纸，妈妈可以找些不带字的干净白纸让孩子撕着玩，这对锻炼手指运动有好处，但不要给孩子带字的纸，因为宝宝会把纸放到嘴里。不要让宝宝玩硬纸，以免纸边划伤宝宝的小手。现在有绿色环保纸，妈妈可留意买少许，

就足够宝宝连撕带"吃"的了。

大一些的宝宝知道了人要走时就要再见，他就会运用"再见"这个程序，催促他不喜欢的人尽快离开。这可是宝宝的机智，谁当了"不受欢迎的人"，恐怕也会大笑不止。

有这样一个小故事：我到朋友家里给宝宝看病，帮助妈妈给宝宝喂药，这使宝宝很不高兴。妈妈说"谢谢阿姨"，可宝宝不是把两手合在一起上下摇动表示谢谢，而是伸出一只手，左右摆动要和我再见。妈妈以为孩子把再见和谢谢弄混了。可事实却不是的，孩子一点也没有弄混，他就是要和我再见，让我这位惹他的阿姨离开他，利用再见下了一条"逐客令"，孩子的能力远远超出了我们的想象。

❖ 爬的能力

这个月的婴儿还不能很好地爬，快到8个月了，可能会肚子不离床匍匐爬行。

有的婴儿比较早就会爬，有的婴儿很晚了才会爬。但无论早晚，父母都要把爬作为训练的重点。

爬行是一种非常好的全身运动。身体各部位都要参与，锻炼全身肌肉，使肌肉发达起来，为以后的站立行走作准备。爬行时肢体相互协调运动，身体平衡稳固，

宝宝／钻钻
看我爬得多快！

姿势不断变换，可促进小脑平衡功能的发展，手、眼、脚的协调运动也促进了大脑的发育。爬行还可以促进婴儿的位置视觉，产生距离感。

爬行还有很多好处，父母不要因为怕危险就不让孩子爬，要给宝宝创造安全的爬行空间。把宝宝放在铺有爬行垫的地板上是最安全的。

刚开始学习爬的婴儿，不但不会向前爬，可能还会向后倒退，父母为此奇怪了，一直在教孩子向前爬，怎么没学会向前爬，却向后倒退着爬呢？对于成人来说，向前走或跑是很容易的，但要是向后退着走或跑就难了，没有视觉的帮助，担心遇到危险。婴儿深度视觉能力尚未发育完善，对面前物体与自己所处位置的距离关系，缺乏相对运动的感知判断能力。所以，当婴儿移动自己的身体向前爬时，他会感到眼前的物体在移动，并向他压过来，这必然让宝宝感到紧张。还是向后倒退着爬吧，这样安全。宝宝在这样的心理作用下，就开始先向后爬了。

由此我们可以得出结论，婴儿向前爬，不仅是身体的一种能力，还是心理走向成熟的一种表现。认识到了这一点，看到宝宝倒退着爬，也就不要大惊小怪了，更不要强行改变，避免宝宝心理扭伤，为心理健康发育留下足够的时间和空间。

❖ 训练宝宝向前爬

在宝宝面前放上他喜欢的玩具，鼓励孩子向前爬，够到玩具，并给予鼓励。妈妈趴在宝宝前面，与宝宝面对面，把手伸向宝宝并叫宝宝名字：宝宝，快爬过来，妈妈在这里，爬过来，让妈妈抱抱。当宝宝爬到你跟前时，你要抱起宝宝，亲吻并高兴地说"宝宝真勇敢"。如果宝宝还是不敢向前爬，爸爸可用手掌心抵住孩子的足

郑玉巧育儿经·婴儿卷

底，施以外力，使孩子在后面阻力的作用下，向前爬。也可以在孩子的脚底放上可以蹬的东西，作为一种阻力使孩子向前爬。这样的努力要把握限度，要给予一定的时间，不可心急。

宝宝／赵启月

189. 在玩耍中开发潜能

婴儿对玩耍开始表现出独立的愿望，对周围的事物充满了好奇，喜欢探索周围的环境，见什么都想抓。父母要在安全的前提下，给孩子一定的空间，让孩子有独立玩耍的机会。当需要父母帮助时，父母再及时过来帮助，但也不是完全代劳，要在玩耍和游戏中开发宝宝潜能。

❖ 藏猫猫

"藏猫猫"对开发婴儿智力很有益处，婴儿对"藏猫猫"游戏乐此不疲，不要丢掉这一古老的游戏项目。随着月龄的增加，"藏猫猫"游戏也有了新的内容。

一开始是妈妈把手绢蒙在脸上，以后可以藏在婴儿的身后，把手藏在身后，把奶瓶、玩具藏在身后，通过"藏猫猫"认识物品。

从这个月起，妈妈和爸爸可以互相配合，让爸爸藏在房间的不同角落或其他房间，妈妈抱着宝宝寻找，边找边不断地说："爸爸藏到哪里去了呢？让我们看看是不是在那个房间里。"让宝宝感受到空间的距离。

如果爸爸藏在某个角落，可以不断小声地说："爸爸在这里，宝宝能找到吗？"妈妈这时就对宝宝说："爸爸的声音是从哪里传出来的呀？"宝宝就会倾听爸爸的声音，让宝宝学会循声找人。

也可以把玩具藏到某处，和宝宝一起找，让婴儿知道物体客观存在的事实。玩具虽然不见了，但是它却仍然存在，只是放到哪里，暂时看不到了，找一找，会找

到的。宝宝长大了，发现什么没有了，会主动去找，而不是向妈妈嚷嚷着东西不见了，学会独立处理事情的能力。

爸爸妈妈可根据具体情况，开发更多藏猫猫游戏，在有趣的游戏中开发孩子潜能。

❖ 照镜子

继续上个月的游戏，让婴儿认识身体各部位的名称和功能。妈妈可先说："宝宝的鼻子呢？"这时就指着宝宝的鼻子说："鼻子在这里。"这要比指着宝宝的鼻子说这是鼻子又进了一步。让宝宝有一个想的过程，培养婴儿思维能力。宝宝对镜子里的妈妈开始有了认识，镜子里的妈妈和抱着他的妈妈是一个人。当妈妈问宝宝的鼻子在哪里，宝宝能用手指着鼻子，那可是太大的进步了，妈妈应该非常高兴地亲孩子，大加赞赏，鼓励孩子反复练习。

❖ 挑选玩具

把几种差异显著的玩具放在一起，让宝宝认识不同玩具的名称，然后说出一种玩具的名称让宝宝找出来。如果宝宝不能够找出来，妈妈就帮助宝宝找出来并说："是这个吗？是的，这个就是小布熊。"反复多次，宝宝就能准确地找到了。

宝宝／李曦冉

有的婴儿不喜欢这种游戏，就不要强迫，可以换一种宝宝能够接受的游戏。只要能够让宝宝在快乐的游戏中得到体能锻炼和潜能开发，不拘泥形式，父母要开动脑筋，找到适合宝宝的最佳游戏。

❖ 婴儿自己用杯子喝水，用勺吃饭

妈妈总是怕孩子把衣服弄脏了，把水洒了，不让孩子自己拿杯子、奶瓶或饭勺，这是不对的。能力是练出来的，不给孩子机会，怎么能学会呢。这时的婴儿对自己拿着奶瓶喝奶，拿着杯子喝水，拿着小勺吃饭，已经开始感兴趣了，妈妈要不失时机地给孩子锻炼的机会，哪怕一天一次，也要给孩子创造这个条件。喂辅食时，给宝宝一把小勺，让宝宝练习着在碗里舀食，练习把小勺里的食物送到嘴里。妈妈拿另一把小勺喂宝宝，这样既不耽误宝宝吃饭，也不耽误宝宝练习。

❖ 手指练习

婴儿的手指活动能力与智力发展密切相关，父母要锻炼宝宝动手能力。让宝宝拿起各种物品，锻炼拇指和食指对捏小的物品，这是很重要的一个动作，要反复不断地练习。

拇指和食指对捏动作是婴儿两手精细

动作的开端。能捏起越小的东西，捏得越准确，说明手的动作能力越强，开展精细动作的时间越早，对大脑的发育越有利。

父母可以找不同大小、不同形状、不同硬度、不同质地的物体，让宝宝用手去捏取。训练时，必须有人在场看护，以免发生气管异物。这个月的婴儿还是喜欢把拿到的东西放到嘴里。

算盘上的珠子很适合婴儿用手指拨拉，即安全又能锻炼手的运动能力，婴儿也感兴趣。带按键的玩具琴也可以用来锻炼孩子的手指活动。

❖ 让孩子懂得"不"的含义

婴儿已经能够感受妈妈爸爸的语气了，也会看父母的表情。父母可利用这一点让孩子知道，什么是不应该做的，什么要求是不能得到满足的。这是训练心理承受能力的开始，是训练分辨是非能力的开端。

当父母告诉孩子不能做时，要同时用动作表现出来，如摇头、摆手、很严肃的表情。让宝宝逐渐理解，父母在告诉他这个事情是不能做的，是错误的。但这时的婴儿还是很难理解不能做的含义。不要过分表现，也不要使用带有惩罚性质的办法，让孩子有承受能力，但不要伤害孩子。

❖ 户外活动

这个月，孩子的各项能力有了明显的增强，户外活动的意义就更大了。父母和看护人要尽最大可能，多带孩子做户外活动。

春秋夏三季可以每天进行3个小时以上的户外活动，可以把孩子带到远一些的公园、海边、河边、动物园等场所，开阔孩子的眼界。

孩子户外活动的范围大了，要避免危险，如周围有踢球的儿童，要防止球砸在孩子头上；周围玩耍的儿童，可能会互相扔石子，如果恰好砸在孩子头上也是比较危险的。

在树下乘凉时，听到树上小鸟叫声，孩子可能会循声抬头向树上望，如果这时恰巧有鸟粪或小虫子掉下来，要及时替孩子清理，如果掉到眼睛上，要立即轻轻取出，用沾湿的手绢擦干净。

夏季要预防烈日晒伤皮肤，不要把孩子的皮肤直接暴露在烈日下。不能给孩子戴墨镜防光照，戴有檐的帽子挡光最好。不要这么早就让孩子坐在学步车里。要推大一点的童车，并带有顶棚，当孩子睡着时，能让孩子舒服地躺在车里睡觉。

如果到远一些的地方游玩，要带足孩子喝的、吃的、尿布，备好天气变化时的衣服被褥和雨具。

带孩子到比较远的地方，一定要有充分的准备。要考虑携带物品的数量与乘坐交通工具的方便度。

带孩子到户外不仅仅是为了晒太阳，还为了让孩子认识外面的世界。父母要不断地把看到的事物讲给孩子听，不要认为孩子听不懂，就沉默不语。父母说的每个字、每句话都对孩子有作用。

第5节　护理中常见问题

190. 不好好吃、不好好睡

(1)不好好吃

这个月的婴儿开始有了个人喜好，不好好吃的问题多了起来。常见的有以下几种情形。

•有的婴儿不喜欢吃粥，爱吃米饭。妈妈不敢喂米饭，怕呛着孩子，认为孩子还没有牙，不会咀嚼。这种担心是没有必要的，做软一些的米饭，并不会呛着、噎着孩子。

•有的婴儿不爱吃蔬菜，这可能是前几个月给菜水或菜汤吃，味道比较单调，吃够了。从这个月开始，妈妈要学习制作辅食，通过摸索，一定能做出宝宝喜欢的饭菜。

•有的婴儿不再喜欢吃泥状食物，喜欢吃硬一点、需要咀嚼的食物。妈妈尝试着喂一些这样的辅食，如果宝宝很好地吃下去，妈妈就这样做好了，不要有什么担心。

•有的婴儿喜欢吃香喷喷的辅食，喜欢味道浓厚的菜，这多是由于让宝宝尝到了成人饭菜的缘故。给婴儿做辅食，不能放食盐和辛辣的调料，不能用动物油和花生油烹饪菜肴。所以，不要让宝宝吃到味道厚重的食物，以免婴儿拒绝婴儿辅食。

•从三四个月就开始吃蛋黄的婴儿，到了这个月可能开始拒绝蛋黄。妈妈可尝试新的烹饪方法，争取让宝宝重新喜欢吃蛋黄。如果实在不吃，就暂时停一周，用动物肝代替，来满足铁的需要。

•婴儿可吃的食品种类多了，要不断更换食物种类，在合理搭配营养的前提下，兼顾婴儿对食物的喜好。不喜欢吃的食物，不能硬塞。玩使孩子快乐，吃也要使孩子快乐。

•食量小的婴儿，喂养起来比较困难。如果妈妈硬喂，可能会出现以下情况：

用手把勺推开（我不想吃了）。

用小手把饭碗打翻（为什么还有这么多的饭，已经撑着我了）。

把妈妈塞进的食物吐出来（妈妈不嫌麻烦，我也不怕麻烦，你喂我吐）。

不张嘴（给我也得吐出来，还不如不张嘴，省事）。

把头扭开了（妈妈也真是的，我可不理你了）。

哭（不亮这最后一招，妈妈是不饶我了）。

不要让孩子亮这最后一招，以后会把这当做对付父母的武器，可就不好了。

宝宝已经知道自己该吃多少，胃长在宝宝肚子里，食欲受自己大脑支配，宝宝不吃了，就是告诉妈妈他吃饱了，不要让上面的事情发生。

当妈妈认为孩子不好好吃的时候，首先要看孩子的生长发育是否正常，如果一切都正常，孩子吃得就不能说少了；偶尔吃得少，也是正常的。

有的婴儿自从吃辅食后，就不喜欢吃奶了。如果宝宝无论如何也不吃奶，就暂时停几天。如果仍然不喜欢吃奶，就适当减少辅食量。

(2)不好好睡

随着婴儿月龄的增长，睡眠问题可出现较大的差异性。睡眠好的孩子，到了这个月，可以睡一整夜不醒，也不吃奶，即使更换尿布、把尿也不醒。不要把熟睡的宝宝拉起来喂食，宝宝饿了自然会醒来要吃的。

有的婴儿白天睡得多，睡得好，晚上却开始闹人，睡得晚，夜间还频繁醒来。这会让妈妈很疲惫，要尽量减少白天睡觉时间，尤其不要让宝宝在傍晚睡觉。

有的婴儿白天睡眠不多，晚上还是精神抖擞，毫无睡意。如果除了睡觉少，其他各方面都很正常，妈妈就不要担心了，宝宝就是觉少的孩子。

有一些睡眠问题是正常现象，父母不必多虑：

孩子睡觉时不老实，总是翻来覆去的。

爱趴着睡，睡觉时有时会突然抽啼几声。

睁开眼睛看看（妈妈可千万不要去打扰孩子，孩子很快会入睡的）。

撅着屁股睡。

睡觉时会突然地惊乍。

睡觉时出汗。

总是踢被子，即使在冬天也如此。

不枕枕头睡觉。

睡觉时倒嚼（反刍）。

父母以下做法是不对的：

孩子困得睁不开眼了，还和孩子做游戏。

孩子想睡觉，却还给孩子吃饭。

没睡醒就把孩子叫起来喝奶吃饭。

睡得正香时让孩子坐盆或把尿。

睡得迷迷糊糊让孩子喝奶。

宝宝 / 吴右
宝宝还太小，小区的健身器械都不能玩，妈妈要注意保护宝宝的安全。

191. 哭闹、能力倒退、认生、磕脑袋

(1)无缘无故哭闹

这个月的婴儿，独立玩耍的愿望比较强，表现在以下几方面：

开始会把不喜欢的东西扔掉。

会把不喜欢吃的东西吐出来。

开始选择抱他的人，愿意让妈妈抱。

对玩具开始有了偏爱。

喜欢到户外活动，喜欢人多，但有的婴儿喜欢静，人多反而闹。

有了自己朦胧的意愿。

能听懂更多语言的意义。

喜欢干不会干的事情。不会站，可就是喜欢站着；不会走，就是要妈妈扶着走；不会爬，就是想爬到他想爬的地方。

对身体的不适开始比较敏感了，但不能辨别，会因为过度的肠管蠕动哭闹。

吃多了，肚子胀，肯定不好受，晚上会哭闹。

受了刺激，如白天磕着了，从床上掉下来了。

还有很多这样的情况，父母可能都不知道，医生不一定能够分析得很全面，孩子情感上的事情，就更不了解了。宝宝耍闹，在父母眼里就成了无缘无故的了。如果父母找不出原因，医生也找不出病因，父母就可能认为孩子气人，会对宝宝很不客气，这可冤枉了宝宝。

(2)能力倒退

婴儿的能力包括很多方面，语言、运动、感觉、尿便、吃等。在婴儿的整个发育过程中，发育水平存在着很大的差异性。不但存在着个体差异，就是同一个婴儿，发育水平也不是均等的。有时会出现暂时的"倒退"现象，父母不要认为宝宝有什

宝宝 / 钻钻

么病了。

原来一把就尿，白天基本不用尿裤。可现在一把尿就打挺，放下就尿，这孩子，能力怎么倒退了呢？这是正常现象，父母切莫恼火。事实上，婴儿还不具备控制尿便的能力，把尿便的成功是妈妈的功劳。随着月龄的增加，宝宝逐渐有了自主能力，不高兴做的事开始学会反抗。妈妈不要抱怨，伤了孩子自尊心。婴儿有着丰富的情感，也会看脸色，听语气，能够感受父母是爱他，还是不爱他。对于婴儿来说，鼓励的作用总是胜过批评的作用。快乐是身心健康成长的重要因素，要送给孩子更多的快乐。

(3)认生

有的婴儿两三个月就开始认生，有的到了这个月仍然不认生，见谁都笑，谁抱都行。认生的早晚与聪明与否没有直接的联系，父母不必为此担心。

父母担心孩子不认生会被生人抱走，长大了容易受骗，这更是没有根据、没有意义的担心。不认生的孩子也会很容易被人抱走，只要那人想抱走，几个月的婴儿会反抗吗？无论是认生还是不认生的孩子，

父母都要好好看着。

(4)避免宝宝磕脑袋

这可是父母和看护人要注意的事情。人们都说孩子脑袋抗磕，认为婴儿颅骨的骨缝没有闭合，还有变形能力，对外力的缓冲能力也比较强。

尽管婴儿有这些特点，婴儿的头也不是随便磕碰的啊。婴儿头重身子轻，头大身子小，只要从床上摔下来，就会头着地，最易磕碰的是头部。那里有脑组织，纵横交错的神经中枢，是人的指挥部，是枢纽。保护还来不及呢，怎么能让随便磕呢！可偏偏婴儿受伤最多的地方就是头部。随着月龄增加，婴儿运动能力增强，要时刻注意安全。

一位妈妈把宝宝放在沙发上。宝宝要喝水，妈妈一只手挡着宝宝，另一只手去够水瓶。妈妈有防范意识，怕宝宝从沙发上翻下来，本能地用手挡住，但意识到了，方法不到位。宝宝从沙发上摔下来了，下巴恰好磕在玩具上，下巴颏里的牙齿和下巴颏外的硬物挤着下巴颏，里外都受伤了，血流了很多。妈妈后悔不已，这就是意外——意料之外的事。如果妈妈预料到这

样做一定会出事，妈妈无论如何也不会这么做的。如果要去做事，一定要把孩子放在安全的地方，不要怕麻烦，出事了，麻烦就大了。

192. 出牙迟、流口水、干呕、咬乳头、便秘

(1)出牙延迟

关于乳牙萌出，父母可能有如下认识：

•宝宝4个月开始有乳牙萌出，到了这个月至少应该出下面的两颗门牙了，可是宝宝已经快8个月了，一点出牙的迹象也没有，一定是缺钙了。

•宝宝出牙前会流口水，可宝宝从几个月前就流口水了，怎么至今还没出牙呀，一定有什么问题。

•朋友的孩子已经长出4颗乳牙了，我的孩子怎么一点出牙的迹象也没有呀，是什么问题呢，难道缺什么营养吗？

父母不要着急，乳牙萌出有早有晚，早的可在三四个月就开始萌出，晚的可到1岁左右才开始萌出。但无论是早萌出，还是晚萌出，宝宝2岁以后，20颗乳牙都会出齐的。另外，妈妈不必担心，即使一颗乳牙没出，也不影响宝宝吃辅食。

(2)流口水

许多妈妈都有这样的疑惑：原来孩子下巴一直是干干的，很少流口水，怎么长大了反而流起口水来了？孩子以前流口水没这么重啊，怎么越大口水流得越重了呢？

父母怀疑孩子生病了，带宝宝去看医生。医生看看孩子的口腔，没有溃疡，也没有疱疹；没有糜烂，也没有红肿；口腔黏膜、嗓子、牙龈都没有异常。下牙床有隐隐的小白牙要出来了。医生告诉妈妈：

孩子是要出牙了，在乳牙萌出时会流口水。婴儿出牙时可能会有疼痛感，但很轻微，可能仅仅在晚上睡觉前闹一会儿，或半夜醒了哭一会儿，不会很严重的。

添加辅食后，唾液腺分泌增加，但婴儿吞咽唾液的能力还不够，所以婴儿会流口水。

如果只是流口水或较前加重，没有必要带孩子上医院。医院是病人聚集区，有感染疾病的危险。如果不放心，可以找医生咨询一下，有必要再带孩子去医院。

(3)干呕

这个时期的婴儿可能会出现干呕。其原因可能是：

•与出牙有关。

•如果孩子爱吃手，可能会把手指伸到嘴里，刺激软腭而发生干呕。

•这个时期婴儿唾液腺分泌旺盛，唾液增加，孩子不能很好地吞咽，仰卧时可能会呛到气管里，而发生干呕。

•出牙也使口水增多，过多的口水会流到咽部，孩子没来得及吞咽，一下噎着孩子了，结果就开始干呕起来。

只要孩子没有其他异常，干呕过后，还能很高兴玩耍，就不要紧，也不用什么治疗。

(4)咬乳头

这个月的婴儿已经开始长牙了，即使没有萌出，也已在牙床里，已经是"兵临城下"，咬劲不小了，出牙期间的婴儿就爱咬乳头。如果是咬了妈妈的乳头，可能会把乳头咬破，妈妈可能会为此遭受乳腺炎的痛苦，即使不患乳腺炎，咬乳头也是很疼的，有的妈妈无奈断了母乳。如果咬的是人工奶头，可能会咬下一块橡胶来，

咽到了嗓子眼，多能顺利咽到食管里，没有危险。可给孩子固体食物，让婴儿有磨牙的机会，让孩子自己拿着磨牙饼干吃。这个月的婴儿不会因为妈妈痛得叫而不再咬奶头，孩子还不知道心疼妈妈。如果孩子把奶头咬破了，要涂上龙胆紫，把奶挤出吃，或套上奶罩。如果发现孩子咬人工奶嘴，要及时把咬掉的那块橡胶从婴儿口里取出。

(5)大便干燥

有的婴儿出生不久就出现大便干燥，为此从生后2个月就开始喝果汁、菜水、蜂蜜水、凉茶水、米汤、"四磨汤"（米、荞麦、小米、薏米磨面炒焦冲汤）等，还时常使用开塞露，但该做的都做了，该吃的也都吃了，可孩子便秘依旧。

有的婴儿经过饮食调整、腹部按摩等处理，便秘就解决了。有的婴儿所有办法都想了，就是无效。经多家医院检查，排除了疾病所致。

对于这样的婴儿，我的办法是：

•饮食：花生酱、胡萝卜泥、芹菜、菠菜、白萝卜泥、全粉面包渣和小米汤和在

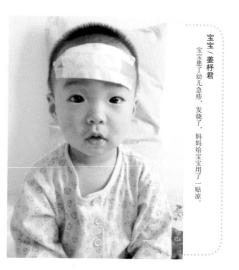

宝宝／姜栎君
宝宝患了幼儿急疹，发烧了，妈妈给宝宝用了一贴凉。

宝宝 / 吴右
看我的帽子像不像范伟的帽子?

一起做成小米面包粥。把橘子汁改为葡萄汁、西瓜汁、梨汁、草莓汁、桃汁（要自己做的鲜果汁，不是现成的罐头汁）。每天喝白开水，以能喝下的量为准。

•腹部按摩：用手掌以肚脐为中心捂在婴儿腹部，从右下向右上、左上、左下按摩，但手掌不要在婴儿皮肤上滑动，每次5分钟，每天一次。

•刺激肛门：把棉签蘸上香油或橄榄油，轻轻刺激肛门皱褶处。

•从肥皂上切下一条（1.0厘米×1.0厘米，用手搓成圆柱状，约0.5厘米×0.5厘米粗细），沾点水，轻轻插入肛门约1厘米，等待片刻。

•每天在固定时间按摩把便，持之以恒，定有收效。

•如果仍然不排便，已经超过三天，可使用开塞露或灌肠方法。

193. 免疫接种

满8个月那天，不要忘记给孩子接种麻疹疫苗。如果还没有给宝宝吃蛋清（只是添加了蛋黄），接种麻疹疫苗前一周，要给宝宝喂蛋清，如果宝宝对蛋清不过敏，可接种麻疹疫苗。如果过敏，就要向后推延。等到下周，再尝试喂蛋清，不过敏了，就可以接受麻疹疫苗了。

第九章 8-9 个月的婴儿（240—270 天）

这个月的宝宝见谁都笑，有的则更加认生；

能用四肢把整个身体支撑起来；

有的婴儿匍匐向前爬，有的婴儿手膝爬，有的婴儿仍然没有爬的意愿；

会用小手抓挠，能够比较自由地拿起和放下手中物品；

常能听到无意识发出"爸、妈、奶"等音节；

多数婴儿辅食吃得很好，喝奶兴趣减弱……

第1节 本月婴儿特点和生长发育

194. 本月婴儿特点

(1)让宝宝妈妈惊喜的变化

❖ 醒着时一刻也不停息

这个月的婴儿，运动能力增强，更加活跃，醒着时一刻也不停息地运动。能够快速从仰卧位翻到俯卧位，再从俯卧位翻到仰卧位，也就是连续翻滚动作。会用手膝爬的婴儿，能够迅速移动身体，一眨眼工夫，就能从床的一端蹿到另一端。刚还在那坐着玩的小家伙，一不留神，就爬走了。所以，宝宝醒着时，看护人不要离开片刻。

❖ 与爸爸妈妈交流

开始追妈妈，妈妈上班可能会哭，见到下班回来的爸爸妈妈会很高兴。开始认识爸爸妈妈的相貌，如果把一幅爸爸妈妈的照片拿给宝宝看，宝宝会认出来，高兴地用手拍。不要怕宝宝哭而悄悄离开宝宝去上班，快乐地和宝宝再见，告诉宝宝，妈妈去上班，下班后再陪宝宝。尽管宝宝现在还不懂得，妈妈去上班只是暂时离开一段时间这个道理，但宝宝会很快熟悉这种现象，慢慢懂得客观存在这个道理。这

就是贯穿于日常生活中的早教。

❖ 像个小外交家

开始喜欢小朋友，看到小朋友开始高兴得小脚乱蹬，还试图去抓小朋友。但有的婴儿见到小朋友没什么反应，并非是异常表现。喜欢看电视上的广告，能盯着广告片看上几分钟。但过早让婴儿看电视，对视觉发育并不好，尽可能不让婴儿看电视。有的婴儿见谁都笑，喜欢让人抱，像个小外交家，有的则比较认生。是否认生与性格和养育环境有些关联，都是正常表现，无须担心。

❖ "这是我的！"

不容易把婴儿喜欢的东西从他的手中拿走，如果硬抢，婴儿会大哭，以示抗议。妈妈把手伸过去，要宝宝手里的东西，宝宝会递给妈妈，还会把身边的东西拿起来递过去，但会很快又把手缩回去，虚晃一枪。婴儿开始萌出"这是我的"的观念了。

(2)看护上的变化

❖ 睡眠习惯缘于最初

多数婴儿，白天睡眠次数和时间开始减少。如果下午睡到傍晚，晚上入睡时间会后延，早晨起床也会比较晚，白天活动、吃饭安排就很紧张了。所以，午睡时间尽量往前赶，争取早些起床，这样既不影响吃饭，也会养成早睡早起的习惯。

多数婴儿后半夜不再醒来吃奶，但有的婴儿夜里还会醒来几次，母乳喂养儿多见。夜间频繁醒来与最初的喂养方式关系密切。早在新生儿期，看护人就对宝宝醒来（其实，宝宝只是处于浅睡眠阶段，并

宝宝／妞妞

未真的醒来）反应迅速，使得宝宝习惯了在浅睡眠阶段来自看护人的"干扰"。

遇到这种情况，妈妈焦虑不但不能改变现状，还会变得更加严重，欲速则不达。所以，只有耐心对待，别无办法。白天要人抱着睡也是这个道理，习惯几天就能养成，纠正可就不是一朝一夕的了。所以，要培养宝宝良好的生活习惯，从一开始就要那么做。

和妈妈睡在一起，会给婴儿带来身心上的满足和安全感。如果妈妈有能力这么做，不要拒绝和宝宝睡在一起，这一两年的辛苦是值得的。

❖ 看护人不能疏忽

婴儿自由活动能力增强，睡觉醒来可能会翻到床下；自己玩耍时可能会把小东西放到嘴里，不小心吞入气管；小脚丫可能会卡在床栏杆的缝隙里；家中的摆设可能被婴儿拽下来，砸在头上或压在身上；还有热水杯、暖水壶、熨斗、剪刀等，都有被婴儿触碰的可能，看护人一刻也不能离开婴儿。要把可能伤及婴儿的危险物统统拿开，去除婴儿活动空间安全隐患。切莫心存侥幸，侥幸是意外事故的根源。

(3)大便改变

随着辅食种类的增加，大便性质发生改变。颜色变深，呈褐色。吃了绿叶菜，大便会发绿；吃了黄红色蔬菜，大便中会掺杂红黄色；消化不良或患了肠炎，大便会为绿色稀便。食物种类杂了，便的臭味加重。

过去一直便秘的婴儿，随着食物种类的增加，可能会有所缓解。红薯、玉米、高粱米、燕麦等杂粮可缓解便秘，从这个月开始可尝试添加。消化功能弱，常发生腹泻的婴儿，添加新的食物，要从小量开始，细心观察。容易上火的婴儿，要多喝水，适当增加果蔬比例。

宝宝／姜杼君
这么大的婴儿正是淘气的时候，宝宝有意见了，睁着眼睛又要又闹。

195. 本月婴儿生长发育

这个月婴儿生长发育规律和注意事项与上个月相同，这一节就不赘述了。

(1)身高

本月婴儿，男婴身高均值72.6厘米，女婴身高均值71.1厘米。如果男婴身高低于67.9厘米或高于77.6厘米，女婴身高低于66.3厘米或高于76.0厘米，为身高过低或过高。

(2)体重

本月婴儿，男婴体重均值9.35公斤，女婴体重均值8.74公斤。如果男婴体重低于7.58公斤或高于11.52公斤，女婴体重低于7.06公斤或高于11.00公斤，为体重过低或过高。

(3)头围和囟门

本月婴儿头围均值45厘米。这个月婴儿头围和上个月相比，没有显著变化，可比上个月增加1厘米左右，如果上个月测量有些误差，这个月头围测量数值可能会和上个月差不多，甚至会小于上个月，妈妈可不要担心。囟门没有多大变化，不会明显地增大或减小。

第2节 能力增长与潜能开发

196. 看的能力：会有目的地看

❖ 记忆看到的东西

婴儿看的能力进一步增强，对看到的东西拥有了记忆，这种能力已经能够充分表露出来了。不但能认识父母的相貌，还能认识父母的身体和父母穿的衣服。父母从婴儿身边走过去，婴儿尽管没有看到父母的脸，也能认出父母来。会用眼睛追随父母的身影，如果没有理他，会发出啊啊的声音，告诉父母："我在这里，怎么不抱我啊？"如果父母在宝宝视线中消失了，婴儿可能会放声大哭。如果妈妈穿一件新买的衣服，婴儿会盯上一阵子，他的意思是："怎么从来没见过妈妈穿这件衣服啊？"

❖ 有目的地看

对外界事物能够有目的地去看了。不再是泛泛地有什么看什么，而是有选择地看他喜欢看的东西。如在路上行驶的汽车、玩耍中的儿童、运动中的小动物等，都能

宝宝 / 吕艾麟（女）、吕怡麟（男）
夏天，宝宝们喜欢到院子里去玩，当把他们放在车上准备推出去的时候，两个人很高兴的样子。

够引起婴儿的兴趣。能看到比较小的物体了，并能用拇指和食指捏起。非常喜欢看正在运动着的物体，比如时钟的秒针、钟摆、滚动的扶梯、旋转的小摆设、飞行的蝴蝶、移动的昆虫等，还喜欢快速变换的电视广告画面。

❖ 认识颜色

婴儿开始喜欢色彩鲜艳的物体。婴儿还不认识颜色，更不能分辨不同的颜色。所以，教婴儿认识颜色，要用单一颜色的物体，认识单一颜色后，再把不同颜色放在一起，教宝宝分辨颜色。

❖ 初识性别

尽管不会表达，通过对父母的认识，对性别有了初步认识，总是爸爸抱着玩的孩子，喜欢让和爸爸年龄差不多的男人抱。妈妈抱得多的孩子，喜欢让和妈妈年龄差不多的女人抱。

❖ 宝宝眼疾早发现

父母要注意婴儿看人视物时的表现，是否喜欢歪着头看东西？是否斜着脸看人？是否总是仰着头看电视或图画（和眯眼睛看是一个道理）？是否总是用手搓眼睛？眼睛是否总流泪？是否一到户外眼睛就流泪？眼睛是否很明亮？通过对婴儿眼睛的观察，及时发现问题，有怀疑及早看眼科医生排除眼疾。

❖ 视觉能力训练

•继续看图卡

原来给宝宝准备的图卡，多是单一图画。现在，可以给宝宝准备内容比较丰富的图画。给宝宝看连环画是不错的选择，

每张图画都有联系，宝宝会更感兴趣。

• 教宝宝认识颜色

准备不同颜色的气球，告诉宝宝，"这是红气球"、"这是黄气球"、"这是绿气球"。把不同颜色的气球放在不同的地方，然后问："红气球呢？"如果宝宝把头转向红气球，就说明宝宝认识红气球了。

• 认识自然界

帮助宝宝认识自然界的事物和现象，观察风中摇曳的柳树，看小桥下的涓涓流水，欣赏水中游动的小鱼，看快乐嬉戏的小猫小狗，亲近可爱的小朋友，对着喜爱孩子的爷爷奶奶、叔叔阿姨和哥哥姐姐笑，看护人热情地和他们打招呼，给宝宝做出榜样，榜样的作用要远远胜过说教。

• 不该给孩子下定义

常常遇到这种情形，妈妈抱着宝宝，见到熟人，妈妈首先命令孩子，"快叫叔叔"。如果孩子不听从妈妈指挥，妈妈随意对客人说"这孩子就是不愿意叫人"。采取这样的方式，真的是很糟糕。命令已经不对了，还要给宝宝下定义，就更不对了。妈妈不该说这些话：这孩子这么气人！你怎么这么不听话！这孩子怎么这么笨！这种定义式的语言，对宝宝是一种伤害，这种伤害会进入宝宝的潜意识，未来影响孩子心理健康发展。

197. 说的能力：积极地交流愿望

❖ 会发出喃喃复音

这个月的婴儿仍然不会用语言表达意思，有的婴儿能不时发出比较清晰的"妈——""爸——""拜——"等单音，还能不断地发出不清晰的"妈妈，爸爸，奶奶，打打，布布"等喃喃复音。有妈妈问道，宝宝前一段时间已经能发好多音了，也特别爱说，可最近不怎么说了，妈妈担

心宝宝语言发育是否有什么问题，甚至担心宝宝有自闭倾向。妈妈不必担心，随着月龄的增加，语言能力是不断进步的。妈妈说的这种现象是正常的，前一段时间宝宝的说和后来宝宝的说不可同日而语，宝宝从无意识的发音到发有意义的音节，中间会有短期的酝酿，表现为沉默，相当于起跑前的下蹲。所以说，宝宝不是退步，而是进步。

❖ 认识宝宝身体语言

当宝宝有某种要求时，会利用身体语言和父母交流，同时嘴里发出让父母听不明白的声音。如果大便干，会有特别的表情和动作，同时发出"嗯——嗯——"的声音。爸爸妈妈要学会听懂宝宝发声的意义，看懂宝宝的身体语言。

❖ 语言不是与生俱来的

随着时间的推移，孩子不断长大，就会自然而然学会说话。但这"自然而然"是有条件的，需要父母和孩子日复一日的语言"交流"，需要妈妈不厌其烦一遍遍地重复，需要父母将语言、动作、实物及环境全面、自然地结合与交融等等。这也就是为孩子创造一个丰富的语言环境，这是婴儿语言学习必不可少的基础，没有这个基础，婴儿语言潜能就不可能得到有效的开发。

❖ 父母是孩子第一任语言老师

有父母认为播音员语音标准，就时常给孩子播放电视或广播，以期达到婴儿学习标准语言的目的，可惜这是错误的做法。婴儿学习语言要有语言环境，要与动作、实物等联系起来。婴儿不能通过看电视、听广播学习语言，父母才是孩子的第一任语言老师。

如果妈妈总是喜欢开着电视或广播，婴儿就很难听清楚妈妈的话。电视、广播

宝宝 / 尚潘柔美

婴儿喜欢和自己一般大的小伙伴,但还不具备和同龄伙伴一起玩耍、一起游戏的能力。婴儿更多的时间喜欢和爸爸妈妈在一起。美美总是主动和她周围的人打招呼,即使是第一次见面的陌生人,也表现得非常友好,美美的沟通能力可谓一流。

缺乏交流和互动,更没有对婴儿最初始"语言"和身体语言的理解。即使宝宝会模仿个别词语,但对宝宝语言能力和心理成长帮助不大。语言与生活有着千丝万缕的联系,一个表情,一个眼神,一个动作,举手投足,在别人听起来没有任何意义的音节,父母都能准确理解。进行融洽互动的交流,这是婴儿学习语言无法代替的亲情环境。不要把宝宝推给电视或光盘,更不要过度提前让宝宝进入第二种语言的学习。

3岁之前,都是宝宝掌握母语的重要时期,父母要充分把握时机,帮助宝宝打牢母语基础。现在父母很重视孩子英语学习,恨不得让宝宝刚会说话,就学习英语,甚至把英语当成了"背景音乐",以为这样就能保证宝宝赢在起跑线上。事实上,这样做,并不能让宝宝更好地掌握英语,更糟的是,连母语也失去了完整的基础。

❖ **婴儿语言是广义语言**

婴儿虽然不会用语言来表达自己的愿望,但能通过特定的动作表示自己的愿望。妈妈从中可以看出婴儿在想什么,要干什么。当婴儿躺够了,就会边挺肚子,

边哼哼地表示不满。这时如果妈妈能抱起婴儿,婴儿会很高兴。如果婴儿想让妈妈抱,就会把双手伸向妈妈,眼中流露出渴望的神情。

❖ **语言能力训练**

• **在生活中学习语言**

父母要用清晰标准的发音和孩子进行语言交流。说话时,让婴儿看到你的口形,适当放慢语速。父母和看护人做任何事情,都不要忘记通过语言告诉宝宝。如给宝宝喂奶,从开始配奶、喂奶到结束,每一个环节都讲给宝宝听,让宝宝看。在生活中学习语言,要比通过书本学习语言快得多,有效得多,省事得多。

• **给宝宝大声朗诵**

每天在宝宝情绪最好的时候,给宝宝大声朗诵散文、歌谣、诗、词。朗诵时要情绪饱满、富有感情、抑扬顿挫,用你的理解表达内涵。如果毫无表情,就不会引起宝宝兴趣。不要认为宝宝没有能力理解,婴儿比我们想象的要聪明得多。

198. 听的能力:能听懂一些语意

❖ **宝宝都听懂了什么**

婴儿能听懂父母一些语意。如"吃饭了","喝奶了","撒尿了","把把了","妈妈来了","爸爸来了","妈妈上班了","和爸爸再见了","上外面玩去了","回家了","宝宝乖了","妈妈不喜欢宝宝了","宝宝气妈妈了"等,知道有人在叫他的名字。但宝宝在理解这些语言时,需要靠当时的情景,宝宝还缺乏抽象理解能力。

❖ **听对语言学习的帮助**

婴儿能把语言和实际动作联系起来,开始了语言的记忆和模仿。听对语言的学习是至关重要的。婴儿开始形成第一批语言–动作的条件反射,如家里有小朋友来

了，妈妈说"欢迎，欢迎"，婴儿就会拍起手来。爸爸上班了，对婴儿说"和爸爸再见"，婴儿就会扬起胳膊摆手。有了这种条件反射，婴儿就有了学习与人交往的能力。

❖ 听觉能力训练

婴儿听力已经发展得相当成熟，几乎能够听到自然界中所有声音。但是，婴儿对听到的声音知之甚少，这就需要父母和看护人帮助宝宝去知晓。初次听到小狗叫声，婴儿并不知道这是什么声音。妈妈多次告诉宝宝，小狗在叫，并模仿小狗叫声。如果能够让婴儿看到了小狗冲着他"汪汪"，婴儿能更快地记住小狗叫声。慢慢地，当宝宝听到小狗叫时，能够联想到小狗的模样；看到小狗时，会联想到小狗的叫声；当妈妈问小狗怎么叫时，会模仿小狗叫；当问什么动物汪汪叫时，会说是小狗。

这就是认识事物、学习语言、理解现象、掌握知识、了解常识的过程。宝宝能力的发展是相互联系、相互促进、相互影响和不可分割的过程。在训练听力时，也训练了视力和语言，在训练语言时，也学习了知识，认识了自然。

199. 运动能力：坐得很稳

❖ 独坐给婴儿生活带来变化

这个月的婴儿，绝大多数能坐得很稳，腰部挺直，不再需要倚靠，能自由向左右扭动身体，拿起旁边的物体。独坐给婴儿的生活带来变化，可以用双手玩玩具，促进手眼协调能力和手指的精细动作；视觉和听觉发生了根本的改变，看的视野开阔了，增强了认识周围事物的能力。有的婴儿自己就能从坐位改变成俯卧位，并从俯卧位或仰卧位改变成坐位。身体自由活动能力的增强，相对延长了婴儿自己玩耍的

时间。妈妈可以在婴儿身后呼唤宝宝的名字，宝宝会循声扭过头和上身找妈妈；从不同的方向呼唤，让婴儿左右扭动着循声找妈妈，这就锻炼了婴儿的反应能力和脊椎的运动能力。

❖ 四肢把整个身体支撑起来

能用上肢把上身支撑起来，离床很高，如果床不滑，可能会用脚蹬着床，四肢把整个身体支撑起来片刻，但很快就扑腾一下趴在床上。爱运动的婴儿会用四肢把身体支撑起来，屁股撅得高高的，头低下去，能够看到自己的脚。这个动作让婴儿很高兴，尽管不断被重重地摔在床上，还会一次次尝试。这样摔在床上不会有任何危险，妈妈不要干扰宝宝的自我锻炼。但宝宝身下是否有玩具或其他硬物，这是妈妈或看护人要留意的，以免宝宝摔下时，挤压硬物造成伤害。

❖ 爬行能力仍在不断学习中

有的婴儿已经开始手膝爬，动作协调，速度也很快，几乎可以爬到任何他想爬到

扶着沙发宝宝能从坐位变成站立位，并扶着沙发走几步。

宝宝 / 妞妞

的地方。有的婴儿还是胸腹着床匍匐爬行，有的用一只胳膊爬行，也有用两只胳膊爬行的，腿基本上由身体带动向前。有的婴儿仍然趴在原地一动不动，任凭妈妈如何引导，都没有爬的意愿。如果用手轻推足底，宝宝会像个青蛙，向前跃，就是不爬。这些都是正常现象，是宝宝爬行实践的各种表现，不必顾虑重重。

❖ 运动能力训练

•和宝宝一起爬

妈妈在前握着宝宝两只手，前后交替向前移动，爸爸在后握住宝宝两脚，与妈妈同步向前推。注意，不要让宝宝顺向爬，右手伸出时，要推左脚，左手伸出推右脚。

如果婴儿不会把肚子离开床面，不会用四肢支撑身体，父母可把手放在宝宝胸腹部，轻轻用力向上抬起，也可用长毛巾兜起，让婴儿用四肢支撑，再帮助宝宝向前移动。

•爬向妈妈

妈妈在前面引导婴儿向前爬，一边拍手一边说："宝宝快快爬到妈妈这里来。"当宝宝要向前爬时，妈妈张开手臂迎接婴儿，做出拥抱孩子的动作，嘴里不断说："宝宝爬过来，让妈妈抱抱。"

•爬向玩具

在婴儿前面放上会动会响的玩具，婴儿会努力向前爬，当婴儿就要够到时，妈妈要不断鼓励婴儿。

婴儿靠自己的努力够到了玩具时，妈妈把孩子抱起来，亲亲孩子，表示赞许，让婴儿体会到胜利的喜悦。

•婴儿够不到玩具怎么办呢

不要把玩具递到手里，这样会使婴儿放弃努力。如果经过努力，确实够不到玩具，婴儿可能会急哭，心理受到挫伤，或干脆不要了，失去了战胜困难的信心。所以，在宝宝着急，但还没有哭的时候，要不失时机地帮助孩子，在足底稍稍施以微力，促使孩子向前爬，或把玩具往宝宝跟前推一推，让宝宝够到玩具。

•从坐到趴再到向前爬

锻炼婴儿从坐位到趴着并向前爬。妈妈在婴儿前边放置一个婴儿喜欢的物体或食物，婴儿坐着伸手是拿不到的，就会俯下身去，爬着够到他想要的东西。这一连串的动作，既可锻炼婴儿视觉、距离感及手眼协调能力，又可锻炼孩子的精神品质——通过自己的努力获得自己想要的东西。

•快速爬

锻炼婴儿向前爬的速度感。妈妈伏在婴儿面前，不断说宝宝快快爬，当宝宝加快速度时，妈妈马上说宝宝爬得真快；当宝宝爬行速度减慢时，妈妈就说宝宝是不是累了，怎么爬得这样慢啊，让婴儿在体能训练中理解快慢的含义，体会出什么叫快，什么叫慢。在事物的对比中理解事物的本质，理解语言的含义。

•不同体位转换

这个月的婴儿，可能会坐得很稳，还可能从坐位变成俯卧位，又从俯卧位变成侧卧位、仰卧位，再从仰卧位变成侧卧位、俯卧位。

•从坐到站的训练

这个月的婴儿可能还不会从仰卧位、侧卧位或俯卧位变成坐位。不能从坐位变成站立位。训练时尽量不要直接用手抓婴儿的手，而是让婴儿自己借助物体来完成。当婴儿坐位时，妈妈可以用一个结实的圆环锻炼婴儿，让婴儿双手抓住圆环，妈妈向上拉圆环，孩子会抓着圆环站起来，这样，不但锻炼了婴儿的体位变换能力，还锻炼了婴儿手的握力。

•从卧到坐

大多数婴儿自己都是从俯卧位借助四肢的支撑力变为坐位的。训练婴儿从躺着变为坐着，可以先让婴儿右侧卧，妈妈抬起婴儿的头颈肩部，同时让婴儿先用肘部支撑起身体，当抬到正好用肘部可以支撑身体的位置时，妈妈再使婴儿向上抬起上身，同时慢慢让婴儿用手掌支撑起上身，臀部着床，变成坐位。

200. 潜能开发

潜能开发仍要建立在玩的基础上，让婴儿在快乐的玩中学习，在有趣的游戏中发挥最大的潜能，不能拔苗助长。传授婴儿知识不是目的，应该全方位训练婴儿的综合能力。

❖ 初识物体性质

婴儿在玩的实践中，逐渐理解了物体的性质，知道皮球会滚，橡皮娃娃会被捏响，勺子是用来吃饭的……通过这样的认识过程，婴儿会慢慢理解，什么可以放到嘴里，什么不能放到嘴里。如果妈妈不断向婴儿强化这种概念，就会加快婴儿的理解步伐。但也不能处处限制孩子，即使是不能吃的东西，只要没有危险，很干净，就不必加以制止。孩子把东西放到嘴里，也是对物体的一种体验。用眼看，用手摸，用嘴尝，用牙咬，用舌头舔，都是孩子认识事物的有效方法。

❖ 初识危险

如果婴儿把在地上滚的皮球放在嘴边啃，妈妈应该摇头并告诉孩子，皮球不能吃，在地上滚是不卫生的；拿出一片饼干，告诉孩子，这个才能吃。如果孩子不再啃皮球了，妈妈就高兴地鼓励孩子。遇到绝不能让婴儿动的东西，如打火机等危险物，妈妈必须坚决制止，不能怕孩子哭，同时告诉宝宝，打火机有危险，可能引起火灾，

宝宝／妞妞

宝宝逐渐会形成条件反射，看到打火机，反倒会提醒妈妈："火！"

❖ 挖掘婴儿潜能的内在动力

这么大的婴儿已经不喜欢躺着了，他们喜欢坐起来，看到更广阔的天地。喜欢爬，去探索世界，拿到他想拿的东西，想站起来走，走到外面的世界，这种潜在的欲望和能力，是婴儿不断进取的内在动力。父母是外在推动力，父母不能扼杀婴儿潜在的欲望和能力，也不能超乎寻常地训练，拔苗助长只会伤害婴儿，父母应该有一颗平常心，让婴儿在快乐中自然成长。上个月的游戏项目这个月仍然可以做。

❖ 把蒙在脸上的手绢拉下来

前几个月的婴儿，当手绢、纱巾、塑料薄膜等蒙到脸上时，不会把它拿开，因此要时刻注意这种危险。本月婴儿一般会有这种能力了，能把蒙在脸上的手绢拉下来，这种能力非常重要，父母要适当训练，让宝宝拥有这种能力。当然，父母和看护人时刻关注宝宝，仍然是育儿必须做到的要求。

❖ 两手同时抓起皮球

以前，当婴儿手里拿着一个物体时，如果再递给另一个物体，婴儿就会松开手

里的物体，去拿另一个物体。现在可以同时用另一只手来接另一件物体，两手还能同时抓握起比较大的物体，可以两手配合抓起皮球。

❖ 两手来回交换玩具

过去抓住玩具时，只会单纯地摇晃，现在可以把玩具在两手间来回交换玩耍了。把玩具从单手抓握到双手配合一起玩耍，这是婴儿手的技能的进一步发展。

❖ 把玩具放到容器中

教孩子学会把物体放到玩具筐里，把物体递到妈妈手里，在玩具筐里把玩具取出来，把皮球抛出去，把小盒里的物体倒出来等技巧。

❖ 开发手的精细活动

让婴儿拿放在不同距离的物体，可以训练婴儿的触觉、视觉、运动功能及活动技巧。

让婴儿拿与婴儿有一定距离的物体，可以训练婴儿目测物体距离的能力，促进手–眼的协调能力的发展。

伸手取物，举手取物，爬过去拿，妈妈举着，宝宝去拿，妈妈扶着，宝宝站起来取物，这样的亲子活动，都是在激发婴儿主动参与游戏的兴趣。

通过生活中的演示，教会婴儿用动作表达意愿，学习与人交流的方式方法。比如教宝宝双手抱在一起，这是谢谢；举臂左右挥动，这是再见；双手掌互拍，表示欢迎；手掌左右摆动，表示不要；右手掌放到头部右侧，表示敬礼；手指抓抓的动作，这是表演"抓挠"；用手指着灯，指着小床，不再只是用眼睛示意了。这些都是开发宝宝手指的精细动作，生活中随时随地可以进行。

❖ 用小手打妈妈

如果婴儿偶尔用小手打了爸爸妈妈的脸，绝不能报以笑脸。笑脸表示赞赏，婴儿会因为妈妈高兴而重复去做，这就误导孩子：打脸是件让妈妈高兴的事情。当然，也不必呵斥孩子，更不能打宝宝的小手。宝宝打人是无意的，如同用手拍打玩具，只是在形成手的运用能力。正确的处理方法是，严肃而明确地告诉孩子，用小手打爸爸妈妈的脸，是会让爸爸妈妈伤心的，打人脸，会让人不高兴，可爱的宝宝应该用小手招呼人"欢迎，欢迎"，"再见，再见"。请注意，话语的落脚点一定放在"欢迎欢迎"这样积极的语义上，如果爸爸妈妈反复强调"不要打人"，宝宝不能理解"不要"的准确含义，反倒强化了"打人"的印记。

第3节 本月婴儿喂养

201. 母乳喂养

❖ 转移乳头依恋

随着月龄的增加，宝宝吸吮乳头已经不仅是解决"温饱"问题了，还有对妈妈乳头的依恋。躺在妈妈怀里，享受着妈妈的拥抱，这是宝宝的情感需要。妈妈乳头确实是缓解宝宝哭闹的有效方法，但随着月龄的增长，妈妈要有计划地减弱宝宝对乳头的依恋，不要总是让宝宝叼着乳头。通过和宝宝游戏、亲子活动、聊天等活动，转移宝宝对乳头的关注，为顺利断奶做好准备。

❖ 都能顺利断奶

有的妈妈担心将来断奶困难，从现在开始就着手作断奶的准备。真的不需要妈妈这么做，到了断奶期，自然会断奶的，现在的任务就是好好喂奶。有的妈妈要上班，怕宝宝不喝配方奶，从现在就开始减少喂奶，这是没必要的。妈妈上班了，如果有存的母乳，看护人用奶瓶子或小勺喂母乳就行了。如果没有母乳，宝宝也不会坚决饿着自己。妈妈不在家时喂辅食，妈妈回来了喂母乳。如果觉得乳量不够，还可以在加辅食的同时，加喂配方奶。

逐步减弱宝宝对妈妈乳头的依恋，不等于减少母乳喂养量。坚持母乳喂养，也不等于孩子就断不了母乳。随着宝宝长大，他会自然断了对母乳的依赖，迟迟断不了的，恰恰是对乳头的依恋。因此，为断奶作准备，正确的选择是逐步减弱宝宝对乳头的依恋，而不是减少母乳喂养量。这个问题，妈妈一定要分析清楚，不可混淆了两者的差异。

202. 配方奶喂养

❖ 配方奶 600-800 毫升

纯配方奶喂养，每日配方奶 600-800 毫升，但也要根据婴儿具体情况调配奶量。食量小的婴儿每日奶量不足 600 毫升，妈妈也不要强迫宝宝喝，更不要因为要保证奶量，一点辅食也不喂。只要体重和身高正常增长，妈妈就不要过于强调食量。

❖ 拒食配方奶的婴儿

有的婴儿，在某一时段，就是不喝奶，妈妈只好乘宝宝睡得迷迷糊糊时喂。结果，宝宝习惯了这样的喂养方式，醒着的时候再也不喝奶了，妈妈非常着急。很想纠正

过来，试了又试，难以成功。

•遇到这种情况怎么办呢

可以在奶中加点米粉或蛋黄，改变奶粉味道。

喂点酸奶试试，如果宝宝爱喝，可以用配方奶自制酸奶。

把配方奶混合在面粉里，做面片汤、饺子皮、小馒头等，也可做奶粥。

有的婴儿到了户外或其他小朋友家里，就不那么挑食了，可以尝试一下。

如果无论如何都不喝奶，就暂时停几天，让宝宝忘记一下，过几天再试试，或许就喜欢喝了。

如果仍然拒绝喝奶，为了保证蛋白质的摄入，辅食中适当增加蛋肉比例，也可给宝宝喝酸奶、奶酪、鲜奶试试。

❖ 半夜还要喝奶的婴儿

有的婴儿还会在后半夜醒来，不喂奶就不睡觉，甚至哭闹。如果喂奶后，宝宝能安稳入睡，就给宝宝喝奶好了。妈妈可能会担心，吸着奶头入睡，婴儿发生龋齿几率会增加。没关系，喝奶后再给宝宝喂几口白开水。如果宝宝不肯喝水，可用棉签或纱布轻轻擦拭口腔内部，擦去牙龈、乳牙表面上的奶渍。

宝宝／妞妞
宝宝已经能很好地吃辅食了。

203. 辅食添加

❖ **辅食添加要点**

第一，每天两次辅食，第一次可安排在上午11点左右，第二次下午5点左右。

第二，辅食的量要根据婴儿的食量而定，宝宝不想吃了，尽管剩下了，也不要勉强宝宝吃。

第三，逐渐增加辅食种类，每天加一种新的辅食，要做到心中有数，观察宝宝对新辅食的耐受情况，如不能耐受，需要暂时停止，一两周后再尝试添加。

第四，婴儿对食物的研磨能力差，给宝宝做的辅食要细、软、烂。青菜和肉一定要切碎，如果宝宝吞咽能力不是很好，还需要做成泥状。

第五，有的婴儿已经能吃软固体食物了，有的婴儿喂稍大一点的食物，就会噎着呛着，妈妈不要勉强。尽量把饭菜做得烂些细些，随着婴儿咀嚼能力和吞咽能力增强，就能很好地进食固体食物了。

第六，8个月要接种麻疹疫苗，接种前一周，给宝宝吃整蛋，如果对蛋清不过敏（主要是出皮疹或原有湿疹加重，还有腹泻和呕吐），就可安心接种了。如果过敏，暂时向后推延。

第七，这个月婴儿可以吃肉类食物，但对肉类食物消化能力仍比较弱，要适当控制畜类肉的摄入量。婴儿消化动物油脂能力差，给宝宝选择精瘦肉，肉汤中的油要去掉（可通过凝固、用嘴吹出、用滤纸吸附等方法）。

❖ **辅食添加注意事项**

第一，不要机械照搬书本，要根据婴儿的饮食爱好、进食习惯、睡眠习惯等灵活掌握。尊重宝宝食量，切莫让吃成为父母和孩子的共同负担。

第二，没有千篇一律的喂养方式，添加辅食也是一样。有的婴儿一天只能吃一次辅食，第二次辅食说什么也喂不进去，但能喝较多的奶。有的婴儿很喜欢吃辅食，见奶就够。妈妈只能循循善诱，帮助宝宝逐渐建立起良好的饮食习惯。

第三，有的婴儿吃饭比较费劲，喂一次辅食要一个小时，喝奶也如此，只见吸吮，不见奶少。妈妈要尽可能缩短时间，宁愿多喂一次，也不要无限制拖延时间。

❖ **喜欢和成人同桌进餐**

多数婴儿喜欢热闹，有兴致和成人同桌进餐，且喜欢吃成人菜肴。如果你的宝宝单独进餐很困难，不妨把辅食添加时间安排在一日三餐时间。但婴儿还不能吃成人菜肴，必须单独做适合婴儿吃的辅食。

宝宝在饭桌旁，一定要注意安全，热的饭菜一定要远离婴儿。婴儿动作非常快，稍不留神，就会把饭菜弄翻，烫伤婴儿皮肤。不要让婴儿拿着筷子或长把饭勺玩耍，以免戳着婴儿眼睛或喉咙。

❖ **看护人不要离开婴儿**

婴儿会爬、会坐、会翻滚，甚至能扶着床栏杆站起来，看护人一步也不能离开宝宝。即使睡着了，醒来的几分钟内，都可能会发生意想不到的事情，切莫心存侥幸。

❖ **辅食举例**

例一：喂母乳的婴儿

06:30-07:00：喂母乳，有的婴儿吃完

宝宝 / 史宸瑞

母乳接着睡一个小时。

07:00–08:00：起床，洗脸，洗屁股，喝水，做操。

08:00–09:00：喂水果，在室内做亲子游戏。

09:00–10:30：户外活动，喂水。

10:30–11:00：准备辅食，宝宝自由活动。

11:00–11:30：喂辅食，

11:30–12:00：自由活动，准备午睡。有的婴儿不喝奶不睡觉，可以给宝宝喂母乳或配方奶，争取让宝宝尽快入睡。

12:00–14:00：午睡。

14:00–14:30：喂母乳，如果妈妈上班了，喂配方奶或挤出的母乳。

14:30–15:00：室内亲子游戏时间。

15:00–16:30：户外活动，喝水。

16:30–17:00：准备辅食，宝宝自由活动。

17:00–17:30：喂辅食。

17:30–18:30：室内活动时间，亲子游戏。

18:30–19:00：洗澡准备工作。、

19:00–19:30：洗澡。

19:30–20:00：喝水，讲故事。

20:00–20:30：喂母乳。

20:30–21:00：晚睡准备。

21:00–06:30：睡眠。

有的婴儿会在24:00左右醒来喝奶，有的婴儿后半夜醒来几次吃奶，但多能很快入睡。没有母乳的婴儿，时间安排上差不多，用喂母乳的时间，喂配方奶就可以了。喂配方奶的婴儿，不像喂母乳的婴儿那样容易在后半夜频繁醒来吃奶。

例二：不爱喝奶的婴儿

06:30–07:00：喂奶。

07:00–08:00：起床，洗脸，洗屁股，喝水，做操。

08:00–08:30：喂辅食。

08:30–10:00：户外活动，喂水。

10:00–10:30：喂水果。

10:30–11:00：准备辅食，宝宝自由活动。

11:00–11:30：喂辅食。

11:30–12:00：自由活动，准备午睡。如果入睡前想喝奶就给孩子喝。

12:00–14:00：午睡。

14:00–14:30：喂奶。

14:30–15:00：室内亲子游戏时间。

15:00–16:30：户外活动，喝水。

16:30–17:00：准备辅食，宝宝自由活动。

17:00–17:30：喂辅食。

17:30–18:30：室内活动时间，亲子游戏。

18:30–19:00：洗澡准备工作。

19:00–19:30：洗澡。

19:30–20:00：喝水，讲故事。

20:00–20:30：喂奶。

20:30–21:00：晚睡准备。

21:00–06:30：睡眠。

例三：不爱吃辅食的婴儿

06:30–07:00：起床，洗脸，洗屁股，喝水。

07:00–07:30：喂辅食，能吃多少就喂多少，不必强迫。

08:00–08:30：喂奶，能喝多少就喂多少。

09:00–09:30：喂水果，在室内做亲子游戏。

09:30–11:00：户外活动，喂水。

11:00–11:30：准备辅食，宝宝自由活动。

11:30–12:00：喂辅食。

12:00–12:30：自由活动，准备午睡。有的婴儿不喝奶不睡觉，可以给宝宝喂母乳或配方奶，争取让宝宝尽快入睡。

12:30–13:00：喂奶，能喝多少就喝多少。

13:00–15:00：午睡。

15:00–15:30：室内亲子游戏时间。

15:30–17:00：户外活动，喝水。

17:00–17:30：准备辅食，宝宝自由活动。

17:00-17:30：喂辅食。

17:30-18:30：室内活动时间，亲子游戏。

18:30-19:00：洗澡准备工作。

19:00-19:30：洗澡。

19:30-20:00：喝水，讲故事。

20:00-20:30：喂奶。

20:30-21:00：晚睡准备。

21:00-06:30：睡眠。

以上三个例子不足以说明婴儿饮食、睡眠习惯的所有特性，更不能涵盖婴儿喂养的全部特点。

父母应该在实践中总结经验，找到适合孩子的喂养方式和作息时间。

只要婴儿生长发育正常，能快乐玩，快乐吃，快乐睡，你就是最棒的妈妈，是最理解孩子的好母亲。

不要拘泥形式，适合孩子的喂养方法就是最好的方法。

❖ **让婴儿快乐进食**

随着月龄增加，婴儿食量会略有增加。

但妈妈不要认为，孩子长了一个月，辅食的量和奶量会显著增加。妈妈也要有心理准备，或许宝宝吃辅食喝奶都不如以前好了，或者开始挑食，或者不爱喝奶。遇到这种情况，首先要确定宝宝是否生病了，如果生病了，听从医生嘱咐。如果宝宝没有生病，妈妈就大可放心。千万不能硬喂宝宝，如果妈妈做不到这一点，千方百计喂养，宝宝挑食厌食的时间会更长。

食量大胃口好的婴儿，会因为吃的多出现积食，妈妈要稍加限制。一旦积食，要尊重宝宝的食量，不想吃了不要勉强喂食。食量小的婴儿，妈妈会感觉喂养很困难，如果化验微量元素，有些缺乏，妈妈很是内疚："给孩子喂得都缺乏营养了，真是太失败了。"妈妈不必自责，如果宝宝各方面发育都正常，就说明你喂养得很好。要让婴儿快乐进食，妈妈首先就要心情愉悦，如果妈妈总是愁眉不展，宝宝也会失去进食的快乐。

第4节　本月婴儿护理要点

204. 不同季节护理要点

(1)春季护理要点

❖ **父母可能会这样做**

抱孩子到比较远的地方游玩。

开始带孩子串门，到奶奶家、姥姥家，接触人的机会增加了。

更注意培养孩子的能力，对熟悉的吃、喝、拉、撒、睡不特别在意了。

❖ **父母可能会这样想**

婴儿长大了，能力迅速发展起来了。

能吃的食物种类多了起来，成人吃的也可以让宝宝吃了。

有育儿经验了，胆子可以大一些了，不用再那么精心护理了。

❖ **可能出现这样的结果**

婴儿需要看医生的时候多了起来。

春季气候不稳定，患病机会增加了。

❖ **妈妈不必担心**

婴儿患病比较单纯，常见的有：感冒、出疹性发热、热惊、腹泻、口腔疾病。

❖ **护理要点**

不要过早减衣服。

春季虽然天气转暖，但风沙比较大，要注意空气质量，污染指数大时，比如扬沙天、雾天时，不要带宝宝到户外。

北方春季干燥，要注意补充水分。

在户外玩耍的儿童多了起来，要注意预防皮球、石子等砸到婴儿。

(2)夏季护理要点

❖ **勤洗澡**

婴儿运动能力增强，容易出汗，睡觉和吃奶时汗更多。汗液和空气中的尘土和在一起，堵塞汗毛孔，引起痱子和脓包疹。皮肤的皱褶处容易被汗液浸泡发生糜烂，尤其是比较胖的婴儿更易发生，要勤给宝宝洗澡。

❖ **防蚊蝇**

没有接种乙脑疫苗的宝宝，要预防乙脑，蚊子是传播乙脑病毒的媒介，一定要防蚊虫叮咬。

❖ **可以带婴儿游泳吗**

可以带宝宝到海边或游泳池游泳，但一定要注意安全。

(3)秋季护理要点

❖ **不要过早加衣服**

秋季是比较好过的季节，但要注意，不要天刚有些凉，就马上添加比较厚的衣服，让婴儿自身有个适应天气变化的过程，使婴儿能顺利度过寒冷季节。

❖ **坚持户外活动**

不要天气刚凉，就不敢带孩子到户外活动，或明显缩短户外活动时间。这个月的婴儿，即使在寒冷的季节，也要到户外活动，哪怕是十几分钟。这样才能使婴儿呼吸道能够抵御寒冷刺激，不易患呼吸道感染。

❖ **防秋季腹泻**

北方地区，秋末季节，可能会流行秋季腹泻，要注意预防。一旦发现腹泻，首先想到的是病毒感染引起的秋季腹泻，而不要仅仅认为是消化不良。及时补充丢失的水分和电解质，防止脱水。

(4)冬季护理要点

❖ **妈妈的烦恼**

刚刚进入冬季，宝宝喉咙就开始呼哧呼哧的，痰液咳不出来，有时还会把奶吐出来，妈妈很着急。由于婴儿不会咳痰，总有一口痰在嗓子里来回滑动。当婴儿咳嗽时，如果能够把痰咽到食管，会清静一会，可不久，又会有痰出现。当婴儿睡眠时，如果出现这种情况，动一动体位，可能会有所减轻。

如果出现鼻塞，症状会严重得多。吃奶时，由于鼻塞，会阻碍呼吸，使婴儿烦躁不安。有的婴儿，鼻塞会持续整个冬天不好。

❖ **为什么会这样**

患有比较严重的湿疹、比较胖、有哮喘家族史的婴儿，容易出现这种情况；感冒后，也可能出现类似表现，与婴儿体质有关，与父母护理婴儿方法也不无关系。要随着环境温度的变化，随时增减衣服被褥，不要让宝宝总是汗津津的。减衣服一定要在早晨穿衣服时完成，尽量不要中途

宝宝／刘映彤
宝宝开始喜欢大型玩具。

宝宝 / 姜柏林
柏林9个月的照片，正在三姨奶家看电视呢。宝宝的视觉处在高度发育阶段，电视画面长时间刺激，对宝宝视觉发育不好，即使宝宝不是总盯着电视看，也不要长时间开着电视。

宝宝出汗了再减，这样很容易导致感冒。

❖ 看医生

如果孩子把奶都吐出来了，妈妈会急得连夜到医院。医生检查后，会诊断为气管炎或喘息性气管炎。如果不发热，一般医生不会留院治疗，开一些口服药物。但服药后，难以收到预期效果。由于治疗效果不满意，妈妈可能会走遍各家医院。有的医生可能会建议拍X线胸片，结果报告是肺纹理增粗，放射医生诊断为气管炎，或支气管肺炎，吃了不少药物，甚至是打针输液，效果均不佳。

❖ 治疗和护理对策

对于这样的婴儿，单纯的药物治疗往往难以奏效，要针对可能的原因加以治疗。

•如果婴儿比较胖，要适当调整饮食结构，减少热量摄入，降低体重增长速度。

•如果缺乏维生素AD或钙，气管黏膜和纤毛功能受损，给予适量补充。

•缺锌的婴儿可反复感冒，食欲低下，要在医生指导下积极补充。

•婴儿贫血时，抵抗力和食欲均较差，补血治疗后会显著改善。

•过敏体质或家族中有哮喘病史，婴儿

发生支气管哮喘的几率偏高，应进行抗过敏和预防支气管哮喘的治疗。

•婴儿生活环境也很重要。如果室内温度过高，湿度小，空气不流通，婴儿总是汗津津的。室内人流比较大，总有感冒人接触孩子，请加以改变。

•天气一凉，就马上把宝宝困在室内，过早添加衣物，使宝宝对冷空气的耐受性很差，气管内膜很脆弱，稍有疏忽，就会感冒。要对婴儿进行耐寒锻炼。

•婴儿不会咳痰，如果痰液很多，可购买家庭用的吸痰器，帮助婴儿清理痰液。拍击宝宝背部，也可促使痰液咳出。

•多喂水，使痰液变稀薄，容易咳出。

•雾化吸入稀释痰液的药物，对呼哧呼哧的婴儿很有效。

•婴儿虽然嗓子总是呼哧呼哧的，但精神很好，不影响吃，也不影响睡，生长发育也很好，婴儿很快乐。如果是这种情况，除了注意日常护理外，尽量不要使用抗生素，也不必让婴儿遭受治疗的痛苦，天气转暖后会自愈的。

❖ 来年秋冬季的做法

来年秋季到来时，对婴儿进行冷空气浴锻炼，坚持让婴儿每天到户外活动两三个小时，即使在寒冷的冬季也要坚持。提高呼吸道黏膜抵御风寒能力，到冬季情况就会有所好转。

205. 睡眠、尿便问题

(1)睡眠问题

这个月婴儿睡眠和作息时间与上个月相比，差异不是很大。可能会有这些情况：

❖ 上午不再睡觉

有的婴儿上午可能不再睡觉了，这对增加户外活动有好处，也会给喂养带来方便。但如果上午不睡觉是因为晚睡晚起所致，就需要慢慢纠正了。婴儿早睡早起要比晚睡晚起好，有利于身体发育。

❖ 晚睡原因

晚上睡得晚可能是因为以下几个原因：

•傍晚睡了一觉，醒来已经是晚上七八点钟，看到妈妈爸爸，开始兴奋，又是玩，又是闹，又是吃，一直兴奋到很晚。

•妈妈怀孕期间就有晚睡晚起的习惯。宝宝出生后，父母依然如故，宝宝很可能会随了父母的作息习惯。

•宝宝就是那种睡眠少的孩子，尽管睡眠不多，但很精神，吃喝玩样样不耽误。

❖ 白天睡眠少

婴儿白天睡眠时间比较短，但是晚上能连续睡上12个小时左右（半夜醒来吃奶，撒尿或玩一会都计算在睡眠里，醒一个小时以上时，要从睡眠时间中扣除掉），即使白天睡的时间短些，也不要紧。

婴儿睡得少，父母最担心的是影响婴儿的生长发育，尤其怕影响身高的增长。父母知道，睡眠时，体内生长激素才会分泌。道理是这样的，但是并没有证据表明，每天睡眠时间在14个小时以下的婴儿，要比每天睡眠时间在14个小时以上的婴儿身高增长慢。

这个月的婴儿每天睡眠时间不少于10个小时，精神好，吃得好，生长发育正常，就不要要求孩子睡得更多。如果为了增加孩子的睡眠时间，总是不断哄孩子睡觉，会导致孩子入睡困难，养成孩子必须靠哄才肯入睡的毛病，不利于培养孩子的独立生活能力。

(2)尿便管理

❖ 不会控制排便是正常的

这个月的婴儿抵抗坐便盆的不多，如果父母能够掌握婴儿的排便习惯，不失时机地让婴儿坐便盆，大部分婴儿能够把大便排在便盆中。如果一天排大便1-2次，或隔天一次，接大便的任务是比较好完成的；如果孩子一天排3-4次（这个月龄的婴儿很少会有这么多的大便了），大便又不是很成形，婴儿拉起来不费劲，妈妈难以捕捉到婴儿排便信号时，就不容易让婴儿把大便排在便盆中，这也是很正常的。

这个月的婴儿还不具备控制大便的能力，尽管一直能把大便排在便盆中，也不能说明妈妈已经成功地训练出婴儿的排便能力，以后还是要重新开始。所以，当周围的妈妈说，她的孩子已经会坐便盆排便了，而你的孩子还不会，也千万不要着急。宝宝还不到坐盆排便的月龄，更没到控制排便的月龄。

❖ 辅食与大便

这个月婴儿辅食添加种类比较多了，大便比原来的更发臭。屁也增多了，大便的色泽也开始多变了，与辅食种类有关，尤其是蔬菜的种类对大便色泽影响较大。大便颜色比以牛乳为主时变深、变黄，比以母乳为主时变硬、变绿。

❖ 大便异常要治疗

大便呈稀水样，次数多，应及时化验

宝宝／尚潘柔美 让宝宝品偿各种食物的味道，有利于宝宝味蕾细胞的发育和味觉的建立。

大便，看医生后，根据医生医嘱治疗，不能乱用药物。尤其是抗生素，一定要在诊断后，确诊有细菌感染性肠炎才能使用。

偶尔一次大便不好，不要马上喂药，再观察下一次大便，如果比上一次大便变好，就继续观察。只有连续3天排不正常大便，或一天排两次稀水大便时，才需要化验大便。

除了大便不好，婴儿没有什么异常，也不发烧，没有必要带孩子去医院，带着大便到医院就可以（大便应装在小瓶子里，不能拿纸包着或放在纸盒中，大便干了，就不能化验了），以免增加孩子到医院后被传染疾病的可能。

不要一见到孩子排一次不太正常的大便，就马上停止辅食或减少乳量，也要观察1～2次大便情况。

❖ 小便的变化

小便还是一天10次左右，有的婴儿尿泡大，小便次数少，有的婴儿尿泡小，小便次数多些。

夏季小便次数少，冬季小便次数多，这都是正常的。

冬季如果把小便尿在盆里，可能会发白、发浑，加热后会消失，这是尿酸盐结晶析出。不是婴儿肾脏出了毛病，没有必要看医生，也不用带尿到医院化验。

吃辅食了，尿的颜色会比原来黄，不会像清水似的。随着肾脏功能的不断完善，婴儿饮水量的不断增加，尿液就不会那么黄了。

这个月的婴儿可能会让妈妈成功地把尿。但妈妈希望孩子把所有的尿都排在尿盆中，是有些苛刻了，孩子还不能控制小便。

这个月的婴儿，晚上可能会因为有尿醒来，如果把完尿或换尿布后，孩子很快

入睡的话，就不用给孩子喂奶。如果啼哭，喂奶后能使孩子很快入睡，就不妨给孩子喂奶。认为这个月的孩子晚上不应再喝奶了，而一直让孩子哭下去是不对的。

206. 衣物、被褥、玩具、户外活动

❖ 重要提示

这个月龄的婴儿，对衣服、被褥、玩具的要求，与上个月相比，没有特殊的变化。但有一点要特别提醒父母，这个月婴儿手的活动能力增强了，什么都会拿了，拿了就往嘴里放，发生气管异物的危险增加了，父母一定要小心再小心。

❖ 气管异物潜在隐患

如果衣服上的纽扣钉得不牢，会揪下来放到嘴里。

衣服上的小饰物、小带子等如果钉得不结实，会被婴儿放到嘴里。

玩具上的螺丝、各部位的零部件、粘贴的商标、镶嵌在玩具上的零碎部件，如塑料娃娃眼、金属响笛等，都可能成为气管异物的隐患。

❖ 如何消除隐患

在购买衣物、儿童用品、玩具时，一定要充分考虑其安全性和可靠性。

注意儿童用品上适用年龄的标志。不要给婴儿购买超过其适用年龄的用品。

应该选择质地安全的儿童用品，比如，不易撕开、可以啃咬的布书。整体性用品，比如，不能卸下轱辘的整体小玩具车，没有安装有可能脱落零部件的玩具，是购买的首选。

不能购买生产厂家不明，没有注册商标的小商品。不要在没有高信誉的商家手中购买儿童商品。

要严格检查亲朋好友赠送、转赠的儿

童用品。一旦发现不安全因素，要舍弃不用，或者排除用品的安全隐患。

婴儿正在使用的用品，如童车、婴儿床、玩具、衣服和被褥等，也要定期检查，保证其安全性，这一点非常重要。

❤ 不要有侥幸心理

父母也许会觉到我讲的太严重了，哪里有这么多的危险？！几十年临床工作看到的惨痛教训，却是事实。即使是万分之一的危险，也要彻底消灭，一旦发生意外事故，那就是百分之百的不幸了。请记住：侥幸心理是意外事故的根源。要消除孩子周围的隐患，父母担负着最重要的责任。在这里，我们还要呼吁婴儿用品制造商、销售商、监管部门承担起相应的责任，保障婴幼儿的安全。

❤ 看更多的东西

户外活动的范围可以扩大了，可以到远一些的街心公园去，让婴儿看到更多的外界景观。

让婴儿看到更多的自然现象。可以让婴儿认识真实的太阳、月亮、星星、雨、雾、风等。告诉宝宝，太阳一出来，天就亮了；天一黑，月亮就会爬上天空，还有许多星星，一眨一眨的。

❤ 感受更多的东西

下雨时，让婴儿伸出小手，接一接雨水，感受一下雨水打在手上的感觉，和在脸盆里用水洗手是不同的，和在自来水上接水是不一样的。但是不要让婴儿头和身上淋到雨水。

下雾时，看不清楚远处的东西了，婴儿虽然不能理解，但是这种实际的感受会给婴儿留下记忆。

风可以把树叶刮得摆动，会把树枝刮得摇动。父母也可以用嘴吹动一张纸，告诉婴儿这就是风，是爸爸妈妈吹出来的风。

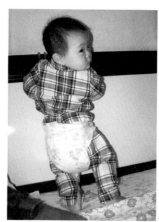

宝宝 / 尚潘柔美
回头看看有谁能帮助，尽管还不能用语言表达，也不总是以哭说话了。宝宝开始学着用身体语言表达自己的需求和愿望。

❤ 告诉更多的东西

先把能看到的告诉宝宝，不要认为宝宝不懂。要让婴儿在游戏中锻炼能力，在快乐的游玩中学习知识。

❤ 注意安全

不要带宝宝到危险的地方。不要在高压线旁、电线旁玩耍，不要在建筑工地旁玩耍。父母带婴儿到户外活动，最重要的是安全问题。

207. 不会爬、挑食

(1)不会爬

本月婴儿多数会手膝爬。但有的婴儿还是匍匐爬行，有的婴儿还不会爬，而是向前拱，先把腿收起来，屁股翘起，上身再向前一拱。这样的婴儿有向前爬的动机，但四肢运动还不太协调。在父母的帮助下，慢慢会协调起来，不能就此认为，宝宝的运动能力发育落后。

有的婴儿爬得晚，并非自身原因，而是因为某些因素，没有机会练习爬。比较常见的因素有：

有比较严重的溢乳，妈妈不敢让宝宝趴着；

趴着就哭，妈妈也就罢手了；

体重一直超标，趴着挤压腹部，宝宝会感觉费力，不喜欢趴着，四肢难以支撑超重的身体，无法手膝爬，喜欢匍匐爬行；

婴儿很早就会站，喜欢扶着物体站立；

早在新生儿期，看护人就竖立着抱宝宝，养成了习惯，不喜欢躺在床上，翻身晚，爬得晚；

家里人多，总有人抱着宝宝，宝宝没有机会练习爬。

如果有上述因素，从现在开始，多鼓励宝宝爬，给宝宝创造爬的机会。但是，切莫强迫宝宝爬，以免宝宝产生厌烦情绪，拒绝练习。

在地板上放爬行垫，父母和看护人也坐在或躺在垫子上，和宝宝一起做游戏，引导宝宝爬。如果宝宝喜欢扶物站立，把能够扶的物体拿开，增加爬的机会。

(2)挑食

很早就吃蛋黄泥，会因为吃腻了而拒绝，妈妈可尝试多种蛋黄烹调方法，减少蛋黄本身的味道。随着月龄的增加，婴儿对食物有了选择，逐渐开始自作主张。不喜欢吃的就不张嘴，甚至把食物吐出来。吃了几个月菜泥，现在拒绝是情有可原的。妈妈的任务是想办法做宝宝想吃的菜肴，而不是想方设法，把宝宝拒绝吃的食物喂到嘴里。

婴儿主观不愿意接受，客观却无法拒绝，这会让婴儿很恼火，接下来，婴儿能做的就是再次用自己的力量，拒绝食物，甚至推而广之，拒绝所有的食物，最后发展成为心因性厌食。这种情况虽不多见，但也时有发生，妈妈要努力避免。在吃的问题上，实行宽松政策，充分尊重婴儿对食物味道和量的选择。

让婴儿品尝出不同食物的味道，菜是菜，饭是饭，汤是汤。吃一口饭，吃一口菜，再喝一口汤，婴儿会在不断的饮食变换中增加进餐兴趣。

每天要尽量不吃同样的食谱，一周内，最好每天更换不同的食谱，如果种类相同，做法要更换一下。

有的婴儿什么辅食都喜欢吃，就是不爱喝奶。妈妈什么方法都试过了，宝宝就是不喝。出现这种情况，妈妈只能罢手，暂时不喂奶。适当增加辅食中的蛋白质，也可以尝试着把奶粉掺合在辅食中。可以试着夜里或早晨醒来时喂奶，但不提倡在宝宝睡眠时或睡得迷迷糊糊时喂奶。也可以喝酸奶、吃奶酪、奶片等奶制品。妈妈不要焦躁，宝宝不会一直不喜欢喝奶的，暂时放下这件事，过一段时间再尝试。

208. 晚睡、夜哭
(1)晚睡

白天多带宝宝到户外活动，午睡时间要争取"早睡早起"，傍晚尽量不让宝宝睡觉，晚上早点睡觉。改变宝宝睡眠习惯，说起来容易，做起来难啊。妈妈想早点让宝宝午睡，可宝宝偏不睡，傍晚困得东倒西歪，到户外玩都能睡着。可见，一旦养成了某种睡眠习惯，改正起来不容易。所以，从新生儿开始就不断强调这个问题。如果妈妈无论如何也不能改变晚睡习惯，就顺其自然，不必担心，不会影响生长发育的。妈妈要做的就是不能再向后推延睡眠时间，一点点往前赶，慢慢养成早睡习惯。

双职工家庭的父母晚上回来后，婴儿见到父母很兴奋，父母也是一天没见到孩子，希望陪孩子玩一会，做做亲子游戏，使孩子的睡眠时间渐渐地向后延迟了。睡得越来越晚，起得也越来越晚，即使早早起来，还会再睡回笼觉。爸爸妈妈回家后，尽量增加和孩子在一起的时间，不玩让孩子过于兴奋的亲子游戏。争取让宝宝早上床睡觉。可以通过游戏帮助宝宝入睡，如和宝宝一起哄布娃娃睡觉，哄着哄着，就把自己哄着了。

父母睡觉晚的，婴儿睡得也会比较晚。有的家庭朋友比较多，喜欢晚上聚会，前半夜总是灯火通明，电视开着，甚至唱卡拉OK，孩子没有安静的睡眠环境。尽量周末举办家庭聚会，晚上抽出时间陪孩子，养成早睡早起的习惯。这不能算是干扰父母生活，对任何人来说，早睡早起都是好的生活习惯。

(2)夜哭

❖ 家有夜哭郎

夜间哭闹的婴儿，这个月可能依然如故。这使得上班一族的父母苦不堪言。夜间哭闹不止，全家人都不得安生。看医生，找资料，所有的解决办法用到自己孩子身上都难以奏效。父母很沮丧，这孩子怎么这么难带呀。

婴儿很难一觉睡到天明，晚上会醒来一两次，但多数醒后并不哭闹，或把把尿，

或喂喂奶，或干脆不用父母管，就自己入睡了。可有的婴儿就是哭闹，自己不哭够，是不会停止的，尽管父母使出浑身解数也无济于事。

宝宝是高要求的孩子。高要求就要高对待了，父母不要沮丧和愤怒，宝宝不会这样一直夜哭，就在你忍无可忍的时候，宝宝不再夜哭了。耐心等待，平静应对是最佳选择。对待夜哭的宝宝，父母越是烦躁，孩子夜哭的时间会越长。

无论是什么原因引起的夜哭，采取不予理睬的办法都是不对的。哭是婴儿的语言，是和父母交流的方式之一，拒绝和孩子交流，会极大地挫伤孩子的自信心。有妈妈说："昨天晚上，孩子夜哭，我们不理睬，结果大哭了十几分钟，终于哭累了，趴在那里睡着了，这招不错。"我不赞成这种做法。实践证明，当孩子醒来哭时，父母反应越早，孩子哭的时间越短，停止夜哭的年龄越小。

❖ 温馨提示

当孩子醒来哭时，父母的第一反应就是自问孩子为什么哭。

有尿了？尿布湿了？饿了想吃奶？睡前吃多了，胃不舒服？室内太热或太冷了？室内空气不好，氧气稀薄？湿度太小，嗓子发干，要水喝？……

如果没有答案，妈妈就把孩子抱起来或搂到自己怀里。轻轻拍着，哼着曲子，孩子可能会慢慢入睡。

如果孩子哭得打挺，抱也抱不住（孩子已经哭了好大会儿，感到非常冤屈），父母也不要急躁，还是要和风细雨地哄着孩子。不要又是颠，又是晃，大声"哦，哦，哦"，比孩子闹得还欢，这会让孩子难以安静下来。

如果孩子从来没有这样闹过，这夜很

宝宝、妞妞

对于宝宝来说，这个大球可谓是庞然大物，但宝宝一点也不畏惧。

特殊，就要想到疾病的可能，打个电话给医生，咨询一下，是否需要请医生看一看。

如果孩子哭闹一阵，就安静下来，一会又哭闹一阵，又安静下来。要想到婴儿肠套叠的可能。如果是比较胖的男孩，这两天有腹泻，还有吐奶，就更应该高度怀疑了，请医生看一下是必要的。

209. 抠嘴、吃手、恋物

❖ 抠嘴

婴儿手的活动能力比上个月灵活了，会把手指头伸到嘴里抠。乳牙萌出时，婴儿会感到轻微的不适，婴儿有了支配手指的能力，嘴里不舒服，就会用手指去抠。当婴儿把手指伸得很深，抠到上腭，会引起干呕，甚至把吃进去的奶吐出来，这会令父母很不安。

当宝宝用手指抠嘴，引起干呕，甚至呕吐时，父母不应该有类似这样的言词："这孩子怎么有这个坏毛病！""不要抠了！看把奶都吐出来了吧。""再抠，就打你的手！"孩子看到父母的严肃表情，听到严厉语气，可能会吓得哭起来，但结果还是抠。随着宝宝长大，自然而然就不这么做了。

婴儿听不懂道理，但会看脸色、听语

宝宝／妞妞
妈妈拉着宝宝荡秋千，宝宝非常高兴。

气。当婴儿把手伸到嘴里时，妈妈会立即把宝宝的手拿开，并说不要吃手。用这种方法阻止宝宝吃手，效果只是暂时的，过一会儿，宝宝又会把手伸进去。妈妈应该不动声色地转移宝宝注意力，用更有趣的事情，让宝宝主动把手拿开。教导孩子，不能超越孩子所能接受的程度。

❖ 吃手、恋物

喜欢吸吮手指的婴儿到了这个月可能开始吸吮身边的物品，如枕头上的小枕巾，毛巾被角，衣服袖口等。有的婴儿离不开他常常吸吮和咬吃的物品，所恋物品不在身边，睡觉就不踏实，就难以入睡。还有的婴儿看不见、摸不着、闻不到所恋物品，就不好好吃奶。

这是婴儿寻求自我安慰的一种方式，这种自我安慰，随着婴儿月龄的增长会逐渐削弱，直至消失。但是，并非所有的婴儿都是如此，有的婴儿不但不会消失，还会越发严重，甚至形成一种癖好，如恋物癖和咬指癖。

父母需要做的是给孩子以最大的安全感，多陪伴孩子，多和孩子做亲子游戏，不要让孩子时时感到无聊，不给孩子恋物的机会。采取强制措施，只能使孩子更加缺乏安全感，恋物情结更加严重。父母的爱是化解宝宝恋物癖、咬指癖的根本方法，巧妙转移注意力，是消除这些癖好的根本手段。

210. 便秘、拒绝"把尿"

(1)顽固便秘

有些婴儿的便秘很顽固，几乎把所有能用的方法都用上了，仍然不能缓解便秘。用灌肠和打开塞露的方法能解决排便问题，但排出的大便干硬。父母着急，孩子痛苦。如果出现肛裂，排便给宝宝带来疼痛，主观拒绝排便，使得便秘更加严重。换了许多家医院和专家，收效甚微，医生也感到无能为力。

首先要治愈宝宝肛裂，让宝宝排便不再疼痛。父母不要在宝宝面前表现出紧张神情，看到父母紧张，孩子会更加紧张，紧张也是导致便秘的原因之一。

每天在固定的时间、固定地点，用相同的方法，帮助宝宝排便，建立排便习惯。

给宝宝做腹部按摩时，要像亲子游戏一样，在轻松愉快的气氛中进行。采取热气熏、棉签蘸香油刺激肛门、塞肥皂条、打开塞露等方法时，一定要在宝宝乐于接受的时候进行。

鼓励宝宝多喝水。能起到润肠作用的食物有：红薯、全麦粉、小米、玉米面、燕麦等谷物，花生酱、芝麻油等油脂食物，芹菜、菠菜、萝卜、白菜等蔬菜。什么食物可缓解便秘？没有一致的答案，父母需要尝试。一种没有效，两种一起吃，可能就有效了。钙会加重便秘，食物过于精细也会加重便秘。

物理方法和食疗无效，可尝试中医治疗，如针灸、外敷、推拿按摩、中草药调理等方法。中医治疗便秘要比西医效果显著，只是婴儿接受起来比较困难。

大豆低聚糖、乳果糖、果胶等可缓解便秘，但容易依赖，长期使用会导致营养吸收障碍，可短期服用。益生菌在理论上可缓解便秘，但对于顽固便秘宝宝来说，难以奏效。益生菌副作用小，可长期服用，或许能够起到一定作用。成人治便秘的药物不宜给婴儿服用。

(2)不让把尿很正常

膀胱里有尿不舒服，睡眠轻的婴儿可能会醒来，妈妈习惯这时把尿，孩子也能很快把尿排出来，放下又睡了，这是很好的。并不是每次把尿都如此顺利，妈妈把尿，孩子不但不顺利排尿，还表示反抗，不让妈妈把，或哭闹，或打挺。这都是正常的表现，妈妈不必着急，给宝宝穿好尿裤，让宝宝自己尿在尿裤上就行了。

冬天把孩子从温暖的被窝中抱出来，孩子是不满意的。孩子睡得正香，不希望妈妈打扰他，他会自己把尿尿在尿布上，妈妈替他换了干爽的尿布，马上又会进入深睡眠状态。妈妈不要总是按照自己的想法护理婴儿，应该时时刻刻想到婴儿是怎样感受的。

妈妈会有这样的抱怨：原来宝宝总是顺利地把大便排在便盆中，可现在不灵了；原来宝宝已经不用穿尿裤了，可近来一天要换几次；上个月就能把尿便排在便盆里了，可这个月却不行了。

婴儿本来还不具备控制大小便能力，妈妈是根据孩子在排便前的外在表现分析出孩子可能要排便，就顺势接在了便盆里。如果妈妈的判断失误了，或婴儿这时不服从妈妈指挥，把得不成功，这并不是什么问题。

211. 爱出汗、出牙迟、小腿弯、发稀黄

(1)爱出汗和出牙迟

随着宝宝长大，汗腺发达，活动量增多，婴儿越来越爱出汗了。吃饭、睡觉、活动时，总是汗津津的，尤其天气热的时候，更是这样。不要把爱出汗的婴儿视为异常、缺钙什么的。对于爱出汗的婴儿，妈妈不要给孩子穿得过多，睡觉时，也不要盖得过厚。

到了这个月，有的婴儿已经萌出4颗乳牙了。出牙早的可以萌出6颗。有的婴儿只萌出2颗。但仍然会有为数不少的婴儿，快到9个月了，一颗乳牙也没有萌出。

这些都是正常的。

(2)小腿弯曲

随着月龄增长，婴儿小腿长了，开始会站立片刻。父母可能会发现孩子小腿发弯，这让父母很着急，这不成了罗圈腿吗？急着抱到医院。医生会告诉父母，婴儿小腿就是这样的，是正常情况。如果父母坚持检查，有的医生可能会给宝宝做些辅助检查，化验骨碱性磷酸酶、血微量元素、骨密度，甚至拍胫腓骨或腕骨片，排除佝偻病或腿部发育异常。婴儿小腿有些弯曲是正常的，如果医生说没问题，父母尽管放心，不要坚持做检查。

(3)头发稀黄

出生时头发黑亮浓密，可慢慢地，头发变稀黄了，父母担心是营养不良或缺乏什么微量元素了。

婴儿出生时的发质与妈妈孕期的营养有很大关系。出生后，婴儿发质与自身的营养关系密切了。如果生后营养不足，头发会变得稀疏发黄，缺乏光泽，杂乱无章。缺锌、缺钙也会使发质变差。

发质的好坏，除了与营养有关外，还与遗传有关，也与对头发的护理有关。如果父母或直系亲属中有发质很差的，可能会遗传给婴儿，即使出生时头发很黑，也可能会慢慢变黄。如果总是用洗发液给宝宝洗头，头发也会因失去油脂保护而变得发黄少光。

212. 免疫接种

8个月要接种麻疹疫苗，上一章已经谈过了。如果在宝宝刚刚满8个月就接种了麻疹疫苗，这个月可以接种计划外疫苗。计划外疫苗是自费疫苗，妈妈要咨询清楚再去选择。

宝宝/肖 夏

第十章　9-10 个月的婴儿（270—300 天）

这个月的宝宝手膝向前爬；翻身、坐起、躺下、站起等体位转换能力加强；

用拇指和食指捏起很小的物体，并会拿给妈妈看；

拿起东西放到嘴里，看到什么都想摸一摸、动一动；

有的婴儿能清晰地发出"爸爸妈妈"等音；

模仿能力增强，会学着妈妈梳头的样子；

会自己拿着食物吃……

第1节 本月婴儿特点和生长发育

213. 本月婴儿特点

(1)大运动和精细运动

❖ 扶物站立并行走

过了9个月将满10个月的婴儿，和前几个月比较起来，活动能力明显增强。把婴儿放在床里，自己可能会抓着床栏杆站起来，两手攥着栏杆使劲摇晃，发出咯吱咯吱的响声，甚至还能横着走两步，这真是让父母惊讶。

❖ 从站立转为坐

宝宝体位转换能力加强，刚才还站着，现在却坐下了，这是婴儿又一个能力，会从站立位变成坐位了。这是很大的进步，这个动作很不容易，需要婴儿的胆量和运动技巧，也需要腿部力量。

❖ 离会蹲不远了

如果不再是吧嗒一下坐下（好像摔个屁股蹲儿），而是很自然地坐下，宝宝很快就会蹲了。蹲是要点功夫的，需要很好的协调和平衡能力。

父母需要明白，婴儿间的发育速度存在着显著的个体差异，有的婴儿运动能力很强，有的婴儿语言能力很强，父母不要凡事都和周围小朋友比，只要宝宝在进步，就要为宝宝的成长喝彩。

❖ 爬得很快

从这个月开始，大部分婴儿会手膝爬，有的婴儿爬得飞快，甚至还会爬过障碍物。有的婴儿时常用四肢支撑着身体，把屁股翘得老高，低下头看自己的脚丫。这个月还不会很好地爬，这样的婴儿仍然存在。其他运动能力都不错，就是不会爬，父母不要放弃让宝宝爬的努力，尽管已经站得很好了，也要鼓励宝宝爬行。

❖ 手的精细运动

手的活动能力更强了，会用拇指和食指捏起很小的物体，并会拿给妈妈看。能把扣着的盒盖打开，取出盒里的东西。还是喜欢把什么都放到嘴里啃咬。看到什么都想摸一摸、动一动。

会用两手摆弄手里的玩具，递来递去的，已经比较灵活了。拿着两个小玩具，能相互敲打着，如果能敲出响声，婴儿会高兴地笑出声来。对玩具兴趣增强，对家

宝宝尝试扶着沙发站立。

宝宝/李一诺

里的一些实用品更感兴趣。喜欢的东西，父母若硬是抢过来，婴儿会大哭。

❖ 语言和模仿能力

有的婴儿能清晰地发出"爸爸妈妈"等音，但多是无意识的。模仿能力增强，看到妈妈梳头，也会拿着梳子往自己的头上放。看到爸爸打手机，也会把手机放到耳朵上，做出打手机的样子。

(2)社会能力特点

❖ 独立玩

不用人陪着，自己会玩一会儿了。如果孩子特别好动，看护人一刻也不能离开孩子，连吃饭都要轮换着吃，否则一顿饭可能要停下来几次去管孩子，食不甘味。如果让婴儿上桌和父母一起吃饭，那可要看好，婴儿会出其不意地把菜汤弄洒。弄脏衣服是小事，很容易把孩子烫伤。不要心存侥幸，这个月婴儿动作之快，出乎我们的想象。

❖ 情感

这个月的婴儿会和人再见，会拍巴掌表示欢迎，会举起小手做出抓挠的样子，会用两手食指对上又分开（有的婴儿快到1岁时才有"斗斗飞"这个能力）。会清晰地发出"爸爸、妈妈"等音节。婴儿能听懂父母某句话的含义了，这是学习语言的基础。只有听懂了，婴儿才会不断积累词汇，最后说出来。父母要不断和孩子说话，这样才能促使孩子早日开口说话。

❖ 求新是婴儿特点

这个月的婴儿坐得已经很稳了，但不喜欢安静的婴儿，却不爱坐了。会坐的不坐，越不会的越喜欢坐。当婴儿不会走时，总是喜欢让妈妈领着走。当走得很好时，又常常张着小胳膊，站在父母前面，拦住父母要抱。不断求新，是婴幼儿的特点。

父母要充分利用婴儿这一特点，不断教给孩子新的能力，总是让孩子做老一套，会使孩子厌烦的。越来越多的父母注重传授孩子知识，而忽略了婴儿的天性。玩是婴儿的天性，不要一味追求孩子学到了什么。不要枯燥地让婴儿识字、背儿歌，要在玩中学、游戏中练、实践中认识，给孩子展现新奇的世界。

❖ 生活秩序

婴儿喜欢新奇，喜欢玩耍，喜欢变化。但并不意味着生活无秩序。有秩序的生活，会给婴儿带来安全感。有了安全感，就有了信任；有了信任，才有自信和勇气。所以，要帮助婴儿建立良好的生活习惯，做到有秩序地生活。

宝宝会自己拿着食物吃，开始喜欢自己用勺吃饭。几乎能吃所有形状的食物，即使没有牙齿，也能把黄瓜咬下几口。

(3)妈妈的疑虑和担忧

❖ 过早站立导致小腿弯曲

妈妈会担心，过早站立和行走，有可能导致小腿弯曲。妈妈不必担心，只要宝宝自己能够扶物站立并行走，就不会有那样的结果。人为地让宝宝站立，会导致腿骨发育不良。本月还不是让宝宝练习站立和行走的时候，还是要多鼓励宝宝爬行。

❖ 脚尖站立脑发育有问题

站在父母的腿上，会用脚尖站着，使妈妈感到腿有些疼。有些妈妈怀疑，孩子用脚尖站着是不是异常，更有妈妈怀疑这是脑发育有问题。这个月的婴儿，对于站着的危险性有了认识，站在妈妈的腿上面不但不平，还软软的，很不稳当，婴儿就会用脚尖抠着，防止摔倒，这可不是脑发育有问题，而是婴儿的自我保护。

❖ 体重低和体重超标

逼着孩子吃的结果有两种，一是多了一个肥胖儿（至少是超重儿）；二是多了一个厌食儿（至少是没有吃饭的乐趣）。现在营养不良儿越来越少，肥胖儿越来越多。肥胖本身就是疾病，还为其他疾病的发生埋下了隐患，如儿童成人病、成人心脑血管病、代谢性疾病等。胖胖的婴儿，父母看着很开心，可宝宝会为此付出健康的代价。肥胖和营养不良一样糟糕。妈妈不要总是担心宝宝体重低，忽视体重超标。

❖ **不让把尿便**

宝宝不高兴让妈妈把尿便时，不是弓腰，就是打挺；不高兴坐便盆时，不是把便盆弄翻，就是把尿撒在便盆外；越把越不尿，放下就尿。这不是婴儿的问题。当孩子不喜欢把尿把便时，妈妈及时放手，会使婴儿的反抗情绪平息下来，现在还不需要训练排便。

❖ **睡觉少影响生长发育**

有的婴儿睡眠比较好，不易被吵醒，夜里很少醒来。有的婴儿睡眠很轻，有点动静就睁开眼。白天要抱着睡，夜间醒来吃奶，妈妈很辛苦。妈妈不怕辛苦，只是担心宝宝睡不好，会影响生长发育。妈妈无须有这样的担心。除非疾病所致，宝宝睡眠不好，影响的倒还不是自己的正常发育，主要影响爸爸妈妈的休息。

(4)可能患的病

这个月的婴儿，如果患病，多是腹泻和感冒。有可能出幼儿急疹。冬春季节，有的婴儿会患轮状病毒肠炎（秋季腹泻），有的婴儿可能会患气管炎或肺炎，但发病率不高，妈妈不必紧张。（详细内容参见第十三章）

如果宝宝第一次发热，除了发热没有任何症状，很可能是幼儿急疹，没有经验

的父母，可能多次跑医院，服用很多药物。其实，幼儿急疹是无须治疗的，更不需要服用抗生素。护理重点是多饮水，暂时停止肉类食物。监测体温变化，不断采取物理降温，如果体温超过38.5℃，服用退热药，退热药可每4~6小时重复服用。

幼儿急疹典型症状是：发热三四天，体温降到正常，皮肤出现红疹，多从脖颈部开始，慢慢遍及躯干和面部，肢体皮疹少见，红疹呈米粒大小，色红，挤压皮肤红疹褪色。疹子出来了，意味着宝宝病好了，不需要吃任何药物，过几天皮疹自行消退。

(5)防意外事故

防止意外事故仍然重要。一定要将所有对婴儿可能造成伤害的东西放到安全的地方。例如：药品、化学产品、重物、玻璃陶瓷等易碎品以及剪刀、针等，爸爸手里的烟头、打火机、熄灭不彻底的火柴、妈妈的熨斗、暖水瓶、热水杯、热汤、热奶等所有可能会烫伤婴儿的东西，都要远离婴儿。

宝宝 / 王震坤

　　雪后天晴，带宝宝欣赏雪景，呼吸干干净净的空气，很利于宝宝呼吸道的健康，即使在寒冷的冬季，也不要给宝宝戴口罩，这样才能让宝宝的呼吸道得到耐寒锻炼。雪天太阳高照时，要注意保护宝宝视力，不要让强光映衬着白雪刺激宝宝的眼睛。室外活动对宝宝特别好，三九天也不应该间断。等宝宝适应室外温度后，应该把披风脱掉，放开宝宝尽情运动。

214. 本月婴儿生长发育

(1)身高

本月婴儿，男婴身高均值72.6厘米，女婴身高均值71.1厘米。如果男婴身高低于67.9厘米或高于77.6厘米，女婴身高低于66.3厘米或高于76.0厘米，为身高过低或过高。

身高的增长速度与上个月相同，一个月可以增长1.0~1.5厘米。婴儿身高存在着个体差异。对照婴儿身高增长曲线图（见附录），若低于同龄儿正常身高的第3百分位或高于第97百分位，需要到医院检查。

(2)体重

本月婴儿，男婴体重均值9.35公斤，女婴体重均值8.74公斤。如果男婴体重低于7.58公斤或高于11.52公斤，女婴体重低于7.06公斤或高于11.00公斤，为体重过低或过高。

体重的增长速度与上个月没有大的差别。根据婴儿体重增长曲线图（见附录），所测数值如果低于第3百分位数，或高于第97百分位数，可视为体重异常，需要到医院检查。

❖ 体重偏高的婴儿

婴儿体重的差异性更大，有的婴儿到了这个月就已经超过了10公斤。婴儿体重偏高无须调整；体重超标，要避免过度喂养；宝宝肥胖，要调整饮食结构，看医生，排除疾病所致，由医生指导科学喂养，不能凭经验采取减肥措施。

• 调整饮食结构，少吃高热量低蛋白的饮食，多吃蔬菜水果。

• 如果食量比较大，喂奶和吃饭前，可以喝些白开水。

• 每天奶量不超过900毫升，夜间尽量不喂奶。

• 增加活动量，爬行可消耗较多热量。

• 不喝碳酸饮料和含糖饮料，降低脂肪供应，增加蛋白质、维生素、矿物质的摄入。

❖ 体重偏低的婴儿

排除疾病或喂养不当的可能，如果精神很好，其他方面发育也很正常，仅仅是体重偏低，父母不必过虑。这种情形多见于食量小、睡眠少或活动量大的婴儿。

如果快到10个月了，体重还不足7.5公斤（男婴）和7.0公斤（女婴），有必要咨询医生。

(3)头围和囟门

这个月婴儿的头围增长速度和上个月一样，平均一个月增长0.67厘米。头围的测量需要经验，最好由医生测量分析，父母做的话，可能会有些误差，给父母带来不必要的烦恼。

其实，头围和身高体重一样，也存在着个体差异，只要在标准范围内，大一些，小一些，都是正常的，不必为此担心。

❖ 这个月囟门特点

有的婴儿到了这个月，前囟可能还是比较明显，妈妈还能清晰地看到孩子的囟门跳动。

大部分婴儿到了这个月，已经很难看到前囟搏动了；可能会在婴儿发高烧时见到；平时，仅仅看到一个小小的浅凹窝。

头发浓密的婴儿，什么也看不出来。

❖ 这是囟门闭合吗

随着颅骨的增长，婴儿头皮张力增大，囟门不像前几个月时那样软了，妈妈会误以为宝宝囟门闭合了。这会让父母很着急，父母会认为，一旦囟门提前闭合，头颅可能就停止增长了，一定会影响孩子的大脑发育。这种担心是不必要的，"就要闭合"不等于闭合，囟门再小，也是有囟门，并没有形成最终的骨性闭合，头颅还会增长。

同样也不要动辄就认为，囟门大是缺钙导致的，囟门小是维生素AD吃多了。如果妈妈不放心，让医生认真测量一下头围和囟门。

❖ 科学对待孩子的囟门

年轻的父母大多就这么一个宝贝，非常注意孩子的智力发育，把婴儿的前囟、头围看得很重要，小点、大点都害怕。如果患有脑积水，不仅仅表现头围大几毫米，而是明显增大，同时伴有其他异常。如患有小头畸形或狭颅症，不仅仅是头围小几毫米的问题，会有智力落后等其他异常表现。父母不要因为囟门或头围大点、小点而草木皆兵。

钙的问题也是一样，如果维生素D中毒，钙超量了，也不单单表现囟门早闭，维生素D中毒还有其他表现。严重缺钙可以使囟门闭合延迟，但不会使囟门比出生时还大。

父母是和孩子朝夕相处的，孩子的异常表现，父母都是第一个发现。在婴儿没有任何异常情况下，一次偶然的测量是不能说明问题的。对于一些需要动态观察的指标，要综合考虑。

多数婴儿都有乳牙萌出，爱流口水的婴儿依然如故，长湿疹的婴儿这个月多有明显减轻，甚至消失。

第2节 本月婴儿能力

215. 看的能力：认形状、识颜色

❖ 观察物体形状

这个月的婴儿，开始会看镜子里的形象，有的婴儿通过看镜子里的自己，能意识到自己的存在，会对着镜子里的自己发笑。具有了观察物体不同形状和结构的能力，眼睛已经成为婴儿认识事物、观察事物、指导运动不可缺少的器官。

❖ 眼手配合完成活动

能眼手配合完成一些活动，如把玩具放在箱子里，把手指头插到玩具的小孔中，用手拧玩具上的螺丝，掰玩具上的零件，想把瓶盖拧开，喜欢摇晃手中的玩具，喜欢把玩具筐中的玩具全部倒出来，看到什么就想拿什么。

❖ 初步认识吃的玩的

通过看，初步了解是玩的，还是吃的。但是，选择把什么放到嘴里，仍然是无意而为。多数情况下，喜欢把手里的东西放到嘴里，无论是吃的，还是其他物品。

❖ 看图识物

婴儿开始喜欢看色彩斑斓的图画，通过看图画认识物体，喜欢看画册上的人物和动物。婴儿对画面和颜色还不能很好地分辨，如果画面过于复杂，婴儿难以识别，就会把复杂的画面视为一体。比如在一幅图画中，有树木、花草、河流、山川、大雁等，婴儿很难一一识别。如果妈妈告诉这是一幅山水画，婴儿还不理解，即使记住了，也是对字词音节的记忆。如果妈妈分别告诉画中都是什么，婴儿会相互混淆。反复教授，可能会指认出来，但这样的认知有些事倍功半，接近死记硬背了。给婴

宝宝 / 尚潘柔美
美美要给大家演奏了。说每个婴儿都是音乐天才并不过分，每个孩子都有成为音乐家的潜质。

儿选择图画，要力求简单明快，一眼就能看出画的是什么，最好画的就是日常生活中的实物。

❖ <u>察颜观色</u>

婴儿学会了察颜观色，尤其是对父母和看护人的表情，有比较准确的把握了。如果妈妈笑，婴儿知道妈妈高兴，对他做的事情认可了，是在赞赏他，他可以这么做。如果妈妈面带怒色，婴儿知道妈妈不高兴了，是在责备他，他不能这么做。父母可以利用婴儿的这个能力，告诉婴儿什么该做，什么不该做。

举例：打妈妈脸

一、如果婴儿打妈妈的脸，妈妈露出严肃的表情，并告诉孩子，妈妈生气了！婴儿获得的信息是：这么做，妈妈生气。事情虽然简单，但婴儿会有深刻的印象。

二、如果婴儿打妈妈的脸，妈妈仍面带微笑，并告诉孩子，不要打妈妈呀。婴儿获得的信息是，妈妈高兴他这么做。

有客人来到家里，婴儿打客人的脸。如果妈妈一贯采取第一种方法，婴儿不会茫然、委屈，甚至大哭。如果妈妈一贯采取第二种方法，这次因为打的是客人，而

采取了第一种方法，婴儿会感到迷惑，可能会委屈地大哭。对待客人和妈妈的态度截然不同，婴儿迷惑不解。

婴儿打人如同会爬、会坐一样，只是一种能力，与品质无关，无须上纲上线。父母不要因为孩子打人大动干戈，表现愤怒，甚至反过来打孩子的手。但是，尽管婴儿打人并无恶意，也非有意，无须管教，却也不能加以鼓励和赞赏，更不能报以微笑和掌声。

虽然婴儿还不具备辨别是非的能力，但成人应具有明确的是非观。父母用可行的方法，表明正确的观点是应该的。

216. 说的能力：语言能力快速增长

❖ <u>语言学习快速增长期</u>

这个月的婴儿开始进入语言学习能力的快速增长期，是语言的最佳模仿期，父母要充分利用这些有利时机，抓紧婴儿的语言训练。

❖ <u>婴儿开始学习语言的特点</u>

•说出词的速度很慢，但听懂词的速度很快。

•对词的理解进展速度快，宝宝学会几十个词，但真正能说出来的不过是1–2个词，甚至一个词也说不出来。

•会说有意义的词前，婴儿会有一段沉默期，前几个月还"说个不停"，现在却"一言不发"。妈妈不要着急，这是起跑前的下蹲。

•说话早晚与环境关系密切，爸爸妈妈越多和宝宝交流，宝宝开口说话的时间越早。但这种交流必须是有效的，如果妈妈常常自顾自地说，喃喃自语、唠唠叨叨，对婴儿语言发展帮助甚微。

❖ <u>有效交流</u>

在日常生活中，给宝宝做任何事情，都用语言表达出来，宝宝在接受事件的同时接受语言；说宝宝正在关注的事情，这比妈妈让宝宝去关注某事有效得多；要把说和动作、听、看、摸、做、实物、感受、事件、事情发展过程等结合起来；教宝宝发音时，要让宝宝看着你，看到发音时的口形变化。

❖ 语言能力训练

父母在训练婴儿说话过程中，不要以孩子会说什么为基准，如果孩子不说话，就认为是没有教会。最主要的不是要教孩子会说几个词，而是要给孩子创造一个良好的语言环境。

• 在愉快舒畅的气氛中教宝宝说话。

• 尽量和婴儿说看见的东西和事物。

• 说正在做的事情，使婴儿把语言和事物很好地联系起来学习，这样学习的目的性就比较强，孩子也容易接受，学得也快。

• 面对面和婴儿说话，这样婴儿不但听到发音，还能看到口形变化，把听、看、说三者结合起来，使孩子能更早学会说。

• 父母在和婴儿说话时，要一字一句地，吐字清晰，使用普通话是最好的，节奏要缓慢，让婴儿有逐字接受的过程。

• 表达要清楚、准确，不要故意使用儿语或模仿孩子不清晰的发音。要让婴儿学习到标准的语言。

• 把学习语言变成婴儿感兴趣的事情，说婴儿感兴趣的话题，在游戏中学习。

• 当听到孩子发音时，要尽量理解孩子的语意。当孩子会说一个词时，要给予鼓励。不要总是纠正孩子的发音，让孩子大胆地说。

• 这个月的婴儿可能还什么也不会说，

但能听懂父母很多话，父母要认真和孩子进行语言交流。

217. 听的能力：能听懂父母说话

在一些语境中，婴儿能听懂父母某些话的意思。婴儿能用身体语言和父母进行交流，通过听、看来理解父母的意思。

父母要充分利用婴儿听的能力，多让孩子听，听多了，听懂了，慢慢就开口说话了。

婴儿已经不单单是听到了什么，而是把听到的进行记忆、思维、分析、整合，运用听来认识世界。

❖ 听觉能力训练

婴儿的听觉能力已经相当好，妈妈会感觉到孩子耳朵非常灵敏，很小声说话都能听到。声源定向力也很好了，无论哪个方向发出声音，宝宝都能灵活地转过头去寻找。爸爸下班回家，听到开门声就知道爸爸来了。妈妈下班回来，悄悄去了洗手间洗手，可宝宝听到了妈妈的说话声，知道妈妈回来了，就会到处寻找妈妈。

218. 运动能力：全身协调性进一步增强

❖ 坐着时的表现

两手能比较熟练地玩玩具；

会伸出手来要东西；

会把头转过去看身后的东西；

会把手伸到前面和左右两侧够东西；

会从坐位变成仰卧位或俯卧位；

会从俯卧位变成坐位（这个能力有的婴儿还不会）；

• 坐着会向前、向后、向左右蹭着移动。

❖ 防呼吸道异物更重要

手的精细动作有了很大进步，能自由

手膝爬够物

地伸张五指。拿东西更准确了，会用手指捏起比较小的物体，并能比较准确地放到嘴里，有时不小心还会放到鼻孔里。

婴儿看到什么就想拿什么，一定要让危险物远离婴儿。一定要把对婴儿有危害的物品放到安全地方。小小的药粒，可能都会被婴儿捏起来放到嘴里，这是很危险的。即使有人在眼前看护，也很难照顾到，可能一眨眼，孩子就把东西放到嘴里了，等孩子被异物卡了，看护人才发现，就已经晚了。

❖ **运动发育并不均衡**

婴儿运动能力发育不尽相同，有的发育快些，有的发育慢些。如果相差得不是很大，就不要着急。婴儿运动能力发育快慢与婴儿所处季节、父母训练程度、看护人看护方式等客观因素有一定的关系。正赶上冬季，穿得比较多，运动能力会受到影响。夏季，身体灵活，婴儿运动能力发育就比较快。

❖ **舐犊之情最重要**

让婴儿在快乐中学习运动能力，加深母子感情，激励婴儿进取精神，简单的亲子游戏可以达到这一目的。亲子游戏随时可做，不需要特意安排，越是自然地玩耍，越能使婴儿感到亲切，学习起来也有兴趣，学得也快。

父母在和孩子的交往中，不要刻意去做什么，母子间、父子间流露的自然感情，就是最好的游戏活动，也是最好的训练方式，是任何潜能开发机构都不能代替的。父母不要寄希望高级的婴儿潜能开发机构，父母学到的只是方法，婴儿学到的只是技能，往往忽略舐犊之情。

父母简简单单的亲子活动，对培养孩子健康的心理素质都有非常大的帮助。

❖ **给婴儿布置安全的活动空间**

随着月龄增加，婴儿运动能力逐渐增强，安全问题越发显得重要。父母需要做的是，给孩子布置一个安全的活动空间，而不是处处限制孩子的行动。不给机会，孩子怎能学会？时刻注意婴儿的安全是对的，但限制、制约宝宝活动，这就错了。

最好给婴儿单独布置一个房间，墙壁色彩要既鲜艳又不刺眼，淡粉色、淡淡的苹果绿、明快的海蓝色等都可以。如果能请一位这方面的设计师，根据孩子的气质性格，进行个性化设计，那就更好了。墙壁要略加装饰，比如在墙壁上画一两幅儿童画，挂几只彩球，把能发出轻快悦耳声的挂铃系在屋顶上，也可以选择漂亮的儿童贴画贴在墙壁上。但装饰不要过，过了就显得很乱，婴儿在眼花缭乱的环境中，心情会变得焦躁不安。

墙壁要做1米以上的软包墙围。地面铺得既要软，又要有一定韧度；既能防震，又不影响行走。市场上有很多儿童地垫出售，挑选时，父母要把脚和膝盖裸露出来，亲自在上面走一走，爬一爬，感受一下是否舒服。地毯、毛毯等会有毛绒掉下来，不适宜婴儿使用。

房间内放置的物品要具有安全性，如软包沙发和沙发墩，材质很好的塑料充气玩具或木质玩具。室内放置的家具高度最好不超过1米。木制家具角要放上安全卡。总之，凡是存在安全隐患的物品都要远离儿童房。采取安全措施，父母就可放心地让宝宝活动了。

219. 运动能力训练

❖ 帮助宝宝站立

帮助宝宝站立，不是要父母帮助宝宝站立起来，而是给宝宝准备能扶着站的物体，比如沙发墩、小木箱、椅子、婴儿床等，让宝宝自己扶着物体站起来。站立后，婴儿脊椎的三个生理弯曲就全部形成了。宝宝刚刚练习站立时，可能是摇摇晃晃的，像个不倒翁，慢慢就能站稳了。

婴儿小腿略弯曲，脚踝部也多略向内曲，有的婴儿比较明显，妈妈可能会担心宝宝站立会使小腿更弯。妈妈不必有这样的担心，如果婴儿自己扶着物体能够站立，就说明婴儿已经具备了站立的能力，不会因为站立而使小腿变得更弯。

❖ 从站立到坐下

从站立到坐下的动作，需要婴儿手和身体的稳定协调配合。一开始，婴儿可能会啪嗒一下坐在地上，这不要紧。但地板、墙壁要有安全保障，周围不要有坚硬物体，以免磕到宝宝。妈妈也可以扶一下婴儿的腋下，把持一下身体的稳定，婴儿就能顺利地从站立位到坐位了。把玩具放在婴儿脚下，婴儿就会主动做这个动作的练习。

❖ 站起蹲下

这个动作比较难，有的婴儿要到快1岁时才能学会。这是需要全身协调的动作，婴儿四肢要有力，平衡感也要好。从坐着到站立，这个月的婴儿需要父母用手拉一下，或自己扶着物体站起来。自己徒手站起来需要有个过程，父母可以用手指轻轻勾着婴儿的手指，边说宝宝站起来，边用力向上拉。如果宝宝站起来了，就鼓励婴儿说："宝宝站起来了，宝宝长高了，宝宝真棒。"

以后，妈妈把手指伸给婴儿，先不接触婴儿的手指，对婴儿说："宝宝站起来，够妈妈的手。"这时婴儿就会伸出小手，勾住妈妈的手指，妈妈顺势轻轻拉起，并说："宝宝够到妈妈手了，宝宝自己站起来了。"婴儿会很高兴的。

❖ 向前迈步走

这个月的婴儿可能会扶着床沿、沙发、儿童车等，横着走几步。有的婴儿推着能滑动的物体向前迈几步，但不敢离开物体向前走。父母可以进行这方面的训练，让婴儿靠着物体站在那里，妈妈蹲在孩子前面，把手伸向孩子，做出要抱的动作，并对孩子说"宝宝走过来，让妈妈抱一抱"（当然要离孩子很近）。这时，宝宝可能会尝试着让身体离开倚靠物体，两只小手伸向妈妈，要向前迈步。如果婴儿还不能向前迈出，身体已经向前倾斜，妈妈就及时向前抱住孩子，并鼓励孩子"宝宝真勇敢"。在训练中，婴儿学会了和父母配合，培养婴儿与人交往的能力。

❖ 捡东西训练

让婴儿捡东西，是很好的游戏。可以训练婴儿的体能、眼手协调能力、思维能力和手的精细运动能力，还能训练对物品名称的认识，以及和父母的交往能力。这个月的婴儿，已经能听懂父母很多话了，认识了一些物品的名称，会站起来，会坐下，有的婴儿还会蹲下了。这些都是捡东西不可缺少的运动能力。

妈妈把玩具放在箱子里或盆子里，也可以放在地上。妈妈对婴儿说："宝宝把小布熊拿给妈妈，好吗？"宝宝听到妈妈的请求，就会用眼睛看看盆子里的玩具：噢，小布熊在这里。就会把小布熊递给妈妈，妈妈就说"宝宝真棒"，并抱起宝宝亲亲，以示鼓励。

宝宝会有一种胜利感，非常喜欢看到妈妈的兴奋神情，即使妈妈不向宝宝发出命令，宝宝可能也会再把小布熊拿给妈妈。这时，妈妈千万不要没有反应，还要像第一次那样，表现出高兴的神情，并对宝宝说"宝宝本事真大，知道妈妈喜欢小布熊"。妈妈也确实应该高兴，宝宝已经记住并能够用行动表达这样的心境：妈妈喜欢小布熊，拿给妈妈，妈妈会很高兴。宝宝不但对事物有了记忆能力，还有了思维能力，开始学会给妈妈带来欢乐，这是多么了不起的进步啊。

❖ 把物体投进小桶里

这个游戏也很好，训练婴儿手的精细动作和准确性、手眼的协调性。婴儿手里拿着小玩具，妈妈拿着一个小桶，对宝宝说"把你手里的玩具放到这个小桶里"。如果宝宝没有听明白，妈妈可以给孩子作示范，或让爸爸把他手里的物体投到桶里，宝宝就会模仿爸爸的动作，把玩具放到桶里。不断拉远宝宝与桶的距离，训练宝宝投物的准确性。

等到宝宝有了这个能力，妈妈就可以让婴儿把地上散乱的玩具，一个个放到容器里，收拾起来。培养孩子爱护环境的好习惯，玩完了，自己动手收拾干净。妈妈

要不断鼓励，使孩子认识到，自己会做的，应该自己做。父母也要认识到，放手让孩子自己做，比父母代劳强上千倍万倍。

❖ 两手配合

给婴儿准备一些小瓶子、小盒子，锻炼婴儿两手配合能力。拿带盖的小盒子，妈妈先给孩子作示范，用两手把盒子打开，再把盒子盖上，在盒子里放一个小球发出哗啦啦的响声，增加孩子打开盒子的兴趣。

学会了打开盒盖，再教孩子拧开瓶盖，这个动作更复杂。但是越复杂难学的动作，对婴儿越有益，也越能引发婴儿兴致。这个时期的婴儿非常爱学习这些本领，总是乐此不疲地重复学到的本领。

❖ 使用小勺

这个时期的婴儿，手的精细运动能力已经比较强了，可以训练婴儿自己使用小勺吃饭。这让许多父母无法接受，让婴儿自己拿勺吃饭，就意味着会把饭菜撒得到处都是，会弄脏衣服和地板，会浪费饭菜。不错，确实如此。但如果父母为此而拒绝给孩子这样的机会，孩子就很难学会自己用勺吃饭。父母总是限制这限制那，认为孩子这也不能做，那也不能做，这个不能

宝宝 / 张一然
我也要吃大橙子。

动，那个不能摸。久而久之，就扼杀了孩子自己动手的积极性，阻碍婴儿运动能力的发展。

用勺吃饭，是这个月婴儿喜欢做的事情。从这个月开始训练的婴儿，1岁以后就能自己拿勺吃饭了。

❖ 因势利导的潜能开发

做婴儿不喜欢做的事，不但不利于婴儿个性发展，还会使婴儿失去学习兴趣，结果是事倍功半。比如训练婴儿大小便，这个月龄的婴儿，还不具备控制大小便的能力，妈妈偏要千方百计地训练，会使婴儿很反感，为以后控制尿便设置了障碍。随着月龄的增长，婴儿开始不听话了，开始做喜欢做的事情了，父母要因势利导开发婴儿潜能才是正确的。

❖ 不要扼杀婴儿的好奇心

婴儿开始有了好奇心，什么都想看看，什么都想摸摸，什么都想拿到手里摆弄。

如果父母总是告诉孩子"这不能动，那不要动"，"这很危险，那很危险"，会扼杀婴儿的好奇心和求知欲。

父母只需阻止孩子动有危险的物品，如电插座、打火机、火柴、煤气开关、热水瓶等。如果孩子执意要拿暖水瓶，妈妈可以把暖水瓶的水倒出来，让孩子看到热水冒出的蒸汽，摸一摸比较热的水（但不要把孩子烫了），告诉孩子"这里盛的是热水，会烫着宝宝"。妈妈也可以把手试图伸进热水中，像是很烫的样子，快速把手缩回去，同时说"好烫啊"。让孩子有感性认识，知道是因为热而不能碰，让婴儿认识到碰暖水瓶有危险。

这个月的婴儿，对事情的记忆时间是很短的，有的几秒钟就忘记了，有的可持续一天，有的可持续几天，甚至十几天。所以，今天告诉他了，明天可能还会去摸，需要不断重复。

第3节 本月婴儿喂养方法

220. 本月婴儿营养需求

这个月婴儿营养需求和上个月没有大的区别。每日所需热量为110卡/公斤体重。每天2-3次辅食，母乳喂养继续按需哺乳，配方奶喂养每天3次左右，每天600-800毫升，但要尊重宝宝食量。从这个月开始，可以尝试给宝宝吃软的固体食物，如馒头、蛋糕、丸子、馄饨、包子、饺子、软米饭等。每顿辅食中都要有粮食、蔬菜、蛋或肉，比例差不多各占三分之一，水果可作为零食单喂。食物种类不断增加，几乎能吃所有种类的食物，但不要给宝宝吃

成人饭菜，烹饪方法以蒸、煮、炖为主，适当炒，不要油煎、油炸、熏烤和爆炒。

有的宝宝仍然会半夜醒来吃奶，尤其是母乳喂养的宝宝更为常见，妈妈不要急躁，只能慢慢减少喂奶时间和次数。有的宝宝不喜欢吃辅食，那就适当延长上顿奶和下顿辅食的间隔时间，适当缩短上顿辅食和下顿奶的时间，争取多吃辅食少喝奶。如果宝宝不喜欢喝奶，就采取相反的方法喂养。

仍然需要给宝宝额外补充维生素D200-400I国际单位/天。如缺乏日光照射，

补充要适当加量；如日光照射充足，补充要适当减量。

如果宝宝有缺铁性贫血，需根据贫血程度补充铁剂，时间和量需专业医生指导。不要忘记食补，如动物肝和血、大枣、芝麻等高铁食物。

如果宝宝有明显的缺锌（血锌低，宝宝食欲差，生长发育减缓），需要在专业医生指导下补充锌剂。要注意微量元素之间的平衡，如果不正确补充会引起体内元素失衡。认为补总比不补好的观点是错误的，合理膳食结构，多种多样的食物是营养的最佳来源，也是营养均衡的最好保证。

很多妈妈都按常规给宝宝补钙，如果没有因为补钙导致宝宝大便干硬，没有因为补钙导致宝宝胃部不舒服，不爱吃饭，也没有因为宝宝拒绝吃钙，像灌药一样硬灌，可以继续原来的补充。如果有上述情况，那就不如不补了。只要保证有充足的日光照射，充分的运动，充足的维生素D，喝奶吃饭正常，食物的钙是可以满足生理需要。如果确实缺钙（有医学证据），要选择适合宝宝的钙剂。

221. 母乳喂养

妈妈要继续关心自己的乳汁，合理饮食，保证睡眠，精神放松，心情愉快。妈妈不要有这样的认识：宝宝长大了，需要更多的营养，而自己的乳汁质量已经很差，奶量也少了，母乳喂养已经不再重要。

母乳喂养可以持续到宝宝2岁，2岁前的宝宝，都需要妈妈的乳汁。母乳和饭菜都是婴幼儿生长发育所需营养的食物来源。宝宝6个月以后，需要添加乳类以外的食物，不是因为母乳本身质量有什么问题，而是因为宝宝生长发育有了更大的需要。母乳和辅食都重要。

有的婴儿，总是恋着妈妈的奶，喂辅食很困难。因此，妈妈萌生了断母乳的念头。这对妈妈和孩子都是大考验，妈妈会因为断还是不断母乳而纠结，既影响情绪，也影响奶量；孩子会因为妈妈的纠结而烦躁，在失而复得中变得更加恋奶，恋妈妈。

妈妈从一开始就不要有这样的念头。面对恋母乳的孩子，妈妈能够做的就是给宝宝以充分的尊重，采取可行的方法，绝不能和宝宝发生任何形式的正面冲突。

如果宝宝不要奶吃，妈妈就不要主动喂。宝宝高兴的时候，尽量喂辅食，不让宝宝对辅食产生厌烦情绪。喂辅食时，妈妈最好回避，以免宝宝看到妈妈想起吃奶。宝宝困倦、夜间醒来、很饿时，情绪通常不好，这时不要喂辅食，而是喂母乳。随着月龄增加，宝宝就不那么恋母乳了。

几分钟宝宝就学会了自己拿小勺吃饭。

宝宝/李一诺

222. 配方奶喂养

这个月的婴儿，奶量是每天600-800毫升，分3-4次喂养。可在晨起、午睡后、晚睡前、前半夜喂4次，也可在晨起、午睡前、傍晚、晚睡前喂4次。如果宝宝一次能喝200毫升以上，每天喂3次奶就可以，妈妈喂养的压力就很小了。

每天喝多少配方奶，婴儿间存在着显著的差异。有的婴儿每天喝1000毫升奶，辅食还照样吃。有的婴儿，每天喝不了600毫升，辅食吃得也不好。有的婴儿就喜欢喝奶，吃辅食很困难。有的婴儿非常喜欢吃辅食，喝奶却异常费劲，不睡得迷迷糊糊绝不喝奶，每天能喝2-3次牛奶，每次喝100-200毫升左右。如果妈妈总是和周围的小朋友比，就会有很多的烦恼。妈妈要做的是给宝宝提供该提供的食物，关注宝宝的生长发育，如果宝宝身高、体重等各项指标都正常，妈妈就不要为宝宝吃喝问题太过纠结。

223. 辅食喂养

❖ 能吃的辅食种类增多

这个月的婴儿，能吃的食物种类增多，几乎能吃所有的谷物和蔬菜，可尝试着给宝宝吃全蛋，禽畜肉类食物也基本都能吃了。婴儿能吃的食物种类增加，妈妈需要合理搭配食物。

妈妈常常为如何给宝宝做辅食而发愁，不知道如何搭配。怎么做，宝宝才爱吃？如何保证宝宝的营养？

其实，给宝宝做饭，并没有妈妈想象的那么复杂。妈妈掌握的营养知识，食物搭配和烹饪常识，完全可以满足给宝宝做辅食的需要。妈妈之所以感觉难，主要是因为妈妈的主观认识。在妈妈看来，给宝宝做辅食需要特别的知识和专门的技巧，

认为日常积累的知识和了解的常识只适合成人。实际上，给婴儿做辅食，运用更多的还是常识。

举个简单的例子，我们都知道，西红柿炒鸡蛋比较合味，有利于营养的吸收和利用。但在添加辅食初期，婴儿只能吃泥糊状食物，只能吃蛋黄，不能吃蛋清。所以，给宝宝做这道菜时，妈妈就需要变通一下，可把蛋黄做成蛋羹，把西红柿榨汁，把西红柿汁洒在蛋羹上。这样，既保证了食物的合理搭配，也满足了婴儿吃泥糊状食物的需求。

❖ 能吃软固体食物

随着月龄增加，婴儿咀嚼和吞咽能力增强，妈妈可尝试着给宝宝吃些固体食物。但婴儿还不能吃所有的固体食物，要选择一些软的，容易咀嚼和吞咽的，比如馒头、丸子、包子、饺子、馄饨、软米饭等。

妈妈不要总是担心孩子吃得少，食物种类多了，一种吃一点，加起来就不少了。如果妈妈总是千方百计喂食，宝宝已经往外吐食了，已经很烦躁了，妈妈还没完没了地喂，宝宝很可能会出现厌食。

❖ 几种特殊情况

宝宝 / 王冠为

有的婴儿不喜欢吃蔬菜，可适当增加水果，婴儿已经能吃固体食物了，有些水果不是很硬，不必再榨汁或做果泥，削净果皮，用勺刮或切成小片、小块，直接让宝宝拿着吃就可以了。

如果婴儿开始厌食鸡蛋，首先换一换烹饪方法，其次试一试鹌鹑蛋或鸽子蛋，再有就是与其他食物搭配，尽量减少鸡蛋本身的味道。如果这些方法都没有用，就暂时停食几天，适当增加奶或肉类食物，保证蛋白质的摄入，过一段再试试，或许宝宝就喜欢吃了。

不爱吃水果的婴儿不多，不爱吃水果的婴儿多是不爱吃酸甜味道，妈妈可挑选酸甜味比较淡的水果，如火龙果、椰子、榴莲等。如果宝宝就是不吃水果，那就多喂些蔬菜。如果蔬菜也拒绝吃，就给宝宝补充多种维生素，让宝宝休息一段时间。无论如何都不能长期用营养素药片代替食物。只要妈妈想办法，宝宝偏食一定能够得到纠正。如果宝宝喝奶很少，要适当增加肉蛋，保证蛋白质的摄入量。

❖ **不要把喂养当饲养**

这个月婴儿比以前更离不开人了，也更需要父母陪伴着玩了。如果是全职妈妈，可能还会抽出时间按食谱给婴儿做辅食。如果是上班族妈妈，就很难这样办了。做辅食要根据时间情况而定，也要兼顾婴儿自身需要。辅食能给婴儿必要的营养，但如果做辅食花费了大量时间，没时间满足婴儿情感、精神发展需求，这就有点不像养育孩子了，更像饲养孩子。

没有时间做辅食，可以购买一些现成的辅食，也可以利用双休日，做些馄饨、饺子、包子、丸子等，冻到冰箱里。如果妈妈是上班族，陪伴孩子时间短，在家的时候，尽量多陪孩子玩，爸爸多担当些家务事。因为这么大的婴儿更需要妈妈的搂抱和关怀，婴儿也更喜欢和妈妈在一起。有些亲子游戏适合爸爸和宝宝做，爸爸同样要抽出时间陪宝宝。总之，育儿是爸爸妈妈共同的事业，夫妻要通力合作，共同完成育儿大业。

❖ **喂养方法举例**

举例一

07:00：母乳或配方奶

09:00：水果

10:00：喝水

11:30：米饭或米粥，肉末青菜

14:00：母乳，如果妈妈上班，可喂妈妈留下的奶或配方奶

15:00：喝水，少量水果

17:00：虾肉蔬菜饺子或包子，蔬菜汤。

20:00：母乳或配方奶

说明：夜间醒来，如果喂母乳后能很快入睡，可喂母乳。

举例二：不爱喝奶

07:00：母乳或配方奶

08:30：鸡蛋羹（1个鸡蛋，如果有过敏反应，继续吃蛋黄，待宝宝10个月后再尝试喂）、面包1片

10:00：喝水，水果

11:30：母乳或配方奶

15:00：母乳或配方奶

17:00：疙瘩汤（汤里有面疙瘩、虾肉、蔬菜）

20:00：母乳或配方奶

说明：宝宝不喜欢喝奶，每次奶量会比较小，尽量增加喂奶次数，以保证所需奶量。也可以给宝宝吃其他奶制品，如奶酪和酸奶。缩短奶与辅食的间隔时间，宝宝辅食量会有所减少。拉长辅食与奶的间隔时间，宝宝有一段较长时间未进食，奶会喝得多一些。

举例三：不爱吃辅食

07:00：馄饨（汤内放1个荷包蛋和少许碎菜）

08:00：母乳或配方奶

09:00：喝水，水果

11:30：软米饭，蒸银鳕鱼，炒碎菜

14:00：喝奶

18:00：肉和蔬菜馅饺子

20:00：喝奶

说明：宝宝不喜欢吃辅食，晨起，宝宝比较高兴，可首先喂辅食，然后再喂奶。因为宝宝不喜欢吃辅食，辅食量小，所以每天要喂3顿辅食，以满足这个月龄宝宝辅食的需要。延长奶与辅食的间隔时间，使得宝宝能够吃进更多的辅食。缩短辅食与奶的间隔时间，减少奶量，以便宝宝吃更多的辅食。

第4节 本月婴儿护理问题

224. 季节护理要点

❖ 春季护理要点

春季是婴儿进行户外锻炼的好季节，春暖花开，柳树发芽，小草变绿，可以增加婴儿户外活动时间。每天在户外活动3个小时以上是最理想的。如果能带宝宝到有动物，有花草，有山水，有小船穿梭，有小鱼游的公园里，让婴儿接触更多的自然景象，比让婴儿看几本画报有用得多。这么大的婴儿不是要教给多少知识，重要的是让婴儿认识周围事物，了解生活中的方方面面。而户外活动是婴儿了解周围事物的最好方法。

春暖花开时节要注意防病。多给宝宝喝水，预防咽炎。过敏体质的宝宝，可能会出现过敏症状，如频频打喷嚏、流鼻涕、流眼泪、咳嗽、荨麻疹或花斑癣。有过敏性哮喘的宝宝症状可能会加重。给宝宝吃鱼虾蟹等易过敏食物时，要多加留心。如果宝宝出现过敏情况，及时看医生，在医生指导下服用抗过敏药物。

❖ 夏季护理要点

夏季，天气炎热，要多给宝宝饮水。

制作辅食要注意卫生，剩下的饭菜，只要是动过的，一定不能留到下顿吃。冰箱不是保险箱，放在冰箱里的食物也会变质的，不注意会使婴儿染上细菌性肠炎。

夏季婴儿穿得少，活动多，缺乏衣服保护，要避免擦伤。一旦擦伤，要彻底清创，上药，不能包裹，更不能沾水，不要让宝宝把结的痂抠下来。仍要避免蚊虫叮咬，以防乙脑。

夏季婴儿食量会减少，不要硬逼孩子吃饭喝奶。其实，到了夏季，成人也不爱吃饭，孩子和成人是一样的，也会"苦夏"。体重增长不理想，也不要着急，天气凉爽下来，体重会补长的。

❖ 秋季护理要点

天气转冷后，有过敏倾向的宝宝会有咳嗽，喉咙里总是呼噜呼噜的，好像有很多的痰液。妈妈不要着急，只要宝宝精神挺好，不发烧，吃饭不减少，睡觉时虽然出气很粗，但不憋醒，就是正常的。咳嗽重时可能会把饭吐出来，但吐后精神好，不影响吃饭。看过医生后，医生告诉你，宝宝没什么问题，要相信医生，不要总是带宝宝去医院。

有的时候，尽管医生说宝宝没有什么病，妈妈还不相信，吃遍各种各样的药物。结果吃几个月的药也不见效，第二年春天，天气转暖，喉咙中的痰就消失了。这样的宝宝可能每到天气转凉时都会有痰，大一些就会好的。

维生素AD对气管内膜有一定的修复作用，如果宝宝夏季没有补充，到了秋季开始补充维生素AD，每天补充维生素A 1200国际单位，维生素D 400国际单位。

❖ 冬季护理要点

这个月的婴儿，即使在寒冷的北方地区，也不应停止户外活动。如果整个冬天都不到户外，宝宝可能会出现睡眠困难、闹夜现象，甚至成了夜哭郎。到了第二年的春天，再出去，很可能会感冒。也可能会因为捂了一冬天，没见阳光，患上佝偻病或婴儿手足搐搦症。

这么大的婴儿，冬天也不应该停止洗澡。洗澡有利于婴儿身体抵抗力的提高。

"要想宝宝安，三分饥与寒。"如果冬季总是让婴儿满头大汗，给婴儿穿得太多，或室内温度太高，婴儿对寒冷的适应能力就不能提高，成了温室里的弱苗。

耐寒锻炼对于总是患感冒的婴儿更加重要。因为宝宝易患感冒，嗓子里总是有痰，就不敢让孩子到户外，妈妈总是怕孩子冻着，那就错了。不到户外活动，孩子抵御寒冷的能力更差，更易患感冒。

225. 能力、尿便、乳牙

❖ 不会站立

这个月的婴儿，大多会从坐位扶着物体站立起来。但是，有的婴儿还没有这个能力，这不能说明婴儿的运动能力差。如果婴儿正赶上冬季，穿得很多，运动不灵

活，可能就不会自己站起来了。如果是老人或保姆帮助看护，怕宝宝磕着碰着，不敢放手让宝宝锻炼，运动能力可能会显得相对落后。爸爸妈妈要告诉看护人，多给宝宝锻炼的机会，不要总是抱着宝宝。如果妈妈帮助宝宝站立起来，但宝宝仍然不能独自抓着物体站立着，而必须由妈妈托住腋下才能站立，妈妈感觉宝宝腿的力量很差，软软的，就要带宝宝看医生了。

❖ 仍无乳牙萌出

到了这个月龄，如果宝宝仍然没有乳牙萌出，妈妈可能会着急，担心宝宝是否缺钙，是否营养不好。如果带宝宝去看医生，有的医生会告诉妈妈，不要着急，过一段时间自然会长出来的；有的医生会建议妈妈给宝宝补充钙剂；有的医生会建议给宝宝拍一张牙槽骨片，了解乳牙根发育情况。

婴儿乳牙萌出时间存在着个体差异，多数情况下，出生4~6个月开始有乳牙萌出。但有的婴儿早在3个月就开始有乳牙萌出，有的婴儿1岁以后才开始有乳牙萌出。无论出牙早还是出牙晚，2岁左右乳牙都能出齐，妈妈不用担心。

❖ 训练尿便问题

宝宝／朱子奇
这个年龄段的宝宝面部表情多多，喜欢做怪相，扮鬼脸。乐乐的表现让人忍俊不禁。

有的妈妈会有这样的抱怨："这孩子就是气人，怎么把也不拉尿，刚刚放下，哗！就尿起来了。"

还有的妈妈会这样说：从4个月开始，很容易把尿，一把准尿；6个月以后，在妈妈的帮助下，就能坐便盆排便了；可是，现在已经快10个月了，却倒退了，不但不识把，还不让把，一把尿就打挺，弓腰，把尿盆也踢翻了，坐便盆就更难了，就是不坐。

这可不是宝宝的错。几个月前，婴儿没有这么大的"能耐"，也就不会出现这样的"倒退"，宝宝长大了，有了自己的选择。现在开始训练宝宝控制尿便还为时过早。

226. 睡眠问题

❖ 突然夜间啼哭

•偶尔哭一次的婴儿

夜间能睡得很安稳的婴儿，如果突然在夜间啼哭起来，没有经历过孩子夜啼的父母，会不知所措。这多是由于宝宝做了噩梦。比如，白天给宝宝扎针了，宝宝会在梦中重现白天的情景。虽然宝宝大哭，但并没有醒来，正处于梦境中，如果这时

宝宝 / 张一然

他们在干什么呢？宝宝开始喜欢用手指这指那，这是宝宝肢体语言表达的一种方式。

妈妈抱起宝宝又摇又拍，宝宝会把妈妈的哄拍放到梦境中，拼命挣扎，试图从妈妈的怀抱中挣脱出来，逃避打针，妈妈越哄，宝宝哭得越凶。所以，如果宝宝在白天受到过不良刺激，晚上突然哭闹时，妈妈要想到这种可能，和缓地哄哄宝宝，也就没事了。

•想到肠套叠的可能

从来不哭的婴儿突然啼哭，哭一阵子后，就安静下来了，父母以为没有事了，躺下继续睡觉。但是，没有几分钟，宝宝又开始哭了起来。如果这样反反复复哭了几次，父母首先要想到是不是肠套叠。如果宝宝近来正在腹泻或腹泻刚好，就更应该想到此病。父母一旦怀疑宝宝有患肠套叠的可能，不要犹豫，立即带宝宝看医生。

•哭夜的婴儿

如果只是啼哭一会儿，哄一哄就睡了，父母不会在意的。如果哭的时间很长，即使没有什么疾病征兆，父母也会很着急，急忙抱着孩子去医院，可能会出现这样的情形：

在去医院的途中，宝宝就不哭了；或甜甜地睡着了；或睁着大眼睛，东瞧瞧，西看看，高兴得很。

到了医院后，宝宝可能还在香甜地睡着；可能正冲着妈妈笑，似乎什么事也没发生；如果医生笑容可掬地和宝宝打招呼，宝宝也还给医生一个灿烂的微笑；认生的宝宝，可能会撇着小嘴要哭了。

妈妈向医生描述了宝宝在家哭的情景，医生给宝宝做了检查，一切正常。爸爸妈妈带着宝宝打道回府。这一夜就这样折腾过去了。宝宝啥事没有，吃喝玩耍一切照常，爸爸妈妈可没有这么轻松，一脸的倦容，一身的疲惫。

第二天，宝宝再如法炮制，有主意的

爸爸妈妈就不再上当了，哄一哄，拍一拍，哭累了，接着睡。但是，如果在接下来的日子里，宝宝总是半夜啼哭，爸爸妈妈可就撑不住了。一定要带宝宝去看医生，弄清楚宝宝夜啼的真正原因，寻求解决办法。

父母从医生那里获得的常常是，宝宝没有什么大问题，哭闹的原因可能是做了噩梦；也可能是吃多了，肚子不舒服；或许是缺钙，睡得不踏实，醒后啼哭，总之都有可能，让妈妈回去仔细观察。

如果在宝宝哭闹时，没有发现什么异常表现，就不要着急，耐心对待哭闹的宝宝。随着月龄增加，宝宝就不再半夜醒来啼哭了。

❖ 宝宝哭夜最可能的原因

•冬季寒冷，婴儿自己睡，被窝里比较凉，婴儿就会哭闹。

缓解办法：如果妈妈摸摸孩子身上很凉，搂到自己被窝暖一暖，孩子就不再哭闹了。

•冬季寒冷，婴儿户外活动少，也会有夜眠不安、哭闹现象。

缓解办法：在天气好的时候带宝宝到户外活动，增加宝宝运动量。

•白天或入睡前吃多了，吃杂了，宝宝肚子不舒服，会在半夜啼哭。

缓解办法：妈妈可以给孩子揉揉肚子，或让宝宝趴着睡。

•做噩梦了。宝宝做噩梦哭闹，大多是闭着眼睛哭，挣扎得很厉害。

缓解办法：哄宝宝的动作不要过大，轻轻拍着宝宝，和声细语地在宝宝耳边说"妈妈在这里，妈妈爱宝宝"。如果宝宝仍大哭不止，可以试图叫醒宝宝，当宝宝彻底醒来时，梦就断了，宝宝也就不哭了。

提示：宝宝夜哭，父母不要采取置之不理的做法，让孩子一直哭下去，就更是

宝宝 / 吕春娟

我们带她去公园玩，她看到别的小朋友滑滑梯的时候，先是好奇，继而兴奋。当她第一次从滑梯上滑下时，她开心地笑了！

不对了。

❖ 白天不睡觉是否异常

这个月的婴儿一般白天能睡两觉，午前睡1个小时左右，午后睡2个小时左右。有的婴儿到了这个月，可能一天只睡一次，午前不再睡觉，午后睡一觉。有的婴儿，白天睡觉时间明显缩短，半个小时，甚至十几分钟就醒来，玩得很开心，一点倦意也没有。有的婴儿，整个白天都不睡觉，吃奶的时候眯着了，可还没等到放下，就睁开眼睛，一点睡意也没有了。这些都不是异常表现。这样的宝宝，多是晚上睡得比较早，从晚上7-8点或8-9点一直睡到早晨8-9点钟，睡眠质量好，深睡眠时间相对长。白天尽管不睡觉，精神却很好，活泼好动，生长发育正常，妈妈放心好了，不要再为婴儿白天不睡觉而焦虑。

❖ 保姆面对这样的婴儿

保姆看护这样的孩子，会比较辛苦，如果保姆抱怨几句，也应该理解她。父母和保姆关系的融洽和相互理解，对婴儿是很重要的，如果不能和保姆好好相处，就不如重新换一名。但是频繁更换保姆，会导致婴儿与人交往的适应能力比较差。

227. 吃喝问题

❖ 把饭菜吐出来

随着月龄增加，婴儿自我意识增强，个性越来越明显，原来妈妈给什么吃什么的情形再难出现。婴儿在饮食方面有了自己的选择，爱吃的就会很喜欢吃，不爱吃的就会把它吐出来。这些都是婴儿成长中的正常现象，妈妈不要动辄认为宝宝厌食了，生病。如果婴儿主动把饭菜吐出来，而不是突然无法控制地呕吐，除了吐饭，没有其他异常情况，多是表示宝宝已经吃饱了或不喜欢吃，这时妈妈就不要再喂了。

❖ 不爱吃菜的可能原因

宝宝不爱吃菜的可能原因：

初次添加蔬菜时，大多是菜水、菜汁、菜泥之类的，是菜的原汁原味，没有烹饪菜香味道，宝宝已经厌烦了。

很小的婴儿，对饮食的好恶不分明，随着月龄的增长，个性开始发展，对饮食的好恶也开始泾渭分明了。大多数婴儿不再喜欢吃那种原汁原味的蔬菜，喜欢吃有滋有味，经过烹饪的炒菜。

出售的辅食菜泥，婴儿也会吃腻。

❖ 如何让宝宝爱吃菜

改变烹饪方法，给宝宝炒碎菜或炖菜，宝宝或许会喜欢。

把蔬菜做成馅，包馄饨、饺子、包子，或做成丸子。

婴儿的一些好恶，有的是自己个性所致，有的是父母潜移默化的引导。一些喂养上的问题，有的就是来源于父母，而不是婴儿本身的问题。妈妈要想办法，总会找出适合宝宝的办法，保证营养均衡。

❖ 不用奶瓶喝奶

到了这个月，婴儿不用奶瓶喝奶，已经不是很难解决的问题了。可以尝试着用带吸管的杯子，也可以直接用小杯子喂，

宝宝／王美泽

宝宝惊奇眼前的照相机。

还可以用勺子喂。这样虽然麻烦些，但总比宝宝不喝奶，或等到宝宝睡得迷迷糊糊的，把奶瓶嘴硬塞到宝宝嘴里喂，要好得多。

有母乳，不需要喂配方奶，母乳加辅食能够满足宝宝生长发育所需营养。没有母乳，宝宝又不肯喝奶，可适当增加高蛋白质食物，如鱼虾等肉类食物、鸡蛋和豆制品，以补充乳量不足导致的低蛋白喂养状态。

也可以把配方奶放到辅食中，如给宝宝做面条或面片时，在面粉中掺一部分配方奶粉。也可以给宝宝做无水蛋糕（面粉、鸡蛋、配方奶，放少许橄榄油和蔗糖）。还可以给宝宝做牛奶面包粥、牛奶猪肝汤等。

❖ 不吃固体食物

婴儿是否吃固体食物与出牙与否没有直接的关系。有的婴儿一颗乳牙也没有，可很早就能吃固体食物了，如磨牙棒饼干、面包片、软的水果等。有的婴儿尽管有很多乳牙萌出，仍然不能吃固体食物。

在吃固体食物方面，婴儿间存有差异。有的婴儿不但会把固体食物嚼碎，还能吞咽下去；有的婴儿能把固体食物嚼碎，但不能吞咽下去，不是吐出来，就是被噎着，或呛得咳嗽；有的婴儿不会咀嚼，还是囫

郑玉巧育儿经·婴儿卷

囫吞枣。

吃固体食物，有利于乳牙萌出，妈妈不要过于担心。总是怕孩子噎着、呛着，不敢让孩子尝试，妈妈不给宝宝锻炼的机会，宝宝怎么能学会吃固体食物呢？

228. 吸吮手指，抓"小鸡鸡"

❖ **吸吮手指，不需要干预**

上个月还吸吮手指的婴儿，到了这个月就不吸了的情况是很少见的，其程度可能会有所减轻。如果只是在睡觉前或醒来时，或妈妈不在身边时，才吸吮手指，到了1岁以后，大多能够停止吸吮了。婴儿吸吮手指是发展过程中的正常表现，不需要干预。如果宝宝吸吮手指很厉害，以至于小手都变形或出茧子了，也不能采取任何强制措施，可试着采取以下方法：

•不露声色地转移婴儿注意力，比如把宝宝喜欢的玩具递到宝宝手边，引导宝宝主动把手从嘴里拿出来够玩具。

•妈妈把手伸给宝宝，鼓励宝宝主动把手递给妈妈，妈妈掰着孩子的小手，数一、二、三，或和宝宝拉手朗诵歌谣。

•多带宝宝到户外活动，户外景色多，宝宝顾不得吃手了。

•睡前喜欢吸吮手指的婴儿，要在婴儿困倦时再哄他睡觉。哄宝宝睡觉时，握住宝宝小手。

❖ **是否用其他安慰物替代手指**

宝宝吸吮手指比较严重，能否让宝宝吸吮橡皮奶头，以此来替代吸吮手指呢？其实，问题不在于能与不能，而在于宝宝是否能接受。因为，这个月龄的婴儿已经没有很强的吸吮欲望了，吸吮手指已经成为宝宝的习惯，宝宝已经把自己的手指作为安慰物，很难接受橡皮奶头。如果妈妈没有办法阻止婴儿吸吮手指。妈妈可以做

的，就是采取非强制性方法，改变婴儿非进食性吸吮习惯。

有的妈妈会采取给宝宝戴手套的方法，来阻止宝宝吸吮手指。这个方法对某些婴儿或许会奏效，对某些婴儿可能毫无意义，或者继续吸吮戴有手套的手指，或者哭闹以示抗议。无论如何，父母都不能用强制的措施干涉宝宝吸吮手指。

❖ **宝宝抓自己的"小鸡鸡"**

有这个现象，但不是男婴固有的习惯，可能与以下原因有关：

无论是爸爸妈妈、爷爷奶奶、外公外婆，还是亲朋好友；无论是男人，还是女人；无论是年轻的，还是年老的；没有避讳男婴"小鸡鸡"的。拿宝宝的"小鸡鸡"开玩笑的人很多，作为喜欢孩子的一种方式；总是有这样的现象，"来个小蛋吃"，手做出揪"小鸡"的样子，有的干脆就真的去揪一下。总是有人把婴儿的注意力，转到他的"小鸡鸡"上。

面对成人的言论和举止，婴儿可能出现这样的反应。

•慢慢地，婴儿自己开始认识了自己的"小鸡鸡"。

•婴儿产生一种误解，人人都喜欢他的

宝宝 / 姚静怡
为了能够让孩子多熟悉外界的环境，我们经常带她去不同公园去玩。用随身携带的数码相机，在公园中特定的景点抓拍到的一些生活镜头。

"小鸡鸡"。

· 婴儿自己开始模仿大人，揪"小鸡鸡"。

· 如果有的人没有想起揪他的"小鸡鸡"，他自己还会揪给那人看。这时，在一旁的爸爸可能会说，给叔叔"揪蛋"吃呢。来的人很高兴，爸爸也很高兴，孩子自然很高兴，再一次强化了孩子的这种行为。

❖ 抓"小鸡鸡"可能带来的不良后果

婴儿尿道口黏膜薄嫩，经常用手触摸可引起尿道口发炎，表现为尿道口发红、肿胀、痒，排尿时引起尿道口疼痛。这种做法不但引起婴儿生理疾患，还可能对婴儿的心理健康产生不良影响，极个别男婴可能会发展成自慰行为。建议父母给宝宝穿闭裆裤。

229. 免疫接种

这个月没有国家计划内的疫苗。可利用这个时期给宝宝接种计划外疫苗。

第十一章　10-11 个月的婴儿（300—330 天）

这个月的宝宝会翻身、独坐、爬行、扶物站立、牵手行走、爬楼梯；

会发"爸爸妈妈"等复音，有的婴儿能有意识叫妈妈；

喜欢伸着手表达自己的意愿；有了主见，不满意会耍闹；

开始认生，不容易从妈妈怀中抱走；

手的精细运动能力增强，开始玩玩具；

喜欢自己拿勺吃饭……

第1节 本月婴儿特点和生长发育

230. 本月婴儿特点

(1)听懂爸爸妈妈的话

这个月的婴儿，各方面能力进一步增强，与爸爸妈妈关系更加亲密。虽然不会用语言和爸爸妈妈进行交流，却能以其他方式进行交流。爸爸妈妈通过孩子的表情、举止，基本能够判断出婴儿的要求。婴儿也能够听懂爸爸妈妈说话的意思。这种交流对爸爸妈妈和婴儿都是很有意义的。

婴儿会指着门，身体向门那边使劲，想到外面玩。即使婴儿不熟悉的生人，如果要抱他上外面玩去，也可能会很高兴地跟着去。父母要尽量满足孩子的愿望，多带孩子到户外活动。

(2)会叫爸爸妈妈了

会叫爸爸妈妈的婴儿多了起来，婴儿开始有意识地叫爸爸妈妈，这让父母很激动。但仍有不少婴儿不会有意识地叫爸爸妈妈，父母不要着急，这不意味着宝宝发育落后。

婴儿语言发育快慢，与婴儿自身语言能力有关，也与父母和看护人与婴儿说话的质量和频率有关。如果父母和看护人说话的内容与婴儿活动缺乏联系，也就是说并非是有效沟通，尽管很喜欢与婴儿说话，对婴儿语言发育的帮助也是甚微的。

爱说话的婴儿要比不爱说话的婴儿，更早开口说话。女婴比男婴开口说话要早，语言表达能力也强。但无论怎样训练，1岁以前能开口说话的孩子是极少的，不断无意识地发一些音节是这个月婴儿的特点。

(3)还不宜训练大小便

父母不需要刻意训练宝宝控制尿便，在过去的时日里，如果一直能够成功地让宝宝把尿便排在便盆里，可以继续这样做。如果从这个月开始，婴儿不再喜欢把尿，不喜欢坐便盆，父母不可强求宝宝，更不能训斥。否则，婴儿会更加反抗，给以后的训练带来麻烦。

如果婴儿出现便秘，尽量通过食物调节，药物会使婴儿产生依赖。如果婴儿出现腹泻，不要因为化验出几个白细胞，就给宝宝服用抗生素，导致肠道功能紊乱。食物色素高或缺水，都会使尿液发黄。如果婴儿尿黄，就要增加饮水量，减少高色素食物的摄入，如少吃橘子、芒果、胡萝卜和西红柿等。

(4)牵手行走

翻身、独坐、爬行、扶物站立、牵手行走，不断变换体位，会发"爸爸妈妈"等复音，见到陌生人两眼瞪得溜圆，一副认真审视的模样，喜欢伸着手表达自己的意愿。如果宝宝手里拿着东西，妈妈会误以为宝宝要把东西递给她，伸手过去接，宝宝却把小手缩回来，放到自己胸前……

有的婴儿已经能颤巍巍地向前迈步了，有的婴儿还不能独站。有的婴儿已经能扶着床沿走几步，有的婴儿还不能扶物站立。有的婴儿爬得飞快，甚至能爬过障碍物，有的婴儿还不会用手膝爬，仍然是匍匐爬行。有的婴儿开始有意识叫爸爸妈妈了，有的婴儿还没有开口说话。有的婴儿又高又胖，有的婴儿又瘦又小，有的婴儿不胖不瘦。随着月龄的增加，婴儿间的个体差异逐渐显现。

到了这个月还不会翻滚和独坐，这样的婴儿几乎没有了。多数婴儿能够自由地手膝爬行，有的婴儿仍然是匍匐爬行，有单手匍匐爬行的，也有双手匍匐爬行的，有的婴儿能够爬到被垛等高处。

有的婴儿还不会向前爬，表现为：

趴在那里一动不动；

用手和膝盖支撑着身体，来回晃动，并不向前爬行；

用手脚支撑起上身，屁股高高抬起，向前一拱一拱的。

牵着婴儿的手，婴儿能向前走几步，甚至十几步；有的婴儿扶着东西，能自己站起来；有的婴儿能离开物体，独站片刻；有的婴儿能扶着东西横着走几步；有的婴儿能推着小车向前走几步；有的婴儿能摇摇晃晃、颤颤巍巍地走一两步。不需要特意训练婴儿行走，把婴儿放在安全的地板上，让婴儿自由活动，通过自己的努力获得能力。父母应该做的是给宝宝创造有利于婴儿发展的条件，而不是事事代劳。

(5)体能训练的重点转移

体能训练的重点开始转移。婴儿希望自己有更多的自由活动时间，需要有自己的活动空间，开始喜欢和自己同龄或比自己大的婴儿一起玩。妈妈虽然还是最亲的，但爱和孩子疯玩的爸爸更受孩子欢迎了。不再喜欢让妈妈抱在怀里，妈妈和孩子做的那些安安静静的小游戏，已经不能满足婴儿的需要。婴儿开始喜欢热闹的场面，喜欢到外面去玩。

(6)不赞成在学步车里练习行走

最新研究结果认为，使用学步车对婴儿是不安全的。国外曾报道，使用学步车的婴儿，不但活动能力没有增强，反而比不使用学步车的走得要晚，意外事故也由此增加很多。研究还认为，学步车对婴儿的智力发育没有任何帮助，可能还有阻碍。

如果把婴儿放在学步车里，他会带着车呼呼地向前走，对这一运动乐此不疲。但把婴儿单独放在学步车里，是比较危险的，可能会连人带车一起翻倒。所以，不能在没人看护的情况下，把婴儿放在学步车里。婴儿在学步车里活动范围加大，到达某处的速度加快。所以，如果把婴儿放到学步车里，一定要保证婴儿所到之处没有危险物。

(7)喂养难易与婴儿间差异

❖ 母乳与断奶

到了这个月，如果不是和妈妈撒娇，可能不再缠着妈妈的奶头了。可有的婴儿，更依恋妈妈的乳头了，看到妈妈就要吃奶。但在妈妈看来，并不是真的要吃奶，吃奶不认真，吃几口就开始玩了，一会儿又要吃。如果宝宝不爱吃饭，妈妈会担心营养不足，萌生断母乳的想法。妈妈不要这么做，可采取一点小计策。比如在宝宝吃饭的时候，妈妈暂时离开一会儿，由爸爸或其他看护人喂饭。

有的婴儿晚上入睡比较困难，总是要哭上一阵子，或拼命吸吮手指，如果喂母乳能改变这种状况，那就太好了，妈妈不要担心以后断奶困难而拒绝用乳头哄宝宝。

夜间醒来啼哭的婴儿，喂母乳可能是最有效的制止方法，这种情况下，即使母乳已经起不到供应营养的作用，也不要急着断母乳。

如果妈妈有充分的理由需要断奶，但断奶又很困难，妈妈该怎么办呢?

•如果妈妈心疼，总是在万不得已的时候给孩子吃，断奶就更艰难了。最好让妈妈临时离开孩子几天。

•有的婴儿会产生焦虑感，夜间不停地哭，什么时候哭累了，才肯罢休。如果妈妈已经坚持了几天，那就再咬牙坚持一下，很快就有成效了。

•如果婴儿闹得很厉害，断奶就不要坚持好几天，一天不行就作罢。如果不是因为妈妈要离开宝宝远行，就暂且放弃断奶的想法吧。

❖ 喂养难易与婴儿间差异

喂养难易程度，越来越显示出婴儿间的个体差异。有的婴儿非常容易喂养，给什么吃什么，食量也没的说，宝宝吃得高兴，妈妈喂得轻松。喂养这样的婴儿，父母和看护人，可以享受更多的育儿快乐。有的婴儿喂养起来非常困难，要等到睡得迷迷糊糊的时候才能喝奶。喂饭要几个人一起忙乎，不断给宝宝更换手中的玩具，还要唱歌跳舞。每顿饭都要花掉很长时间，忙活大半天，可能就伸出舌头舔一舔，根本不吃，好不容易喂到嘴里，却用舌头顶了出来。父母和看护人的全部精力都用在

喂养上了，少了很多育儿的快乐时光。

对于喝奶吃饭好的婴儿，父母要监测宝宝体重，不要把宝宝喂成肥胖儿。喝奶吃饭差的婴儿，父母要监测宝宝生长发育情况，如果体重增长缓慢，要带宝宝看医生，排除疾病导致的喂养困难。

好奇心和探索精神。婴儿特有的好奇心，对事物的探索精神，使婴儿能充分利用自己的能力，做他所能做的一切事情，不计后果。

能拿到一些东西。这个月的婴儿会用各种方法移动自己的身体，坐着向前蹭，向前爬，扶着东西向前走。

能打开瓶盖。婴儿手的动作比以前更加灵活了，可能会把瓶盖打开，把盒盖打开。

能把小药片放到嘴里。婴儿不但能看到像药片那样的小东西，还能用拇指和食指把小药片捏起来，并很快放到嘴里。有的婴儿尝到苦味，就会吐出来，可有的婴儿没有这个能力。一定不能让婴儿拿到不能吃的东西，这是很重要的。

打翻物件。有劲的婴儿，可能还会把台灯、暖瓶、杯子、小凳等推翻。有危险的物件要远离婴儿。

活动能力增强，意外事故发生的频率增加了。擦破点皮，磕出点血，都不要紧的。一定要避免从高处坠落、吞食异物、烫伤、刀伤、电伤、溺水。

231. 身高、体重、头围和囟门

❖ 身高

这个月婴儿身高增长速度与上个月一样，平均每月增长1.0~1.5厘米。低于或高于均值，不能就认为身高不正常，要结合

婴儿身高增长曲线图进行判断。

本月婴儿，男婴身高均值75.5厘米，女婴身高均值73.8厘米。如果男婴身高低于70.7厘米或高于80.3厘米，女婴身高低于68.7厘米或高于79.3厘米，为身高过低或过高。

❖ 体重

体重的增长速度与上个月一样，平均每月增长0.6公斤。低于或高于均值，不能就认为体重不正常，要根据婴儿体重增长曲线图进行评价。

在体重方面，父母更重视的是孩子体重低的问题，而往往忽视偏高问题，在父母看来，只有瘦是异常的，胖是正常的。这样的认识偏颇，导致肥胖儿童比例越来越高，人数越来越多，应该引起父母高度注意了。

本月婴儿，男婴体重均值9.92公斤，女婴体重均值9.28公斤。如果男婴体重低于8.08公斤或高于12.20公斤，女婴体重低于7.56公斤或高于11.32公斤，为体重过低或过高。

❖ 头围

头围的增长速度仍然是每月0.67厘米。这个月的婴儿看起来头部不是那么大了，与身体比例显得相称了。

❖ 囟门

出生后囟门就比较小的，这个月仍然比较小，甚至接近闭合。出生后囟门比较大的，这个月可能仍然挺大的。不能根据囟门大小判断宝宝是否有问题，还要结合头围大小，再根据其他症状和体征，进行综合分析判断。父母不要因为宝宝头围和囟门大点小点而焦虑，或做不必要的检查。不能因为宝宝囟门大就加大补钙量，不能因为囟门小就不补充维生素D了。

第2节 体智能发育与潜能开发

232. 看的能力：会翻看图画书了

婴儿会自己用手翻看图画书。如果在过去的几个月里，父母一直教宝宝识图认物，那么当父母让宝宝寻找图画书中的动物或物体时，宝宝很可能会用手指指出那个动物或物体。这会令父母非常兴奋，父母的鼓励和兴奋会感染婴儿，婴儿会指着某一动物，啊啊地说，意思是在问父母这个动物叫什么。如果父母说对了，宝宝就会露出欢快的笑容。

随着婴儿眼界的开阔，仅仅凭借眼前的实物和看到的东西，是有限的。可以通过画书，教婴儿认识更多的事物，增加认识事物的种类。

❖ 怎么挑选图画书

书上的图画形象要真实；

图画形体要准确；

书的色彩要鲜艳；

每张的图画力求单一、清晰；

不买有较多背景、看起来很乱的图画书，避免婴儿眼睛疲劳，辨认困难

最好先不要买卡通、漫画等图画书，待婴儿认识了大多数实物，再买卡通、漫画类的，可引起婴儿看书的兴趣。

❖ 怎么使用图画书

把生活中能够见到的实物同书中图画

比较着让婴儿认，更能增加婴儿对事物的认识。

每天只让婴儿看一两次画书。

在教婴儿物品名称时，命名一定要准确，不要随意发挥。

一次认1-2种物品，时间不要太长。

这么大的婴儿注意能力是比较差的，不能贪多，以免婴儿腻烦了。第二天，再让婴儿看时，先看昨天看过的，加深印象，再学习新的。这样不断重复，婴儿才能记住。

❖ 视觉能力训练

教婴儿认识色彩，一定不要贪多，不要把不同的色彩混在一起让婴儿辨认。每次只让婴儿认识一种色彩，等到婴儿认识了这种色彩，再教婴儿认识另一种色彩。

教婴儿认识色彩的道具要力求色彩鲜艳、色泽纯正、色彩单一，在婴儿没有认识纯色之前，不要教宝宝认识过渡色。先让宝宝认识红、橙、黄、绿、青、蓝、紫7色。苹果大小的彩球是教婴儿认识色彩不错的道具。

在宝宝情绪好的状态下，拿出一个彩球，告诉宝宝色彩名称，可重复10次，最长时间不要超过10分钟，告诉1次后，可抱起宝宝亲亲，不要让宝宝感到厌烦。连续学习5天后，换一个新的色彩，并复习原来学习过的色彩。当宝宝把这7个色彩都学习完了，再教宝宝辨别色彩，辨别色彩时，2个一组让宝宝辨别，自由组合，然后是3个一组……7个一组。慢慢地，宝宝就能按照父母的要求，从众多的彩球中选出父母指定的彩球。

以此类推，爸爸妈妈可给宝宝画出很多有色彩的图形。这样，宝宝在认识形状的同时，也认识了色彩。图形和色彩可任意搭配，如果把家中的物体画出来，宝宝

会更感兴趣。

233. 听的能力：能听懂许多话

❖ 听是婴儿学习语言的基础

这个月的婴儿能听懂许多话了，父母要充分利用婴儿听的能力，训练婴儿说的能力。这个时期，父母和婴儿说话，节奏要稍微放缓些，吐字要清晰，一字一句的，让婴儿听懂，让婴儿能够看到父母说话的口型。每做一件事，每看到一件东西时，都要配合语言，让婴儿听清、听懂。

❖ 不能听电视里的语言

如果婴儿从出生就没有听到过语言，婴儿长到该说话的年龄，也不会说话的。语言是要学习才能掌握的。有父母认为电视里的发音准确，就让婴儿通过看电视学习语言，这是错误的。婴儿学习语言，父母和看护人是最好的老师。婴儿通过切身的感受，通过观察父母的肢体语言、行为、面部表情，结合语音语调，体验式地学习语言。婴儿不能通过看电视听播音，完全理性地学习语言。

❖ 听觉训练

婴儿听到爸爸妈妈的说话声，能够猜出是爸爸在说话，还是妈妈在说话。和婴儿生活在一起的人，只要这个人说话，婴儿听声音就能猜出他是谁。如果父母经常让宝宝听到某种动物的叫声，即使看不到这个动物，婴儿听到叫声也能猜出那是哪种动物在叫，有的婴儿甚至能模仿地叫上两声。

爸爸妈妈可在房屋不同角度叫宝宝的名字，让宝宝快速寻找声音来源；用不同物体敲击出不同的声音，让宝宝猜一猜是什么物体的敲击声。爸爸妈妈藏到宝宝看不到的地方，学动物叫声，让宝宝猜一猜：爸爸妈妈在哪里？是在模仿哪种动物叫？

郑玉巧育儿经·婴儿卷

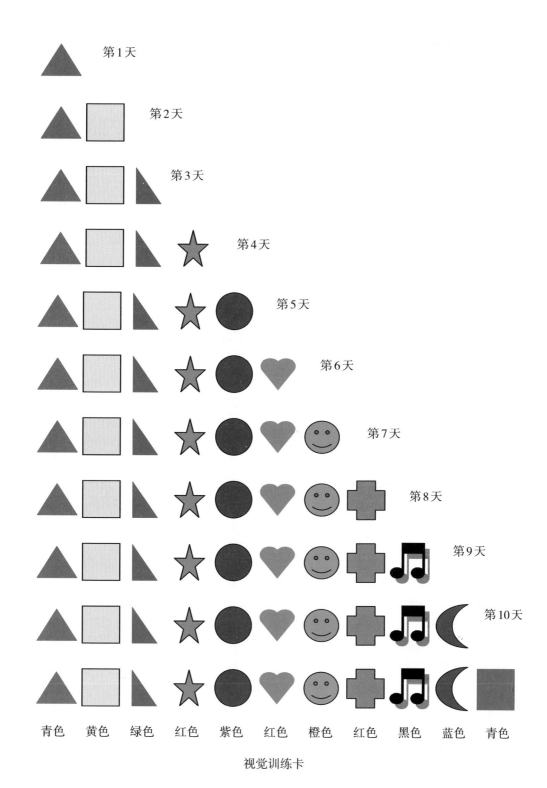

第1天

第2天

第3天

第4天

第5天

第6天

第7天

第8天

第9天

第10天

| 青色 | 黄色 | 绿色 | 红色 | 紫色 | 红色 | 橙色 | 红色 | 黑色 | 蓝色 | 青色 |

视觉训练卡

给宝宝讲故事时，要抑扬顿挫，富有感染力，根据故事情节，变换语调和语速，模仿不同人物说话语气，让宝宝有身临其境的感觉。这样不但能训练婴儿听力，还有助于婴儿理解语言，感悟语境。

234. 说的能力：说话早晚与智力高低

有的婴儿能有意识地叫爸爸妈妈；有的婴儿能说出"奶奶、吃吃、撒撒"等复音；有的婴儿能说出"阿姨、不要"等双字音；有的婴儿偶尔能说出三个字的词；有的婴儿还是发出爸爸妈妈听不懂的叽里咕噜的音节；有的婴儿什么也不说，就连叽里咕噜的音节也不发了。遇到最后这种情况，父母会比较着急，担心宝宝智力有什么问题，甚至担心自闭症倾向。

语言发育也存在着个体差异，有的婴儿早在11个月就能说出有意义的字词，有的婴儿直到2岁才开口说话。但只要婴儿没有语言发育障碍，在3岁以前，都能基本掌握母语，几乎能听懂爸爸妈妈所有的话，并能用爸爸妈妈能听懂的话语表达自己的意思，就是说能够和父母进行无障碍沟通了。

婴儿说话的早晚并不能完全说明智力的高低，说话早晚与先天因素有关，与后天因素也密切相关。通常情况下，父母和看护人给孩子创造了很好的语言环境，孩子说话多比较早；父母少言寡语或没有时间和孩子说话，看护人和父母所用语言不同，孩子说话可能会晚些。怕耽误时间，总是干这干那的妈妈，是不明智的。陪孩子玩，和孩子说话，是育儿生活中很重要的事情，家务应该放在次要的位置上。

❀ 语言能力训练

接龙游戏

选择朗朗上口的歌谣、儿歌、诗词等，每天念给婴儿听，等到婴儿听熟了，就开始接龙游戏，妈妈念到最后一个字时，停顿下来，让宝宝接龙，如果宝宝一时接不上来，妈妈可帮助，慢慢地，宝宝就能很容易地接最后一个字了。这样循序渐进，到最后，妈妈只念一个字，宝宝就能朗诵出全部。这样慢慢练习，说不定宝宝到十三四个月的时候就会很熟悉了。举例说明：

锄禾日当午，锄禾日当……午，锄禾日……当午，锄禾……日当午，

汗滴禾下土。汗滴禾下……土。汗滴禾……下土。汗滴……禾下土。

谁知盘中餐，谁知盘中……餐，谁知盘……中餐，谁知……盘中餐，

粒粒皆辛苦。粒粒皆辛……苦。粒粒皆……辛苦。粒粒……皆辛苦。

锄……禾日当午，锄禾日当午，

汗……滴禾下土。汗滴禾下土。

谁……知盘中餐，谁知盘中餐，

粒……粒皆辛苦。粒粒皆辛苦。

省略号前由妈妈念，省略号后让宝宝接，语言能力训练还有很多种方法，爸爸妈妈开动脑筋，宝宝的语言能力会飞速发展，宝宝会给爸爸妈妈带来不断的惊喜，宝宝简直就像个语言天才。爸爸妈妈记住，任何时候，都不要机械教授宝宝知识，更不能强迫宝宝学习。爱玩好动，喜欢嬉戏，热衷游戏，勇于创新，善于冒险，探索新奇，是孩子的天性。爸爸妈妈切莫扼杀孩子的天性，要将快乐童年贯穿始终。

235. 运动能力：爬出花样

❀ 爬行能力

多数婴儿，学会用手和膝盖爬行了，不但爬的速度很快，还爬出了花样，能往

高处爬，能自由改变爬的方向，能爬过障碍物。如果床上有叠着的被垛，可能就会爬上去了，从被垛上摔下来，不但不哭，可能还很高兴，宝宝找到了有趣的玩法，妈妈可不要限制哟。孩子刚要爬上被垛，妈妈就叫嚷着"不能爬被垛"，这是不对的。爬被垛并没有危险，为什么要阻止呢？

有的婴儿还是匍匐爬行，有的婴儿还不会爬，父母不要着急。不会爬的原因有很多，有宝宝自身因素，也有父母和看护人养育因素，并不意味着宝宝发育落后。父母和看护人首先要做的是，给宝宝创造能够自由爬的空间和环境，给宝宝自由爬的机会。每个发育正常的婴儿，都有爬的潜在能力，但这种潜在能力，需要有适合的机会，才能发展起来。就如同种子需要适合的土壤才能发芽生长一样。如果看护人总是抱着宝宝，宝宝很少有机会趴在平坦舒适的地板上，宝宝就没有机会练习爬，怎么能会爬呢？妈妈可能会说，很早就开始训练了，可是一让孩子趴着就哭，没办法只能抱起来。也有的妈妈会说，宝宝仍然有很严重的溢乳，不敢让他趴着，怕宝宝吐奶呀。这些是不让宝宝爬的理由，也

宝宝／杜林夕

是宝宝不会爬的原因。

这个月的婴儿，几乎都能扶着床栏杆站立起来，并能从站立位变换到坐位；有的婴儿，牵着手能向前迈步；有的婴儿依靠东西能站立片刻；有的婴儿扶着东西横着走，推着小车向前走。如果妈妈采取任何方法，都不能使宝宝站立起来，请带宝宝看医生。

❖ 行走能力

这个月，爬仍是婴儿移动身体的主要方式，不需要刻意训练婴儿走。如果婴儿喜欢站立和行走，妈妈也不要担心，宝宝过早站立和行走，腿会由于重力作用而弯曲。婴儿能够做到的，就说明已经具备了这个能力，生理上已经发育成熟，妈妈无需担心。如果锻炼婴儿行走，请注意以下几点：

•不要把宝宝双臂拉高（双臂高高举起位），牵着宝宝的手走，这样不利于婴儿学习走路。

•不能牵着宝宝一只胳膊走，如果宝宝没有站稳，在摔倒一刹那，妈妈会下意识地向上拽宝宝的胳膊，有发生肘关节脱位的可能。

•不要让宝宝长时间练习走路，这个月龄的婴儿还不适合长时间走路，每天锻炼一两次，每次几分钟就可以了。

•练习走路是婴儿的一次探险，妈妈过多帮助，孩子失去了探险的机会。

•宝宝摔倒，父母一定要冷静，绝不能大呼小叫，更不要一个箭步冲上去抱起。要给孩子机会，从婴儿期开始学习如何面对挫折，如何战胜自己。

•要把第一次机会和尝试留给孩子，这是锻炼孩子独立性的好时机。

•婴儿喜欢冒险，只要没有危险，妈妈就不要过多干预。真正面临危险，才阻止

327

孩子。

•玩是孩子的天性，不要扼杀孩子的天性，玩是孩子认识、学习的过程。

❖ 玩的能力

婴儿最喜欢和父母一起玩耍，对小伙伴还没有什么感觉，还没学会和小朋友一起分享。如果宝宝不理会周围的小朋友，不意味着宝宝有什么问题，妈妈不必担心。有的婴儿喜欢和小朋友玩，但还不知道如何玩，会摸摸小朋友的脸，拉拉小朋友的手。妈妈不要因为担心会伤到小朋友，而制止孩子和小朋友交往。如果宝宝用手拍打或抓小朋友的脸，妈妈不要惊呼或训斥孩子，把孩子的小手递给小朋友，和蔼地告诉孩子"拉拉小朋友的手吧"。

❖ 玩玩具

婴儿一双小手越来越灵活，开始喜欢玩玩具了，可以给宝宝准备一些适合1岁宝宝玩的玩具。通常情况下，宝宝拿起玩具，只是用手摆弄几下，摸一摸，看一看，用嘴啃一啃，一会儿就丢到一边了。妈妈可不能责怪孩子，宝宝并不知道如何玩玩具，也不晓得其中的奥秘，爸爸妈妈应该教孩子如何玩，和宝宝一起玩。

想从婴儿手里拿走他喜欢的东西不是很容易，如果抢过来，婴儿会号啕大哭。不喜欢的东西，放到手里就马上扔掉，再给的话，就往外推，连接也不接。婴儿喜欢把手里的东西扔掉，妈妈捡得快，孩子扔得更快。

独立性强的婴儿，自己能玩好大一会儿了，但妈妈可不要离开，婴儿没有保护自己的能力，也没有危险意识。

❖ 客观对待婴儿能力

婴儿的运动能力存在个体差异，并不是到了某一个月，就齐刷刷地，所有婴儿都具备了某些能力。可能会晚些，也可能

会早些，父母不要担心。单纯一项运动能力稍微落后些，不能就认为孩子发育落后，要看孩子总体发育情况。

这个月的婴儿开始萌发自我意识。婴儿自我意识是通过照镜子获得的。这就是为什么从很小的时候，就让妈妈和孩子玩照镜子游戏的原因之一。

❖ 婴儿照镜子可分为三个认识阶段

第一阶段（意识妈妈阶段）

4个月左右的婴儿，当妈妈抱着孩子照镜子时，婴儿对自己并没有什么反应，而对妈妈的镜像有比较强的反应，会对着妈妈的镜像微笑，咿咿呀呀发出欢快的叫声。

第二阶段（意识伙伴阶段）

6个月左右的婴儿，开始注意镜子里的自己，但对自己的镜像反应是，把自己的镜像看做是能和自己游戏的伙伴，婴儿会对着镜子里的自己做出拍打、招手、欢笑、亲吻等游戏动作。

第三阶段（自我意识阶段）

1岁左右的婴儿，开始发现，镜子里婴儿的动作和自己的动作总是一样的，朦朦胧胧感到，镜子里的镜像可能就是自己。但是，还不能明确意识到镜子里的镜像就是他自己。1岁半以后，才逐渐认识到镜像里的小伙伴就是自己。

❖ 婴儿的记忆

这个月的婴儿开始有了延迟记忆能力。可以把妈妈告诉的事情、物体的名称等记忆24小时以上。印象深的，可延迟记忆几天，甚至更长时间。这是对婴儿进行早期教育的前提。婴儿能够记忆一段时间的事情，就能够学习更多的知识。

人们都觉得婴儿记忆时间短暂，整个婴儿期，似乎很难记住什么。事实并非如

此，婴儿同样有着惊人的记忆力！有趣的是，婴儿对不愉快的经历记忆深刻，并且能用实际行动拒绝其再度发生！即使过了较长一段时间，再次经历，仍无法接受。对愉快的经历难以忘怀，喜欢无数次重复那愉快的经历，从不厌倦。典型的例子就是打针吃药和有趣的游戏。

几个月的婴儿，打针会哭，再次打针时，看到护士拿起针管，走向他的时候，尽管针还没扎进去，就提前哭了，婴儿记起了打针时的疼痛。随着婴儿长大，无须护士拿出针管，只要看到护士，就开始哭闹，因为他记得打针时的疼痛。再长大些，无需看到护士，走到医院门口，就开始反抗，"不去不去"地喊着，因为他知道进去就被扎针。再大些，无须走到医院门口，提起去医院，就开始反对。

237. 婴儿的思维能力与好奇心

这个月的婴儿开始有了最初的思维能力。所以和孩子做游戏时，不再都是直观的游戏了，要适当增加能促使婴儿思维的游戏项目。

❖ 一个有趣的思维训练示例

在桌子上蒙上台布，在台布上面放置一个小玩具。但是，这个玩具婴儿是够不到的。为此，婴儿就使劲去够。在去够的过程中，台布被拽动了，结果玩具跟着台布移动了。这一现象对于婴儿来说是奇迹般的。慢慢地，婴儿开始意识到，台布可以帮助他够到玩具。结果，婴儿开始拽台布。果然，台布带着玩具向前移动，婴儿终于拿到了玩具。

这就是婴儿最初的思维。婴儿通过拽台布使玩具移动的现象，分析出了台布可以帮助他够到玩具这样的事实。父母可以自己发明一些类似的游戏，训练婴儿的思

维能力。

❖ 好奇心的种种表现

婴儿具有很强的好奇心，这个月的婴儿，好奇心进一步增强了：

对新奇的事情和物品非常感兴趣。

越是没有看过、不知道的东西越是感兴趣。

越是不让摸的，越想摸。

越是不让放到嘴里，越是想啃一啃。

对熟悉的东西，很快就失去兴趣。

再好玩的玩具，也不会玩很长时间。

只要是没见过的，什么都好。

玩过的，看也不想看一眼。

❖ 鼓励宝宝的好奇心

当妈妈认为孩子开始淘气了，不好看护了的时候，就是婴儿具有了好奇心的时候。只要不是危险的事情，都要允许孩子做、让孩子摸。尽管不是食物，放到嘴里感受一下是什么味道，也是对事物的一种认识。

婴儿的探索精神，是认识世界的动力。父母可以利用婴儿强烈的好奇心，教婴儿认识更多的事物。父母一定不要压抑、扼杀婴儿的好奇心。

宝宝 / 李彦睿杰

凯米手扶方向盘的照片是回姥姥家玩拍的。车是凯米的最爱，无论是真的汽车还是玩具车，凯米都是特有兴趣，在车里他自己开得有模有样，档位、喇叭、车窗、雨刷都会，而且不论什么车，这辆富康是刚坐的，他在车座上又蹦又跳，很专注，好不容易叫他回头照了这么一张。

238. 游戏活动

以下介绍的都是很简单的家庭游戏。父母不要忽视这些简单的游戏，并非只有到婴儿训练场、婴儿游戏中心、婴儿潜能开发中心去训练婴儿，才能训练出聪明健康的孩子。这些场所每周只能去一次，有条件的一天去一次，也仅仅是1~2个小时。父母要利用在家的点滴时间和孩子一起玩，一起做游戏，让孩子体会到家庭的温暖。

❖ 关心他人的游戏

妈妈抱着一个布娃娃，孩子抱着一个布娃娃，妈妈说："我的娃娃冷了，我要给娃娃穿衣服啦。"边说边给娃娃穿衣服。孩子就会学着妈妈的样，也给娃娃穿衣服。这个简单的游戏，训练婴儿的动手能力，学会了给娃娃穿衣服，为以后学习给自己穿衣服打下基础。最主要的是通过这个游戏培养孩子从小关心他人的优良品德。

❖ 练手指，认数字

婴儿出生后，两手是紧握着拳头，张力比较大，所以手的活动能力很差。吃手时，吃的是小拳头。逐渐地，大拇指开始会伸开了，再吃手时就吸吮大拇指了。当5个手指都能伸开时，手的灵活性就提高了。当婴儿的拇指和食指能对捏时，婴儿手的活动能力明显增强，开始了手的精细

活动。

到了这个月，如果让婴儿把手伸过来，张开手，往往是把五指同时伸开，能伸出食指，单独伸出中指就比较难了，单独伸出无名指更不容易。妈妈可以和孩子进行手指锻炼。从食指开始，让婴儿伸开食指，并告诉婴儿这是"1"，"宝宝快1岁了"。这个练习是很有用的。不但训练了婴儿手的活动，还训练了婴儿数的概念和婴儿自己年龄的概念，促进婴儿的思维能力，让婴儿看、说、做、思维有机结合起来，训练婴儿的综合能力。

❖ 翻画册

妈妈一页一页翻画册，同时用手指着画册上的小动物，告诉宝宝动物的名称，并学这个动物的叫声。慢慢地，婴儿开始模仿妈妈，也开始这样翻画册，妈妈不要怕弄坏画册。

翻过一页后，看到画册上的动物，让孩子指认小动物，达到练习婴儿伸手指的目的。问孩子这个小动物叫什么名字，再想想它是怎么叫的。

翻下一页时，妈妈在一旁先问一问："宝宝猜一猜，下一个是什么动物啊？""是啊，该是什么动物了？"宝宝开始思考了。

这是练习手指灵活性的简单有趣的活动，锻炼了手的灵活运用能力、观察事物能力、思维能力、记忆能力。

❖ 敲打拍击出响声

这也是个很好的游戏。父母教宝宝拍巴掌，敲打物体。让婴儿知道用一种物体打在另一种物体上，能发出声音；用不同的物体敲击不同的东西，可发出不同的声音；用同样的物体敲击物体不同的部位，会发出不同的声音。如用筷子敲击盆底盆体和盆沿，会发出不同的声音。用力大，

宝宝／李靖伊

婴儿和小朋友在一起，可提高交往能力，促进认知能力的发展。同龄之间身心发展水平相近，可以互相模仿，学会更多的玩法。10个月以前的交往能力仅仅是抓一下同伴身边的玩具或看一眼。1岁左右婴儿间的交往能力增强，婴儿之间用大笑、发音、说话、互相触摸、拉手、递玩具等来交流。

声音就大；用力小，声音就小。训练婴儿的体能和对声音的辨别能力。

❖藏猫猫

爸爸妈妈和宝宝一起"藏猫猫"玩是很有意思的。爸爸藏起来，孩子和妈妈一起找爸爸，这样既保证了孩子的安全，还增加了孩子的乐趣。

这个月龄的婴儿不会因为看不到爸爸了，就认为爸爸不存在，爸爸不时发出声音"爸爸在这里，快来找吧"。这个简单的小游戏，可以训练婴儿的方位觉、循声找东西的能力、运动的目的性。就是说，

婴儿的每一个动作都是有目的的，就是要找到爸爸，无论是站、爬、走、转身等都是有目的和目标的，增加婴儿运动的积极性，从小锻炼婴儿做事的独立性和目的性。

❖玩大型玩具

这个月婴儿的活动能力增强了，小的玩具已经不能满足婴儿的需要，婴儿开始把兴趣转移到大的儿童玩具上，比如荡秋千、滑滑梯、骑木马等，这些都能训练婴儿动作的协调性。夏季还可以带婴儿学习游泳。

第3节 本月婴儿营养需求与喂养方法

239. 营养需求及喂养中注意的事项

❖营养需求

这个月婴儿营养需求和上个月差不多，所需热量仍然是110卡左右。蛋白质、脂肪、糖、矿物质、微量元素及维生素的量和比例没有大的变化。

父母需要注意的是，不要认为孩子又长了一个月，饭量就应该明显地增加了。这会使父母总是认为孩子吃得少，使劲喂孩子。总是嫌孩子吃得少，是父母的通病。要尊重孩子的食量，不要填鸭式喂养。

还需要额外补充维生素AD，维生素D每天400国际单位，维生素A每天1200国际单位。每天需要钙（元素）量600毫克。如果能从食物中获取足够的钙，不需要额外补钙。100毫升奶含钙量67毫克，每天喝奶600毫升，摄入钙400毫克，如果每天喝奶800毫升，摄入钙500毫克以上，加上膳食中的钙，基本能满足生理需要量。

钙的吸收与维生素AD、阳光照射、运动等因素有关。过多补钙会影响食物中钙的吸收，如果不缺钙，不要过多给宝宝额外补钙。任何额外补充的营养素都不能代替食物，合理膳食结构，均衡营养摄入，多样食物选择是婴儿生长发育的最好保证。如果宝宝每天能够接受充足的阳光，能够有充分的运动时间，即便没有额外补充维生素AD，也能很好吸收和利用钙。如果宝宝很少接受阳光照射，很少运动，即使补充足够的维生素AD和钙，宝宝的骨骼也不能强壮。

❖喂养问题的个性化开始突出

这个月婴儿喂养问题，最突出的是饮食个性化，种种表现如下：

有的婴儿能吃一碗饭。

有的能吃半碗饭。

有的婴儿只吃几勺饭。

有的婴儿比较爱吃菜。

有的婴儿就是不爱吃菜，喂小片菜叶，

也要用舌头抵出来，如果把菜放到粥、面条、肉馅或丸子里，恐怕连粥、面、饺子、丸子也不吃了。

有的婴儿很爱吃肉。

有的爱吃鱼。

有的婴儿爱吃火腿肠等熟肉食品。

有的婴儿爱吃妈妈做的辅食。

有的婴儿还是不吃固体食物。

有的婴儿不再爱吃半流食，而只爱吃固体食物。

有的婴儿还像几个月前那样，能喝几瓶奶，不喝奶就不睡觉。

有的婴儿还是恋着妈妈的奶，尽管总是吸干瘪瘪的空奶头，也乐此不疲。半夜不让妈妈好好睡上一觉。总是哼哼唧唧要妈妈的奶头，白天看到妈妈就着急，抱过来，就要吃奶。

有的婴儿能抱着整个苹果啃，也不噎、不卡。

有的婴儿吃水果还是妈妈用勺刮着吃，或捣碎了吃，但需要挤成果汁才能吃水果的婴儿几乎没有了。

有的婴儿特别爱吃小甜点，尤其是食量比较大的婴儿，什么时候给都不拒绝。

爱喝白开水的婴儿越来越少。原来一次能喝100毫升白开水的婴儿，现在只能喝30毫升，有的婴儿一口也不愿意喝。

一天能和父母一起吃三餐的婴儿多了起来。

这些现象都是婴儿的正常表现。还有更多现象也是正常的，这里就不一一提及了。

家庭与家庭间存在着差异，家庭成员间也存在个人差异，即使是同卵双胞胎，也存在着显著的个体差异。婴儿之间有共性，也有自己的个性，共性和个性是相互

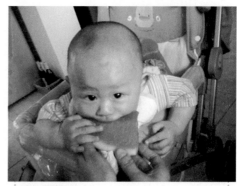

宝宝 / 崔博智
好吃。

交叉的。随着月龄的增加，婴儿个性化越来越强了，开始表现出不同的好恶倾向。

所以，父母不能要求自己孩子的个性和其他孩子的个性相一致，父母要认识到婴儿间存在着差异性，这是父母建立正确育儿观的思想基础。

❖ **不要认为自己孩子不正常**

如果妈妈看到别的婴儿能吃一碗饭，而自己的孩子只吃半碗饭，就开始着急，认为自己的孩子不正常，这是不对的。

能吃一碗饭的孩子，情况可能是这样的：

食量大的孩子；

有肥胖倾向的孩子；

其他食物吃得少；

爱吃饭，不爱喝奶。

不能吃一碗饭的孩子，情况可能是这样的：

爱喝奶，不爱吃饭的孩子；

正常食量的孩子；

食量小的孩子；

喜欢吃蛋肉的孩子。

你的孩子是不是像别的孩子能吃一碗饭并不重要，重要的是看孩子生长发育是否正常。

❖ **父母处理喂养问题的原则**

郑玉巧育儿经·婴儿卷

父母在养育每个婴儿时，都会遇到这样那样的问题，如果每个小问题都要跑医院看医生，父母会很辛苦的。

在工作中，我遇到这样的事情不少，除了进行个体化指导外，我更多的是告诉父母，学会处理个别事情的原则。

•面对孩子喂养问题，无论孩子出现怎样的表现，最主要的要抓住一个问题，喂养的目的是保证婴儿正常的生长发育。包括体重、身高、头围、肌肉、骨骼、皮肤等可看可测的指标，还有专业机构提供的营养指标，这些是衡量喂养好坏的指标，如果这些指标都在正常范围，喂养就是成功的。

•在保证婴儿正常生长发育的前提下，尊重婴儿的个性和好恶。让婴儿快乐进食是父母的责任。如果父母有这样的认识，一些喂养上的困惑，就不成问题了。

❖ 防止肥胖儿

如果宝宝体重显著超标，适当增加蔬菜和水果，减少肉类食物。如果宝宝食量很大，可以在饭前喝点水，减轻饥饿感。

❖ 奶和饭菜同等重要

奶的营养价值毋庸置疑，但随着婴儿月龄的增长，单纯乳类已经不能满足生长发育所需营养，除了奶，还需要从谷物、肉蛋、蔬菜和水果中获取养分。所以，只喝奶，不吃饭菜是不正确的喂养；同样，只吃饭菜，不喝奶也是错误的。对于这个月龄的婴儿来说，奶和饭菜同等重要。

❖ 孩子吃的能力惊人

父母总是怕这怕那，怕宝宝噎着，总是把饭菜做得稀烂；怕把饭菜搞得哪里都是，还不敢让宝宝练习用勺吃饭；怕消化不了，还让宝宝吃泥糊状食物；怕水果凉，还要把水果煮熟吃。

婴儿有着极大的潜能，从潜能变成真

正的能力，是需要锻炼的，没有锻炼的机会，潜能就真的潜伏下去了。父母不要主观认为孩子不能，应该给孩子机会，让孩子试一试。孩子的能力，有时是父母想象不出来的。不到1岁的孩子会抱着一个大桃啃，最后只剩下皮和核，这是我亲眼见到的事实。

婴儿在各方面的潜能都是惊人的。把孩子培养成智力超群，生活能力低下的孩子，对孩子来说是很悲哀的事情。父母应该放手给孩子更多的信任和机会，让孩子自己拿勺吃饭，让孩子自己抱着杯子喝水，拿着奶瓶喝奶。这不但锻炼了孩子独立生活能力，还激发了孩子吃饭的兴趣，有了兴趣就能刺激食欲。

❖ 不需要断母乳

如果还有母乳，那是孩子的幸福，不要轻易断掉，吃母乳毕竟是婴儿幸福的事情。如果夜间母乳能让婴儿不啼哭，能让醒来的婴儿很快入睡，就继续这样做下去。不要怕别人说，孩子都这么大了，夜间还要吃奶，这是您自己的事情，不要管别人说什么，并不是到了1岁就必须断掉母乳，母乳可以喂到2岁呢。

如果宝宝半夜醒来要喝奶，不给喝奶就不睡觉，妈妈不要认为孩子快1岁了，半夜不能再喝奶了，就不给孩子喂奶，让孩子夜啼不止。

❖ 其他需要注意的问题

和父母同桌吃饭，是婴儿最高兴的事情，不要怕孩子捣乱。

如果孩子喜欢自己用勺，就不要怕孩子把饭撒出来，也不要怕弄脏了衣服。

孩子不想吃，不要逼着孩子吃。不可能每天都能吃同量的食物。老人常说孩子是"猫一天，狗一天"，其中也包含这个道理。

天气炎热，有的成人"苦夏"，孩子也有这种情况，食量可能会减少，父母要理解。

有病不舒服，食量会减少。

腹泻并非要控制饮食，如果孩子能吃就让孩子吃，需要停食，医生会告诉你的，不要擅自停掉或减少孩子的饮食。

偶尔在哪里看到种种信息，说不该这样，不该那样，也要分析。信息社会，信息量非常大，有的只是一家之言，不一定经过验证，也不一定是正确的，要学会辨别。更不能听"过来人"的个别经验，经验或许不适合您的孩子。

购买一本权威性的育儿书，作为育儿指导，其他仅作参考，你就不会总是不知所措了。

第4节 本月婴儿护理要点

240. 季节护理要点

❖ 春季护理要点

随着婴儿活动范围扩大，接触越来越多的人，去过的场所多了，增加了患病机会。但爸爸妈妈千万不要因为有这样担心，而把孩子困在家里。护理上加以注意就是了。如果整个冬天宝宝都没怎么到户外，开春后到户外活动，可能会不适应。可能会流鼻涕，打喷嚏，没关系，多给宝宝喝水，注意户外穿衣保暖。孩子玩出汗了，千万不要马上脱去衣服，要先帮宝宝擦干汗水，让宝宝暂时静下来，等到汗没了，再适当减去衣服，让宝宝接着玩。不要在室外脱衣，以免受凉。

❖ 夏季护理要点

• 防尿布皮炎

夏季易患尿布皮炎，所以尿布不要垫得过厚，也不能兜得过紧。不要一天24小时穿着纸尿裤，宝宝醒来，刚刚尿完，可以暂时不穿纸尿裤。要勤换纸尿裤，纸尿裤积存尿液太多，也会引起尿布疹。

• 把住病从口入关

夏季气温高，有利于细菌的生长繁殖，婴儿本身也减少了消化酶的分泌，消化功能降低，所以一定要把住病从口入关，注意饮食卫生。不要强迫孩子过多进食，慎吃熟食成品。

• 防紫外线

婴儿夏季不宜长时间晒太阳，婴儿真皮角化层的保护能力很差，且婴儿的体温调节系统尚不成熟，极易被阳光灼伤，发生中暑，造成脱水。婴儿夏季多补充水分也很重要，最好补充白开水。

• 防痱子

为了防止出痱子，为了使孩子更凉快，父母往往给孩子的头发剃得光光的，这样其实不好。头发剃得过短，头皮完全暴露在日光下，被日光晒得"冒油"，会损伤毛囊。剃短寸就可以了。

• 防受凉

不要让冷风直接吹到孩子，不要让腹部着凉，可吃西瓜解暑，不要吃冰箱内储存的食品，这么大的孩子不宜吃冷饮。

• 不在夏季断母乳

不要在夏季断奶，夏季宝宝的消化功能降低，食欲低下。断奶后宝宝不适应，过度哭闹。等到秋季断奶最好。

• 防蚊用蚊帐

夏季最好用蚊帐防蚊。最好选择亚麻凉席或软草席，不宜睡竹席、水褥或水枕。

•防膝关节磕伤

有的孩子不满1岁就已经会走了，要注意避免外伤，尤其是膝关节，是夏季最易伤到的部位，一定要注意保护。因为膝关节的损伤有时是很难恢复的，还可能留下永久的伤残。让孩子走时，最好穿上薄半长裤子，以保护膝盖。

❖ 秋季护理要点

•防冷热不均

秋季气温不稳定，忽冷忽热，一天之中温差较大，往往是早晚凉爽，正午也许就闷热，太阳灼人。如不及时增减衣物，就会造成凉热不均，易患感冒。秋季湿度下降，空气逐渐干燥，应多喝水，注意保持室内的湿度。

•不要过早加衣服

孩子感冒最大的诱因是出汗后受凉。11个月的孩子正学走路，有的刚刚学会走路，非常喜欢自己走路，活动量比较大，过早加衣，会造成宝宝经常出汗，易致外感风寒。

•防秋季腹泻

秋末，是秋季腹泻的流行季节。得了腹泻，要及时看医生。（详细内容见第十三章相关

宝宝／翡翠
冬天也要蒸秋千。

内容）

❖ 冬季护理要点

•不要停止户外活动

不要因为冬季到来而停止户外活动，每天至少也应该进行1个小时的户外活动。对婴儿进行初冬的耐寒锻炼，可提高呼吸道抵抗病毒侵袭的能力。

•防冻疮

寒冷季节，做户外活动时，要预防冻疮，主要是手脚和脸部容易受冻。从户外回来后，可用温水洗洗脸和手，轻轻揉一揉，促进血液循环。婴儿血管末梢血液循环差，即使戴手套，也会发生冻疮。在户外时，妈妈不时地给孩子捂捂手，捂捂小脸蛋，也是很有效的。

•取暖的安全

冬季开始使用取暖设备，对于没有包上的暖气片，一定不能让婴儿触摸。如果使用电暖气，一定要放置在婴儿摸不到的地方。

用暖水袋取暖。如果暖水袋的水太热，会烫了孩子。如果不是很热，半夜就可能凉了，所以没有必要使用暖水袋。不能给婴儿使用电褥子，以免宝宝受热上火。

241. 喂饭困难

❖ 边吃边玩

孩子大了，开始淘气了，边吃边玩的现象是常见的，爱动的孩子，就像个小皮球似的，动来动去的，一会儿也不停息。无论如何，也不要养成追着喂饭的习惯。

❖ 饭送到嘴边用手打掉

当孩子不高兴，不爱吃，吃饱了时，妈妈把饭送到孩子跟前，孩子会抬手打翻小勺，饭撒了。遇到这种情况，妈妈千万不要再把饭送到孩子跟前，应该马上把饭菜拿走。

❖ 用手抓碗里的饭菜

这是很正常的事情，但最好给孩子一把小勺，让孩子练习用勺吃饭。能用手拿着吃的，就让孩子用手拿着吃，不能用手拿着吃的，就让孩子使用餐具。希望宝宝老老实实坐在那里，等着妈妈一口口喂饭，只是妈妈的一相情愿。

❖ 挑食

挑食的孩子并不少见，什么都吃的孩子不是很多。每个孩子都有饮食偏好，这往往与父母饮食偏好相近。所以，父母要以身作则，给孩子树立榜样。如果孩子已经出现了偏食，妈妈切莫强迫孩子吃他不爱吃的东西。妈妈尝试改变烹饪方法，改变饭菜味道，在不知不觉中纠正宝宝偏食习惯，比如把鸡蛋做在蛋糕里，把青菜做在饺子馅里。

❖ 吐饭

从来不吐饭的孩子，突然开始吐饭了，首先要区分是孩子故意把吃进的饭菜吐出来，还是由于恶心才把吃进的饭菜呕吐出来的。吐饭和呕吐不是一回事，到胃里后再吐出来的是呕吐，把嘴里的饭菜吐出来，是吐饭。呕吐多是疾病所致，吐饭多是孩子不想吃了。如果孩子把刚送进嘴里的饭菜吐出来，就不要再喂了。孩子呕吐要看

宝宝／崔博智
　宝宝尽管像婴儿一样趴在床上，但和婴儿时趴的动作已经有很大区别。

医生。

❖ 不会嚼固体食物

真正不会吃固体食物的孩子不多，主要是父母或老人不敢喂，喂一点，孩子噎了一下，这没关系，就此不喂了，孩子什么时候才能学会吃固体食物呢？要给孩子机会。

❖ 喜欢上父母的餐桌抓饭

这是很自然的，哪个孩子都有这样的兴趣，不能拒绝让孩子上餐桌。不要让孩子把饭碗抓翻，不要烫着孩子的小手，注意安全就行了。

242. 看护困难

❖ 意外事故的发生

这个月的婴儿，活动范围加大，运动能力增强，发生意外的几率增高。小的意外事故，也会给欢乐的家庭蒙上一层阴影。如果是大的意外，可能就是灾难了，如大的烫伤、头部摔伤、需要缝针的脸部伤、电伤等。

一定要消除意外事故的隐患，爸爸抽烟的烟头、妈妈的化妆盒、煤气开关、电插头、开水瓶、药瓶都要注意。孩子睡觉时，妈妈即使干活也要在孩子房间里。

一位朋友带宝宝去旅游，安排好住处就到餐厅用餐去了。大家围坐在桌子旁，等着服务员上菜，可谓其乐融融。服务员端着一盆热气腾腾的汤来了，就在服务员往饭桌上上汤的一刹那，宝宝突然从餐椅上站了起来，刚好碰到那碗汤，热汤洒在宝宝后脖颈和背部……还没开始游玩，就紧急返回去了医院。烫伤给宝宝带来的痛苦持续了1个月，烫伤好了，宝宝又接连生病，免疫力低了。这是深刻的教训，爸爸妈妈都要吸取这个教训。

❖ 尿裤子

孩子还不会说要尿尿拉屎，这时把尿布撤了，尿裤子、拉裤子是很正常的。不要要求这个月的孩子就能控制大小便。如果孩子会蹲了，告诉孩子有尿蹲下，如果知道这样做就已经是非常乖的宝宝了。

❖ 踢被子

有的婴儿无论春夏秋冬，都是踢被子，身上冻得冰凉，盖上被子，还是很快就踢下去。如果妈妈就这样踢了盖，盖了踢，那一夜恐怕也不能睡觉了。几乎所有的孩子都喜欢踢被子，踢被子不是病，也不是教育的事，只有想办法，首先是不能盖得太多，如果宝宝感觉热了，肯定会把被子踢开。

如果不是冬天，盖被子时，把脚露在被子外面，这样孩子抬脚时，被子在腿上，踢也踢不下去，只是腿露出来，还盖着大半个身体，是冻不着孩子的。

有的孩子是满床滚，一会趴着，一会撅着，一会仰着，三下五除二，就把被子翻到身下了，就是盖不住被子。给孩子穿着贴身的棉质内衣睡觉，和被子的摩擦大，不容易踢掉被子。即使踢了，也冻不着孩子。也可以让孩子睡睡袋，但多数婴儿不喜欢睡在睡袋里。

243. 睡眠困难

❖ 夜啼有无原因

无论哪个月龄的孩子，都有发生夜啼的可能。宝宝夜啼，可能是夜间做了噩梦。比如白天摔了，打了预防针，小狗冲着他汪汪叫了，大人训斥了，这些都可能会刺激孩子出现夜啼。

大部分夜啼是找不到原因的，不管使用什么方法，能让孩子很快入睡就行，不要让孩子哭个够。孩子哭，是向妈妈发出需要帮助的信号，妈妈应该帮助。

❖ 白天睡眠与夜晚睡眠关系

白天不再睡觉的孩子多了起来。有的孩子晚上从8点一直睡到第二天早晨七八点。这样的孩子，白天可能不再睡觉，即使睡觉，时间也不长，有的孩子能睡一两觉，一觉能睡一两个小时。如果到了傍晚，宝宝又睡了一大觉，晚上可能会睡得比较晚，所以尽量不让宝宝傍晚睡觉。

❖ 孩子与父母睡眠习惯

有的孩子会按照自己的睡眠习惯，不管父母多晚睡觉，都是在固定的时间入睡。可有的孩子就不同了，如果父母不睡觉，单单哄他睡觉，他就是不睡，一直要等到父母睡觉为止。如果父母有晚睡晚起的习惯，让孩子早睡早起的话，也会影响父母休息。孩子早晨5-6点就起床了，父母也就睡不成了。还不如让孩子晚睡1-2个小时，早7点左右起床，父母也不受影响。

总之，不管怎样的睡眠习惯，保证孩子充足的睡眠时间是很重要的。睡眠不足，会影响孩子的生长发育。

244. 其他育儿警示

❖ 不要让孩子养成不良习惯

孩子大了，个性明显了，开始有了自己的主见，想按自己的意愿做事。这个时期，可能会让孩子养成某种不良习惯：如抓"小鸡鸡"；用哭要挟父母，达到目的；吸吮手指，恋自己的小毛巾被，不蹭着它就睡不着觉；摔东西打人；追着喂饭，边玩边吃饭，含着奶头睡觉等。父母要帮助孩子克服这些习惯。

❖ 及时发现舌系带过短

孩子进入了语言学习阶段，如果舌系带过短，会影响孩子的发音，要及时发现，及时处理。舌系带过短，即孩子把舌头伸出来时，舌尖很短，严重者呈英文字母W形状。照着镜子，妈妈可以观察自己的舌头，用舌尖舔上嘴唇，暴露出舌体底部，你会发现舌体根底部与牙龈根部连着一根筋，那就是舌系带。如果这根舌系带过短，就会影响舌尖运动幅度，舌尖向上卷曲和外伸受到一定的限制，舌尖够不到上唇，伸舌时，由于舌系带的牵拉，舌尖成为"W"形状。舌系带过短会影响发"L"的音，如姥姥、路、来、绿等。

❖ 被动接受向主动要求转变

以前孩子都是被动地接受父母的哺育，随着年龄的增长，孩子开始有了主动的要求：

要自己动手干事情了。

要求父母做什么了。

自己拿勺吃饭，下手抓饭。

自己选择玩具玩。

指着门，要妈妈带到外面去玩。

不想吃的就吐出来，扭过头去，不张开嘴。

递给他不喜欢的东西，或者不去接，或者推开，或者接过来扔掉。

喜欢的东西，要想从手里要过来，也难了，硬抢，可能会大哭以示不满。

动辄会大哭表示不满。

不喜欢妈妈领着走，要自己走了，尽管摔倒了，爬起来会接着走。

❖ 注重点滴培养

父母要学会尊重孩子的爱好，满足孩子的合理要求，鼓励孩子自己动手，给孩子自己锻炼的机会。如果摔倒了，父母马上就把孩子扶起来，就会削弱孩子克服困难的决心和毅力。不要小看这一小小的举动，培养孩子就是从细节开始的。

245. 免疫接种

这个月没有国家计划免疫疫苗。可根据需要选择接种计划外疫苗。

宝宝/姚之惠

第十二章　11-12个月的婴儿（330—365天）

这个月的宝宝能一眼认出人群中的爸爸妈妈；

认识经常来串门的客人；拒绝让生人抱；

有的婴儿会叫爸爸妈妈，有的婴儿仍然缄默不语；

有的婴儿已经能蹒跚走路；能拿得起很小的物体；

逐渐告别以奶为主要食物来源时期，

慢慢过渡到以饭菜为主要食物来源时期……

第1节 本月婴儿特点和生长发育

246. 本月婴儿特点

(1)宝宝快1岁生日了

快满1岁的婴儿能一眼认出人群中的爸爸妈妈。认识经常来串门的客人，会对着他们笑。开始拒绝让生人抱，如果勉强抱过去，可能会使劲挣扎，或许大哭。

在妈妈看来，孩子越来越任性了，其实，那是婴儿自主能力增强的体现。

有的婴儿已经开口叫爸爸妈妈，有的婴儿仍然缄默不语，婴儿语言发育的差异，比其他方面的差异更加明显。

有的婴儿已经能蹒跚走路了，多数婴儿能通过翻滚、爬行、扶物走等方式随意移动身体。

小手已经相当灵活，只要是他能拿得起来的东西，都要拿起来；只要是他能打开的，都试图打开，有股锲而不舍的劲头。

这时的婴儿可谓手疾眼快，稍不留神就会惹出麻烦，所以最好不要让宝宝单独玩耍。

随着婴儿期的即将结束，幼儿期的即将到来，婴儿期的辅食将逐渐被一日三次正餐代替，逐渐告别以奶为主要食物来源时期，慢慢过渡到以饭菜为主要食物来源时期。但这并不意味着彻底断奶，奶将作为食物中的一个种类被保存下来。就是说，宝宝所能吃的食物种类越来越多，逐渐接近成人。

多数婴儿晚间不再起来喝奶，但有的婴儿晚间仍然会醒来喝奶，倘若不喂，就会睡不踏实，甚至哭闹，尤以母乳喂养儿为多见。多数婴儿会用手拿着固体食物吃，

宝宝 / 高锦华
今天是宝宝1岁生日，爸爸妈妈带宝宝照相留念。宝宝感受到这是快乐的时刻。

会拿着奶瓶喝奶，会拿着杯子喝水。如果从7个月开始，婴儿就练习自己拿勺吃饭，1岁后大多会自己拿勺吃饭。

白天睡眠的次数和时间逐渐减少，多数婴儿白天睡两觉，有的婴儿只睡午觉，如果傍晚才醒来，晚上多入睡较晚。婴儿会在梦中醒来，会被噩梦惊醒大哭。

仍不能控制尿便，所以不能离开纸尿裤。会因缺水或过多食用黄红色食物，而出现尿液发黄。会因过多摄食而出现食欲下降或食量减少。如果遭到宝宝拒绝，仍千方百计喂食，宝宝会出现呕吐。

如果宝宝患的只是普通感冒，父母切莫大动干戈，带宝宝到人山人海的大医院就医。就近到有儿科医生的医院看一看，吃点药，甚至不吃药，就过去了，服用抗生素就更没有必要了。

如果宝宝出现了腹泻，化验大便是对的，但镜检出几个白细胞，就给宝宝服抗生素，是错误的。只有确诊为细菌性肠炎，包括细菌性痢疾和致病大肠杆菌性肠炎，才需要服用抗生素。不恰当服用抗生素，会导致肠道菌群失调，使原本能很快痊愈的腹泻迁延不愈。

(2)婴儿有超强的模仿能力

❖ 从人群中认出父母

婴儿能一眼认出人群中的爸爸妈妈。如果爷爷奶奶、姥爷姥姥经常来看望孩子，他们一进门，婴儿就会非常高兴，拍手欢迎，急着让他们抱。说话早的婴儿，还会一边把手伸过去，一边说"抱——抱——"。抱在怀里，婴儿会高兴地跳来跳去，有些抱不住了，好像要从怀里挣脱出来，可要抱紧哟。

❖ 辨别生人和熟人

婴儿不但认识亲人，还能分辨生人和熟人，经常串门的客人，婴儿会一眼认出来，对着他们笑。如果是从来没有见过的生人，或很长时间没有见过面的熟人，会瞪大眼睛看着他们。会拒绝让生人抱，如果勉强抱过去，可能会使劲挣扎，或许会哭闹。

❖ 喜欢与人交流

有的婴儿天生喜欢与人交流，见什么人都笑，也喜欢让人抱，很随和的样子。有的婴儿则认生，除了爸爸妈妈，几乎谁也不跟，见到生人，显出很紧张的样子，生人一旦表示要抱抱他，他会使劲躲闪，甚至哭闹。遇到这种情况，父母常感到尴尬，有的父母还会担心孩子是否有什么心理问题。父母不要有这样的担心，认生与否和婴儿的气质有关。

❖ 婴儿的模仿能力

婴儿有超强的模仿能力。如果父母经常爱亲亲孩子的小脸蛋，孩子也会模仿着亲爸爸妈妈的脸。婴儿已经理解了，这个举动是友好的。

父母常做的动作，婴儿就会模仿着做同样的动作。如皱鼻子、努努嘴；双手食指对在一起再分开"飞一个"；两手合在一起"谢谢"；伸出食指"1岁了"；学妈妈梳头的样子，学爸爸打电话的样子。

如果父母常教宝宝认识五官，宝宝能指出五官的位置。知道自己叫什么，不管谁叫他的名字，都会循声望去，找一找"谁在叫我呀"。听到外面传来他熟悉的小动物叫声时，婴儿会用手指着外面"嗯，嗯"地告诉你，他听到了小动物的叫声。说话早的婴儿还会模仿小动物的叫声。婴儿开始对外界的事情格外感兴趣了，看到什么，听到什么都要有所反应，显出机灵的样子。喜欢和孩子玩，看到孩子就会凑上去，摸摸小朋友。

(3)站立和行走

多数婴儿能扶物站立，并能扶物行走；有的婴儿，妈妈牵着一只手，能向前行走；有的婴儿需要妈妈牵着两只手走；有的婴儿能独站片刻；有的婴儿能蹒跚向前走几步；父母不要急着训练孩子走路，让宝宝多爬，给宝宝充分自由的活动空间。

婴儿躺着能来回翻滚，从卧到坐，从坐到站，从站到蹲，从蹲到站，坐得稳，爬得快，扶物站立，婴儿几乎能随意改变自己的体位。

婴儿体能发育存在着个体差异，一段时间发育得快些，一段时间可能发育得慢些，甚至略有倒退，这种倒退，也许正是"黎明前的黑暗"。父母不必担忧，更不要试图以各种方式加快孩子的发育速度，这会使父母气馁，挫伤孩子。

如果妈妈制订出计划，一天教孩子认识几个汉字，或几个数字，或几个英语单词，这对刚刚1岁的孩子来说，不但是比较困难的，也是枯燥乏味的，孩子没有兴趣这样死记硬背。父母应给孩子更多自由发展的空间，创造更多自然发展的环境，充分发挥孩子的想象力和创造力，满足孩子的好奇心。父母强行推着孩子向前走，只能事与愿违，欲速则不达。

(4)显出更多的个性

随着婴儿月龄的增加，能按妈妈意愿和要求吃饭的婴儿越来越少了，婴儿饮食习惯的个性化越来越明显。

越大的婴儿越有自己的好恶，对饮食、睡眠、玩耍等都开始有了自己的主见。逐渐从被动接受向主动要求转变。父母要了解婴儿的这种变化，非原则性的事情，尽量尊重婴儿的喜好。这是和婴儿和平相处，愉快生活，也是减少"厌食"的好方法。

❖ **睡觉好坏因人而异**

睡觉好的婴儿能睡一大宿，睡觉不好的，夜间醒来几次，要不哭，要不吃，一夜睡得不踏实，弄得父母也睡不好。

有的婴儿晚上睡觉很好，白天不肯睡；有的婴儿白天睡得很好，可晚上睡得很不好。

有的婴儿是晚睡晚起型，有的婴儿是"日落而息，日出而作"。

有的婴儿凌晨起来玩，快天亮了，又开始睡了。

睡觉情况千差万别，什么样的都有。如果说是父母没有给婴儿养成好的睡眠习惯，有时真是冤枉了父母。睡眠习惯良好的婴儿，父母可能什么也没有做。睡眠习惯不理想的婴儿，父母费了很大劲，一直

试图纠正，却难以奏效。

只要孩子健康，随着月龄的增加，睡眠问题会解决的。想想新生儿期，多少令父母着急的事啊，不都过来了吗？孩子从妈妈的子宫来到这个世界，一切都要逐渐适应，我们不能苛刻地去要求孩子，应该理解孩子。如果孩子"不好好睡"父母就生气，夫妻俩闹意见，对孩子不耐烦，最终都会影响到孩子身心的健康发展。

❖ **训练尿便**

能控制尿便的年龄存在很大差异，有的婴儿1岁就能控制尿便，有的婴儿直到3岁才能控制尿便。如果宝宝1岁半以后会蹲下撒尿，晚上会醒来叫嚷着尿尿，已经是很不错了。2周岁以后会告诉排大便，不再拉裤子了，说明训练是很成功的。如果孩子让妈妈把尿，也喜欢坐便盆，就这样训练下去。如果孩子反对妈妈这样做，把尿就打挺，坐便盆就闹，一定不要强求孩子，过一段时间再说。训练大小便不能着急，欲速则不达。若夜里把尿导致孩子哭闹，影响孩子睡眠，就不要这样了，穿上纸尿裤更妥当。

❖ **关注点转移到智能发育**

随着婴儿的长大，父母对孩子吃、喝、拉、撒、睡的关注程度开始降温，更关注孩子体智能发育了。一周测量一次身高、

宝宝 / 温腾飞

体重的父母不多了，一克一克计算体重、一厘米一厘米计算身高的父母不多了。这是正确的选择，孩子已经进入各项潜能开发的关键期，特别是心智开发，到了关键时期。

(5)防意外事故仍是重点

随着婴儿长大，户外活动范围扩大，游戏项目也增多了，意外事故发生的几率也随之增加了，父母仍要把预防意外事故当做育儿重点。

防止意外，不是要处处限制宝宝，而是要给宝宝创造一个安全的活动空间。快1岁的宝宝，几乎能移动到任何地方，宝宝所能到达之处，父母必须保证环境的安全性。各种带棱角的物体都要排查，能移走的就移走，不能移走的要把棱角包裹上，确保即使磕碰到，也不会磕伤出血。能开关的，装有会对宝宝造成危害物品的容器，要锁好，确保宝宝打不开。宝宝的头部、身体、手脚、手指能钻进去或伸进去的孔隙，都要封好，以免钻进去或伸进去，拔不出来。总之，凡是有潜在危险的地方或物品都要去除，千万不能心存侥幸。

247. 身高、体重、头围、囟门

❖ 本月婴儿身高

男婴身高均值75.5厘米，女婴身高均值73.8厘米。如果男婴身高低于70.7厘米或高于80.3厘米，女婴身高低于68.7厘米或高于79.3厘米，为身高过低或过高。

❖ 本月婴儿体重

男婴体重均值9.92公斤，女婴体重均值9.28公斤。如果男婴体重低于8.08公斤或高于12.20公斤，女婴体重低于7.56公斤或高于11.32公斤，为体重过低或过高。

❖ 本月婴儿头围

这个月婴儿头围增长速度同上个月，一个月可增长0.6 - 0.7厘米，一般情况下，全年头围可增长13厘米。满1岁时，如果男婴头围小于43.6厘米，女婴头围小于42.6厘米，被认为头围过小。

❖ 本月婴儿囟门

绝大多数婴儿囟门没有闭合。

❖ 不能忽视孩子的生长发育

宝宝1岁了，爸爸妈妈对宝宝生长发育的关注度逐渐降低，可能会把更多的精力投入到对宝宝的体智能开发，以及对生活习惯的培养等方面。事实上，任何时期，父母都不能忽视孩子的生长发育。对婴幼儿的健康评价包含以下四个方面内容：

第一，生长发育情况

对生长发育的评估，主要是对身高、体重、头围、胸围、腹围、囟门、坐高、体重指数、身高指数、皮下脂肪厚度等要素，进行连续性的动态监测。其中最主要指标是体重和身高，这两项指标测量简单，很容易动态监测，父母在家中就可以完成。父母不能只重视孩子体重低和身高矮，也要重视体重和身高超标的问题。

第二，营养均衡状况

营养好坏与否，身高和体重不是评价的唯一标准。比如，宝宝有缺铁性贫血或钙缺乏，尽管身高和体重都是正常的，也不能就此认为宝宝营养状况良好。

第三，体智能发育水平

对婴幼儿体智能发育水平的评价，需要的是全面、动态、连续、综合的评价。宝宝某一方面落后于同龄宝宝一两个月，不能就此认为宝宝发育有问题，要动态观察，过一两个月会追赶上来的。如果宝宝各方面发育都落后于同龄宝宝，需要看医生，医生会对宝宝做全面检查，如果医生告诉你，宝宝体智能发育没有问题，只是暂时的落后，父母就不要担心了。给宝宝创造条件，帮助宝宝迎头赶上。

第四，心理健康状况

在婴幼儿心理健康方面，需要关注的是孤独症和多动症倾向。如果父母有所怀疑，需要向儿童心理医生咨询。

第2节 本月婴儿能力

248. 看的能力：注意时间延长

❖ 能有意识地注意某一件事

随着婴儿月龄的增长，婴儿注意力能够有意识地集中在某一件事情上。有意识地集中注意力，使婴儿学习能力有很大提高。注意力是婴儿认识世界的第一道大门，是感知、记忆、学习和思维不可缺少的先决条件。父母可选择如下方法，培养宝宝注意力：

❖ 视觉能力训练：提高婴儿注意力

想让婴儿能够把注意力集中在某一件事情上，必须让婴儿处于最佳精神状态。通俗地说，就是要让婴儿在吃饱、喝足、睡醒、身体舒适、情绪饱满状态下，才容易集中注意力。

吸引婴儿有意识地注意，要选择适合婴儿年龄的刺激物。如果给这个月的婴儿看字书，很难吸引婴儿的注意力。婴儿喜欢看色彩鲜艳的、对称的、曲线形的图形，更喜欢人脸和小动物的图画。婴儿喜欢观看运动中的物体，喜欢看千变万化的东西。父母可能发现，婴儿很喜欢看电视广告，那是因为电视广告色彩鲜艳，画面变化快。如果父母从自己的好恶出发，不切实际地让孩子看一些东西，孩子就不能很好地集中注意力，也就不能达到学习的目的。

和婴儿说话，让婴儿观察某一现象，看某一物体，要力求婴儿把注意力集中过来，把视线转移过来。如果婴儿的视线没有注视你的面部，你和婴儿的沟通往往无效。如果婴儿没有把注意力集中到你要讲的事情上来，你对婴儿讲的事情很难让婴儿理解和记忆。

249. 听的能力：听懂爸爸妈妈的话

婴儿喜欢听妈妈的高频度的音调，喜欢听节奏感强、优美、声音适中的音乐。听的能力，是婴儿学习语言的基础，这个月的婴儿虽然还不会说几句话，但却能听懂许多话的意思。婴儿就是靠听妈妈爸爸和周围人的说话，靠观察父母说话时的口型，靠父母在日常生活中，语言和动作的结合，循序渐进地学习语言。婴儿不断积累词语，最终学会了用语言来表达，父母要积极给婴儿创造良好的语言环境。

❖ 听觉能力训练：提高听力

听力是语言学习的基础，婴儿学习语言要比成人学习第二语言快得多，婴儿语言能力的飞速发展，与婴儿所处的语言环境密切相关。尽管婴儿是语言天才，先天就具备了学习语言的能力，但如果脱离了语言环境，婴儿的天分就会泯灭，先天的语言学习潜能会遭扼杀。在我们看来，不知不觉中，自然而然地，孩子就能听懂爸爸妈妈的话了，慢慢地，就能和父母进行对话了，就能用语言表达自己的意愿了。这些看似自然而然的现象，离不开孩子内在所具备的潜能，离不开父母营造的语言环境。

父母每做一件事，都要力求用语言向孩子清晰而准确地加以描述。丰富的语言环境不仅仅是语言表达，每一个动作，每一个眼神，每一种表情，每一个声调，都是语言。父母和孩子的喜、怒、哀、乐都可以用语言表达。比如，宝宝打了小朋友，妈妈在绷起脸的同时，要告诉宝宝"妈妈生气了"。宝宝生病了，妈妈心疼孩子，伤心落泪的时候，要告诉宝宝"妈妈心里很难过"。宝宝会走了，妈妈喜出望外的时候，不要忘了和宝宝一同分享快乐，告诉宝宝"妈妈非常开心"。爸爸妈妈把自己的感受、心情、情绪、认知，把自己所想、所看、所听、所知，都用准确的语言说给宝宝。这不仅仅是在提高宝宝的听力，还在教宝宝如何感知周围的事物，如何表达自己的心情，如何面对自己和对方的情绪，学会与人分享快乐，学会向他人倾诉。这些都是保持心理健康不可或缺的能力。

宝宝／王震坤
这棵大树可真高啊！推推看，看来我的力气还不够大，把吃奶劲都使出来了，可是大树却纹丝不动。

250. 说的能力：喜欢嘀嘀咕咕

这个月的婴儿，语言发育程度是参差不齐的。说话早的婴儿，已经能用语言表达简单要求了。如能很清晰地叫爸爸妈妈和爷爷奶奶，会说抱抱，饱饱，撒撒，拜拜，汪汪等复音。有的婴儿会说两个字的词，如：不要、不吃等。

有的婴儿会说许多莫名其妙的词，父母也听不懂。这是婴儿语言学习的常见现象。当听到婴儿在嘀嘀咕咕说些莫名其妙的话时，妈妈要努力去领会孩子的意思，积极和孩子交流，并借机教给孩子正确的词语，这样能鼓励宝宝更多地发音。当婴儿嘀嘀咕咕说话时，父母应该鼓励、赞许并参与其中，使婴儿对发音产生更大的兴趣，万不可笑话宝宝，打消孩子说话的积极性。

有的婴儿什么也不会说，甚至还不会有意识地叫爸爸妈妈，父母也不要着急。孩子说话有早晚，只要宝宝能够听到爸爸妈妈的话，就说明宝宝听力没问题。只要宝宝能够发音，无论有无意义，就说明宝宝发音器官没有问题。只要宝宝能够听懂爸爸妈妈大部分话的意思，就说明宝宝对语言的理解没有问题。开口说话是早晚的事，妈妈不要过度教宝宝说话，以免引起宝宝逆反。

❖ 说的能力训练：积极应答宝宝的叽里咕噜

常看到妈妈这么教孩子说话：

宝宝过来，看着妈妈的嘴，叫妈妈。

这是苹果，跟着妈妈说，苹果。

这是阿姨，快叫阿姨（宝宝一副惊异的样子）……这孩子就是不说话，怎么教也不说。

这让宝宝很不是滋味，让宝宝很难过，也让宝宝很逆反。宝宝学习语言是很自然的一件事，要让宝宝在日常生活中学习语言，让宝宝快乐地学习。在任何时候，父母都不能勉强孩子。要想让孩子学习，首先要激起孩子的兴趣和热情，有了浓厚的兴趣和渴望，就会事半功倍。

❖ 和宝宝一起朗诵儿歌

宝宝能发的音节有限，还不能跟随爸爸妈妈一起读儿歌。但爸爸妈妈可以调动宝宝参与的积极性，边朗诵，边做动作，宝宝的情绪就被调动起来了，有了参与感，学习热情高涨起来，即使宝宝不会跟随发音，小嘴也一张一合，好像在朗诵着，这就是快乐的学习。还可以继续上个月的诗词接龙游戏。

251. 体育能力：先天和后天

体育能力有先天因素，也有后天因素，且先天因素有赖于后天的训练和培养。如果没有潜在的体育才能和先天的体育素质，后天再怎么训练也很难成为出色的运动健将。但是，比起先天因素，后天训练和培养显得更加重要。一个人，尽管拥有先天的体育素质，如果没有后天的刻苦训练和优秀教练的专业指导，成为运动健将几乎是不可能的。

体育能力如此，其他能力也是这样，再聪明的人，不好好学习，不可能获得渊博的知识。婴儿几乎具有所有能力的潜能，但所有的潜能，都要在后天的努力下才能拥有。婴儿都有行走的潜能，不需要刻意训练，到时候就会走了。但是，如果在婴儿学走的时期，限制其活动，不让婴儿有走的机会，这个婴儿会走吗？婴儿生来具备语言能力，但是，如果婴儿生活在无声的世界，这个婴儿会说话吗？可见，给孩子创造应有的条件，搭建合适的平台，营造对应的环境，给予适当的教导，是对宝宝潜能最好的开发。

婴儿的体育能力与婴儿的气质和性格也存在着一定的关系。有的婴儿坐在那里，能玩很长时间；有的婴儿一分钟也不停歇，像水里的鱼一样；有的婴儿喜欢静一会儿动一会儿。

❖ 比起玩具，宝宝更喜欢生活中的物品

婴儿不喜欢在商场购买的玩具，开始

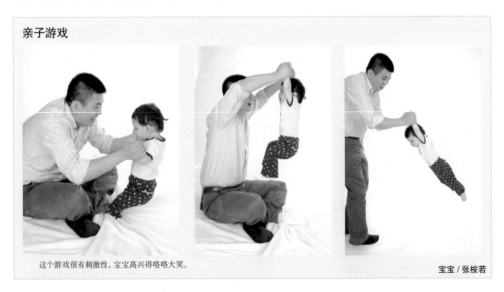

亲子游戏

这个游戏很有刺激性，宝宝高兴得咯咯大笑。

宝宝／张桉若

喜欢家里的东西。梳头的梳子，妈妈的首饰盒，吃饭的小勺小碗，妈妈做饭的锅碗瓢盆，爸爸的手机和钥匙等，宝宝都可能玩得津津有味。妈妈花大价钱购买的玩具，宝宝玩几下就扔到一边去了。所以，给宝宝买玩具，再也不是妈妈说了算，最好带宝宝去玩具店，购买宝宝感兴趣的玩具。

❖ 多让宝宝和小朋友玩

有的婴儿喜欢和小朋友在一起，看到和自己差不多大的孩子，会很高兴，拉拉手，摸摸脸，很亲热的样子。开始了最初始的社交活动，但多数婴儿还不会和小朋友玩。这与前几个月有很大的区别了。前几个月，看到和自己差不多大的孩子，只是看看，笑笑，一会儿就没兴趣了。现在不同了，如果一个房间内有成人和孩子，婴儿就会走向孩子，去进行"交流"。如果有几个孩子在一起玩，他也会急着"入伙"，父母要给孩子创造这样的机会。

❖ 恋妈妈

有的婴儿越来越恋妈妈，几乎一步也离不开，看到妈妈就让抱，谁也接不过去。妈妈不必担心，也不要刻意疏远孩子，这么大的婴儿，有了朦胧的自我意识，安全感还没有充分建立起来，怕失去妈妈是黏着妈妈的主要理由。如果这时妈妈刻意远离孩子，不利于孩子安全感的建立。

❖ 让婴儿自己爬起来

会走的婴儿，开始到处翻箱倒柜，把东西从箱子里拿出来，这比玩玩具更有趣。婴儿在练习走步的过程中，会无数次地摔倒。父母如何面对摔倒的孩子，对孩子以后的性格有深刻的影响。在这一点上，东西方有着显著的差异。东方国家，尤其是我们中国，一家几口人，就围绕着这么一个宝贝，摔倒了，总是马上跑过去扶起孩子。父母要下一下决心，婴儿摔倒时，让

他自己爬起来。这是对婴儿真正的疼爱，从小培养孩子自己克服困难的毅力和能力。

252. 婴儿智能开发

遗传提供的是基础，生活体验造就的是精神与灵魂。早期教育的精髓不是灌输各种知识，而是聆听、指导孩子认识真实的世界。

❖ 遗传与孩子智力

婴儿的大脑发育是由哪些要素决定的呢？是先天的，还是后天的？是按照固定的模式，还是有千差万别呢？父母们越来越关心孩子的智力发育，都希望自己的孩子聪明绝顶。孩子智力不如人意，父母大多归于没有遗传好的基因。其实，大脑的发育是受很多因素影响的，遗传仅仅是一个方面。我们应该用科学的态度来对待孩子的智力发育。

在过去的几十年里，科学家们认为人类大脑的结构是由遗传的模式决定的。近年来，神经学家研究发现，儿童早期的经历可极大程度地影响脑部复杂的神经网络结构。

❖ 3岁以前的大脑"格式化"完毕

视觉是大脑发育的起点，在婴儿出生后几分钟内，当妈妈目不转睛地注视着孩子的时候，婴儿活跃的眼球会暂时停止转动，瞬间仅仅朝着妈妈的脸。这时婴儿视网膜上的一个神经细胞就与其大脑皮层的另一个神经细胞联系起来，妈妈的面部影像就在婴儿大脑中留下了永久的记忆。3个月时，婴儿视觉皮层的细胞联系达到高峰，2岁内大脑的每个细胞都与大约一万个其他细胞相连。3岁以后，大脑的复杂性和丰富性已基本定型，基本上停止了新的信息交流，大脑的结构就已经牢固地形成了。虽然这并不意味着大脑的发育过程已经停止，

宝宝能够把物体抛出去,这可是不简单的动作。

宝宝能够用食指和拇指对捏拿起小球。

宝宝 / 张桉若

但如同计算机一样,硬盘已基本格式化完毕,等待编程。

❖**搂抱、轻拍、对视、对话、微笑的智力意义**

脑部扫描图有这样的显示:被严重忽视的孩子,负责情感依附的大脑区域,根本没有得到发育。孩子幼时丰富多彩的生活经历,有利于大脑神经细胞间的复杂联系。在一个充满忧虑和紧张气氛家庭里长大的孩子,要比在充满爱心、欢乐气氛家庭里长大的孩子,缺乏处理问题的能力,而且很容易被自身的感情压垮。相反,在充满爱心、气氛欢乐的家庭里长大的孩子,情感健全,处理问题的能力相对较强。

科学家们确信,孩子的早期经历在他们的长远成长过程中发挥着重要作用。有关专家发现平素一些自然而又简单的动作,如搂抱、轻拍、对视、对话、微笑等,都会刺激婴儿大脑细胞的发育。

❖**惊人的模仿能力**

一个不满1岁的婴儿(男婴,差半个月过生日),他的爷爷是位画家,时常在支着的大画板上用画笔作画,婴儿从小就看爷爷作画。当婴儿在十一个多月会扶着东西走时,他扶着墙走到了爷爷的画室,拿起比他胳膊还长的画笔,在爷爷的大画板上涂来涂去,一副很认真的样子。哇,他在学爷爷的样子作画呢!爷爷当然是异常兴奋了,尽管把爷爷的画上点了一个个大点子,爷爷也没有责怪孙子。

孩子的模仿能力是惊人的,父母的一言一行,都影响着孩子,对婴儿有潜移默化的影响。父母一定要给孩子树立好的形象。不让孩子做的,首先自己不要做。婴儿喜欢听父母讲故事,念儿歌。父母要抽出几分钟的时间,给婴儿念段儿歌,讲个故事,把用奶瓶诱导睡眠转换为以讲故事诱导睡眠。

郑玉巧育儿经·婴儿卷

第3节 本月婴儿营养与喂养

253. 本月婴儿营养需求

这个月龄的婴儿营养需求和上个月没有什么差别，每日每公斤体重需要供应热量110卡。

宝宝生长发育所需营养素主要包括蛋白质、脂肪、碳水化合物、维生素、矿物质、纤维素、水这七大类。这七大类营养素是维持生命不可缺少的，对于健康的生命来说，哪一种营养素都是必需的，缺一不可，具有唯一性和独特性，不可替代。

在这七大类营养素中，没有哪个是可有可无的。要说哪类营养素更重要，就营养素本身来说，都重要。其区别主要在于哪种需要的量多些，哪种扮演的角色重要些。在这七大类营养素中，缺乏哪一类营养素，都不能维持一个健康的生命体。

所需蛋白质主要来源于奶类和蛋肉类食物；脂肪主要来源于奶类、蛋肉和油；碳水化合物主要来源于谷物；维生素主要来源于蔬菜和水果；纤维素主要来源于蔬菜；矿物质（人们常说的微量元素）来源于所有的食物，包括水；不要忘记，所需营养素还包括水。

婴幼儿处于全方位快速增长期，所需营养素比例和量与成人有所不同。婴幼儿需要更多的蛋白质和脂肪，成人则需要更多的谷物和蔬菜。

0-6个月是婴儿纯乳期，乳类食物是最主要的食物来源，母乳是婴儿最佳食物。

6-12个月是婴儿辅食添加期，除了乳类食物外，还需要添加谷物、蔬菜、水果和蛋肉乳类食物，乳类食物仍然占有较大比例，母乳仍是最佳乳类食物。

1-2岁幼儿，几乎能吃所有种类的食物，但比例与成人不同。从多到少依次排序是乳类、谷类、蔬菜和水果、蛋肉、油脂。而成人从多到少依次排序是谷类、蔬菜和水果、蛋肉、奶类、油脂。

明白了这个道理，妈妈在为宝宝提供食物时，就会全面兼顾，给宝宝合理搭配膳食，保证食物的多样性和营养的均衡性。

只要给宝宝提供合理的膳食结构，不需要额外补充营养素。再全面的营养素药片或食物补充剂，也比不上天然食物的营养价值。父母要培养孩子不偏食、不挑食、不厌食、不暴饮暴食、不过多吃零食等良好的饮食习惯。

宝宝一旦出现偏食和挑食，可适当调整膳食结构，以免营养不均衡。

不喜欢吃蛋肉的婴儿，适当增加乳类食物，保证蛋白质的摄入量。

不喜欢乳类食物的婴儿，适当增加蛋肉和豆制品，防止蛋白质缺乏。

不喜欢吃谷物的婴儿，可适当增加乳类、薯类食物，保证热量供应。

不喜欢吃蔬菜的婴儿，可适当增加水果，来补充维生素和纤维素的不足。

不喜欢吃水果的婴儿，可适当增加接近水果的蔬菜，如圣女果、西红柿等。

豆制品含有丰富的蛋白质，属植物蛋白，过多食用会引起胃腹胀满感，产气增多，因此降低食欲。所以，婴儿不宜过多食入豆制品。

1岁以后，将结束以乳类为主食的时

期，逐渐向正常饮食过渡，但并不意味着断奶。母乳可喂养到2岁，配方奶可喂养到3岁。

为了让婴儿吃进更多的蛋肉和奶，不给孩子吃谷类食物的做法是错误的。婴儿需要热量维持运动。谷类食物是提供热量的主要食物来源，且谷物能直接提供婴儿所必需的热量，而蛋肉奶等高蛋白食物提供热量，需要一个转换过程，在转换过程中，会产生一些需要清除的废物，增加了肾脏负担。因此，认为蛋白质重要就只吃高蛋白质食物，是错误的做法，造成肾脏负担过重。

不偏废任何一种食物，是最好的喂养方式和饮食习惯，什么都吃，是最好的。这个月龄的婴儿如果只是靠奶类供应蛋白质，会影响铁及其他一些矿物质的吸收利用。动物蛋白和油脂食物是吸收铁及其他一些矿物质及维生素（脂溶性维生素，如维生素A）的载体，如果只喝奶，就会导致贫血及一些矿物质和维生素吸收利用障碍。

宝宝1岁了，户外活动多了，也开始正常饮食了，是否就不需要补充维生素AD了呢？是否补充，根据季节和接受日光的

宝宝 / 张桉若
喂宝宝辅食。

时间而定。如果宝宝每天户外活动时间比较长（2小时以上），运动量也不少，饮食结构合理，就不需要额外补充了。否则，仍需补充，每日补充维生素D 200-400国际单位，维生素A 600-1200国际单位。加热和氧化作用会破坏维生素C，所以，水果应该生吃，切开后的水果要很快吃完。便秘的婴儿多吃高纤维素食物，如杂粮和绿叶蔬菜等。

❖ 母乳喂养

仍可按需哺乳，每天哺乳三四次，可在晨起后、午睡前、晚睡前、夜间醒来时喂奶，尽量不在三餐前喂奶，以免影响宝宝吃辅食，可在辅食后喂奶。有的宝宝会在夜间频繁醒来吃奶，妈妈认为宝宝没有吃饱，所以在睡前给宝宝喂配方奶或加辅食，可宝宝仍然频繁醒来，妈妈感到很疲惫。向医生寻求帮助，经过检查，医生也没发现任何异常情况，只能安慰妈妈，让妈妈不要过于焦虑，随着宝宝长大，自然会一夜睡到天明的。如果不给宝宝喂奶，宝宝就哭个不停，就暂且喂吧。如果妈妈感到很辛苦，就由爸爸或奶奶姥姥带一带，倘若妈妈不在身边，宝宝不再醒来要奶吃，就最好不过了。如果妈妈不在身边，宝宝拼命哭闹，妈妈扛不住，继续夜间喂奶，那就坚持吧。反反复复会让宝宝缺乏安全感，夜间吃奶反倒会持续更长时间。

❖ 配方奶喂养

配方奶喂养最好按时喂养，如果宝宝每次喝奶200毫升以上，每天可喂3次，如果每次喝奶200毫升以下，每天可喂4次。每天适宜的奶量是600－800毫升。但有的宝宝不喜欢喝奶，每天奶量不足500毫升，妈妈不要着急，可适当增加蛋肉量；也可给宝宝喝点配方豆奶；也可给宝宝吃点奶酪或酸奶；也可在辅食中放些配方奶，以

保证所需奶量。

❖ 辅食添加

这个月辅食添加和上个月差不多，每天2次，可安排在上午1次，下午1次；也可中午1次，晚上1次。根据宝宝具体情况而定。如果宝宝早晨醒得很早，把两次辅食安排在上下午比较合适。如果宝宝醒得比较晚，把两次辅食安排在中午和晚上比较合适。

食量的大小，婴儿间存在着显著的个体差异。食量大的宝宝，一顿吃一碗饭，吃完辅食还要喝奶；食量小的宝宝，辅食吃不多，奶也喝的很少。妈妈不必太过于强调宝宝的食量，只要宝宝体重增长正常，精力充沛，就说明宝宝没有什么问题。

这个月的宝宝几乎能吃所有种类的食物了，妈妈要注意食物的多样性，每天食物种类至少要达到8种，如谷物2种，蔬菜2种，水果1种，蛋和肉2种，奶1种。水果切成小块或小片，可直接让宝宝用手拿着吃。绿叶蔬菜和肉类食物还需要剁碎，且要煮烂。宝宝可以吃软米饭、馒头、烙饼（只吃饼心）、包子、饺子、丸子等固体食物了。

给宝宝做辅食的方法以蒸、煮、炖为好，少量炒菜，不给宝宝吃油煎、油炸、烧烤、腌制食物。要力求少盐、少油、少调料。食物品种要多样，保证食物新鲜，不给宝宝吃剩菜剩饭，少给宝宝吃成品食物。

膳食搭配力求合理，每顿食谱中都要有谷物、蔬菜、蛋或肉，不能只吃肉蛋，不吃谷物和蔬菜，也不能只吃谷物，不吃蛋肉。

要让宝宝自己练习拿勺吃饭，宝宝自己吃饭，食欲会比妈妈喂饭好很多。宝宝学习自己吃饭，会把饭菜弄得到处都是，为此，妈妈不愿意让宝宝自己吃饭。可是，

宝宝 / 张桉若
宝宝自己练习拿勺吃饭。

如果妈妈不放手，宝宝怎么能学会自己吃饭呢？在宝宝还没有学会自己吃饭前，妈妈可以喂饭，宝宝吃宝宝的，妈妈喂妈妈的，这样，宝宝练习了自己拿勺吃饭，妈妈也把饭菜喂给了宝宝。

254. 断奶问题

❖ 不该断奶的情形

• 孩子1岁了，已经能吃饭了，该断奶了。这不是断奶的理由，母乳喂养可到宝宝2岁。

• 母乳已经没啥营养了，断奶后，孩子吃饭会更好。这个观点是不对的，母乳是最佳的乳类食物。

• 宝宝1岁了，妈妈的喂奶时间被取消了，该断奶了。每天多工作1个小时，不会影响母乳喂养的。

• 下个月就要上班了，要提前做好准备，减少母乳的喂养次数。这个方法比较糟糕，妈妈在眼前，却要用奶瓶子喝配方奶，宝宝哪能答应？结果却让宝宝更依恋母乳。

• 晚上有吃奶习惯的，妈妈怕断奶困难，就尽量不给孩子夜间喂奶，即使是哭闹，也有意让孩子多哭一会，这是没有必要的。让孩子长时间夜啼是不好的，如果

给孩子吃奶能使婴儿很快入睡，就应该给孩子吃奶。夜间吃奶没有什么危害。

多数情况下，都能顺利断掉母乳。到了离乳期，宝宝就会有一种自然倾向，不再喜欢吸吮母乳了。母乳少的，有的不用吃断乳药，婴儿不吃了，乳汁也就自然没有了。母乳比较多的，还需要吃回乳药。

有的妈妈认为断乳了，就一点奶也不能给孩子吃了，尽管乳房很胀，也要忍，用吸奶器也无济于事。其实，如果服用维生素B6回奶，婴儿可继续哺乳，出现乳房胀痛时，还是可以让婴儿帮助吸吮，能很快缓解妈妈的乳胀，以免形成乳核。

第4节 本月婴儿护理要点

255. 不同季节护理要点

(1)春季护理要点

春季是带婴儿进行户外活动的好季节。可以带孩子到稍远的地方游玩，但要注意安全。春季里，有过敏体质的婴儿，可能会出现咳嗽、喘息，不要误以为是细菌感染所致，让宝宝服用抗生素，而是要服用抗过敏药。有的婴儿会在手足等处，长出红色的小丘疹，这就是春季出现的湿疹，可涂湿疹膏。

北方的春季，仍比较寒冷，不要过早减衣。春季气候仍然很干燥，多给宝宝喝水。春季宝宝可能会患疱疹性咽峡炎，典型症状是发热、口水增多，有的宝宝因咽部疼痛，拒绝进食固体食物。发热会持续3-5天，疱疹会在一周以后逐渐消退。如果医生诊断了此病，妈妈就不要着急了，过多服用药物对疾病没有任何帮助，还会带来副作用。

(2)夏季护理要点

❖ 勿过多食用冷饮

冷饮是幼儿喜欢的食品，一定要限制摄入量。过多摄入冷饮会引起胃肠道疾病，也会伤害牙齿。冷饮一般要比胃内温度低二三十度。胃黏膜受到过冷刺激后，黏膜血管强烈收缩，胃内分泌紊乱。胃酸、胃酶分泌锐减，使胃的消化、杀菌、免疫能力大幅度下降。儿童胃黏膜非常娇嫩，很易造成"冷食性胃炎"，出现腹胀、恶心、呕吐、消化不良等症。若冷饮不合格，还可能造成细菌性胃肠疾病。过多食用冷食还可能影响牙齿发育，尤其是在换牙期。

❖ 食用熟食要小心

夏季蚊蝇较多，细菌容易繁殖。食用熟食一定要倍加小心，尽量不食用熟食，放在冰箱里的熟食要经过高温加热后再给孩子吃，打开真空包装袋的，存放时间不要超过72小时。食用剩饭时也是如此，即使是放在冰箱中，也要加热后再吃。冰箱不是消毒箱，冷藏室中的细菌同样可污染食品。

❖ 避免肠道传染病

夏季是肠道传染病的高发季节，如细菌性痢疾、大肠杆菌性肠炎等。注意饮食卫生，是阻断肠道疾病的有效方法。

❖ 避免蚊虫叮咬

到外游玩时，野外蚊虫有毒，被咬后

清洁宝宝眼、耳、口腔

宝宝 / 张桉若

由于毒素作用，局部会出现严重的红肿，甚至发烧。另外，蚊虫也是传染病的传播媒介，没有接种过乙脑疫苗的宝宝，更易被传染上，要注意防蚊。

❖ 防止日光性皮炎

夏季日光中紫外线指数大，应注意避光，尤其要注意对眼睛的保护。配戴太阳镜一定要注意太阳镜的质量，劣质的太阳镜不但不能有效防止紫外线的辐射，反而会损害眼睛。涂抹防晒霜也要注意质量和防晒系数。

❖ 正确使用空调、电风扇

不要把室内温度调得太低，一般情况下，室内与室外温度之差不超过7℃。夏季开窗睡觉时注意不要有对流风，空调的冷风口和电扇不要直接对着宝宝吹，尤其当宝宝出汗时，更应远离风口。即使是有空调的房间，也要定时开窗通风

一定的时间。

❖ 进入冷气开放场所时

室外是烈日炎炎，进入商场、游乐场、冷饮厅等带有空调的场所时，汗毛孔突然关闭，会发生外感风寒，很易患感冒。要擦干身上的汗水，穿上长裤长袖衬衫，到室外后再换上短衣。这样虽然费事，却能避免患病。

❖ 生瓜果、生菜中可能附有虫卵

附有虫卵的瓜果生菜，进入人体后，可在人体中生长、繁殖，到秋季时，虫卵变成成虫，是罹患肠虫症、胆道蛔虫症等的主要原因。宝宝不宜食半生食品，如涮海鲜品、肉类等，吃半生的淡水海螺、螃蟹等可能感染上肺吸虫病。宝宝手上和指甲缝中可存在蛲虫卵，通过口腔进入肠道患肠蛲虫症。要注意宝宝手的清洁，尤其是指甲缝隙，要清理干净。

❖ 其他应注意的

夏季出汗多，适当增加盐的摄入。

夏季日照时间长，晚间睡眠时间相对少，要让宝宝午睡。

因夏季炎热，食欲差，但消耗不少，要摄入富含蛋白质的食物，以保证生长需要。

不要让宝宝在烈日下玩耍，以防中暑。

任何饮料都不能代替白开水，多饮白开水既能补充水分，又没有色素、碳酸、糖精、香精等化学添加物。

(3)秋季护理要点

❖ 避免冷热不均

夏秋交替时节，气温不稳定，忽冷忽热，日温差比较大，很易感冒。由于婴幼儿体温调节中枢和血液循环系统发育尚不完善，不能及时调节体内和外界的急剧变化，很容易出现发热、咳嗽、流涕等感冒

症状。不要过早给孩子加衣服，每天要根据天气变化给孩子增减衣服。

❖ 当宝宝出汗时

当宝宝已经出汗时，不要马上脱掉衣服，应该让孩子静下来，擦干汗水，再脱掉一件衣服；

不要把出汗的孩子放到风口处乘凉，更不能使用电风扇或空调等方法为孩子降热；

不要让孩子快速喝冷饮，应给孩子喝温白开水，这样不但可预防感冒，更重要的是对胃肠道和肺部有益。

❖ 预防呼吸道感染

多到户外活动，是提高机体抵抗力的好方法。可大多数父母都是怕孩子冻着，很少有怕孩子热着的，早早就给孩子穿上厚厚的衣服，盖上厚厚的被子，天气刚刚有些凉意，就闭门闭窗，这无异于剥夺了宝宝在大自然中锻炼的机会。

❖ 添加衣服方法

当秋季来临时，不要急于给孩子添加衣服，加上后就不好减掉了，因为天气一天比一天冷，只能是越加越多。

最好的办法是妈妈与宝宝穿一样厚薄的衣服，静坐时不感到冷，宝宝就不会冷。宝宝虽然没有成人耐寒，但宝宝始终是在运动状态，即使是睡着了也不会安静。

❖ 当宝宝感冒时

当宝宝患感冒时，最常见的症状是发热、流涕、喷嚏。呼吸道分泌物中有许多病毒和炎性细胞。流涕、打喷嚏是清除病毒及异常分泌物的有效途径。抗感冒药多数是针对发热、流涕、喷嚏症状的，服用感冒药后，症状减轻了，但呼吸道黏膜却干燥了，不但不能清除病毒，还可使细菌乘虚而入，发展致下呼吸道感染。所以，宝宝感冒不要服用过多的抗感冒药。

抗生素不是治疗感冒的药。90%以上的感冒是病毒感染，尤其是感冒初期，不要动辄就使用抗生素，这不但不能治疗感冒，还使孩子对抗生素产生耐药性。是药三分毒，当它对疾病没有治疗作用时，就只剩下副作用了。

多休息、多睡眠、多饮水，适当退热，注意护理是治疗感冒，预防下呼吸道感染的好方法。

❖ 有关秋季腹泻

秋季腹泻是由轮状病毒引起的感染，高发季节是秋冬。易发于2岁以内婴幼儿。患有秋季腹泻的患儿可从大便中排出大量的轮状病毒，可于感染后1~3天开始排出，最长可排6天。所以，患病宝宝的大便有污染性，要注意处理，处理后要有效洗手。

❖ 预防秋季腹泻

父母处理完患儿大便后要彻底清洗手部、被粪便污染过的物品，以免传播病毒。

在腹泻流行季节，不要接触患病儿，少带宝宝去医院。

要保持室内空气新鲜、流通。

❖ 秋初防痱子

有的孩子在炎热的夏季没有患痱子，到了夏末秋初却生了痱子。夏季父母都比

宝宝 / 马婵溪
好大的玉米啊！

较注意预防，到了秋季，天气还不稳定，某一天，气温可达夏季那样高，但这时父母不再给孩子勤洗澡、擦痱子粉了，结果就造成了夏季不得痱子而秋季得的现象。

虽然天气渐渐凉下来，也要坚持给孩子洗澡。通过不间断的洗澡，提高孩子对逐渐变凉的气候的适应能力。

不要过早给孩子添加过多的衣服，睡觉时也不要盖得过厚。

❖ 防咽炎

秋季湿度下降，空气逐渐变得干燥，咽部干燥，在咽部长存的细菌就会繁殖导致咽炎、气管炎等，这是造成咽炎的外在原因。

父母要督促孩子多喝水，饮料不能代替白开水，尤其含糖多的饮料。

注意室内湿度，可使用加湿器，调解室内湿度。

减少孩子之间相互感染的机会。

(4)冬季护理要点

❖ 男婴护理

冬季，给宝宝洗澡次数减少，包皮过长和包茎的男婴，有发生尿道口炎和包皮粘连的可能，所以每天要给男婴清洗屁股和阴茎。婴童期男孩，阴茎的包皮都包着龟头，其内温度高、湿度大，易于细菌繁殖，引起炎症，而且还容易产生一些白色物质，这些物质叫包皮垢。包皮裹龟头的地方为"藏污纳垢"之处，是主要的清洗部位。所以，父母要经常将男婴包皮轻轻翻开，暴露出龟头，用洁净温水清洗。清洗时，动作要轻，忌用含药物成分的洗液和皂类，以免引起刺激和过敏反应。清洗后，要轻轻擦干部位，将包皮轻轻翻转回去。

也有部分男孩包皮口过紧或生来就很狭小，千万不能强行翻转，否则会引起外伤或引起嵌顿性包茎。要注意保持局部清洁、干燥。

❖ 女婴护理

应该注意不要肛门和尿道处混合着洗，应该是先洗尿道口和阴道口处，后洗肛门处，一定要避免从后向前洗。擦屁股也一样，更要从前向后擦。要预防小阴唇粘连，每天用清水清洗外阴，如果外阴发红，要及时看医生，及时处理，及时发现小阴唇粘连。

256. 夜啼

夜啼虽然不是什么大问题，但却困扰着许多父母。有的父母被宝宝夜啼闹得精疲力竭，整夜不能安稳入睡，甚至三更半夜跑到医院。可往往是父母急得满头大汗，孩子到医院却高兴地满地跑，不哭了，也不闹了，这是为什么呢？婴儿夜啼可能是出于以下原因：

❖ 养育方式

• 早在新生儿期，父母和看护人，缺乏育儿经验，稍有动静（开始转入浅睡眠，处于浅睡眠的婴儿很容易醒来，处于深睡眠的婴儿不易醒来），就立即作出反应，又拍又抱，甚至把孩子竖立着抱起来，生怕孩子醒来，生怕孩子吐奶。久而久之，孩子习惯了父母的养育方式，只要进入浅睡眠，就要有人去管他，不管就很难转入深睡眠。

• 孩子睡在父母中间，当婴儿处于浅睡眠状态时，很容易被父母卧位变化惊醒。孩子醒来后的活动，又很可能把处于浅睡眠中的父母吵醒。父母醒来发现孩子已经醒来，就会哄孩子。这样一来，孩子就养成了醒来要父母哄睡的习惯。

• 母乳喂养儿，夜间醒来，妈妈会喂奶。如果频繁醒来，妈妈就频繁喂奶。时间久了，宝宝就习惯了夜间频繁醒来吃奶的习惯，不给吃就哭闹。其实，宝宝并非每次醒来都要吃奶，最主要的是，宝宝夜间很少是真正醒来，多是出于浅睡眠阶段。妈妈误认为孩子醒了，饿了，怕孩子哭闹，迅速喂奶，养成了夜间频繁吃奶的习惯。

•有的宝宝，有尿后会由深睡眠转入浅睡眠，甚至会醒来。妈妈反应敏捷，或把尿，或更换尿布。有的宝宝会很快舒服地入睡，有的宝宝则不然，需要妈妈哄，才能再次入睡。

•父母和看护人一贯迁就孩子，一哭就摇、拍、哄，抱着孩子满屋走。久而久之，孩子把父母的"哄觉"当成自己的权利，无论你怎样疲惫不堪，孩子都是日复一日，愈演愈烈，哭闹的时间越来越长。

❖ 养育方式导致的夜啼，父母怎么办

要改变婴儿夜啼的习惯，讲起来容易，做起来可不容易了。父母总是不忍心听着孩子大声哭喊，最终还是妥协。

有的人认为，对夜啼的婴儿，父母应该狠下心来，采取不予理睬的办法，让孩子知道，半夜醒来哭闹什么也得不到。

不予理睬的结果会怎样呢？

•第一个晚上哭10分钟，第二个晚上哭15分钟，第三个晚上……第N个晚上不哭了。这样的结果令父母满意，但这样的情形太少了，即使有，可能也需要很长时间，婴儿才能慢慢不哭了。

•孩子不但不停止哭闹，而且越哭越严重，甚至出现噩梦惊醒，大声喊叫，再怎么哄也无济于事，直到哭累了为止。在以后的日子里，孩子哭得越来越剧烈，离不开妈妈。

•孩子哭了，妈妈不予理睬，2分钟过去，5分钟过去……N分钟过去，孩子还在哭，妈妈撑不住了，抱起孩子拼命地哄。

终于把孩子哄睡了，孩子还委屈地抽泣着，妈妈心生愧疚，鼻子一酸，泪水涌出。

养成一种习惯需要时间，改变一种习惯需要更长的时间。对于习惯性夜啼儿，父母能够做的就是拿出爱心和耐心，帮助孩子改变习惯。如果是父母从小"惯的"，也不要从现在起突然"不惯了"。用截然相反的态度对待孩子，只能使孩子夜啼更加严重，还是慢慢来吧。宝宝不会一直夜啼下去的，随着月龄的增加，宝宝会在某一天突然睡整宿觉了。

❖ 疾病所致

•腹部不适。宝宝腹部不适，与喂养关系密切。晚餐进食太多，品种太杂，进食不宜消化的食物，某一食物不受应等，都会引起宝宝腹部不适，出现腹胀、腹痛。宝宝不会用语言表达，就只有哭闹了。所以，晚餐不要让宝宝吃得过饱，不要给宝宝吃煎、炸、烤的肉食品及糯米食品。

•受到刺激。宝宝打了预防针、被陌生人吓到、被汪汪叫的小狗惊吓、从床上摔下、手被门碾了一下……还有很多原因，宝宝都有可能受到刺激，晚上被噩梦惊醒。

•生病了。感冒引起的鼻塞、喉咙痛、腹泻引起的腹胀或肠套叠、感冒后肌肉酸痛、发热后头痛等都容易让宝宝夜啼。因为宝宝不会说，妈妈无从知晓，只能猜测。但是，妈妈记住，如果宝宝是由于生病引起的哭闹，除了哭闹，妈妈是能够发现某些异常的。如果与日常相比，妈妈没发现任何异常，也不必过于担心而夜半三更去医院。

•夜啼还可见于一些疾病，如佝偻病、缺铁性贫血、铅中毒、营养不良等。疾病性哭闹原因比较复杂，需要看医生，应及时找出原因，加以治疗。

•蛲虫作怪。宝宝入睡后不久，大约半

小时到两小时，突然出现剧烈哭闹，打挺，屁股拱起来，用手抓肛门。这是为什么？当宝宝安稳入睡后，蛲虫爬至肛门皱折处或女婴外阴皱壁处排卵，使宝宝感到奇痒而突发哭闹。

❖ **疾病所致的夜啼，父母怎么办**

要父母寻找引起宝宝夜啼的病因，的确有些难为父母。但是，父母可以大体上判断，宝宝是否有异常表现。父母和孩子朝夕相处，知道孩子平日的表现，只要没发现和平日不一样的表现，就不要担心。另外，疾病导致的夜啼多是突然的，如果宝宝平日睡眠很好，突然某一天出现夜啼，要高度警惕疾病所致，仔细排查可能的原因。如果找不到原因，但不能确定宝宝是否是正常的哭闹或高度怀疑有什么问题，要及时带宝宝看医生。

❖ **如果怀疑是蛲虫作怪，妈妈可这样做**

扒开肛门或女婴外阴查看是否有小白线虫蠕动。

可用黏度小的透明胶带纸轻轻在肛门周围粘一下，在明亮的光线下，观察胶带纸上是否有蛲虫虫体。

若不能发现蛲虫，又高度怀疑是蛲虫所致，可在宝宝入睡后不久，把蛲虫膏涂在肛门口，如果宝宝不再出现夜哭，就证明宝宝患有蛲虫病。

如果确定宝宝患有蛲虫症，要在医生指导下给予驱虫治疗。

❖ **孤独产生的焦躁感**

宝宝会由于孤独而产生焦虑，外在的表现可能就是夜啼。这样的宝宝大多性格内向，胆小，惧怕陌生人，当夜幕降临或夜间醒来时，因感孤独而焦躁不安，大声哭闹。面对这样的孩子，父母要怎么做呢？陪在孩子身边，轻声细语地说一些安慰孩子的话。如"妈妈在，宝宝放心睡

宝宝 / 翡翠
我爱海洋球。

吧"、"妈妈爱宝宝，宝宝安心地睡吧"。根据宝宝的表现，逐渐减少安慰的时间，渐渐停止安慰。如果长时间不能奏效，可带宝宝看医生，千万不能铁石心肠，索性不予理会。

❖ **绞痛样哭闹**

宝宝在夜间睡眠中突然发生剧烈哭闹，无论如何也不能安抚，哭闹时伴有四肢乱舞，打挺，身体蜷曲，大汗，几乎近于尖叫，甚至歇斯底里。导致绞痛样哭闹可能的原因：

•白天看了可怕的电视节目，入睡后常因噩梦而惊醒，哭闹不止。所以，不要让宝宝看惊险的电视节目；不要给宝宝讲可怕的故事；不要在睡前吓唬孩子，如"快睡觉吧，不睡觉的话，大老虎就会吃你来了"。

•睡前活动剧烈，过度兴奋。所以，睡前不要和孩子剧烈玩耍，以免宝宝神经过度兴奋。

•受到刺激，如看病打针、接种疫苗、从较高处跌落。这样引起的一般都是偶尔一次夜啼。

有夜啼习惯的婴儿，可能还会继续夜啼，哭的声音更大了，几乎使邻居都不能好好睡觉。这确实是个问题。如果孩子是闭着眼睛哭，就更不好哄了。有的孩子给

吃的也不行，就是要哭够了才罢休。对于这样的婴儿，父母不要急躁，要用温和的态度对待夜啼的宝宝。

❖ **噩梦惊扰**

从这个月开始出现夜啼，这样的婴儿多是夜间做了噩梦惊醒。不要怕惯坏了孩子而不理睬，这会使婴儿感到无助，哭啼更厉害，要马上把孩子搂在怀里，给孩子一种安全感，让孩子的恐惧心理消失。孩子白天时，受到一些刺激，如摔伤，打针，狗叫声，大人呵斥，异常响声等等，都会使孩子在夜间睡眠中惊醒而哭闹。有的孩子怕黑，半夜可能被尿憋醒，睁开眼睛看到漆黑一片，可能会哭闹，这时，妈妈上前安慰一下，或打开台灯，可能会使孩子安静下来。

❖ **不困不要逼孩子睡觉**

睡觉晚的婴儿，可能到了11点还不能入睡。对于这样的婴儿，妈妈不要早早地把孩子弄到被窝。让孩子玩困了，再让孩子睡。白天让孩子少睡，如果午睡起得太晚，或傍晚又睡一觉，要进行睡眠时间调整。如果父母也喜欢晚睡晚起，孩子睡晚些，对父母有利，否则孩子睡得早，起得就早。

有的父母可能会担心孩子睡得太晚，会影响孩子长个。只要能够保证充足的睡眠时间，就不会影响孩子身高增长的，当然孩子还是早睡些好，以不超过晚上10点为限。有的婴儿白天不爱睡觉，即使勉强睡了，也是一会儿就醒。这是精力旺盛的孩子。如果晚上孩子的睡眠质量很好，对于这样的孩子，也不必非要像其他孩子那样白天睡两觉。只要孩子精神好，生长发育正常，睡眠习惯是有个体差异的。不能认为一天睡14个小时的孩子，就比一天睡12个小时的孩子好。

宝宝 / 王震坤
小狗狗先来亲亲小宝宝。

孩子困了，不哄也会睡觉，孩子不困，哄也很难入睡。有的婴儿开始喜欢听故事了，入睡困难时，妈妈不妨试一试。但半夜醒来的孩子，可不要讲故事。这会养成半夜听故事的习惯。半夜醒来，必须让孩子尽快入睡，把尿、换尿布、吃奶、搂抱等都行，不要和孩子玩。

257. 婴儿非疾病性厌食

❖ **常见非疾病性厌食表现**

情形一：

妈妈端着饭碗，举着饭勺，两眼盯着孩子的一张小嘴，企盼着孩子张开嘴，吃进去这勺饭；奶奶站在一旁，夸着宝宝是好孙子："只要把这勺饭吃了，奶奶就带宝宝出去玩。"

把吃饭作为一种交易，吃饭是被动的，是出去玩的条件，吃饭成了一种筹码。调查结果显示，有29%的父母使用食物来安慰孩子。有23%的父母用食物奖励孩子，有10%的父母将食物作为惩罚孩子的手段。这种做法，潜移默化地影响了孩子对食物的好恶，从而影响孩子膳食营养摄入。

情形二：

"快点逗啊！"这是妈妈在命令孩子爸爸。

"宝宝快吃饭，爸爸给宝宝翻跟斗，吃

完饭，爸爸让你骑大马。"

无论怎么折腾，宝宝仍然是对妈妈喂到嘴边的饭菜无动于衷，使得亲子游戏索然无味，爸爸和他玩，是在"取悦"宝宝，以换取宝宝吃饭，这饭不但变了味，游戏也失去了应有的乐趣。这让孩子隐隐约约感到，妈妈在要手段，只是为了这一小小的目的。吃饭是很正常的事情，饿了就会想吃饭，不给吃孩子还不干呢！

情形三：

刚刚学会走路的宝宝很有兴致地到处走着玩，妈妈手里端着饭碗，在后面追着喂饭，每当妈妈把饭勺送到孩子的嘴边，孩子都会摇摇头，往外吹气。对妈妈喂饭不屑一顾。

这种"填鸭式"的喂养方式，是导致宝宝非疾病厌食最常见的原因之一。吃饭本应该是对美味食品的品尝，是一种享受，因为妈妈的追赶反而成了一种令宝宝厌烦的负担。玩中吃，吃中玩，孩子根本没把吃饭当回事，孩子食而不知其味。不但影响孩子的食欲，不利于食物的消化吸收，还养成了不良的进餐习惯。

情形四：

全家人坐下来准备进餐。

"又吃这个啊，实在没有胃口。"爷爷的抱怨声。

"你凑合着吃吧，不做饭还挑三拣四的。"奶奶不满意地嘟囔一句。

妈妈站起来，打开冰箱看看有什么好吃的，没有，碗里的饭没有吃，说："先放着，晚上我再吃。"

爸爸一边看着报纸一边吃着饭菜，筷子不时夹到桌子上，妈妈在一旁唠叨："吃饭也不好好吃。"对于妈妈的抱怨，爸爸没有任何反应。

孩子剩下大半碗饭，妈妈说："剩饭不

是好孩子，快吃了。"孩子回答："可妈妈也剩饭了。"一家五口，四口哑然。

父母以及孩子身边的亲人，对孩子的影响和熏陶是深远的。父母具备了良好的饮食习惯，还用费尽心机去教导孩子？身教永远大于言教。多想想自己做得如何，孩子吃饭的问题就好解决了。是谁在影响孩子吃饭，导致越来越多非疾病性厌食？说是孩子身边的亲人们，我认为并不为过。

情形五：

妈妈夹起几片胡萝卜放到孩子碗里："胡萝卜最有营养，多吃眼睛明亮。"

妈妈的话音未落，一句训斥又传到了孩子耳朵里："别老掉饭，注意点！"爸爸生气了。

有60%的父母在就餐时总是或经常提示孩子进食某种食物，或训斥孩子。但是，父母并不知道，提示后孩子服从的比率是40%，强迫后服从的比率是30%。唠叨、强迫、惩罚只能使孩子对食物产生更多的抗拒。如果让吃饭变成一种责任，孩子对吃饭就没有了兴趣。还是让吃还原它本来的功能吧。

情形六：

"我最不喜欢吃这个菜，你怎么又烧了！""肉吃多了对身体不好。看你的大肚子，还吃那么多的肉，你想得心脏病呀！""宝宝不要光吃肉，蔬菜里有很多维生素。"

爸爸的话对孩子传达了一种信息，菜不好吃，肉好吃。妈妈的话对孩子传达的信息是，吃肉是不好的，能得那么严重的病。孩子也许没有想这么多，但是，孩子有一点是能够感受到的：吃饭并不是令全家人愉快的事。父母应该知道孩子对食物的接受往往模仿父母，父母食入脂肪多的，孩子的食入量也多。父母应该给孩子传达"什么都好都要吃"的信息。

❖ **怎样才叫厌食**

厌食指的是比较长时间的食欲减低或消失；食量减少至原来的1/3到1/2，且持续时间达2周以上；不能摄入每天所需的热量和营养物，阻碍了孩子的生长发育，使孩子失去了健康的体魄。引起厌食的主要因素有：

局部或全身疾病影响消化系统功能，使胃肠平滑肌的张力降低，消化液的分泌减少，酶的活动减低。

由于中枢神经系统受人体内外环境各种刺激的影响，使消化功能的调节失去平衡。

锌、铁等元素缺乏。

长期使用某些药物如红霉素等，也可引起宝宝食欲减退。

长期的不良饮食习惯扰乱了消化、吸收固有的规律，消化能力减低。

引起厌食的器质性疾病，常见的有：消化系统的肝炎、胃窦炎、十二指肠球部溃疡等。锌、铁等元素缺乏，会使孩子味觉减退而影响食欲。微量元素缺乏是厌食的因，也是不良饮食习惯的结果。

事实上，由于疾病引起"厌食"在临床中所占的比率是非常低的。不良的饮食习惯和喂养方式所导致的非疾病性"厌食"是最常见的。

❖ **这不叫厌食**

偶尔不爱吃饭。孩子每天的食量不可能一成不变，今天吃得少一点，明天吃得多一点都是很正常的现象。孩子的食欲也不会每天都像妈妈所期望的那样旺盛，今天可能很爱吃饭，明天可能就不那么爱吃了；这顿吃得还很香，下顿就把吃饭当儿戏，就是不想吃，这也是很正常的。孩子

偶尔不爱吃饭不是厌食，如果妈妈把孩子偶尔不爱吃饭视为厌食，或带孩子看医生，或强迫孩子进食，或表现出急躁情绪，这不仅不能增进孩子的食欲，反而会引起孩子对吃饭的反感。

短时食欲欠佳。感冒了，孩子的食量会有所减少；发热时孩子也不爱吃饭；胃部着凉或吃了过多的冷食；因摄入过多食物或高热量食物摄入过多，导致孩子积食等等，都可能造成孩子短时间食欲欠佳，不能因此而认定孩子厌食。

一段时间食欲不振。由于一些原因导致孩子在某一段时间内食欲不振，如在炎热的夏季，患胃肠疾病后导致消化功能不良，会使孩子在某一个阶段内食欲不振，这也不能视为孩子厌食。随着季节的转凉，消化功能的改善，孩子食欲会恢复正常的。

❖ **应对非疾病性"厌食"策略**

• **不要让孩子像羊吃草一样吃饭**

父母一味地迁就孩子，让孩子边吃边玩，东游西荡，想吃就吃，不管是不是吃饭的时间，这样长久下去会严重影响孩子食欲。要让孩子养成良好的进食习惯，到了吃饭的时间和环境就产生条件反射，胃液分泌，食欲增加。把吃饭当成一种有序的事情，如饭前洗手、搬小椅子、分筷子等，有意识地造成一种气氛，让孩子感觉到吃饭也是一件认真愉快的事情。

• **不让孩子过多吃零食，尤其是饭前**

如果父母不限制孩子吃零食，血液中的血糖含量过高，没有饥饿感，到了吃饭的时候，就没有了胃口。过后又以点心充饥，造成恶性循环。要想解决孩子"吃饭难"问题，应该坚决做到饭前两小时不给孩子吃零食。零食不能排挤正餐，应该安排在两餐之间，或餐后进行。

•按时按顿进餐

按顿吃饭。三正餐两点心形成规律，消化系统才能劳逸结合。

•节制冷饮和甜食

冷饮和甜食，口感好，味道香，孩子都爱吃，但这两类食品均影响食欲。中医认为冷饮损伤脾胃，西医认为会降低消化道功能，影响消化液的分泌。甜食吃得过多也会伤胃。最好安排在两餐之间或餐后1小时。

•膳食结构合理

每天不仅吃肉、乳、蛋、豆，还要吃五谷杂粮、蔬菜、水果。每餐要求荤素、粗细、干稀搭配，如果搭配不当，会影响小儿的食欲。如肉、乳、蛋、豆类吃多了，会因为富含脂肪和蛋白质，胃排空的时间就会延长，到吃饭时间却没有食欲；粗粮、蔬菜、水果吃得少，消化道内纤维素少，容易引起便秘。有些水果过量食入会产生副作用。橘子吃多了上火，梨吃多了损伤脾胃，柿子吃多了便秘，这些因素都会直接或间接地影响食欲。

•烹调有方

食物烹制一定要适合孩子的年龄特点。如断奶后，孩子消化能力还比较弱，饭菜

宝宝 / 尚潘柔美
宝宝自己会吃，不要妈妈帮。宝宝大哭。

要做得细、软、烂；随着年龄的增长，咀嚼能力增强了，饭菜加工逐渐趋向于粗、整；为了促进食欲，烹饪时要注意食物的色、香、味、形，这样才能提高孩子的就餐兴趣。

•睡眠充足、增加活动、按时排便

睡眠充足，孩子精力旺盛，食欲感就强。睡眠不足，无精打采，孩子就不会有食欲，日久还会消瘦。活动可促进新陈代谢，加速能量消耗。按时大便，使消化道通畅，促进食欲。

•吃饭环境，愉快又轻松

父母同孩子一起进餐，可营造一种和睦、轻松、愉快的氛围，好的情绪有助于调节孩子植物神经系统和大脑摄食中枢的功能，促进消化酶的分泌和活性的提高。

•强迫孩子进食不可取

对确有厌食表现的孩子，如果是疾病所致应积极配合医生治疗。同时爸爸妈妈要给予孩子关心与爱护，鼓励孩子进食，切莫在孩子面前显露出焦虑不安、忧心忡忡，更不要唠唠叨叨让孩子进食。如果为此而责骂孩子，强迫孩子进食，不但会抑制孩子摄食中枢活动，使食欲无法启动，甚至产生逆反心理，拒绝进食，就餐时情绪低落。

•纠正不良饮食习惯

不良饮食习惯是导致厌食的原因之一。比较常见的不良饮食习惯有以下几种：

饮食结构不合理：过多摄入高糖、高蛋白、高脂肪等浓缩食品可导致食欲下降，如巧克力、奶糖、果奶、奶酪、干奶片等。过多食入话梅、果冻及膨化食品可损伤脾胃。

暴饮暴食：有的父母见孩子喜欢吃的食品就毫无限制地让孩子吃个够，养成了暴饮暴食的不良饮食习惯。再有营养的食

物也不能让孩子过量食入，再喜欢吃，也要有所节制，要做到饮食有节，饥饱有度。

偏食、挑食：是常有的不良饮食习惯。孩子天生喜欢吃甜的香的，而不喜欢吃蔬菜和杂粮。尤其喜欢吃烧烤、油炸食品，过多食入烧烤类食物不但可能降低蛋白质的利用率，还有被感染上寄生虫的危险，且肉类中的核酸在梅拉得反应中，可产生基因突变物质，这些突变物质和烧烤环境中的3，4-苯等有致癌作用。很多孩子喜欢吃高热量的洋快餐，长此以往导致孩子营养不均衡。挑食和偏食对孩子的健康危害是很大的。

过多摄入冷食：宝宝胃黏膜娇嫩，对冷热刺激都十分敏感，易受到冷热食的伤害。若进食冷热不均，更易损害胃肠道功能。宝宝非常喜欢吃冷食，往往是过食冷食，使胃肠道长期处于缺氧、缺血状态，致使胃肠道功能受损，出现一系列胃肠道功能紊乱症状，导致食欲下降，甚至厌食。

过多饮用饮料：孩子们普遍喜欢喝甜饮料、碳酸饮料、含可可粉饮料等，都可引起腹部胀气、嗳气、消化不良，使孩子食欲减低。

•不吃饭，要挟父母的手段

过分溺爱的孩子，往往会用各种方法来"制裁"父母，以不吃饭来要挟父母，达到所需目的。尤其父母以"只要多吃饭，就可以……"助长了孩子的不良饮食习惯，孩子把吃饭当做筹码，久而久之可导致孩子厌食，形成恶性循环。

•人为造成孩子咀嚼功能下降

在给孩子添加辅食时，父母怕孩子噎卡，过晚添加固体食物，使孩子的咀嚼功能没能得到充分锻炼。结果孩子吃什么都囫囵吞下，碰到稍硬的食物，不是吐出就是含在嘴里，导致食欲降低。为了让孩子将食物咽下，父母就让宝宝喝很多的汤，冲淡了胃酸，久而久之孩子食欲减退了。

❖ 最后的总结

疾病导致的厌食，要及时看医生。非疾病性厌食，可不是药物能够解决的。即使是医生，也不能解决孩子的吃饭问题。父母惹的祸，就要由父母解决。方法有了，原因找到了，不愁解决不了。问题就在于，父母是否认识到这一点。

❖ 吃饭问题仍然困扰着父母

出生后食量就小的孩子，到了这个月龄，食量突然变大并不多见。父母为了让孩子多吃些，可以说是伤透了脑筋。几乎是什么办法都想了，就是没有效果。在实际工作中，也发现了这样的问题，父母来就诊，主述孩子不吃饭的很多。事实上，在这些"厌食"的孩子当中，真正由于疾病导致的，可以说是微乎其微。能称得上"厌食症"的，更是少之又少。绝大部分都由于父母在护理孩子中方法不当所致。

对于孩子吃饭问题，要有科学的态度，在认为孩子不吃饭时，首先要看一看孩子的生长发育如何，如果孩子身高体重正常，运动能力也正常，精神、睡眠都很好，不要总是强迫孩子吃更多的东西。这个月龄的婴儿，应该吃什么，妈妈说了也不算数，孩子自己有主意了。妈妈在喂养上，要学会尊重孩子的选择。

孩子更喜欢和家人共同进餐。单独喂饭不如放到餐桌边一起吃更好。更多的婴儿喜欢吃成人饭菜，这是因为成人饭菜味道浓香，咸淡适宜。有些成人饭菜可以给宝宝吃，比如西红柿炒鸡蛋、包子、饺子、炖的熟烂的菜，但给宝宝吃的饭菜，一定要做到少盐少油少调料。1岁以后，可以在菜中加点盐，但只是一点点，每天盐量不能超过1.5克。婴儿逐渐成了美食家，会品尝妈妈的手艺了。不用心做，就会罢餐。食量小的婴儿，对食物往往比较挑剔。

258. 踮脚、湿疹

❖ 踮着脚尖走

不到1岁的婴儿，刚刚学习走路，有的婴儿走得比较早，11个月可能就会独立走几步了，有的婴儿要到1岁半时才能独立走路。走路早晚与婴儿智力没有直接的关系。

刚刚学会走路的婴儿可能用脚尖踮着走，这是很正常的。还有的婴儿开始走路时，右腿成"罗圈腿"，左腿拉着，像个"小拐子"，这也是正常的。随着婴儿走路的逐渐平稳，慢慢就纠正过来了，父母不必着急。

孩子学习走路是要有过程的，不可能一下就走得那么好。不要动辄就认为孩子"腿不直，缺钙了"。又是照X光片，又是验血。刚刚学会走路的孩子就有笔直的小腿，这不大可能。

❖ 湿疹仍然不好

大多数婴儿随着乳类食品摄入的减少，饭菜的增加，湿疹会逐渐好转，基本上就消失了。但是，到了1岁，湿疹仍然不好

的也有，有的婴儿还会因为吃海产品而加重，这样的婴儿多是过敏体质。

有的婴儿，到了这个月龄，湿疹表现开始变化，不再是面部了，转移到耳后、手足、肢体的关节屈侧或其他部位，这时的湿疹就叫"苔癣样湿疹"。除了过敏原因外，可能与缺乏维生素有关，在外用药物治疗的同时，应口服多种维生素。

❖ 寻找安抚物

有吸吮手指习惯的婴儿，到了这个月龄，可能不再吸吮手指，而开始寻找安慰物了。婴儿用的枕巾、小毛巾被、布娃娃、绒毛小狗，都可能成为孩子的安慰物。孩子开始把这些东西，作为自己的安慰物，对这些东西产生某种依恋，形式可以是多样的：

有的孩子喜欢搂抱着；

有的孩子用手攥着；

有的孩子放到嘴里吸吮或啃咬；

有的孩子用它蹭身体的某一部位，如脸颊、手背等；

有的孩子闻着它入睡。

• 猜测的原因

有的医生认为是孩子缺乏母爱，通过安慰物自我安慰。这种说法不能得到认可，妈妈一直是母乳喂养，也一直陪着孩子睡觉，照样出现这种现象。

有的认为，这样的孩子性格比较孤僻、内向。但有的依赖安抚物的孩子，有的白天很活跃，也很快乐、好动。

• 父母该怎么办

父母可以尽量避免孩子寻找安慰物。发现有这种倾向时，不能加以鼓励，如果孩子很喜欢绒毛小狗，就要有意把小狗拿走，换上其他玩具。不断更换孩子的用物，就可避免孩子寻找到安慰物。

❖ 吸奶瓶入睡

有的婴儿，不吸奶瓶就不能入睡。这对很小的婴儿来说是很正常的。到了这个月龄，仍然有这种习惯，要一下子改变过来，也不是件容易的事情。但是，妈妈要有这种意识，要在今后的日子里，想着这个问题，慢慢把这个习惯改过来。这没有什么技巧，靠的是耐心。不能强迫婴儿，如果强迫，不但不能使孩子改变这种习惯，可能会使孩子更加依赖了，孩子就有这股牛劲。

❖ 抓小鸡鸡

这个问题，在前面的章节中谈过了。需要强调的是，不要对孩子抓小鸡鸡加以赞赏，不要让孩子产生这样的错觉，似乎父母及周围的人，都对他的小鸡鸡感兴趣。这是避免孩子抓小鸡鸡的好办法。

❖ 交叉腿综合征

有的女婴两腿夹得很紧，肌张力比较高，停止活动，面色发红，两眼凝视，片刻转为正常。妈妈看到这种情况，要及时抱起孩子，或转移孩子的注意力。这种情况多在睡醒后或入睡前发生。出现这种情况时，妈妈可在入睡前和孩子在一起，给孩子讲故事，孩子睡醒后，及时给孩子把尿，更换尿布。要保持外阴清洁。

❖ 攻击行为

有的成人会这样喜欢孩子：假装打孩子的小屁股，也会假装打别人，来逗孩子，这样不好。婴儿会模仿，举手打妈妈的脸。如果妈妈和周围的人，不但不反对，反而对着孩子笑，孩子就会认为这样很好。

❖ 吓唬孩子——自闭症和孤独症的隐患

总是吓唬孩子，动不动就斥责孩子，或者夫妻之间关系紧张，总是吵闹打架，对孩子的心理影响很大，是导致孩子自闭症和孤独症的隐患。应该创造一个和睦幸福的家庭，让孩子在宽松和谐的气氛中成长。

❖ 溺爱——社会交往能力低下

任何时候都迁就孩子，什么都不让孩子自己做，一切都代劳，这会使孩子的社会交往能力低下。

259. 异物隐患

❖ 孩子需要安全呵护

拿到东西就想用嘴尝一尝，把什么都放到嘴里，这是婴儿的发育特点。3岁前，宝宝没有明确的安全意识，不知道什么能吃，什么不能吃。对孩子可能会造成危害的东西，一定要远离孩子，绝不能心存侥幸！意外事故几乎都是在认为不可能的情况下发生的。父母要防范隐患，一些司空见惯的东西，可能就是幼小生命的杀手。装有药片的药瓶，宝宝会打开瓶盖，把药片吃进去；能够放入宝宝口中的小球、花生米、糖豆等，会被宝宝吞下，有发生气管异物的危险；盛有热汤热水的容器，有被宝宝打翻的危险。宝宝能够自由移动位置，父母不可懈怠，凡是宝宝能够到达的地方，父母都要仔细检查，确保其安全。

❖ 呼吸道异物最危险

呼吸道异物有两大类，一是食物类，二是非食物类。食物类中主要有果仁、豆类、果核、果冻、鱼刺、米粒等。非食物类中，主要有脱落的玩具零部件，宝宝服装上的纽扣及装饰物，商品上粘贴的各种标签，比较薄软的塑料包装袋，橡皮玩具底座的金属哨笛，玩具上的球珠、螺丝，铅笔上的软铁芯橡皮头，曲别针等。只要婴儿能放入口里，都可能成为异物，堵塞婴儿呼吸道，后果不堪设想。

❖ 门诊遇到的不幸事件

玩具零件脱落进入咽部

女孩，8个月，玩具布娃娃上粘贴的

塑料眼睛脱落，女孩吞入口中，堵住喉部，导致面色发青，口唇紫绀，呼吸困难。由于女孩的母亲是医生，知道可能发生了呼吸道异物，立即用筷子压住舌部查看，结果看到喉咙已经被什么东西堵住了，正试图取出时，女孩受到刺激，把堵在喉咙中的东西吞咽下去了。由于紫绀和呼吸困难很快缓解了，妈妈认为异物已经进入胃中。两天后，从孩子大便中发现了贴在布娃娃上的塑料眼睛。总算有惊无险，一场意外过去了。

塑料薄膜蒙住口鼻

男孩，6个月，在玩耍中把塑料薄膜蒙在自己脸上，当妈妈发现时，孩子已经一动不动地躺在那里，经抢救，生命保住了，但出现频繁抽搐、四肢强直、窒息后脑损伤的症状。多么惨痛的教训！妈妈这样描述当时的情景：正是夏天，一次性尿布上有一层薄薄的塑料，孩子比较胖，尿布皮炎比较厉害，妈妈怕尿布不透气，就把尿布下的那层薄薄的塑料撕了下来，随手就放在旁边了。孩子睡着了，妈妈在厨房做饭。当再次回到房间时，发现婴儿还在睡，可走到跟前一看，婴儿口鼻上蒙着她撕下来的塑料薄膜，塑料薄膜上有一层白雾，慌乱取下蒙在孩子脸上的塑料薄膜，孩子脸色紫绀，一动不动，软软的，立即抱到医院。

金属纽扣误入支气管

男孩，2岁半，因剧烈咳嗽就诊，经X线检查，确诊为"支气管异物"，在取异物时，紧邻的降主动脉发生粘连溃破，出现大出血，一枚小小的金属纽扣，就这样夺走了孩子幼小的生命。这个病例经过了一段误诊过程，没有异物史，孩子最早的症状是咳嗽，按感冒、气管炎、肺炎治疗半个多月，没有效果，开始发烧，咳嗽剧烈，

到上级医院就诊，方得以确诊，但已经出现异物周围脓肿，脓肿导致周围组织粘连，最终损伤了血管，导致大血管破裂出血。

果冻堵住喉咙

男孩，1岁零几天，因被果冻堵塞，急来医院。经抢救无效，又一个稚嫩的生命被异物夺走了。事情是这样的：妈妈在户外带孩子玩，邻居的孩子快3岁了，拿着果冻吃，1岁的孩子就伸手要。妈妈是这样喂的：把果冻上的塑料皮撕开后，把整个果冻对着孩子的嘴，往里慢慢地挤，结果整个果冻都进去了，吸到孩子的喉咙里，堵住了呼吸道，发生了窒息。此时妈妈应该马上把孩子倒立过来，拼命地拍足底和背部，其他人马上联系医院抢救。可妈妈不知道这样做，而是抱着孩子往医院跑，窒息时间太长了，失去了抢救机会。果冻造成呼吸道窒息的事件，我遇到好几次，现在想来心中还在隐隐作痛。

❖ 为了孩子的安全，父母要设第一道防线

为婴幼儿购物时，要仔细检查有无可能脱落的异物。

不要购买来路不明的劣质商品。

衣服、玩具用过一段时间之后，应注意纽扣、部件等是否可能脱落。

不要给这么大的孩子吃瓜子、花生、

宝宝 / 王塞诺
给好朋友发个短信吧。

豆粒等食品。

吃饭时不要和孩子嬉闹，以免把饭菜渣误吸到气管中。

吃鱼时，一定要注意防止鱼刺刺伤喉部，甚至气管。

不要给这么大的孩子吃果冻等黏稠食品。

孩子身边、孩子所在的空间都要安全第一，不能有丝毫的疏忽。

不要认为不可能，要时刻想到孩子身边是否存在发生意外事故的隐患。

260. 意外事故

意外事故的预防是非常重要的，前面已经谈过了呼吸道异物隐患，还有许多意想不到的事情可能发生。

❖ 可能的意外事故隐患

室内的取暖设备、电器设备、各种电门开关、易碎物品、易倒物体、热水、明火等，都要避免孩子触及。购买有防止儿童开启装置的家用电器。电源插座和尖锐的桌椅拐角套上儿童保护套。

小的陈列柜，如果比较轻，有劲的婴儿可能会把它推倒，把自己压在下面，要采取防范措施，把陈列柜固定在墙壁上。

爸爸放在烟灰缸里的未完全熄灭的烟头，孩子可能拿到手里，放到嘴里，不但会烫了孩子，还可能把烟灰吃进去。

爸爸抱孩子时吸着烟，烫伤孩子的事情时有发生。吸烟对孩子的危害，还不仅仅是安全问题，婴儿被动吸烟，对孩子的健康危害也是很大的。所以，有孩子的家庭，爸爸妈妈或看护人最好不要吸烟。

卫生间里放着一盆水，婴儿如果掉进水盆里，水呛到气管就有发生危险的可能。所以，不要把有水的盆子放在地上。浴缸不要存水，要随时排尽。

卫生间的坐便器最好用安全锁锁上，防止宝宝大头朝下跌入。

1岁的婴儿能把液化气缸瓶上的开关拧开，这无论如何也令人难以想象，可有的婴儿确实能办到。

烫伤是最令亲人心痛的，可偏偏容易发生，刚刚煮开的奶或粥，放在婴儿能够到的地方，婴儿就有可能把手伸进去抓，滚烫的奶或粥会烫伤孩子的皮肤。

把暖水瓶弄翻，这是在生活中经常发生的。

孩子误服药物、化学物品也是很常见的意外，一定要保管好家用消毒剂、清洁剂、洗涤剂、杀虫剂等，避免宝宝误服。

避孕药如果让婴儿误服了，是很麻烦的事，一定要引起重视。

脑外伤是最令亲人担心的，可是防不胜防。从高处坠落以及高空坠物砸伤是脑外伤的主要原因。

❖ 父母要牢牢记住

你忽视了，麻烦就会找上来；你省事了，就要更费事。孩子大了，可仍然是婴幼儿，没有安全意识。安全是要父母来负责的，不要心存侥幸。消除婴儿身边意外事故的隐患，是父母的责任。

261. 免疫接种

根据通知，接种流脑疫苗和乙脑疫苗。

第十三章　婴儿疾病护理与预防

父母是宝宝生病第一发现人；

是确定要不要带宝宝看医生的决策人；

是宝宝详细病情的提供者；

是非住院患儿医嘱执行者；

是家中治疗效果监测者。

所以说，父母了解婴儿疾病的一般科学知识是非常必要的。

婴儿是崭新的生命，除了先天性疾病，婴儿本无病。出现头疼脑热、拉稀跑肚一类的小病，多是护理不周，方法不当所致。通过精心护理，细心呵护，小病会很快消除，重返健康。无药而医是儿科的最高境界。很多时候，婴儿小病不需要过多医疗干预，采取正确护理、饮食调理、顺势疗法，效果会更好，对婴儿稚嫩的生命更有意义。

通常情况下，爸爸妈妈看疾病护理这一章，有两种情况：一是在宝宝出现异常时查阅，寻找异常的原因及处理方法；二是宝宝生病去医院，医生给出了诊断和医嘱，查到对应的疾病，查一查相关内容，在护理和喂养中还需要注意什么。

医生工作量很大，没有更多的时间和父母交流，告知父母一些疾病常识、预防措施、疾病护理和服用药物的注意事项，只能用简短的语言，告诉父母宝宝患了什么病，病程大约几天，后如何，药物服用看药盒上的说明。整个过程大约15分钟，特需门诊大约30分钟。在这短短的就医过程中，父母无法获得更多的信息，心里有很多的疑问和担忧。回到家里，父母更是一百个不放心，看着生病中的宝贝，担惊受怕，心急如焚。

尽管父母不是医生，不能给宝宝诊病治病，但了解了疾病全貌，父母才能做到心中有数，才能采取正确的护理方法，科学对待宝宝生病这件事，踏实护理生病中的宝宝。

想到这些，我认为疾病护理一章不但

宝宝／朱容萱

要写，还要有所侧重，告诉父母，如何在家中护理生病的宝宝，出现什么异常情况要带宝宝看医生。

262. 新生儿低血糖

医生和父母都认识到了新生儿低血糖对宝宝的危害，不再推迟喂奶时间。刚出生的新生儿就开始喂奶，发生低血糖的并不多了。但在早产儿中，发生低血糖的还是不少。

❖ 低血糖会引起宝宝不可逆的脑细胞损害

之所以把新生儿低血糖作为疾病写出来，最重要的一点，就是要告诉父母，新生儿低血糖会引起新生儿不可逆的脑细胞损害，因此避免新生儿发生低血糖是很重要的。

发生新生儿低血糖的原因有很多（疾病导致的低血糖需要医生诊断）。

低血糖的症状很不典型，缺乏可以判断的特异症状，父母就更不容易判别了。

❖ 父母需要有这样的认识

新生儿饿了会哭，但是如果发生了低血糖，就没有力气哭了，会很安静的。早产儿更是如此。不要让新生儿很长时间不吃奶。

母亲有妊娠期糖尿病或孕前就有糖尿病的，新生儿容易发生低血糖。因此要特别注意，避免低血糖发生。

❖ **父母要有这样的警觉**

！如果宝宝出生后不爱吃奶、反应比较差，要及早给孩子喂糖水。

！不能让新生宝宝持续睡6个小时以上，如果新生儿睡6个小时以上还不醒来，一定要把孩子叫醒喂奶。

！如果新生儿是个早产儿，那就更应该勤喂奶。如果早产儿持续睡4个小时不醒来，应该叫醒喂奶。如果不吃，也应该用吸管往嘴里滴些糖水。

❖ **如果您的宝宝出现以下情况，不要忘了可能发生了低血糖**

反应低下：反应低下就是宝宝肢体缺乏自然活动。新生儿随着日龄的增加，觉醒状态时间逐渐延长，宝宝在清醒时，手足会不停地活动，面部表情也比较丰富。如果不是这样就要想到宝宝是否出问题了。

面色发白：新生儿面色总是红红的，即使肤色比较白，也不会像大孩子或成人那样。如果您感觉宝宝面色不太对劲，不要忽视这一点；再看其他方面是否有异常，可先按低血糖处理。

出汗：新生儿汗腺不发达，显性出汗少，如果宝宝汗津津的，但面色却发白，要想到是否发生了低血糖。

吸吮无力：哺乳妈妈对宝宝的吸吮力，通常是很敏感的。如果妈妈感到宝宝吃奶无力，要想到低血糖的可能。

•处理方法：如果出现上述情况，妈妈可尝试着喂奶，如果宝宝拒绝吃奶，再尝试着喂糖水（葡萄糖水最好），如果宝宝不吸，尝试着用滴管往嘴里滴糖水（沿着嘴角滴入）。

•效果观察：如果喂奶或喂糖水后，宝宝反应正常了，出汗减少，面色从苍白转成红润，吸吮也有力了，提示开始的情况很可能就是低血糖。

•什么情况下要看医生：如果反复发生低血糖（3次及以上），要带宝宝看医生。如果凭借父母直觉，认为应该带宝宝看医生，就不要犹豫，及时去医院。

症状严重的有嗜睡、阵发性紫绀、震颤等。出现这种情况，父母肯定会带宝宝看医生，但从低血糖护理角度讲，时机把握就有些晚了。父母阅读这段内容，核心目的就是要及时判别低血糖症候，及时采取措施，避免延误时机。

263. 新生儿黄疸

新生儿黄疸是新生儿期比较常见的症状。父母有必要了解新生儿黄疸的有关问题。及时发现新生儿病理性黄疸是防止新生儿核黄疸的关键。

新生儿出生后，过多的红细胞碎裂，释放出大量的胆红素。而这时的新生儿，肝脏处理胆红素的能力比较低，过多的胆红素，使新生儿出现黄疸，这属于新生儿暂时性黄疸，医学上称之为生理性黄疸（非疾病因素导致的黄疸）。此类黄疸对新生儿没有危害。但对未成熟儿（早产儿）来说，应该注意有引起核黄疸的可能。

❖ **新生儿生理性黄疸特点**

•一般于生后2-3天出现黄疸。

•首先出现在面部，慢慢遍及全身。

•黄疸程度比较轻，如果月子房中光线比较暗的话，不易发现。

•于生后一周以后逐渐消退，最长不超过2周。

•早产儿持续时间比较长，可延迟到生后4周。

•除黄疸外，宝宝没有任何不适症状。

暂时性黄疸不需要治疗，有的医生建议喂葡萄糖水，可减轻黄疸程度。早产儿如果黄疸程度比较重，产院一般会通过光照疗法或其他退黄治疗，保证婴儿健康。

❖ 疾病导致的新生儿黄疸

疾病性黄疸的发病率是很低的，有些疾病性黄疸，几乎是万分之一，和父母谈了，只会让父母担心。尤其是正处在月子中的妈妈，读了可能会增加心理负担，对母婴健康没有什么积极意义。所以特别少见的疾病性黄疸，这里就不谈了，只有几种略微常见的疾病性黄疸，简单说一下，父母有个了解，也就可以了。

•ABO血型不合溶血病

如果妈妈是O型血，孩子是A型或B型血，就有发生母子ABO血型不合溶血的可能。但即使有母子ABO血型不合，也不一定发生溶血，即使发生了溶血，病情大多比较轻，妈妈不要紧张。新生儿出生后，医生护士会密切观察，一旦发生溶血，会给予积极治疗，预后良好，父母不要为此忧心忡忡。

•母乳性黄疸

母乳性黄疸就是由于纯母乳喂养引起的黄疸。有早发的母乳性黄疸和迟发的母乳性黄疸。早发母乳性黄疸与暂时性黄疸（生理性黄疸）有时难以区别，没有诊断出来就可能慢慢消退了。

迟发母乳性黄疸的诊断依据是：在生理性黄疸消退过程中，黄疸再次加重，或生理性黄疸消退延迟。婴儿一般情况良好，没有其他异常情况。

母乳性黄疸处理比较简单：停吃母乳1~2天，5~6天后黄疸减轻或消退。有的婴儿恢复吃母乳后，黄疸可再次出现；有的婴儿需要间断停母乳几次；有的停一次就可以了。

在治疗母乳性黄疸时，存在着一种误解，认为婴儿发生了母乳性黄疸，就要彻底停止母乳喂养，而改为配方奶喂养，这是错误的。母乳性黄疸只需要停止母乳喂养24~48小时。如果黄疸消退不理想，可再次停喂一次。如果停喂母乳后黄疸没有明显消退，应该考虑诊断的正确性，是否是其他原因引起的黄疸。一定不要回奶，停喂期间，要用吸奶器吸奶，保持乳汁的分泌，保证以后继续母乳喂养。

母乳性黄疸处理方法推荐:多次少量喂奶;黄疸严重时，可停止母乳喂养1~2天;停喂母乳1~4天后，黄疸减轻。恢复喂母乳后，黄疸可出现"反跳"，但不会超过原来的程度。如果黄疸再次加重，可再次停母乳1~2天。这样反复几次，黄疸日渐消退。

在停喂母乳期间，要喂哺适合新生儿的配方奶。

❖ 核黄疸

核黄疸会引起婴儿不可逆的神经系统

宝宝 / 小馒头

别看我叫小馒头，我可是大眼帅哥呦！

郑玉巧育儿经·婴儿卷

损伤，这一后果会让父母很害怕。一旦怀疑自己的孩子有这种可能，就会吃不下，睡不着。核黄疸是在黄疸很严重的情况下发生的，父母不会等到孩子黄疸程度如此严重才去医院就诊。父母需要做的就是不要把室内搞得很暗，白天一定要让自然光线照到婴儿房内。这样就能及时发现孩子的异常情况，避免由于未觉察黄疸程度严重，导致宝宝发生核黄疸。

❖ 什么情况下需要看医生

父母如何判别宝宝黄疸是暂时性的还是疾病性的？根据多年的临床经验，我总结了几点需要带宝宝上医院的指征，供参考：

•生后24小时之内出现的黄疸（这时宝宝多住在产院里，医生会及时处理）。

•黄疸迅速或逐渐加重。

•一周后，宝宝黄疸不呈逐渐减轻趋势。

•足月儿生后2周，黄疸仍没有消退；早产儿生后4周仍未消退。

•除黄疸外，宝宝精神欠佳，反应低下，不爱吃奶。

•手足心黄疸比较明显，眼睛巩膜呈黄梨色。

•妈妈是O型血，新生儿血型为A型或B型，且黄疸明显。

•黄疸减轻后，再次加重了。

•除了黄疸外，孩子嘴唇、面色成紫红色。

•早产儿，黄疸程度比较重。

•除黄疸外，宝宝还伴有腹胀，大便发白，或陶土色。

•黄疸伴有脐部发炎。

•黄疸伴有皮肤脓包。

•孕期优生项目（风疹、弓形虫、单纯疱疹、巨细胞）检查时，曾怀疑或诊断有胎儿宫内感染。

•父母一方患有肝炎，或母亲为乙肝大三阳。

•皮肤色泽发暗，不是透亮的肉黄色，更类似古铜色。

以上16条是需要去医院看医生的提示。如果父母不能判定，最好请医生到家里看一下，或父亲到医院找医生咨询一下，或请护士到家里抽血，拿到医院进行必要的化验。如果父母不能判断宝宝黄疸是否严重，但凭直觉感到应该带宝宝去看医生，那就不要耽搁了，抓紧时间去看医生吧。

264. 新生儿头颅血肿

宝宝出生几天了，妈妈发现孩子的头顶上，偏左或偏右，有个软软的大包。几天后也没有明显的变化，还是软软的，触摸时，孩子不哭，好像并不疼痛。包块下好像没有了颅骨，周围颅骨有些突出。这就是新生儿头颅血肿。

如果头颅血肿比较大，在吸收过程中，可能会加重生理性黄疸程度。

头颅血肿会慢慢消退，但速度是很慢的，有的要等上1-2个月，有的需要更长的时间。

在血肿消退期，血肿会渐渐变得有韧性，摸起来不再那么柔软，感觉有些像颅骨的硬度，好像宝宝头顶上长个"犄角"。妈妈不要着急，这是血肿消退过程中的正常现象。

血肿比较大时，可进行冷敷。在产院，护士会把冰水灌到手套里（手术室用的那种胶皮手套），扎紧口，放在血肿处冷敷，每天1-2次，每次10-20分钟。通常情况下，新生儿会住在产院几天，出院时，已经过了急性期，不会继续有血液渗出。所以回到家里，就不需要再冷敷了。

不建议用注射器抽吸里面的血水，这会增加感染的可能。血肿最终会自行吸收的，所以没有必要冒这个风险。头颅血肿不会遗留神经系统后遗症，妈妈不必过分担心。

265. 新生儿湿肺

新生儿湿肺可发生于剖腹产儿。这是因为：胎儿在母体内，肺内充满着液体；在分娩过程中，经过产道对胎儿胸部挤压，大部分肺内液体被挤压出来；而剖腹产儿经剖开子宫而诞生，未经产道挤压，肺内液体存留较多，因此发生湿肺的几率增加。

新生儿湿肺多发生在足月剖腹产儿，这是因为胎儿肺内液体量在接近足月时会有明显增加，而剖腹产又使产道挤压一环缺失。因此，医学上鼓励经产道分娩，其意义包含了这一点。

另外，宫内窘迫和出生后窒息的新生儿也有发生湿肺的可能。这是因为宫内窘迫和出生后窒息，造成新生儿缺氧和酸中毒，毛细血管渗透性增加，因此发生湿肺。

有学者认为，湿肺的发生是由于淋巴管转运功能不完善，造成肺内液体暂时积存。

湿肺是非感染性疾病，不需要抗生素治疗，属自限性疾病，病程短，痊愈快，转归好。主要治疗措施是加强护理和对症治疗，出现呼吸急促和紫绀时，给予吸氧。这当然需要在医院完成。

新生儿出生后不久出现呼吸急促，医生听诊后，可能会告诉父母，肺内有湿性啰音，不排除新生儿吸入性肺炎。这会让刚刚做妈妈的产妇着急，可能会使已经下来的奶水又回去了。其实，在怀疑新生儿吸入性肺炎的病例中，有一部分是新生儿湿肺。尤其是剖腹产儿，更应该考虑到这

种可能。所以父母不要着急，可进一步向医生详细询问。

266. 新生儿腹泻

❖ 新生儿正常大便

新生儿出生后24小时之内排出胎便，胎便呈黏稠墨绿色。胎便排出后，大便颜色逐渐转黄，3-4天后转为正常的新生儿大便。母乳喂养儿，大便多呈金黄色，黏稠状，颗粒均匀，一天可达4-6次。配方奶喂养儿大便颜色比较淡，呈浅黄色，可呈形，也可呈黏稠状，颗粒不太均匀，可见奶瓣，一天1-2次。但有的新生儿，配方奶喂养，大便也比较稀，次数比较多，色发绿，有时有些水分。

❖ 当新生儿发生腹泻时

如果大便中水分很多，或便水分离，或大便呈稀绿色，或有较多黏液，或大便次数达10次以上，或有特殊的臭味，要意识到新生儿可能患了腹泻。

如果宝宝精神好，除大便不正常外，没发现任何其他异常，可只带大便到医院化验，并把化验单拿给医生看，向医生咨询，不必带宝宝同去。如果医生需要看宝宝，再把宝宝带过去也不迟。新生儿肠道内缺乏正常菌群，对致病菌的抵抗能力弱，不能靠自身抵抗消灭肠道内的致病菌，一旦确定患了感染性腹泻，就要接受医院的治疗。这时父母要注意的是，第一不要促使医生过度治疗，第二要注意提醒医生，不要过度治疗。

267. 新生儿便秘

❖ 喂养与便秘

当新生儿出现便秘时，首先应该考虑的是非疾病因素。比如，妈妈的饮食结构是否合理？采取的喂养方式是否正确？新

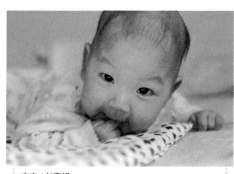
宝宝 / 赵嘉妮

生儿摄入的乳量是否充足？然后，针对可能的原因进行纠正。如果经过必要的处理，便秘状况没有改善，怀疑是由疾病所致，如先天性巨结肠，那就要带宝宝去看医生。乳量不足时，肠道内缺乏残渣，无法产生粪便，就会出现便秘；乳量充足了，便秘也就缓解了。

❖ 配方奶与便秘

配方奶喂养的宝宝容易发生便秘，大便可呈条状、球状，不粘尿布，颜色发白。如果发生了便秘，适当增加喂水量，也可更换不同品牌的配方奶。

母乳喂养的宝宝较少发生便秘，大便多不成形，粘在尿布上，不易清洗，金黄色，次数较多。

❖ 当新生儿没有胎便排出时

新生儿生后24小时仍没有排出胎便，应高度怀疑是否有肠梗阻。如果伴有呕吐，就更应警惕是否有先天性肠管畸形，如先天性肠狭窄、先天性肠旋转不良、肛门狭窄等。这时就要看医生了，由医生作出准确的判定。

❖ 先天性甲状腺功能低下（克汀病）与便秘

宝宝生后不久，就开始出现便秘，同时伴有黄疸，且皮肤显得有些粗糙，应注意排除克汀病的可能。

克汀病主要表现为：反应欠佳、嗜睡、吸吮力弱、少哭、哭声低哑、少动、皮肤干燥、黄疸消退延迟、腹胀、便秘等。

克汀病可引起智力低下，目前，我国大多数产院都开展了克汀病的筛查工作。父母不要拒绝这项检查，一旦怀疑有此种情况，不要犹豫，尽快看医生。早发现早治疗，可防止克汀病患儿发生智力障碍。

❖ 便秘与先天性巨结肠

先天性巨结肠在新生儿期出现的主要症状是：胎便排出延迟。如果48小时没有胎便排出，同时出现腹胀、顽固的便秘，必须通过灌肠或服用泻药或用开塞露等措施才能使大便排出，就要高度怀疑是否患有先天性巨结肠。

先天性巨结肠症状出现的早晚和严重程度与结肠痉挛段的长短有关。痉挛段越长，出现的便秘症状越早，也越重。

值得注意的是，有的父母知道了先天性巨结肠这个病，当孩子出现便秘时，就怀疑是否患了巨结肠。先天性巨结肠造成的便秘，有明显特征：便秘比较顽固，不干预很难自己排出大便，一旦排出，量很大；便秘的同时，会有明显的腹胀。如果便秘没有上述症候，怀疑先天性巨结肠就基本上失去了根据。

❖ 新生儿便秘处理

如果宝宝2天没有大便排出，妈妈需采取如下措施：

• 按摩腹部：手掌心对准宝宝脐部，轻轻向下按压约1厘米，同时以顺时针方向按摩20圈，手掌不要离开宝宝腹部。

• 热气熏蒸肛门：把热水放入盆口约10厘米的盆或桶中，让蒸汽熏到宝宝肛门处，约3分钟。

• 把手洗净，用中指轻轻按压宝宝肛门皱褶处20下。

•棉签沾油：可沾香油或橄榄油或液体甘油，轻轻刺激肛门处，也可插入肛门约1厘米深处，动作一定要轻。妈妈如果有受到阻力的感觉，那一定要停止，避免伤到宝宝。

•塞肥皂条：把透明皂切下一条（直径约1厘米，长约3厘米），用手搓成圆柱状，肥皂条一端沾清水，增加润滑度，轻轻塞入肛门内约1厘米处停留，等待宝宝排便。

❖ **需看医生的情形**

经过上述方法处理无效，宝宝一周没有排便。便秘同时伴有显著腹胀或呕吐或拒乳；便秘同时伴有较严重黄疸或黄疸消退延迟；便秘导致肛裂；持续顽固便秘，几乎不能自行排便。

268. 新生儿溢乳和呕吐

新生儿溢乳多是生理性的，新生儿呕吐多为病理因素所致。父母可能鉴别不了孩子呕吐的病因，但大体鉴别是生理性溢乳，还是病理性呕吐，还是有可能的。

❖ **新生儿溢乳**

新生儿消化系统发育不完善，胃的入口贲门松弛，胃的出口幽门相对紧张（容易发生痉挛），胃内奶液比较容易经松弛的贲门返流到食管，再经食管返流到口腔，从而发生溢乳现象。

溢乳多于吃奶后不久即发生，多从嘴边流出奶液；也有一大口吐出的；有的婴儿一觉醒来，吐出一口奶，有奶块，有时像豆腐脑似的，但不带胆汁样物。吐奶前后，婴儿没有任何不适感觉；吐后可以立即吃奶，精神好；不影响生长发育；一天可溢乳几次。

❖ **需要看医生的情形**

溢乳，通常不需要看医生，也不需要药物治疗。如果宝宝溢乳严重，几乎每次喂奶后都发生溢乳；溢出的乳量比较大；宝宝体重增长不理想；经过精心护理，宝宝溢乳仍无改善，那就要带宝宝看医生了。

❖ **溢乳的喂养护理**

喂奶前给宝宝换好尿布，喂奶后，即使宝宝拉了尿了，也暂时不要换尿布。

喂奶后尽量少动宝宝，给宝宝拍膈，幅度不要过大。有的宝宝吃奶后，不动就不溢乳，只要一动，包括竖起来拍膈，都会溢乳。

宝宝吃奶后，没有进入深睡眠，动作多多，很易溢乳。这时，妈妈可轻轻握着宝宝的小手一会儿，使宝宝动作少些，就可避免溢乳了。

少食多餐，可适当减少每一次喂奶量，增加喂奶次数。

不要让宝宝腹部受凉，如果发现宝宝腹胀，可用暖水袋暖一暖宝宝腹部，注意不要烫着宝宝。

溢乳的药物治疗必须在医生指导下进行。

❖ **新生儿呕吐**

新生儿呕吐主要见于：喂养不当导致的消化功能紊乱；分娩过程中吞咽了过多的羊水；先天肥厚性幽门狭窄；消化道畸形、消化道梗阻；内科疾病引起的呕吐，如呼吸道感染、急性胃肠炎等。

▫咽下羊水综合症

新生儿在分娩过程中，吞咽了过多的羊水，出生后不久，会出现呕吐，呕吐物为吞咽的羊水，如果已经喂奶，会混有奶液，呕吐物中还可有泡沫样黏液、咖啡色血性物。数天后把吞咽的羊水吐净后，呕吐就可消失。一般呕吐几天后，把咽下的羊水吐干净后，就停止呕吐了，持续时间比较短，一般4-5天。除了呕吐外，没有其他异常，妈妈不要过于担心。这个过程多发生在医院，有时，医生会给宝宝洗胃。

• 喂养不当导致的呕吐

如果妈妈喂养新生儿的次数过于频繁，乳量过多；喂配方奶时，调配的浓度过高；奶头孔过大，奶水过急过冲；宝宝肠道中有过多的气体，这些因素都可引起新生儿呕吐。改变喂养方式，就可缓解这种性质的呕吐。

喂养不当引起消化功能紊乱，可影响婴儿食欲，进食减少；腹胀不适，有时闹人；大便不正常，有酸臭味，奶瓣增多；呕吐前可能会出现不适，甚至痛苦表情；呕吐后，可能会出现轻轻的哼哼声，好像在呻吟。吃助消化药后好转，或减少喂食量使肠道休息，慢慢恢复肠道的消化功能。

非喂养不当的呕吐，可能就属于疾病性呕吐了，需要看医生。妈妈可先将宝宝呕吐物收集在洁净的容器中，带给医生看，有必要的话，医生会开具化验单，送到化验室检验。根据医生判断，再决定是否带宝宝去医院就诊。

269. 新生儿脐炎

❖ 新生儿脐炎是新生儿比较常见的疾病，致病原因可能包括

冬季出生的新生儿脐部包裹得比较严，不透气，容易发生脐炎。

如果尿布把脐带盖上，尿液污染脐带，也容易发生脐炎。

洗澡时脐带进水，没有消毒擦干，会使脐部发炎。

如果脐带结扎得不够紧，或结扎时脐带根部留得过长，都会使脐带脱落延迟。脐带脱落延迟，也是引起脐带发炎的原因。

当发现脐带根部或周围发红，或脐带陷窝内有分泌物、出血等情况时，要考虑到是否已经发生了脐炎。

❖ 脐炎家中护理要点

不要紧紧地包裹脐带。

不要把尿布盖在脐带上。

不要让洗澡水污染脐带。

不要在脐带上涂龙胆紫。

脐带未脱落或脱落后未愈合前，每天洗澡后，用消毒棉棒沾消毒酒精进行擦洗。

如果发现脐部有些红肿或分泌物，先用碘酒消毒，再用酒精脱碘；消毒时，一定不要只擦脐带表面，要把脐带里面擦干净，进行彻底的消毒。有的父母不敢这样做，只擦擦表面，这是无效的消毒。

！即使有炎症也不能使用龙胆紫

龙胆紫可以使脐部表面干燥，但脐带里面仍是湿的。涂上龙胆紫后，脐部表面干燥了，看似很好，但在脐部底下却有分泌物不能排出来，最终会化脓，加重脐炎。龙胆紫既不能起到预防脐炎的作用，也不能起到治疗脐炎的作用。定时用碘酒酒精消毒脐部（消毒要彻底，不能只是表面的），自由暴露，不做任何包扎，不要让尿布弄湿脐部，是预防和治疗脐炎的好办法。

❖ 需要看医生的情形

新生儿脐炎，如果治疗不及时，可引

宝宝 / 鹿一任

发新生儿败血症。尽管发生率不高，一旦发生，对新生儿的危害是很大的，所以要高度重视。脐炎伴有如下症状之一，都需要及时看医生：

脐炎同时伴有黄疸，或原有黄疸程度加重。

脐炎同时伴有发热。

脐炎伴有精神不佳、吃奶不好、哭声微弱等不正常情况。

脐周围红肿范围扩大，脓性分泌物增多。

可能还有一些情况，也需要及时就医，父母要灵活把握。

270. 新生儿脐茸和脐漏

新生儿发生脐炎后，或脐带脱落后，总有液体从脐部流出，脐带陷窝内总是湿乎乎的，这可能是发生了脐带残端漏。仔细观察，在脐带脱落处，发现有红色的肉芽长出，这就是脐茸。

脐炎可发展成脐漏或脐茸，脐漏和脐茸继发感染，会加重脐炎程度。脐炎、脐漏、脐茸，日常护理时并不很容易鉴别，如果宝宝脐炎经久不愈，就应想到发生脐漏、脐茸的可能了。脐漏和脐茸局部用药效果不佳，旷日持久不见好转，有效的治

宝宝 / 李靖伊

疗方法是激光治疗。一旦怀疑有脐茸或脐漏的可能，要及时带宝宝看医生。

271. 新生儿脐疝

宝宝脐带脱落后，妈妈发现宝宝的肚脐一天天地鼓起来。用手指轻压时，发出咕唧咕唧的响声。慢慢地增大了，整个肚脐都向外鼓，有时看着发亮。孩子哭闹时、竖立着抱起来时、排大便时都可以使肚脐明显增大，安静状态或睡着时可变得小一些。这就是新生儿脐疝。新生儿脐疝一般预后良好，多数有自愈倾向。女婴发生率高于男婴2~3倍。如果脐疝过大，可在医生指导下，施行胶布粘贴或钱币加压等措施。

❖ **脐疝家中护理**

有效避免宝宝长时间或剧烈的哭闹。

宝宝哭闹时，妈妈可用拇指按压脐疝，避免脐疝进一步增大。

腹胀会使脐疝增大，给宝宝服用乳酶生，减轻腹胀。

脐疝比较大，每天可在宝宝醒着时，间断用缝有硬币的腹带包裹，每次20分钟左右，一天数次。

❖ **需看医生的情形**

脐疝发生嵌顿的几率不高，但也有可能发生，一旦发生脐疝嵌顿，需立即看医生。脐疝嵌顿的主要表现是，因疼痛宝宝剧烈哭闹，肿大的脐疝局部皮肤变色，张力大，不能还纳回去。

272. 新生儿红斑

新生儿皮肤红斑是新生儿期常见的皮肤异常，洗澡后、受热、受凉、受到其他外界因素刺激时，都可出现皮肤红斑。表现为在正常的皮肤上，出现一片一片的红斑，不高出皮肤，红斑之间界限清晰，红斑上没有水疱、结痂等皮损。

新生儿红斑无须任何处理，可自行消失，不留任何痕迹。再次受到刺激时，可重新出现。出得快，消失得也快，婴儿可没有任何不适。新生儿红斑不需要妈妈特殊护理，也没有需要看医生的情形。

273. 婴儿迟发维生素K1缺乏出血症

迟发维生素K1缺乏出血症，多发生在婴儿满2个月以后。出现以下症状时，结合婴儿为纯母乳喂养，未曾使用过维生素K1，要想到这种病变：

婴儿脐部出血。

鼻腔出血。

呕吐物中带血。

皮肤有出血点。

大便发黑。

腹胀（可能是消化道出血）。

婴儿突然面色发黄、呕吐、前囟门紧张，要想到可能发生了脑出血，应立即看急诊。

此病发病率不高，但很容易误诊。治疗比较简单，肌注维生素K1就能使出血停止，但如果发生了脑出血预后不好，纯母乳喂养，建议给婴儿常规服用维生素K1片，或肌注维生素K1针，这样就能有效预防婴儿迟发维生素K1缺乏出血症。有的医院，新生儿出生后就肌注维生素K1针，如果已经肌注了维生素K1针，就不需要再服用维生素K1片了。

只要有出血现象，父母不要考虑什么原因，立即带宝宝看医生，以免延误治疗。

274. 新生儿鹅口疮

新生儿对霉菌的抵抗能力比较弱，很容易患鹅口疮。患有鹅口疮的宝宝都有什么样的表现呢？

❖ **如何发现宝宝患了鹅口疮**

患鹅口疮的婴儿，可能没有什么症状。妈妈可以逗宝宝笑，这是很容易的，出生不久的婴儿尽管不会出声地笑，但也会张开小嘴露出笑的模样。当宝宝张口时，妈妈就可清楚地看到宝宝口腔黏膜情况了。如果发现宝宝口腔黏膜或舌面上附着有白色的、好像棉絮或豆腐渣样的东西，用棉签不易擦掉时，就可初步确定孩子患了鹅口疮。如果是口腔内沾了奶渍，用棉签轻轻擦拭或给孩子喝水，白色的物质就会消失或减少，那就不是鹅口疮了。

❖ **妈妈如何预防宝宝患鹅口疮**

新生儿使用的奶具、水杯应该经常煮沸消毒，保持干燥。请注意，如果奶具是塑料制品，百度以上高温会导致有毒物质析出，因此建议使用玻璃奶瓶。关于这一点，请查阅国家相关技术标准，这里就不展开了。

不要在奶瓶中放置喝剩下的奶水，夏季最好也不在水瓶中放置喝剩的白开水。

要及时把奶瓶刷干净、控干，潮湿是生长霉菌的适宜环境。

尽管妈妈乳头经常漏奶，也不要用厚厚的毛巾捂着乳头，可选择防漏乳垫，要尽量保持乳头干燥，勤晾一晾乳头。

喂奶前用清水冲洗乳头。

不要用手揉完乳头就给孩子吃，这也是感染的途径。尽管把手洗得很干净，也可能会有霉菌。因此喂奶前清水冲洗乳头是非常必要的。

❖ **鹅口疮好治疗吗**

宝宝患了鹅口疮，父母不必着急，鹅口疮是很容易治疗的。使用抗霉菌药物，24小时以后即可见效。常用的药物是克霉唑，250毫克/片，把一片药捻碎分成三份，分别于早中晚，喂奶前一个小时，把捻碎的药面放在一张干净的白纸上，轻轻倒到宝宝嘴中就可以了。

❖ 这可不是把宝宝治坏了

在治疗过程中，孩子可能会出现口腔疼痛，吃奶时哭闹，或不敢吸吮，婴儿吸吮力减弱。严重的，白色物消失了，口腔黏膜和舌面发红，婴儿几乎拒绝吸吮。这时可以把奶挤出来，喂给婴儿。这可不是把宝宝治坏了，是治疗中的正常反应，慢慢会好的。

❖ 需要提醒父母一点

有一点要注意，鹅口疮治疗效果很显著，用药后即可见效，但很容易复发，所以要巩固治疗。一般用药2–3天见效，应该再巩固用药3–4天，总疗程一周，复发的可能性就小了。如果是反复的鹅口疮，要巩固治疗一周。在使用抗霉菌药物的同时，用消毒棉签沾苏打水清洗口腔，可缩短治愈周期，巩固治疗效果。

275. 新生儿眼炎和泪囊炎

❖ 感染途径和病原菌

新生儿眼炎多是阴道分娩感染所致，也可发生于宫内或出生后感染。造成感染的病原菌，从链球菌到葡萄球菌，从淋球菌到沙眼衣原体，表现出很强的变化特征。

❖ 新生儿眼炎表现

新生儿眼炎主要表现为：眼睛里总是泪汪汪的；眼屎增多，尤其是醒后；扒开下眼睑，发现眼睑发红；如伴有眼球结膜炎，宝宝白眼球也会是红红的。

❖ 新生儿泪囊炎

新生儿泪囊原本发育不完善，加之眼炎，发生泪囊炎、泪囊堵塞、泪囊狭窄的可能性增大。泪囊炎典型的症状是流泪和眼角有脓性分泌物。

❖ 需要常规使用眼药水吗

有的医院，新生儿出生后，护士会常规给宝宝滴眼药水3天。有的医院会在宝宝出院时，带上眼药水，并嘱咐妈妈回家后给宝宝滴眼药水3–7天。有的医院只给顺产的新生儿滴眼药水。我建议，不管是剖腹产，还是顺产，只要有羊水污染，或产妇羊水检查有病毒或细菌感染，无论新生儿有无眼炎或泪囊炎，都应该常规滴眼药水3天。

❖ 眼炎和泪囊炎家中护理

用洁净的清水给宝宝洗脸，用干净的擦脸巾沾干。

给宝宝清理眼屎时，一定要用无菌纱布或棉签，不要用普通毛巾擦眼睛。

给宝宝滴眼药水时，一定要把手洗干净，轻轻扒开下眼睑，对准眼睑滴一滴眼药水。也可用消毒棉签横着，轻轻压在下眼睑上，轻轻向下拉眼睑，把眼药水滴在眼睑上。

如有泪囊炎或泪囊堵塞，把手洗净，用拇指轻轻按压内侧眼角，如有分泌物流出，用消毒棉签擦干净。

用过的眼药水（通常用1周），最好直接弃掉，以免再次使用时，因药水失效或被污染，影响治疗效果，甚至导致二次感染。

276. 新生儿耳疾

❖ 耳前有小孔是怎么回事

有的新生儿刚生下来，妈妈就发现宝宝外耳道口的前方或周围有一小孔，孔的大小一般不超过大头针帽。医学上把它称为耳前瘘管。这是胎儿在胚胎时期外耳形成过程中遗留下来的痕迹，多与遗传有关，可为一侧或双侧。

耳前瘘管如果不发炎，可以不治疗；可经常用75%的酒精棉棒由下向上擦拭，挤出其内的积存物，尤其是洗澡后要把水挤出来，以免泡胀发炎。

❖ **耳前赘物**

有的宝宝出生后，一侧或双侧耳前有小肉坠，老人习惯上称为"拴马桩"。有的根部很细，用细线就能结扎下来；有的根部比较粗，需要手术切除才能去掉。是否需要处理，全由父母决定。我认为，如果根部很细，可在宝宝出生后，采用结扎或剪除的方法；如果根部很粗，需要手术切除，那就不要急着手术了，等宝宝长大些再做也不迟。其实，耳前赘物并不影响宝宝美观，可给宝宝保留，等宝宝长大后，由他自己决定去留更好。

❖ **新生儿中耳炎**

•新生儿咽鼓管有哪些作用

咽鼓管是沟通咽部与中耳的管道，也是中耳腔与外界直接相通的唯一道路。一般情况下，咽鼓管是关闭着的，只有在做吞咽动作或打哈欠时才有暂时的开放，开放时间不到2秒。咽鼓管伴随吞咽动作时开时闭，对于维持中耳与外界气压平衡，保持听力，保护鼓膜，其作用非常重要。咽鼓管开放瞬间，细菌、病毒可沿管道进入中耳，因宝宝自身抵抗力尚还薄弱，遂引起中耳发炎。

•新生儿为什么易患中耳炎

新生儿咽鼓管发育还不健全；整个管腔又粗又短，而且比较平直；来自鼻咽部的细菌很容易窜入中耳致使中耳发炎。

•新生儿中耳炎的诱发因素有哪些

喂奶姿势不正确；溢乳；呛奶。

•如何预防新生儿中耳炎

采取正确的喂奶姿势；

不要把新生儿的头部放得过低；

减少新生儿溢乳，一旦发生溢乳，要及时清理，防止流入耳内；

新生儿仰卧位时，注意防止奶液、泪

水、洗脸水流入孩子的耳朵里；

及时治疗感冒及其他感染性疾病。

•妈妈如何发现宝宝患了中耳炎

宝宝异常哭闹；用手抓耳朵或拍头部；摇头；发烧。

•什么情况下要看医生

宝宝感冒中，出现异常哭闹。

宝宝发热伴异常哭闹。

只要妈妈怀疑宝宝患了中耳炎，就要带宝宝看医生，中耳炎的治疗不能耽误。

277. 氨基酸代谢异常

氨基酸代谢异常主要侵犯神经系统，是智力发育落后的重要原因。据估计，在严重智力低下的病儿中，约10%与氨基酸代谢异常有关。在人群中的总发病率是万分之一到五千分之一。由于氨基酸代谢异常所引起的疾病，已经发现的病种达到70种以上。苯酮尿症就是其中的一种，是这70多种氨基酸代谢异常中比较常见的氨基酸代谢病。

❖ **氨基酸代谢异常的早期筛查**

先天性氨基酸代谢异常的患儿，在出生时基本上是正常的。所以，早期诊断有赖于对新生儿进行群体普查。在未开奶前作出了诊断，就可以通过饮食治疗，减轻患儿脑损伤的程度。当苯酮尿症的典型症状出现时，确诊并不困难，但为时过晚，已失去预防脑损伤的时机了，因此必须强调症状前的诊断，即在宫内或新生儿出生后早期确诊。我国一些城市已经开展了对全部新生儿进行苯酮尿症的筛查，及时发现所有的带病婴儿。如果未能作出早期诊断，一旦出现临床症状，患儿脑损伤已经难以逆转，智力落后恐成现实。

❖ **苯酮尿症（PKU）**

PKU是氨基酸代谢异常引起的一种疾

病，属常染色体隐性遗传病。病理依据是：体内缺少苯丙氨酸羟化酶，不能使苯丙氨酸转化为酪氨酸，造成苯丙氨酸在体内堆积，严重的可干扰脑组织代谢，造成脑功能障碍，现实病征就是患儿智能障碍。

•苯酮尿症的一般表现

婴儿出生时正常，生后数月内可能出现呕吐、易激惹、生长迟缓等现象。未经治疗的患儿，在生后4-9个月开始有明显的智力发育迟缓，语言发育障碍。约60%属于重症低下。IQ低于50，只有1-4%未经治疗的PKU患儿IQ大于89。可见PKU的早期诊断是何等的重要。有25%的患儿有癫痫发作。约有90%患儿生后皮肤和毛发逐渐变为浅淡色，皮肤干燥，常有湿疹。

•苯酮尿症特殊的体征

气味异常，尿、汗液有发霉味；皮肤异常，主要是湿疹；毛发异常，毛发颜色浅淡。脑CT检查可见弥漫性脑皮质萎缩。

•苯酮尿症的治疗

主要是饮食治疗，需要使用特制的低苯丙氨酸治疗食品。因此一旦确定诊断，患儿就应避免苯丙氨酸饮食的摄入，虽然母乳中苯丙氨酸的含量较牛奶明显为低（每100毫升母乳中含苯丙氨酸约40毫克，每30毫升牛奶含苯丙氨酸约50毫克）。但这些婴儿还是最好不吃母乳或仅吃少量母乳，平时应摄入不含苯丙氨酸的特制奶粉或低苯丙氨酸的水解蛋白质，再辅以奶糕及米粉、蔬菜等，并应经常检测婴儿血中苯丙氨酸的浓度。

•苯酮尿症的预后

通过饮食治疗，部分症状可以逆转，如癫痫得到控制，毛发和皮肤由浅变为自然色。特殊气味消失，行为也可好转。但有一点是难以改进的，那就是智力问题。必须早期诊断，早期治疗，才能预防智力低下的发生。在症状出现之前治疗，可使智力发育接近正常。生后6个月开始治疗，大部分患儿将会智力低下。4-5岁以后开始治疗，可能减轻癫痫发作和行为异常，但对已经存在的智力障碍则难以改进。

❖乳糖不耐受综合征

乳糖不耐受综合征，其病理依据是：患儿体内乳糖酶缺乏，导致乳糖不能被消化吸收，临床常表现为婴儿吃了母乳或牛乳后出现腹泻。长期腹泻不仅直接影响婴儿生长发育，而且可造成免疫力低下，引发反复感染。患儿应暂停母乳或其他奶制品，代以不含乳糖的配方奶粉或大豆配方奶。

乳糖不耐受综合征属先天性糖类代谢异常。先天性糖类代谢异常还包括葡萄糖-半乳糖吸收不良症、半乳糖代谢缺陷等。

乳糖不耐受综合征可分为三型：家族性乳糖不耐受症（极少见）；先天性乳糖不耐受症；迟发型乳糖不耐受症。

先天性乳糖不耐受症，宝宝于喂奶后即出现严重腹泻、腹胀，常见呕吐。食物中去除奶类后症状即消失。迟发型症状，可在出生后几年才出现，这常常让父母大惑不解。

常有这样的情况：婴儿出生时很正常，但开奶以后，每一喂奶就发生症状。由于母乳中乳糖含量高于牛乳，因此母乳喂养儿症状常较牛乳喂养儿为重，出现呕吐、拒食、不安、腹泻症状等，严重者出现肌张力低下、黄疸、肝脾肿大等情况。如果继续摄入乳糖，可出现肝硬化、低血糖等，伴有营养不良，可在新生儿期出现白内障，体格发育和智力发育障碍也渐明显。

乳糖酶可有效缓解乳糖不耐受症导致的腹泻、腹胀等症状，这也正是宝宝缺少的物质成分。因此选择适合宝宝症状的代乳品，是控制症状发展的关键，父母要全面听取医生的建议。

第2节　婴儿高发疾病

278. 感冒

❖ 婴儿为什么容易感冒

鼻腔短，无鼻毛，后鼻道狭窄，黏膜柔嫩，血管丰富。

气管、支气管较成人狭窄，软骨柔软，缺乏弹力组织，支撑作用薄弱，黏液分泌不足，气道干燥，纤毛运动差，不能有效地清除吸入的微生物。

肺的弹力纤维发育差，肺内含血量丰富，而含气量相对较少，容易感染。

胸阔活动范围小，肺脏不能充分扩张、通气、换气，容易造成缺氧和二氧化碳储留。

肺活量小，各项呼吸功能的储备能力均比较低下，所以不但容易感染，还容易发生呼吸衰竭。

呼吸道免疫功能低下，SigA、IgA、IgG含量低，肺泡的巨噬细胞功能不足，乳铁蛋白、溶解酶、干扰素、补体等的数量和活性不足。

❖ 被父母忽视的感冒原因

宝宝已经睡着了，不管是在怀抱中、推车中、自行车后座上、汽车座椅中，父母应该避免孩子受风。睡觉时，遭受冷风侵袭，是造成感冒的原因。

外面烈日炎炎，带宝宝逛超市，超市里空调开放，宝宝满身的汗水很快就没有了。再给宝宝吃些冷饮，从里到外都是凉的，结果外感风寒。从凉爽的超市到闷热的户外，宝宝也可能会患风热感冒。

电风扇或空调风口直接对着宝宝吹，也是造成感冒的原因。

睡觉前妈妈怕宝宝受凉，盖得比较厚，宝宝可能会出汗。到了下半夜，气温下降，妈妈也睡着了，宝宝把被子踢光，结果受凉感冒了。

托幼机构隔离困难，一个宝宝感冒，很容易传染给另一个宝宝。此起彼伏，感冒不断。加上家中和幼儿园室温差异，冷热不均，更易感冒。

出汗后马上洗澡，也是感冒的诱因。要等到出汗停止，汗水干了，或先用干毛巾擦干汗水，再给宝宝洗澡。

❖ 父母如何自行判断婴儿的感冒症状

感冒症状轻重不一，婴儿感冒症状并不是很重，但发病急，常骤然起病，出现高热、咳嗽、奶量减少。如果体温过高可出现高热惊厥，要马上用物理降温的方法，控制体温。婴儿感冒的同时，常常伴有呕吐、腹泻等胃肠道症状。

感冒病程一般3-5天，不超过一周。

宝宝／朱容萱
全家福。

如果症状逐渐加重，应排除是否有其他疾病或合并细菌感染的可能。

6个月以前的婴儿，即使感冒了，症状通常也不会很重的，体温多不会很高，一般达到38℃左右。

夏初、夏末有两种特殊感冒：疱疹性咽峡炎、咽结合膜热。这两种病起病急，病程相对长。

❖ **孩子感冒，提醒父母注意**

许多疾病，在疾病的初期类似感冒症状，应加以鉴别，比如流感、急性传染病早期、急性中耳炎等。

不要轻视感冒，如果症状不但无好转，还渐加重，应及时看医生。

婴儿感冒时父母最好不要自行给药，应看医生后遵医嘱用药。

婴儿感冒多是由父母感冒传染的，所以家有婴儿，父母要注意预防感冒。

❖ **婴儿感冒，避免治疗过度**

不要过多服用退热药：没有其他病症，对感冒本身，婴儿并不会感觉很难受的，即使有些发烧，精神也不错，也不耽误吃奶睡觉，几天就会好转，不必过多服用退热药。

宝宝／宋墨涵

不必每次都吃感冒药：不必每次感冒都吃很多的药，有时根本不需要吃药，让孩子好好休息，保证睡眠，多饮水。

❖ **婴儿感冒慎用抗生素**

绝大多数感冒是由病毒所致，抗生素不能杀灭病毒。在没有细菌感染的证据下给宝宝服用，属于滥用抗生素，对婴儿有害无益。

因为担心有细菌感染的可能，预防性使用抗生素，也是乱用抗生素的一种表现。当体内没有细菌感染时，进入体内的抗生素不能发挥其治疗作用，有的只是副作用。我们不能因为担心可能会有来敌入侵，在敌人还没出现的时候，就在自己的国土上开枪放炮。

感冒后，对细菌的抵抗力有所下降，有继发细菌感染的可能。出于这些考虑，宝宝每次感冒都服用抗生素，以免后患，这也是乱用抗生素的表现之一。

有的妈妈人为，宝宝发热了，一定哪里有炎症。所以，只要宝宝发热，就给宝宝服用抗生素，这样做是错误的。

宝宝感冒发烧，妈妈没有给宝宝服用抗生素；第一天，妈妈不急；第二天，妈妈开始着急；第三天，宝宝仍然发热，妈妈坐不住了，开始给宝宝服用抗生素。

请妈妈避免上述做法，让宝宝远离过度治疗。

❖ **我总是这样告诉父母**

孩子感冒，不要动辄就吃抗生素，除非有细菌感染的证据。

如果感冒发热持续3天，到了第4天，还没有下降的趋势，要再看医生，是否有其他合并症，妈妈不要擅自给宝宝服用抗生素。

感冒过程中，出现了其他异常情况，要及时看医生，不要擅自给宝宝加服其他药物。

如果没有细菌感染证据，不要因为怕宝宝有细菌感染，而预防性地使用抗生素。

滥用抗生素，对孩子有害无益，父母应该认识到这一点。

❖ 帮助感冒孩子解决鼻塞

由于鼻塞，婴儿会出现吸吮困难。鼻子堵上了，只能靠嘴呼吸。吸吮时，不能呼吸，可不吃又饿，孩子就开始闹人。喂奶前，把孩子的鼻子清理一下，就能让孩子很好地吃一顿奶了。

如果没有鼻涕堵塞，是鼻黏膜充血水肿导致的鼻塞，清理鼻道是没有效果的，在孩子的鼻根部热敷会使婴儿舒服许多。

❖ 父母要学会观察病情

6个月以后的婴儿，能力大了，对疾病的不适感觉灵敏了很多，宝宝稍有不适，会比原来闹人。宝宝感冒，可能让父母几天不得安生，几夜不能合眼。为此，父母可能会频繁带孩子看医生。及时看医生是对的，但是，孩子从生病到痊愈，是需要过程的，没有哪种药物能立竿见影。如果宝宝没有出现其他异常情况，父母要沉住气，仔细观察孩子的情况，细心护理孩子，耐心等待孩子度过病程。

感冒痊愈需要时间，大多数的感冒，要一周左右的时间。在这期间，精心护理是必不可少的。

尽管孩子吃饭减少了，但也能吃进去，不呕吐，精神总的来说不错，没有出现感冒以外的症状，父母就要沉住气。不要一次次更换药物，过度治疗，又是打针，又是输液。这对治疗感冒无济于事，还要增加治疗上的痛苦。

父母不要自行更换和选择抗生素，一定要在医生指导下。抗生素要连续服用3天后，认为确实对目前的感染无效时，才能更换。

不要选择很多感冒药，也不要频繁更换感冒药。父母多是根据孩子过去有病时，吃了什么药有效，这次会再次选择。也有的父母会听取别人的意见，比如，同事、邻居或亲朋好友说，他们的孩子也是感冒，吃了什么药，效果非常好，父母就采纳了朋友的建议。实际上，每一次、每一人的感冒都是不同的。

治病不同吃饭穿衣，也不同购买家用产品，治病要建立在对病情正确判断的基础上，严格对症用药。药物不只是治病，也有副作用，也能致病。父母在为婴儿看病时，一定要认识到这一点。

只要诊断明确了，治疗并不困难。把病情搞得很复杂的原因，大多不是因为婴儿患了复杂难治的疾病，而是把治疗过程复杂化了。来来回回地换药，反反复复地换医院、换医生。简单的感冒变成了复杂的疾病。

喉咙中总是有痰的婴儿，一旦感冒，症状往往显得严重。医生听诊，十有八九会诊断为喘息性气管炎。如果发烧，可能会怀疑患了肺炎。父母最了解自己的孩子，如果孩子没病时，喉咙里就有呼噜声，感冒后，呼噜声会更明显。父母要把这种情况告诉医生，向医生提供参考信息，帮助医生作出准确诊断。

感冒好了，孩子可能会持续一段时间咳嗽。如果为此长时间服用抗生素对孩子是非常有害的。

婴儿感冒时，会同时出现腹泻，可能是病毒侵袭了肠道，或由于感冒消化功能降低了。所以，感冒的婴儿食量减少时，不要逼着孩子吃，这样会增加孩子的肠道负担。

❖ 婴儿感冒的家庭护理

多休息，多饮水，注意环境隔离，避免传染源，预防并发症。

监测体温，防止热惊。

保证充足的睡眠，补充足够的水分和营养。

注意病情变化，如果出现精神差、不爱吃东西、呕吐加重、嗜睡等症状时，及时看医生。

感冒是自限性疾病，病毒在体内有一定的生存期。一旦感冒，病情都要持续一段时间，父母不要着急。

感冒引起的高热并不可怕

感冒发热是机体对感染微生物的一种反应，是保护性机制，有的父母把发热看成是疾病轻重的表征，这是不对的。发热高并不一定就是病情重。相反，发热轻并不一定就是病情轻。对于婴儿来说，罹患气管炎、肺炎，体温升高并不明显。所以不能把体温作为衡量疾病轻重的指标。

退热治疗也不能太急，大多数父母都想马上把体温降到正常，过量服用退热药，宝宝出汗过多，机体体温调节中枢紊乱，甚至出现低温、电解质紊乱。所以，退热要缓慢进行，只要把体温控制在高热以下，预防高热惊厥，也就可以了。

服用退热药时一定要注意水分和电解质的补充，口服退热要与物理降温交替使用。特别是婴幼儿，使用物理降温更好。

不能像成人那样给宝宝"捂汗"。婴儿的体温调节中枢不完善，汗腺发育也不完善，用"捂汗"的方法不但不能使体温下降，还会使体温骤升，出现高热惊厥。婴儿还会出现"蒙被综合征"，危及生命。发热时要少穿、少盖，增加散热。

❖ 炎热夏季如何防感冒

适当降低环境温度，使环境温度低于宝宝体表温度。

室内外温差最好能够控制在7℃左右，如果室外温度过高，室内温度不要低于26℃。

从热的环境到凉的环境，要给宝宝加衣服。当宝宝在温度很高的环境时，汗毛孔和毛细血管都处于开放状态，如果突然进入低温环境，宝宝受到冷的刺激，很容易感冒。

不要让宝宝在穿堂风处久留，也不要让宝宝在电风扇前或空调通风口前久留。

如果宝宝身上有汗，洗澡前要先擦干孩子身上的汗水。

足部被称为人体的第二心脏，足部受凉也是感冒的原因之一，不要让宝宝光脚在凉的地面上爬。

鼻黏膜干燥，细菌和病毒易经鼻黏膜侵入体内，居室要保持适宜湿度（50%左右）。感冒后的流涕打喷嚏有利于病毒清除，抗感冒药多使鼻黏膜干燥，婴儿不宜使用西药成分的抗感冒药。

不要过多使用退热药，以免宝宝出汗过多。如果服用退热药后，宝宝出汗很多，要适当补充淡盐水。

❖ 冬季是上感的高发季节

随着天气转冷，婴儿肺炎发病率上升，从12月到来年的2月份是肺炎的高发期。尤其是春节前后，天气寒冷，父母忙着张罗过节，亲朋好友聚集一堂，更加重了婴儿罹患肺炎的危险。家有婴儿，父母要倍加小心，不要因为节假日扰乱生活节奏。

❖ 宝宝感冒家中处理原则

宝宝呼吸道疾病最常见的症状有流涕、咳嗽、发热。

•只是流鼻涕打喷嚏，没有其他症状。给宝宝多喝水，尽量让宝宝多休息，哄宝宝睡觉，给宝宝吃清淡食物，及时清理宝宝鼻中的鼻涕，如果觉得宝宝喉咙中有痰，让宝宝趴在你的腿上，一只胳膊托住宝宝腋下，另一只手拍宝宝背部，喉咙中的痰液或吐出来，或咽到消化道。

•除了流鼻涕打喷嚏，宝宝还有发热，但宝宝精神还好，没有明显影响吃奶吃饭，要密切监测体温变化，首先采用物理降温（减少衣服，降低环境温度，温水擦浴，泡温水澡，在颈部、头部、腹股沟、腘窝等处放置"一贴凉"）。物理降温无效，体温持续高于38.5℃，可给宝宝服用退热药，先用半量，15分钟后体温无下降趋势，再补服半量。体温持续高于39℃以上，直接服用全量。4-6小时可重复服用。婴儿发热一定要少穿，"捂"会导致体温过高，引发高热惊厥。

•除了流鼻涕打喷嚏，宝宝还有咳嗽，但宝宝呼吸平稳，没有喘息和气促，也没有气喘，要密切观察呼吸情况。如果宝宝无痰干咳，可服用止咳药，如果宝宝痰多咳嗽，要服用祛痰药。

•宝宝突然发热，没有任何流鼻涕打喷嚏等感冒症状，要想到幼儿急疹的可能。没有细菌感染依据，不要擅自使用抗生素，也不要过度退热，以免影响热退疹出的自然病情。幼儿急疹典型症状是持续发热三四天，出现红色丘疹，体温降至正常，即"热退疹出"，这场病就算好了，不需要药物治疗。

•宝宝发热24小时内，体温超高，有引发高热惊厥的可能，要积极降温。带宝宝看医生的途中，一定不要给宝宝穿得过多，车内不要开暖风，以免体温继续升高，引发高热惊厥。

❖ 需要看医生的情形

宝宝感冒症状超过3天，非但没有减轻，还越发加重，要及时看医生，排除感冒以外的其他疾病可能。

宝宝流鼻涕打喷嚏、咳嗽、发热三大症状快速出现，要警惕流感、气管炎或肺炎的可能，及时带宝宝看医生，服用有清热泻火、止咳祛痰、抗病毒消炎作用的中成药比较好。

宝宝除了感冒症状，同时伴有精神不振，食欲明显下降，很可能是重症感冒，要及时看医生。

宝宝感冒后，体温持续超过39℃，采用降温措施无效，超过24小时，要及时看医生，排除患有其他疾病的可能。

宝宝感冒过程中，出现了喘息、气促、喘憋、声音嘶哑等症状，要及时看医生，排除气管炎、肺炎、毛细支气管炎的可能。

宝宝感冒同时，伴有呕吐、腹泻、拒食等症状，要及时看医生，排除急性肠炎的可能。

宝宝感冒同时，伴有流口水或口水增多、拒食、吃奶哭闹等情况，要及时看医生，排除疱疹性咽峡炎、急性口腔炎的可能。

宝宝发热伴有犬吠样咳嗽、气促，要及时看医生，排除急性喉炎的可能。

宝宝感冒后，如果服药3天，症状没有好转，或精神、饮食差，不爱玩耍，应及时看医生。如果患病初期症状就比较重，就应立即看医生，不要自行服药。超过3天无效，还是继续自行用药，这是不对的，应及时看医生，或向医生咨询。实际上，看病比吃药更加重要，只有对症治疗，才能有效地控制病情，有的放矢，既减少药物给孩子带来的副作用，也减少服药给孩子带来的痛苦，同时也减少药源浪费，减少不必要的开支。

当怀疑孩子不是单纯感冒时，就要及时看医生，不要自行加服抗生素。如果确实是细菌感染，父母随便选择抗生素，会给医生的治疗带来麻烦。抗生素是处方药，父母不可以自行使用。

279. 咳嗽

❖ **咳嗽需要治疗吗**

咳嗽是一种症状，不是独立的疾病，治疗咳嗽，必须治疗引起咳嗽的原发病，才会收到好的效果。引起咳嗽的常见病是感冒，其次是气管炎、咽喉炎，比较严重的是肺炎。

还有变异性咳嗽，也称过敏性咳嗽。比较少见的有百日咳、心源性咳嗽等。感冒、气管炎和肺炎引起的咳嗽，随着疾病的痊愈，会逐渐消退。咽喉炎，尤其是咽炎，病程比较长，咽炎不消，咳嗽难止。变异性咳嗽主要原因是过敏，只要过敏状态存在，咳嗽就会经久不愈，此起彼伏。百日咳有疫苗预防，发病率很低，但一旦罹患，咳嗽时间很长。

除了真正的百日咳以外，还有"百日咳综合征"。百日咳综合征主要特征是咳嗽类似百日咳，但咳嗽的原因并非是百日咳，其原发病可以是咽炎，也可以是其他呼吸道疾病。

咳嗽本身是一种保护性的反射动作。通过咳嗽，把呼吸道中的"垃圾"清理出来，痰液就是所说的垃圾。虽然咳嗽是对气管的保护，但仍然需要治疗，这是因为：

•咳嗽症状多是由于呼吸道疾病所致，治疗咳嗽，主要是治疗引起咳嗽的原发病。但咳嗽导致气管黏膜水肿、充血，剧烈咳嗽会加重气管黏膜的水肿和充血，因此止咳治疗是必要的。

•长期咳嗽，使咳嗽中枢持久处于高度

宝宝／周语宸

兴奋状态，即使呼吸道疾病好了，咳嗽中枢仍处于兴奋状态，咳嗽继续，这时抑制咳嗽中枢持续兴奋，就是必要的了。

•咳嗽非常剧烈，影响婴儿睡眠及进食，止咳治疗会减轻咳嗽带给婴儿的痛苦。

•呼吸道内积聚大量痰液，不但影响婴儿呼吸，引发婴儿剧烈咳嗽，还影响器官黏膜的修复，祛痰治疗是非常必要的。

❖ **婴儿咳嗽的治疗**

治疗咳嗽，首先要治疗引起咳嗽的原发病，其次才是止咳祛痰治疗。婴儿可以服用的止咳祛痰药有很多，比较常用的有猴枣散、蛇胆川贝、蜜炼川贝、盐酸氨溴索口服液、丙卡特罗口服液等。过敏性咳嗽还需要服用抗过敏药物，如布地奈德、孟鲁斯特等。无论是什么原因引起的咳嗽，通过雾化吸入途径给药，都是最好的选择。呼吸道直接给药，效果好；避免扎针给宝宝带来的痛苦；避免喂药导致的吐奶；用药量也比较小。有专门用于雾化吸入的药物，也可以根据宝宝病情配药。妈妈也可以给宝宝喂食自制的止咳水，如用白梨、川贝、罗汉果、陈皮（橘子皮）等煮的水。如果宝宝不太喜欢喝，可以把红枣放在平锅里干煎一下，一同煮水，增加水的甜度。

❖ **呼吸道受到的伤害**

呼吸道黏膜受到侵袭，大多数情况下，

会随着病毒、细菌及各种微生物感染的消除，最终得到恢复。但有时呼吸道黏膜自身功能受到损伤，不能得到恢复，形成经久不愈的咳嗽。使用再高级的抗生素、再昂贵的止咳药，也难以消除咳嗽的症状，必须改善呼吸道黏膜本身的功能，咳嗽才能缓解。锌剂、钙剂、维生素AD、维生素C有修复受损气管内膜作用，可在医生指导下适当补充。

❖ 婴儿咳嗽是否导致肺炎

婴儿咳嗽并不像父母想象的那样严重，妈妈总是担心孩子可能患了肺炎，这种担心是没有必要的。

到了秋末冬初，有的婴儿就开始积痰，嗓子里总是呼噜呼噜的，妈妈抱着孩子，这种呼噜声，能传到妈妈的手臂上。

这样的孩子大多是比较胖、爱长湿疹，晚上或清晨出现咳嗽。有时是几声，有时是一大阵，如果刚刚吃完奶，或咳嗽剧烈时，会把吃进去的奶或饭全部吐出来。把奶吐出来了，孩子反而看着舒服了，呼噜声暂时消失了，玩得也好，吃得也香，脸上还时时露出笑容，体温是正常的。这样的孩子，是没有什么大问题的。

但是，从来没有见过这种阵势的父母，肯定会把孩子带到医院。医生给孩子听听肺部，认真的医生还会让孩子透视甚至拍X胸片，化验末梢血象。折腾完了，可能会告诉你，孩子是气管炎，或喘息性支气管炎，不会诊断肺炎的。

婴儿患肺炎不会这样逍遥的，即使不发烧，孩子的精神也会比较差，咳嗽往往是持续的，不会照常玩、照常吃、照常乐。

如果前一段患过感冒，曾经发烧，感冒后咳嗽一直不好，而且越来越重，孩子晚上睡觉出气很粗，有发憋的时候，吐出的奶里，会见到黄色的痰液，是合并了细菌感染，从上呼吸道感染发展到下呼吸道感染。如果有这样的过程，医生会作出喘息性气管炎的诊断。

典型病例

对经久不愈的咳嗽可能一直要等到开春以后，嗓子里的痰才会减少，咳嗽也就随之减轻了。

曾有妈妈向我咨询，说她的孩子已经咳嗽有几个月了，打针输液都没有效果，吃了一大堆的止咳、消炎药，就是治不好，全家人都很着急。我就告诉这位妈妈，把所有的药物都停掉，如果正在给孩子吃鱼肝油，就继续补，但维生素A的量，要增到每日1800国际单位，维生素D的量增到每日400国际单位。同时吃维生素C，每日0.3克。室内湿度保持在45%左右，温度保持在18℃左右，每天开窗换气20分钟。不要因为冬季而间断洗澡和户外活动。不要给孩子穿得过多，和父母穿的差不多就可以。每天睡觉前和清晨起床，用空手掌给婴儿拍背排痰，要在喂奶前进行。并告诉这位妈妈，不要捂着孩子。随着天气的转暖，婴儿会不治而愈的。到了来年立秋入冬，仍要锻炼孩子的耐寒能力。长大了，就会慢慢好的。结果，妈妈这样做了，孩子一天比一天好，到了来年冬天，孩子已经1岁半了，没有再像去年那样。妈妈很是高兴。

❖ 要清理呼吸道分泌物

越小的婴儿越没有能力清理呼吸道中的分泌物，而这个时期的分泌物往往是最多的。尽管多次带孩子看医生，但也没有什么好的办法，只是给孩子吃咳嗽药和抗生素。

婴儿的呼吸系统发育尚不成熟，咳嗽反射较差，痰液不易排出，如果一咳嗽，就给很强的止咳药，咳嗽虽然暂时得以缓解，但气管黏膜纤毛上皮细胞的运痰功能和气管平滑肌的收缩蠕动功能受到了抑制，痰液不能顺利排出，大量痰液蓄积在气管和支气管内，影响呼吸道通畅。所以，婴儿不宜选择中枢性镇咳药，也不适宜选择只有止咳作用，没有祛痰作用的止咳药。

280. 婴儿发热

发热是婴儿常见症状。婴儿第一次发热时，父母往往会非常紧张，这是很自然的。发热是父母能感到的，它是一种症状，是什么原因引起的发热，父母不知道，这使得父母更加着急。此时，孩子快快退热，成了父母最大的心愿。这就使得一些父母忽视了疾病本身，而把重点放在了退热上。

❖ 当孩子发热时，希望父母有这样的认识

发热是一种症状，不是一个独立的疾病，它是疾病的外在表现。当婴儿发热时，首先应该考虑是什么原因引起的，对于父母来说尽管不易做到，但要有这方面的知识。许多疾病都可表现出发热。单纯的退热治疗，是治标，不是治本。

对于婴儿来说，非疾病状态也可发热。

婴儿不同于成年人，对发热有更大的耐受性。如果一个成年人体温达到39℃时，会非常难受，起不来床，但婴儿体温很高，妈妈却看不到宝宝难受的样子，甚至还蛮精神的。所以不能根据婴儿的表现揣测是否发热，也不能用手摸一摸，应该用体温计进行测量。

6个月以后的婴儿，发热可导致"高热惊厥"。惊厥阈值低的婴儿，即使体温不是很高，也会出现热惊厥，医学上称为"复杂性热惊厥"。对于这样的婴儿，控制体温就显得格外重要了。

婴儿体温调节中枢发育不完善，散热能力差，对退热药物反应差。因此，物理降温对于婴儿是重要的退热方法。

"捂"是导致婴儿高热不退的人为原因。

选择退热药物，不是越贵越好，打针输液并不是退热最快的。

发热会消耗宝宝体能，要让婴儿多睡觉，多喝水，少活动。室内空气新鲜，通风好，室温不能过高。不要给孩子穿得过多，发热的婴儿一定要少穿，少盖，增加散热。

❖ 测量体温时应注意的几点

测量前，要把体温计甩到35℃以下。把金属头放在腋窝中间。如果婴儿有汗，要用毛巾把腋窝擦干。

婴儿体温受这些因素影响：吃奶后半个小时以内，哭闹时，出汗时等。测量时，要避免这些因素的影响。

腋下温度测量计有传统的水银温度计和电子温度计。水银温度计测量时间要在5分钟以上，电子温度计要听到提示完成的报响声。

用电子耳温计测量体温时，要稳定好宝宝头部，对准耳孔，听到响声后，拿开耳温计，读取数据。

家庭很少使用红外线测温计；使用红外线测温计，通常测量前额部。

❖ 退热治疗几点提示

发热是疾病的一种防御机制，对身体具有保护作用。

父母不能把退热视为对疾病的治疗。

不要总是千方百计寻找"好"的退热药。

把体温降下来，就认为是治好了疾病，这是错误的认识。

❖ 激素退热不可取

激素配合退热药使用，可以使体温很快下降，作用时间可达1~2天，有时还会使体温过低。虽然体温下降了，也只是治标，没有治本，还会掩盖疾病的症状。如果是单纯的感冒，也许就此好了，感冒症状也随之减轻了，父母也高兴。然而父母没有想到，这样会减低婴儿自身对疾病的抵抗能力，感冒一次，婴儿就对所感染的病毒产生免疫能力；如果随便使用激素，会降低这种能力。因此，父母不要为了快速退烧，促使医生使用激素类退热药。

❖ 物理降温很重要

婴儿体温调节中枢发育不完善，散热能力差，对退热药物反应差。因此，物理降温对婴儿来说是重要的退热方法。

婴儿不宜使用酒精浴物理降温，可以用温水给婴儿擦浴，也可以给婴儿进行温水洗浴，水温和体温差不多就可以了。物理降温可反复多次使用。

少盖，甚至不盖，脱掉衣服，也是物理降温的一种方法，主要是增加散热。当婴儿发热时，父母千万不要忘记物理降温。

"捂"是导致婴儿高热不退的人为因素。父母一定不要"捂"孩子，婴儿是不能靠"捂汗"降温的，越捂，体温会越高，最终导致高热惊厥。这一点，父母要牢牢记住！

❖ 正确选择退热药

•没有最好的

退热药的作用都差不多，没有最好的。使用退热药，只是为了减轻发热带给孩子的不适，避免体温过高对婴儿的伤害，保护婴儿大脑（高热时，可用凉水枕），防止高热惊厥。在服用退热药的同时，还要治疗引起发热的疾病。退热药不是越贵越好，对宝宝有效的退热药，就是最好的选择。

•打针输液并非是退热最快的

打针输液，不是最好的给药途径，也不是最快的退热方法，不要为了退热选择打针或输液。有时，高热的婴儿受到打针的刺激，剧烈哭闹，有可能导致高热惊厥。

•喂药困难可选择肛门给药

呕吐或服药哭闹、喂药困难的，选择肛门用药，也是很好的选择。起效很快，婴儿也没有痛苦。

•最好选择镇静止惊退热药

有高热惊厥史的婴儿，最好选择有镇静止惊作用的退热药，如阿苯片或婴儿鲁米那。

•中药退热

中药退热也是不错的选择，如紫雪、柴胡、清开灵、羚羊角、生石膏等。有些抗感冒药中含有退热药成分，在给宝宝服药时要考虑到这一点，以免服用过量的退热药。

❖ 预防高热惊厥几点措施

体温超过39℃时，要积极降温。

最快的降温方法是物理降温。

药物往往不能很快奏效，有时，还没等到发挥药效，孩子已经发生了高热惊厥。

一旦发现婴儿高热，首先要采用物理降温，在物理降温的同时给宝宝服用退热药。

❖ 不该发生的高热惊厥

•包得过严、过多

有的父母，一发现孩子发烧，就不知所措，把孩子包得严严实实，急忙往医院跑。可没等到医院，或者刚刚抱到医院，打开包被，还没等用药，就发生惊厥了。这时，父母还会错误地以为：多亏把孩子抱到医院来了，在家里抽了，就更麻烦了。其实，父母不知道，如果不是把孩子包得这样严实往医院跑，而是首先在家给孩子先物理降温，再吃退热药，然后再把孩子抱到医院来，很可能就不会发生抽搐这一幕了。

•用退热药后不观察

妈妈带宝宝看完病，打了退热针，就急急忙忙回家，可能没等离开医院，或在回家途中，或刚刚到家，孩子就可能发生惊厥。父母就会急忙返回来，医生可能会把患儿留下观察或住院。

一定要观察20分钟后，等到体温有下降趋势后，再离开医院。有时患儿多，一时疏忽，医生忘记嘱咐父母了。有了这样的认识，即使医生忘记了叮嘱，父母也会主动留下来观察。

•简单感冒因热惊住院

原本比较简单的感冒，因处理不当，孩子可能会发展到热惊而住院。住院后，无论什么病，首先要做必要的常规检查，这又使孩子遭受扎针的痛苦。如果发生院内间交叉感染（如肺炎、肠炎等），那就更麻烦了，使简单的感冒变得复杂。

•打退热针也不能立竿见影

父母应该了解，打了退热针，不会立竿见影，体温就此下降的，至少要等20分钟。在退热药起效前，物理降温是必不可少的。

•有高热惊厥史的婴儿

有高热惊厥史的婴儿一定要积极控制体温，选用有镇静止惊作用的退热药物。阿苯片或婴儿鲁米那是比较好的选择，退热作用和缓持久，6个小时服用一次，能有效控制高热惊厥。

•复杂热惊儿

频繁发生热惊或体温不是很高时就发作惊厥的婴儿，在退热的同时，可使用水合氯醛灌肠或口服（在医生指导下使用）。即使知道是发热引起的惊厥，也要看医生，排除其他原因所致的惊厥。

❖ 引起婴儿发热的常见疾病

•新生儿脱水热

新生儿体温调节中枢还不成熟，散热能力差，很容易受环境温度的影响。当环境温度过高时，新生儿就不能进行自我调节了，出现发热症状。炎热夏季，环境温度过高，水分补充不足，会发生新生儿脱水热。

脱水热表现：体温升高；尿量减少；口唇及皮肤干燥；面色发红。

脱水热应对方法：这种发热，使用退热药物是没有效果的，补充水分和物理降温是最好的，最主要的物理降温方法是散热，如：打开婴儿包被；脱掉衣服，只穿一件背心；频繁喂宝宝喝水；放到水温和体温相近的浴盆中，进行水浴降温。

•夏季热病

在炎热的夏季，婴儿可能患夏季热病。主要特点有：发生在夏季；发热无汗；口渴喜饮；发热是主要表现；高温可持续不退；午前轻，午后重；天气凉爽时，体温自然下降。

夏季热病应对方法：可使用空调调节室内温度。适宜的温度，会使患有夏季热病的婴儿保持正常体温。

•出疹性发热

从来没有发过热的婴儿，突然发热时，没有任何症状，持续发热，可能是出疹性发热（也称为婴幼儿急疹）。这是婴儿期一种特殊疾病，由病毒感染引起。

出疹性发热特点：突然发热，没有什么伴随症状；婴儿哭闹、食量减低；初期皮肤见不到皮疹，热退疹出是出疹性发热的特点。

典型的婴儿出疹性发热全过程：

退热药无效。父母很着急，会马上抱孩子到医院看医生。但吃了医生开的药，没有什么效果，还是发热，父母就更着急了，不知道孩子患了什么病。没有出皮疹，医生也很难作出诊断。

热退疹出。发热持续3-4天后，体温会一下子降到正常，或仅仅有些低热。但随之而来的是皮肤出现了红色的小丘疹，从面部、耳后、颈部到躯干相继出现比较均匀的小红疹。

皮疹出来后。随着皮疹的出现，有的婴儿会因为皮肤轻度瘙痒而闹人。有的婴儿没有什么症状，精神很好，食量也增加了。

出疹性发热应对方法：

无须治疗。出疹性发热是自限性疾病，无须治疗，到时候会自然痊愈。发热高的，可以采取物理降温或适当服用退热药。

不要一个劲地跑医院。新手父母没有经验，看到宝宝发热就着急，出疹更着急。如果医生告诉了父母，父母就会比较放心。如果父母不了解这个病的特点，就会一个劲地跑医院。

皮疹出来就预示病好。出了皮疹，就预示着这场病已经接近尾声了，已经好了，出了皮疹，也不用吃药，3–5天就会慢慢消退的。

• 病毒感染性发热

病毒感染性发热特点：一般多呈体温持续升高症状；退热效果不显著；尽管体温比较高，婴儿精神并不差；孩子会很闹人，使得妈妈很着急，会使用各种退热方法，但往往是不灵验的。

如果服用抗生素，体温下降了，这往往是碰巧的事。父母可不要因此积累这样

宝宝／珂珂

的经验，以后再发热，马上就用抗生素；不到病程结束，体温就是不降，到了病程，体温就自然而然地下降了。

病毒感染性发热应对方法：

到目前为止，没有非常有效的抗病毒药物，多是等到自然病程的结束，疾病也就好了。就像成人感冒一样，如果不继发细菌感染，单纯的感冒，不吃药，休息休息，多喝点水，也会不治而愈的。

婴儿感冒也是一样，也有自然病程。当然，婴儿机体抵抗力弱，很容易造成机会感染，适当的治疗是必要的。

父母要了解病毒感染的特点，了解其自然病程，带孩子看病的目的，应该是让医生看一看是否合并了其他病症。如果合并了其他病症，要及时给予相应的治疗，如果没有其他病症，就不要吃更多的药物，打针输液更是没有必要的。如果为此而使用高级抗生素，那就更是错误，父母一定不要强求医生这样做。

281. 婴儿腹泻

❖ 几乎所有的婴儿都有过腹泻病史

腹泻病是婴幼儿常见病之一，每个年龄段都有患腹泻病的可能。婴幼儿期，腹泻病的发生率是很高的，1岁以内的婴儿腹泻病的发生率就更高了，几乎所有的婴儿都有过腹泻病史。

❖ 婴儿腹泻，父母着急有道理

婴儿腹泻，最令父母着急。如果一天拉稀十几次，甚至二十几次的话，妈妈就不用做其他事情了，忙还不必说，婴儿腹泻多是"哗啦"一下，几乎是从肛门中蹿出来，每一次，妈妈的心都会针刺样的痛。孩子少吃一口，妈妈都怕孩子营养不良，这一泡泡的稀便，怎能不让妈妈心痛呢。

从医学角度考虑，腹泻确实对婴儿的

健康有极大的危害。不要小瞧腹泻，其中含有大量的电解质和水分，这些物质的丢失，对婴儿体内环境影响是很大的。电解质是维系人体血浆容量必不可少的物质，是维持体内酸碱平衡的物质基础，水对人体的作用就更重要了。所以，婴儿腹泻所丢失的不是一口饭所能补充的，妈妈的着急是有道理的。

❖ 婴儿腹泻，父母应该注意的十点

第一，引起婴儿腹泻原因有多种，应加以辨别，只有针对病因进行处理，才能有效控制病情。

第二，药物不是治疗腹泻病的唯一有效方法。

第三，止泻药不能治疗所有的腹泻，应该有针对性。

第四，预防婴儿腹泻很重要，防重于治。

第五，科学的护理对阻止腹泻是必不可少的。

第六，食疗在婴儿腹泻治疗中是很重要的。

第七，补充水、电解质比服用止泻药重要得多。

第八，一定不要动辄使用抗生素，这是导致治疗失败的主要原因。在给腹泻婴儿服用抗生素时，应该有充分的理由。

第九，辨别出类似腹泻病的"非腹泻"。

第十，处理腹泻病，应该是迅速补充丢失的水和电解质，短期快速止泻。

❖ 爸爸妈妈逐条做

第1条：腹泻病的病因鉴别，针对性处理

这是很重要的。引起婴幼儿腹泻原因有多种，应加以鉴别。只有针对病因进行治疗，才能有效控制病情。

当然，病因鉴别不是父母所能为的。但是，父母要认识到这一点的重要性。当

孩子腹泻时，要冷静分析一下可能的原因，并告诉医生，作为医生诊断的参考。不要自行购买治疗腹泻的药物，尤其是抗生素。

并不是所有的腹泻都需要服用抗生素。抗生素是对因治疗，必须针对引起腹泻的病原菌，才能选择抗生素。如果没有感染，就不需要抗生素。不同的病原菌要选用不同作用的抗生素。

止泻药是对症治疗，也不是所有的腹泻都可以服用止泻药。严重感染性腹泻，控制感染是第一位的，在感染没有控制前，是不能使用止泻药的。

由此可见，腹泻的病因鉴别，针对性治疗是非常重要的，这不单单是医生的事，父母也应该了解。

第2条：药物不是治疗腹泻病的唯一有效方法

婴儿发生腹泻，父母马上会使用药物。药物的来源可能有三个：

第一，到医院开的；第二，在药店购买的；第三，上次腹泻时，没有吃完的药物。而对其他方面的处理，往往就忽视了。

这可能就是治疗失败的原因。治疗腹泻的药物换了一种又一种，就是不管事。事实上，药物不是治疗腹泻病的唯一有效方法。应该采取综合措施：

• 补充丢失的水、电解质，纠正酸碱紊乱

婴儿由于腹泻丢失了电解质，血浆晶体渗透压降低，肠腔内的水分不但不能吸收，还会有水分析出，如果只喝水，就不能吸收，出现喝水拉水现象。这时如果能口服电解质（口服补液盐），不但会使水分吸收，还能吸收补充的电解质，既纠正了水、电解质紊乱，还起到了止泻作用。

• 单纯吃止泻药效果是不好的

如果不注意饮食调理、饮食卫生和大便管理，单靠止泻药是不行的。

如果出现了脂肪泻，就要减少油脂食物的摄入，适当控制饮食。

如果出现了饥饿性腹泻，就要加强喂养，控制饮食反倒会使腹泻加重，单服用止泻药效果也不佳。

如果出现了菌群失调（大多是抗菌药物所致），就应该调整肠道内环境，以便恢复肠道内正常菌群环境，缓解腹泻。

•止泻药不能止住所有的腹泻

止泻药不能治疗所有的腹泻，当婴儿出现腹泻时，不要仅仅盯住止泻药，换了一种又一种，药吃了一大堆，不但白白花钱，孩子还受罪。腹泻时间长了，孩子会很快消瘦下去，出现营养不良，抵抗力减低，易患其他疾病。腹泻处理不得当，会给父母和孩子带来很多痛苦，在实际生活中，这种现象并不少见。

第3条：不同病因的腹泻

•细菌感染性腹泻

在使用有效抗生素的前提下使用止泻药。不消灭肠道内引起腹泻的致病菌，单服用止泻药是没有效果的。

当婴儿患感染性腹泻时，大便多见黏液样、脓性、带血、绿色稀水样。大便常规检查多有异常，如可见白细胞、红细胞、脓细胞等。婴儿可有发烧、精神差、呕吐、纳差等症状。

•病毒感染性腹泻

缺乏有效抗肠道病毒的药物。不仅如此，单纯服用止泻药也难以有效控制腹泻。病毒性腹泻最常见的是秋季腹泻。

秋季腹泻好发于秋末冬初季节。婴儿可有发烧，大便常规可正常或见少许白细胞，大便可成绿色、淡黄色、白色稀水样、蛋花汤样、稀米汤样。大便以水为主，可

迅速丢失大量水分，短期出现脱水症状。治疗的关键是补充水分和电解质。

止泻药不但不能奏效，还可能增加肠道负担，表现为吃药拉药。妈妈一旦发现孩子吃进去的止泻药（如泻速停，中药汤色）都拉了出来，就不要再服用了，肠道根本就不吸收药了，止泻药已经不能起到药效了，只能增加肠道负担。这时应该以补充水分电解质和调整肠道功能为主，也可吃肠道黏膜保护剂。

•饥饿性腹泻

止泻药是没有效果的，必须调整饮食结构。母乳不足就添加辅食或牛乳。

•消化不良性腹泻

也不应该单纯服用止泻药（对食物消化不了，对药物吸收也同样不好），护理、治疗应该以助消化为主，调整饮食结构。

•肠道菌群失调

单用止泻药也是无效的，应该服用微生态制剂，使肠道恢复正常菌群结构。

第4条：防重于治

对婴儿疾病的预防，并不像想象的那样到位。究其原因是：不知道如何预防；知识储备不足；方法不当；观点不对。这是普遍问题。具体到婴儿腹泻病的预防，我有如下建议：

•紧把病从口入关

提到病从口入关，父母想到的就是卫生问题。关于这个问题，父母常常会说"我们非常注意卫生"。医生不怀疑这一点，父母会做得很好。但是，父母所说的卫生是狭义的，指的仅仅是"干净"。应该更广义地认识卫生这个问题，这是预防腹泻病的重要环节，这一关包括方方面面。

•父母要有效洗手

每次给婴儿换尿布后、喂奶前、给婴儿冲奶前、给婴儿喂饭前、给婴儿做饭

前……都要洗手。洗手方法很重要，要使用肥皂和流动水洗手，这样才有效。

●婴儿排泄物妥善处理

婴儿腹泻后，要及时把排泄物处理干净，阻断再感染途径，这是很重要的。

●餐具、炊具不要水淋淋

给婴儿做辅食的餐具（菜板、刀叉、过滤纱布或漏网、榨汁机、各种容器等）用后晾干，用前清洗、消毒（对于6个月以前的婴儿，这样做是必须的）。

●食物的放置有讲究

冰箱内放置的食物（冬季保存时间不能超过72小时，夏季保存时间不能超过24小时）必须煮沸后食用。即使煮沸后，也不能再装入原来的容器中食用，要更换一个干净的容器。在常温下放置的剩奶，不能超过4个小时，夏季不能喝常温放置的剩奶。夏季如果剩奶没有及时倒出，再使用时，不能把剩奶倒出后，用开水涮一涮容器就使用，一定要把容器煮沸后再使用。夏季不能给婴儿喝放置24小时以上的白开水，果汁要即做即喝。

●辅食添加有技巧

开始添加辅食时，从小剂量开始，逐渐增加，一种一种地添加辅食，等到适应后，再加另一种辅食。添加新的辅食后，只要出现腹泻，马上停止，待腹泻消失后

宝宝／翡翠
小玛格丽特。

再试着重新添加，但添加的剂量，要比上次减少一半。注意：不要同时停止其他已经添加的辅食。孩子不吃时，一定不要硬逼着孩子吃，孩子非常喜欢吃的东西，不要没有限制地让吃个够，父母要做到心中有数，觉得孩子已经吃够了，再吃就会太多（大部分婴儿饱了都会主动不吃了，但食欲非常好，食量大的婴儿，有时需要父母适当控制），就不要再喂了。爱吃的食物，也不能上顿下顿都吃，或连续几天都是一样的，这也会使孩子腹泻的。

●妈妈嚼饭给孩子，错

千万不要给孩子嚼饭，这可以导致婴儿腹泻。有的妈妈怕饭热烫着孩子，喜欢用舌头尖舔一舔，试试温度，这是不好的习惯，还有的妈妈喜欢啄一下奶嘴，尝一尝奶的温度，这更不好。成人口腔内的细菌对于婴儿来说，可能就是致病菌。

●不能吃的不要吃

不适合这个月龄吃的食物，不要给孩子吃。便秘的婴儿没有医生建议，不能擅自使用泻药。

●腹泻流行时更应注意

在腹泻病流行季节，尽量少接触其他孩子，少带孩子到病儿集中的医务场所，少到公共场所，一定不能接触患有腹泻病的孩子。这一点，父母不要不好意思，为了对孩子负责，要拒绝患有腹泻病的孩子到家里串门，如果带孩子到别人家里串门，一旦得知他们的孩子正在腹泻，最好马上离开。

第5条：科学的护理对防治腹泻是必不可少的

一旦婴儿发生腹泻时，父母应该认识到这一点：药物不是治疗腹泻的唯一方法，也不是最有效的办法，应采取综合的治疗措施。

郑玉巧育儿经·婴儿卷

●关于禁食疗法

对于婴儿腹泻，过去沿袭的禁食疗法，已基本被否认，至少不能长时间禁食。

是否需要禁食，要由医生来决定，父母不应该自行决断。

即使是禁食，其时间也是有严格限制的，不是一说禁食，就一直禁下去。对于单纯的婴儿腹泻，大多不需要禁食。即使禁食，最多不超过6-8个小时。

适当延长喂哺间隔时间。适当减少喂哺剂量（对于吃得少的婴儿，只要婴儿想吃，就不要限制）。减少食物种类，改变烹饪方法（如把米粉干炒后再吃，把鲜奶多煮沸几次，弃去上面的奶皮）等。

禁食的结果，可能会使婴儿出现饥饿性腹泻；可能会使孩子出现脱水和电解质紊乱；可能会使孩子出现营养不良（长时间禁食或长时间控制饮食）。没有医生嘱咐，父母不能对腹泻婴儿实行禁食或饥饿疗法。

●食疗在婴儿腹泻治疗中是很重要的

食疗在治疗婴儿腹泻中的作用，有时是与用药并驾齐驱的。未添加辅食的婴儿除了奶，不用采用下面食疗方法。食疗具体方法包括以下内容：

稀释奶液

6个月以内的婴儿无论是什么类型的腹泻，都不需要停止母乳喂养，但乳母要少吃油脂大的食物，喂奶前30分钟到一个小时，喝一杯温开水，以稀释奶液。配方奶喂养的婴儿，腹泻期间可改喂防腹泻配方奶。

减少脂肪

如果婴儿有脂肪泻，就尽量给婴儿吃前一部分的母乳，前一部分的母乳中，含较多的蛋白质，后一部分的母乳含较高的脂肪，不利于腹泻儿的消化。配方奶喂养

儿，可把奶煮沸，去掉上面的奶皮，降低脂肪含量，成为脱脂奶。

焦米粉

前面提到的炒米粉，也是有效的食疗法（但不适合4个月以前的婴儿）。把米粉放在文火上炒，直到米粉变焦黄。每次取适量焦米粉，加少量的水和糖煮沸后食用。

藕粉

藕粉也可作为腹泻时的食疗，把藕粉放入水中溶开，加适量糖煮沸后食用。

胡萝卜汤

将胡萝卜洗净，切成丝或小块，加水煮烂，过滤去渣后饮用，饮用时，可加水或米汤。

苹果泥

用勺刮成泥状直接喂，也可煮后捣成苹果泥，加几滴高粱酒后食用。

补充水、电解质比服用止泻药重要得多

●脱水危及婴儿

婴儿腹泻时丢失水和电解质，导致婴儿脱水、电解质紊乱、酸碱失衡，这是危及腹泻婴儿生命的最主要原因。所以，婴儿腹泻治疗的重点是及时补充足量的水和电解质，而不是单单服用止泻药。

●补液是关键

孩子一旦发生腹泻，尤其是水分含量多、次数多、量大的腹泻，要不失时机地喂口服补液。吐出去不怕，只要吐得少，喝得多，就能达到补充液体的目的。这一关键问题，往往不能引起家长的重视。这种现象，在基层医院也常被忽视。服用口服补液，不但能及时补充丢失的水和电解质，还有止泻作用。

●正确使用口服补液

正确使用口服补液是治疗婴儿腹泻的

关键一环。

一定要严格按照说明书或医生的嘱咐配制口服补液。

用温开水冲，也可加米汤。

如果婴儿没能把冲的口服补液一次喝完，剩下的不要用开水烫或煮沸加热，温一温就可以了。但存放时间不能超过12小时。所以一次要少冲，争取都喝完，尽量不喝剩下的补液。

给孩子喂口服补液不能一下让孩子喝很多，以免引起呕吐，要频频地喂，一点点地喂，就像静脉输液一样，不断地补充。

如果婴儿不喜欢吸吮，可用小勺一点点地喂，这需要很大的耐心。如果能避免静脉补液，再辛苦父母也应该坚持。

•不要动辄使用抗生素

乱用抗生素治疗婴儿腹泻是导致治疗失败的主要原因。婴儿肠道内非致病菌群数目少，还没有建立正常的菌群系统，肠道内环境不稳定，容易被外界因素破坏，一旦内环境遭到破坏，不易恢复。所以，保护婴儿肠道内环境是很重要的。

给腹泻患儿服用抗生素要注意：

要有充分的理由。

要在医生指导下使用。

要在有细菌的感染证据时，选择抗生素。

根据感染病原菌正确选择抗生素的种类。

不能长期使用抗生素。

不要轻易使用两种以上的抗生素。

不要轻易使用抗菌力很强的广谱抗生素。

可能有个别医生，只要诊断患儿是腹泻，就使用抗生素，这是欠妥的，父母要提醒医生注意，父母有权利对医生的治疗提出质疑。父母有这方面的知识，发生疑问时，不要顾虑，这是对孩子负责。腹泻婴儿乱用抗生素的现象是普遍存在的，应引起父母的注意。

•辨别出类似腹泻病的"非腹泻病"

婴儿腹泻病需要治疗，但有时尽管婴儿大便看起来不正常，并不能就此认为婴儿患了腹泻病。当父母发现孩子大便有些问题时，不要忘记非腹泻病情况。

出现"非腹泻病"的几种情况：

母乳喂养的婴儿大便次数多，也比较稀，这不是腹泻。

母乳喂养儿的大便可能会随着母亲的饮食有所改变。某一天，由于乳母吃凉了；某一天，由于乳母吃油腻了；某一天，由于乳母外出回来后马上给孩子喂奶了；某一天，家里来客人，乳母喝了带冰饮料；某一天，乳母参加聚会，喝了几杯啤酒，到家就给饥饿的宝宝喂奶。……某一天，由于这样和那样的原因，婴儿大便可能会出现一些改变，不要马上就认为是婴儿腹泻了，马上就吃药，上医院打针，要等一等，看一看，是否由乳母造成，或许拉一次两次就很快好转了。

在添加辅食过程中，婴儿的大便可能会有所改变，大便变得发稀，发绿，有奶瓣，次数偏多，这不是腹泻病，可能是对新加的辅食不适应。减少辅食量或停止添加，会很快好转的。

当婴儿出现"非腹泻病"时：

不要急于服用止泻药。

不要服用抗生素。抗生素有可能破坏肠道内环境，引起伪膜性肠炎，引起真正的腹泻病。

•处理腹泻病，短期快速止泻

婴儿大便是多变化的。怀疑腹泻，首先要化验一下大便常规，向医生询问，注意观察，明确诊断后，正确选用药物。

婴儿一旦患了腹泻病，应该迅速补充丢失的水分和电解质。

迅速补充丢失的水分和电解质，不但降低了发生危险的可能性，还能起到止泻的作用。

短期快速止泻也是非常必要的，如果治疗方法正确，能够快速收到治疗效果。如果让婴儿拉的时间长了（老百姓常说的"肠子拉滑了"），就给治疗带来困难，婴儿也会出现营养不良。

•秋季腹泻

·秋季腹泻可流行

秋季腹泻是由轮状病毒引起的感染，好发季节是秋冬。易发于2岁以内婴幼儿，是流行较广的肠道传染病，几乎每年都有不同程度的流行趋势。如果赶上大流行，婴幼儿几乎难逃此劫，特别是托儿所、幼儿园等社会机构，婴幼儿可能在肠道健康上出现"全军覆没"的情况。预防是关键，父母和托幼机构都要明白这个道理。

·患病儿粪便中可排出轮状病毒

秋季腹泻是传染病，经粪口传播，也可通过气溶胶形式经呼吸道感染而致病。所以，做好肠道隔离和呼吸道隔离是很重要的。患有秋季腹泻的患儿，可从大便中排出大量的轮状病毒，可于感染后1-3天开始排出，最长可排6天。父母认识到了这点，就知道如何避免宝宝被感染上轮状病毒了。要远离患病的孩子。病儿父母给的食物，不能让你的宝宝吃。不要让宝宝接触有感染病毒可能的东西。在秋季腹泻流行季节，不要带孩子到人群多的场所玩耍。

·当宝宝已患了秋季腹泻

一定要注意肠道隔离，不要让孩子接触其他宝宝。

父母处理完患儿大便后要彻底清洗手部、被粪污染过的物品，以免造成粪口传播。

要保持室内空气新鲜、流通。

最重要的是要及时补充丢失的水分和电解质，可购买口服补液盐。只要在疾病的初期，使用口服补液盐，配合其他治疗，就会免除住院，不但解除了孩子的痛苦，还节省了医疗开支。

282. 便秘

真正的便秘是大便干硬，排出困难，排便次数减少。有时，干硬的粪便擦伤肠黏膜，粗硬的大便导致肛裂，大便可带血或黏液，排便时可有疼痛。婴儿因疼痛而拒绝排便，使大便更加干燥。这个问题在婴儿护理中已经多次提及了，这里作个总结。

❖ 便秘的主要原因是饮食因素

引起婴儿便秘的原因，主要是饮食因素。疾病引起的便秘很少见，如先天性巨结肠症，发病率是很低的。

在便秘的婴儿中，以纯配方奶喂养儿为多见。这与食物成分有关。如果再给孩子吃钙剂，大便就会更坚硬，难以排出。

母乳喂养儿出现便秘的不多，相反，多是大便次数多，不成形，总是黏黏糊糊的，很少能见到一条条成形的大便。有的婴儿一天可拉4-5次，甚至6-7次。在没有添加辅食时，有的婴儿撒尿、放屁都会带出大便来。妈妈每次换尿布，都能看到尿布上沾点稀屎，往往被妈妈认为是腹泻。

有便秘家族史的婴儿，即使是母乳喂养，婴儿也会便秘。如果是配方奶喂养，便秘就更厉害了，纠正起来往往是比较困

宝宝 / 马婵溪
咦，这是什么呀？

难的。对于这样的婴儿，妈妈要掌握这样的原则：只要婴儿能够排出大便，妈妈就不要总是担心孩子的大便。尽管间隔时间长些；大便并不是很硬；排便时，婴儿也没有痛苦表情；有些使劲，也不损伤肛门；孩子精神也很好。不要一天不拉就使用开塞露，这样反倒会使婴儿产生依赖性，不用开塞露，就不拉，就等着妈妈用开塞露。婴儿也喜欢不费劲地排便，结果便秘就更重了。妈妈不但很麻烦，总用开塞露，对婴儿肛门也会造成损伤。所以，不要轻易使用开塞露。

食量小的婴儿，肠道内的余渣也少，大便自然也就少了，这样的婴儿，虽然几天才排大便一次，并不是便秘。排便并不费劲，大便也不硬，孩子精神好，体重增加也很正常，就不能认为是便秘，只是吃得少，大便也少。这样的婴儿就不需要处理，长大了，胃容量增加了，饭量增加后，大便也就多了。

❖ 纠正婴儿便秘的方法

•调整饮食结构

配方奶喂养的婴儿，要增加饮水量；母乳喂养儿，妈妈要多喝水，每天饮水量至少要1600毫升。配方奶喂养儿，尽量多喂水，如果每天喝奶800毫升，每天喂水量至少240毫升。已经添加辅食的婴儿，适当增加蔬菜、杂粮的比例。红薯、玉米面、燕麦、芹菜、菠菜等纤维素含量高，有利于排便。

•训练定时排便习惯

每天在固定的时间，帮助宝宝排便。步骤如下：

腹部按摩；

屈腿运动；

按摩肛门皱褶处；

热气熏蒸；

棉签沾香油刺激肛门；

肥皂条塞入肛门。

通过这六步，帮助宝宝养成定时排便的习惯。

•多给宝宝主动运动机会

不要总是抱着宝宝，把宝宝放下来，让宝宝翻身、趴趴、爬爬、踢腿，运动可刺激肠蠕动。

•食物和药物调整

益生菌、乳果糖、低聚糖、蓝莓汁、火龙果、猕猴桃、西瓜、香蕉等有缓解便秘作用。值得注意的是，婴儿腹泻，妈妈不要给宝宝过多食入凉性食物，以免导致宝宝体内寒凉，出现大便前干后稀状况，使得便秘更难调整。

•不宜使用泻药

使用泻药，使肠子蠕动加快，如果出现异常蠕动，有可能引起肠套叠，这可是比便秘还严重的疾病，可能会使孩子遭受手术之苦，甚至危及婴儿的生命。如果需要使用泻药，一定要在医生指导监督下使用。妈妈可千万不要擅自使用。如果泻药吃多了，或选择错了，可能会导致婴儿腹泻。吃长了，还会引起对泻药的依赖。

第3节 婴儿常见疾病

283. 毛细支气管炎

❖80%以上的病例发生在1岁以内

毛细支气管炎是婴幼儿期肺炎的一种特殊类型，是婴儿期比较严重的呼吸道疾病，多发生于几个月龄的婴儿，主要表现是喘憋。在我国北方地区，该病多发生于冬季和初春，南方则多发生于春夏或夏秋。发病高峰集中在1-6个月的婴儿，80%以上的病例发生在1岁以内。男女婴儿发病率差不多，但男婴病情多比较重。

该病初期表现主要是感冒症状，两三天后，出现咳嗽、喘息，一般于发病六七天症状进一步加重，出现明显喘憋。这时，一般父母不再坚持在家里治疗，即使在半夜，也会因婴儿呼吸困难而看急诊。

到医院后，医生会立即收住院治疗，但即使住院治疗也难以在短期内使病情好转。毛细支气管炎病程特点就是，发病7天左右病情最重，喘憋达到高峰；病程10天以后，症状逐渐减轻。

❖ 使用抗生素无效

引起毛细支气管炎的病原菌多是呼吸道合胞病毒，使用抗生素无效。缺乏有效的抗病毒药物，主要靠自然病程。即使在疾病初期住院治疗也不能缓解病情，父母也不必因为没有及时住院而后悔，病程就是这样发展的。如果喘憋严重，就需要住院治疗；如果婴儿喘憋不严重，可以在家中护理。

有的婴儿本来病情不是很重，住院后因静脉输液，婴儿拼命哭闹，反而会使病情加重，倘若合并院内交叉感染，会使病情进一步加重。如果不需要住院治疗，不要为了安全而提前住院，这对婴儿没有任何好处。毛细支气管炎是婴儿期比较严重的疾病，但父母不要着急，一般都会安全度过病程峰值，并逐渐好转。

❖ 毛细支气管炎的家中护理

多给孩子喝水，稀释痰液，如果已经添加了肉类食物，暂时停食，适当增加蔬菜和水果的比例。

定时拍背，帮助孩子排痰。拍背的方法：把手握成空心状，一下一下，有节奏地拍婴儿的背部。拍右侧背部时，让婴儿左侧卧位。拍左侧背部时，让婴儿右侧卧位。这样能够帮助婴儿排出气管内的痰液。

室内空气要新鲜，温度不能太高，一般保持在20℃左右就可以，这样才能保证适宜的湿度。冬季如果室温过高，就难以保持适宜的湿度。

不要给孩子穿得过多，宝宝出汗后，容易再次受凉感冒，加重病情，使呼吸更加困难。

雾化吸入对缓解病情有很大的帮助，如果宝宝不需要住院治疗，购买一个家庭用的雾化吸入器，由医生开出需要吸入的药物，父母在家中给宝宝吸入，避免喂药引起的呕吐和输液带给宝宝的痛苦。

❖ 需要带宝宝看医生的情形

体温持续高热不退，采取物理和药物降温无效，超过24小时。

出现较严重的喘憋或呼吸困难。

出现烦躁不安、口周发青、鼻翼扇动、

呼吸急促等异常情况。

喉咙中痰多不易咳出，由此造成呼吸困难；

凭借父母的直觉，感觉宝宝病情加重，不去看医生，心中感到异常不安。

284. 流行性感冒（流感）

❖ 流感与感冒的区别

感冒，病情轻，绝大多数不需要药物治疗，如无合并症，一周左右自愈。散在发病，不造成地方性流行。症状轻，鼻咽局部症状明显，全身症状较轻。

流感，病情多较重，需要药物治疗。群体发病，可造成地方性流行，迅速传播。症状重，全身症状明显，突发高热、头痛、全身酸痛、乏力、咳嗽、咽痛等。

❖ 流感的预防

• 接种疫苗

注射流感疫苗是预防流感的有效措施。流感疫苗自应用以来，对降低发病率起到了一定的作用。每年要在流感高发期到来之前，一般是在秋末进行接种。疫苗接种后两周，抗体上升至最高峰，4-5个月后降至三分之一，一年后消失，有效保护时间为半年至一年。

• 隔离

要远离流感患者，父母或家中其他人患了流感，要注意呼吸道隔离，接触婴儿要戴口罩。清理鼻涕或用手捂嘴打喷嚏时，一定要有效洗手。流感流行期，带宝宝乘坐电梯，最好等到无人乘坐时，以免碰到患有流感的人在电梯中打喷嚏，流感病毒传播给孩子。也可给宝宝戴上口罩。

• 环境

室内要保持适宜的温湿度（湿度50%左右，温度20℃左右），定时通风换气，保持空气新鲜。北方家中要使用加湿器保湿，最好选择无雾加湿器（看不到雾气排出）。无雾加湿器适宜有婴儿的家庭使用。这是因为，无雾加湿器，水滴非常小，散布到空气中后，容易渗透到呼吸道，真正起到湿润呼吸道的作用。带有可见雾气的加湿器，水滴比较大，散布到空气中后，看似湿度很大，却不容易渗透到呼吸道，更多的是附在皮肤表面上，并在面部形成水滴。另外，长时间使用有雾加湿器，空气中的雾气比较大，会影响宝宝视线，感到眼前雾气腾腾的，很不舒服。

流行季节，不带婴儿去人多拥挤的公共场所，尽最大可能不带孩子去医院。多到户外活动，经常用冷水洗手洗脸，增强耐寒能力。

• 草药预防

板蓝根、大青叶、金银花对流感病毒有预防作用，绿茶漱口也可预防流感。

❖ 流感治疗

流行性感冒和普通感冒目前都没有特异性治疗，抗病毒药的治疗效果有限，副作用比较大。因此对感冒和流感的治疗，主要是休息、保暖、多喝开水、房间多通风消毒，对症治疗减轻症状。

❖ 需要带宝宝看医生的情形

一旦怀疑宝宝患了流感，就要去医院看医生，明确诊断，积极治疗。如果医生要宝宝住院接受治疗，父母不要犹豫，立即安排孩子住院。了解了这一点，现实中，倘若真有那么一天，孩子患了流感，去医院，就知道医生可能收住院，提前把各项工作、生活事项安排一下，也就不会手忙脚乱了。

285. 热伤风

热伤风多发生在炎热的夏天。热伤风的诱因仍然是受凉，只是热在前，是先决条件，而受凉是后发因素。由于体温调节中枢与血液循环调节中枢失衡，对药物的反应欠佳，加上环境温度高，不易散热，所以热伤风退热治疗比较困难。

❖ 婴儿为什么易患热伤风

•体温调节中枢不完善

婴儿皮肤薄嫩，皮下脂肪少，肌肉不发达，皮下毛细血管却非常丰富，体温调节中枢和血液循环调节中枢都尚未发育完善，对体温的调节功能比较差，不能随着外界环境的变化而迅速发生相应的变化。

•毛细血管开放，汗毛孔闭合

在炎热的夏天，毛细血管始终处于开放状态，汗毛孔也始终处于开放状态，敞开散热。当受到冷风刺激(如穿堂风、电风扇、空调、气温骤降等)，毛囊口会迅速闭合，以减少散热。但是，开放的毛细血管没能及时收缩，血流的速度仍然很快，体温调节中枢失衡，出现发热。

•汗毛孔开放，毛细血管闭合

在炎热的夏季突然遇冷后，汗毛孔没有及时关闭，仍然持续开放，向外散热，而毛细血管却遇冷收缩，血流缓慢，进一步使原本不协调的体温调节中枢与血液循环调节中枢失衡加重，患了热伤风。

286. 惊厥

婴儿惊厥（抽筋、抽风、惊风）是婴儿时期中枢神经系统器官或功能异常的一种紧急症状。

❖ 引起婴儿惊厥常见的原因

•高热

多见于6个月龄以后。6个月以前发生惊厥，即使婴儿有高热，也不能轻易判断就是良性的高热惊厥，一定要排除中枢系统感染，如婴儿化脓性脑膜炎、病毒性脑炎等。良性高热惊厥多发生在急性呼吸道感染，体温骤升达39-40℃以上。惊厥停止后，神志恢复正常，不引起脑部损害，脑电图暂时出现慢波，以后正常。若有癫痫家族史，日后有可能会转为复杂性热惊或癫痫。

•中枢神经系统感染

除体温骤升高外，多数在惊厥发生前后有昏睡、嗜睡、谵妄或昏迷症状。常见的疾病有：各种脑炎、脑膜炎、中毒性痢疾、败血症等。

•中枢神经系统功能异常

中枢神经系统功能异常，如原发性癫痫；各种中毒，如一氧化碳中毒、农药或杀虫剂中毒、植物或食物中毒等；脑外伤，如婴儿从高处坠落摔伤脑部。

❖ 婴儿惊厥家中紧急处理

婴儿发生惊厥，父母多是惊慌失措，手忙脚乱，紧忙抱着宝宝往医院跑。这样做是很危险的，如果宝宝因高热发生惊厥，在去医院的途中，因给宝宝包裹很严实，加上汽车内温度高，宝宝体温更高，惊厥可能会持续不止。如果宝宝口腔内有胃内返流物，没有及时清理，很容易导致窒息，危及宝宝生命。惊厥时，宝宝多伴有呼吸困难，甚至停止呼吸，如果急忙抱起宝宝，窝着宝宝脖颈，呼吸道不通畅，会进一步加重呼吸困难。所以，宝宝发生惊厥，父母一定要冷静应对。

•如果宝宝在你的怀抱里发生了惊厥，立即放低宝宝头部，并使头部略向后仰，充分暴露宝宝颈部，保持呼吸道通畅。

•与此同时，观察宝宝口腔内是否有食物或呕吐物，如果发现有，立即请人帮助清理，如果只有你一人在家，立即把宝宝放在平整的地方，地面、桌面、床面都可以，使宝宝侧卧，头部后仰，清理出口腔

宝宝 / 鹿一任

内的食物或呕吐物。

•当宝宝处于惊厥状态时，一定不要刺激宝宝，要保持安静，不要摇晃或搬动宝宝，更不能采用"掐人中穴"等强烈的刺激方法。即使是高热惊厥，惊厥期间，也不要采取物理降温措施，更不能给宝宝喂退热药。等到惊厥停止后再做这些。

•家中有其他人，要立即与医院取得联系，如果是不明原因的惊厥，最好呼叫医院救护车。如果知道是高热惊厥，待宝宝惊厥停止，积极采取降温措施后，带宝宝去医院途中，一定不要捂着孩子，车内不要开暖风，以免宝宝体温骤升再次惊厥。

❖ 婴儿惊厥治疗

引起惊厥的原因很多，要根据病史及惊厥发作情况，其他伴随的症状，结合各种检查，综合分析，作出原发病诊断，治疗原发病。

惊厥属于急症，需要在家紧急处理后，立即带宝宝看医生。

287. 婴儿反复呼吸道感染

"宝宝患病是父母的过错"这话有一定的道理，科学护理是防病不可缺少的。如何避免由于护理疏忽导致宝宝反复呼吸道

感染呢？

❖ 不要过多穿衣

在季节交替时节，气温不稳定，忽冷忽热。如果不能及时为宝宝增减衣服，宝宝会因冷热不均，易患感冒。父母最怕孩子冻着，常过早加衣，过多穿衣，孩子总是汗津津的，很容易感冒。

常看到这样的情景，爸爸穿着短袖衫，孩子却穿着毛线衣。父母穿的少，感觉不到热，有时还觉得挺冷。因此，就给宝宝多穿。不会走的婴儿，在妈妈怀里抱着，接受妈妈的体温。自由活动的幼儿，不停地蹦蹦跳跳，常满头大汗。老人运动量小，代谢率低，常有冷感，于是觉得孩子也冷，就给孩子穿上更多的衣服。

❖ 切莫越感冒越捂

孩子感冒了，父母担心再冻着孩子，不敢带宝宝到户外活动，不敢开窗通风，还不断地加衣服，加被子。当告诉妈妈不能这么捂孩子时，妈妈总是说，这样还感冒呢。孰不知，这正是宝宝反复感冒的原因之一。妈妈也很为难，穿少了怕冻着，穿多了怕热着，不知如何是好。妈妈不要发愁，任何时候，都不能捂孩子，当然也不能冻孩子，根据季节加减衣服，通常情况下，宝宝和妈妈穿一样厚薄的衣服比较合适。宝宝玩耍和吃饭时，要适当少穿些，玩耍结束，满身大汗，一定要马上擦干汗水，没有汗了，再穿好衣服。有汗的时候，不能带宝宝到户外。

❖ 不能剥夺孩子到大自然中去锻炼的机会

有氧锻炼是提高机体抵抗力的好方法，可大多数父母都是怕孩子冻着，很少有怕孩子热着的，早早就给孩子穿上厚厚的衣服，盖上厚厚的被子，天气刚刚有些凉意，就门窗紧闭，这无异于剥夺了孩子在大自

然中锻炼的机会，这样孩子怎么能够适应寒冷的冬季呢？孩子没有耐寒锻炼，身体抵抗力怎么能增强呢？

❖ 尽量不要服用抗感冒药

孩子患了感冒，不要给宝宝服用抗感冒药，更不能过多服用，尤其是西药抗感冒药。因为流涕、打喷嚏是清除病毒的有效途径，服用抗感冒药后，鼻涕不流了，喷嚏不打了，呼吸道黏膜却干燥了，不但不能清除病毒，还可使细菌乘虚而入，发展至咽炎，甚至气管炎。多休息，多睡眠，多饮水，饮食清淡是应对感冒的好方法。

❖ 父母应该这样做

早晨起来时，看一下天气，和前一天作下比较，如果没有大的变化，就不要轻易给孩子增减衣服。增加衣服最好是早晨起床时决定好。

天气由暖变冷时，不要急于给孩子添加衣服，加上后就不好减掉了，因为天气一天比一天冷，只能是越加越多，到了真正的寒冷季节，就没有加的了。最好的办法是：妈妈与孩子穿一样厚薄的衣服，静坐时不感到冷，孩子就不会冷，婴儿虽然没有成人耐寒，但婴儿始终是在运动状态，即使是睡着了也不会安实。

天气由冷变暖时，也不能急于给孩子减衣服，妈妈可根据自己的感受，稍晚儿天给孩子减衣服，如果妈妈没有因为减掉衣服而感到冷，再给孩子减也不迟，但要比妈妈少减一件单衣。

掌握"春捂秋冻"原则，再根据天气预报、气温变化、妈妈的感觉，有计划地给孩子增减衣服。不要随心所欲，想给孩子穿什么就穿什么，为了给孩子打扮得更漂亮，选择与季节气候不适宜的衣服，让孩子热着或冻着，妈妈不该这么做。

当孩子已经出汗时，不要马上脱掉衣服，应该让孩子静下来，擦干汗水，等到孩子不再是汗流浃背时，脱掉一件衣服，再放孩子去玩。

不要把出汗的孩子放到风口处凉快，更不能使用电风扇或空调等方法为孩子降热，也不要让孩子快速喝冷饮等，这样会使孩子敞开的汗毛孔迅速闭合，造成体内调节失衡，引起感冒。

应该让孩子喝温白开水，这样不但可预防感冒，更重要的是对孩子胃肠道和肺部有益。

婴儿产热能力差，视情况给孩子多穿一层单衣是可以的。但不能让孩子穿得和父母差一个季节（父母穿夏装，孩子穿春装）。

由炎热的夏季到秋季，气温不稳定，忽冷忽热，特别是一天之中温差较大，往往是早晚凉爽，正午也许会闷热，太阳灼人。不及时增减衣物，就会造成凉热不均，易患感冒。

北方四季分明，气温变化大，在季节交替时节，随天气变化给孩子增减衣服可以说是一门技巧，掌握好了，孩子患感冒的几率就会大大减少。能够避免孩子患病，父母不会怕麻烦的。

❖ 反复感冒，不要忘了过敏因素

有过敏体质的婴儿，会对某些食物或环境中的某些物质产生过敏反应，过敏反应有很多表现形式，如湿疹、荨麻疹、迁延性腹泻、慢性鼻炎、咽炎、气管炎、经久不愈的咳嗽等。如果宝宝反复感冒，妈妈要想到过敏因素的可能。

❖ 反复感冒，不要忘了营养因素

铁、锌、钙、维生素AD、蛋白质等营养素缺乏的婴儿，免疫力低下，呼吸道黏膜防御能力下降，气道内纤毛运动能力降低，体内"天然抗生素"缺乏。这样的婴儿很容易罹患感冒。如果宝宝反复感冒，妈妈要想到宝宝是不是营养素缺乏，必要时向医生咨询。

288. 牛奶蛋白过敏引起的婴儿腹痛

❖ 牛奶蛋白与婴儿腹痛有什么关系

美国圣路易斯安那大学医学院安东尼教授等研究发现，牛也会感染细菌或病毒等微生物，感染后产生免疫性抗体。这些抗体分布到牛身体组织中，其中也包括乳腺组织，牛奶中也就自然带有这些抗体。婴儿喝了含有这些抗体的牛奶以后，可能就会发生腹痛。

意大利医学家做过试验，在发生腹痛的婴幼儿中，改饮（豆基）配方奶或饮用去掉致敏蛋白的特殊牛奶后，多数婴儿腹痛会不治而愈，当再次喂普通牛奶后，腹痛又再次发生。

有实验表明，如果婴儿对牛奶过敏发生腹痛，母乳喂养的妈妈饮用牛奶后，其中的过敏成分也可通过乳汁传给婴儿，婴儿同样会出现腹痛。

在出现腹痛的婴儿中，大约70%婴儿腹痛与喝（牛奶基）配方奶有关。是不是所有的婴儿喝了有致敏蛋白的牛奶都会发生腹痛呢？并非如此。这种现象多发生于过敏性体质的婴儿。有过敏体质的婴儿消化系统不足以将牛奶中的抗体代谢分解，当这些抗体被免疫系统识别成抗原时，即引发出一系列免疫反应症状，其中包括腹痛。

❖ 如何确定牛奶性腹痛呢

引起婴儿腹痛的原因有不少，如消化不良、肠炎、肠功能紊乱、肠套叠等。确定婴儿是否为牛奶性腹痛，需要医生加以鉴别，排除其他因素所致的腹痛。当婴儿出现腹痛，找不到其他原因，没有其他疾病情况时，就要想到牛奶蛋白过敏的可能。

婴儿不会述说"我肚子很痛"，只会呈现他的反应：哭闹、拒乳、面部表情痛苦、蜷曲着身体等等。我们根据这些表现，再结合对婴儿的身体检查，以及喂养情况，猜测宝宝哭闹很可能是腹痛所致。实际上，所谓的婴儿腹痛是我们主观认定。腹痛既是假设，再以此推断牛奶蛋白过敏，是双重假设。因此，牛奶蛋白性腹痛属于排除性诊断。那么，如果实验室测定结果显示，婴儿对牛奶蛋白过敏，是否就能明确诊断这个婴儿为牛奶蛋白性腹痛呢？还不能。如果我们怀疑婴儿是牛奶蛋白性腹痛，停止牛奶蛋白喂养，婴儿腹痛消失了，再次恢复牛奶蛋白喂养，婴儿腹痛又回来了。这时，基本上可以确定，这个婴儿的腹痛，就是牛奶蛋白性腹痛。

❖ 牛奶性腹痛的鉴别要点

对牛奶性腹痛的鉴别，实际上是对婴儿哭闹的鉴别。

婴儿饥饿时，有节奏地哭，哭声响亮，抑扬顿挫。用手碰一碰嘴边，就会使哭闹停止，喂奶后宝宝不但不再哭闹，还非常高兴。

婴儿想让妈妈抱时，央求地哭闹，声音委婉，一脸的委屈，抱起宝宝，很快停止哭闹，露出高兴的神情。

婴儿有消化不良时，除了哭闹，常伴有纳差、少食、腹胀、大便奶瓣酸臭等消化系统症状。

婴儿患有肠炎时，同时伴有大便异常，食欲减退，甚至呕吐。肠功能紊乱时，宝宝多喜欢让妈妈按揉腹部，同时伴有食量减少，食欲下降。

婴儿患有肠套叠时，典型的症状是阵

发性腹痛、呕吐。腹痛发作期，婴儿剧烈哭闹，但哭闹时身体少动，不像平时哭闹时那样乱动，腹痛间歇期，婴儿多比较安静。果酱样大便是肠套叠的典型大便改变，但当出现这种大便时，多表示病情严重。因此早期诊断最重要，如果误诊，孩子可能已经出现肠坏死了。因此，当婴儿出现腹痛时，要高度警惕肠套叠的可能。典型的肠套叠诊断并不困难，但婴儿肠套叠症状多不典型，容易误诊，所以更应首先想到肠套叠的可能。

如果妈妈来回变换孩子的体位，或是给孩子揉肚子，孩子会哭得更厉害，躺着时会把两腿蜷曲在胸前或腹前，排气增多，每次排气后会安静一会儿，但不久又会因腹痛而再次哭闹，没有呕吐，排除了肠套叠，要想到牛奶性腹痛的可能。

❖ 宝宝牛奶蛋白过敏怎么办

母乳喂养的，妈妈停止喝牛奶。

配方奶喂养儿，6个月以下，可更换水解蛋白奶；6个月以上，可更换豆基婴儿配方奶。

婴儿牛奶蛋白过敏，多数是短期的，极少有终身性的。所以，父母可在医生指导下，使用一段时间的特殊配方奶，过一段时间后，可小量尝试着喂普通配方奶。

不宜长期用豆基配方奶喂养婴儿，通常情况下可喂养3个月。3个月后，如果婴儿仍然对牛奶过敏，可选用水解蛋白配方奶。

由特殊配方奶转成普通配方奶时，要从小量逐渐更换，每次减去半勺特殊配方奶粉，减去的那半勺由普通配方奶替代，每天减去半勺，以此类推，逐渐替换特殊配方奶。在替换中，如果婴儿再次发生过敏，立即停止替换，继续特殊配方奶喂养。

289. 中暑

❖ 婴儿也会中暑

婴儿中枢神经系统发育尚不成熟，汗腺尚不发达，不易散热。在炎热的夏季，尤其是在气候闷热，没有一丝凉风的时候，如果不注意避暑，婴儿也会中暑。

❖ 中暑的常见表现

• 发热

主要表现是不规则的长期发热，体温的高低与气候有关，气温越高，天气越闷热，体温越高；天气稍有凉爽，体温就有所下降。宝宝虽然发热，但周身却没有多少汗液，可以说是"干烧"。

• 口渴、多饮

非常喜欢喝水，但喝了很多水，口唇仍然是干的，如果不多喂水，婴儿可能会出现烦躁不安。

• 病初似感冒

起病初期出现类似感冒症状，如流鼻涕、打喷嚏、鼻塞等症。

• 其他表现

体温过高时，可有精神萎靡、嗜睡、惊跳等症；发热时间过长，可能出现消化不良、食欲降低、面色发白、消瘦无力等症。有的孩子中暑后，会出现恶心、呕吐等胃肠道症状。

• 辅助检查正常

尽管发热不退，到医院做血、尿、便、胸透等检查时，可能没有异常发现。有的淋巴细胞可以轻度增高。

❖ 中暑的预防措施

有少数孩子可连续两三个夏季都中暑，但症状会逐年减轻。所以，如果您的孩子今年中暑了，来年的夏季，要事先采取预防措施。找中医大夫给孩子开些清凉解暑的中草药，有条件的，最好把孩子带到凉爽的地区。

母乳喂养的，不要在此期间断母乳。给孩子吃富含蛋白质、容易消化、热量高、营养丰富的饮食。

室内要通风，采取有效的降温措施，室内温度调整到24℃ -28℃。

每天给孩子洗温水浴，水温和孩子体温相当，水要相对多些，但要注意安全，不要让水灌到孩子的口鼻和耳朵里。

由于生活水平的提高，城市家庭中大多有空调、冷风机、电风扇等制冷设施，居住环境也比较好，拥挤家庭少了，室内通风也都很好，发生中暑的机会不多了，但此症并非彻底没有了，在炎热的夏季，父母还是要注意预防的。

❖ 中暑的家中护理

迅速通风换气，保持室内空气新鲜，降低室内温度。

给宝宝洗温水浴，水温和宝宝体温一致，可比体温低0.5-1℃。

给宝宝喝温白开水，如果宝宝不肯喝，可在水中加些鲜果汁。

❖ 出现高热需要看医生的情形

·体温过高（体温超过39℃）采取降温措施无效，持续高热。

·精神萎靡、嗜睡、严重呕吐时；拒绝喝水或喂水也吐时。

290. 婴儿脱水热

❖ 婴儿发生脱水热的生理成因

神经系统发育尚不成熟。

体温调节中枢发育不完善。

汗腺不发达，不能通过出汗带走体内的热量。

❖ 婴儿发生脱水热的环境因素

气候炎热，环境温度过高。

冬季室内温度过高或给孩子包裹得太多。

婴儿被包裹得很严，体内的热量不能散发出去。

没有补充足够的水分。

❖ 父母如何判断婴儿脱水热

存在发生脱水热的环境、人为因素。

原因不明的发热。

烦躁不安、口唇干燥、尿少、面色潮红、呼吸急促。

❖ 门诊中常遇到的情形

就诊途中，父母怕孩子受风着凉，都是把孩子紧紧地包裹着，几乎是不透一丝风；车里开着暖风空调；就诊前，体温还是正常的，到了医院，一测体温，让父母大吃一惊，体温竟达到了40℃！有的甚至发生高热惊厥！

无论是在炎热的夏季，还是寒冷的冬季，婴儿都有发生脱水热的可能。新手父母要注意避免环境温度过热，注意补充水分。

❖ 脱水热家中护理

婴儿一旦发生脱水热，应立即打开包裹散热，补充水分。降低室内温度，但不能马上就把门窗打开。温度降得过快，对婴儿也是不利的。在冬季，可以在室内洒些水，把卧室门打开。

291. 头部受伤

❖ 婴儿头部易受伤

婴儿头部受伤多是因从高处坠落下来造成的。婴儿头大而重，身体相对小而轻。婴儿从高处坠落下来，或不小心跌倒，或受到硬物撞击，大多是头部着地。所以，婴儿很容易遭受头部外伤。

❖ 如何预防婴儿头部受伤

不要让孩子一个人独自玩耍。

去除孩子周围的不安全因素。

不要忘记孩子没有自控能力。

孩子没有自我保护能力，需要父母的

呵护。

保姆看护孩子，父母要时常嘱咐注意孩子的安全。

向看护人讲明这个道理：看护中不慎致使孩子受伤，千万不要隐瞒，一旦发生脑内伤，隐瞒就会贻误诊断，造成严重后果。

❖ 需要立即上医院的情形

外伤严重，需要手术缝合。

出血较多，父母先用干净纱布（家中要常备）压住伤口，减少出血。

神志不清，应及时把孩子抱到医院，在去医院途中，要避免颠簸。

摔下后，孩子没有马上就哭，似乎片刻失去知觉，不哭不闹，面色发白，把孩子抱起时，感觉到孩子有些发软。无论有无其他异常，都应该到医院看医生。

父母尽管没有发现异常，但感觉孩子不像往常了，心存疑虑，不能确定孩子是否有内伤，要相信自己的直觉，毫不犹豫地带孩子看医生。

❖ 想到脑内伤的可能

孩子头部受伤后是否有问题，不能仅仅看表面现象。颅脑受内伤不一定能很快表现出来。比如硬膜下血肿，可以在外伤后的数天、数周，甚至数月后才出现相应

宝宝／多多
看看我和大熊谁笑得甜。

症状。所以，如果孩子从高处跌落下来，尽管孩子没有任何异常，也不要掉以轻心。

密切观察，及时发现异常情况。

让孩子保持安静，密切观察孩子是否有不正常表现。如有无呕吐、精神不振、惊跳、嗜睡、肢体运动异常等。

如果时间长了，父母可能会忘记摔伤的事情，把出现的症状误认为其他疾病所致。倘若父母没有向医生提供头部外伤的病史，医生也恰好没有询问，就有可能误诊。所以，有过头颅外伤的孩子，一旦出现异常情况，父母不要忘记向医生说明，以便医生根据父母提供的病史，分析是否有脑内伤的可能。

292. 婴儿倒睫

三四个月的婴儿，面部开始变得圆圆的，两颊开始丰满，颧骨显得很高，眼睛被挤得弯弯的，总像是在微笑，是非常可爱的娃娃脸。

但就在这期间，可爱的宝宝开始流泪了，两眼总是泪汪汪的，早晨起来，还会有眼屎。明亮好看的大眼睛让眼屎一遮，难看了，孩子还不时用小手揉一揉。

这时，妈妈可能会认为孩子患了结膜炎，去药店买了眼药水，可滴了几天，没有什么效果。妈妈就要想到，是倒睫引起孩子流泪了。

如果医生证实了是倒睫所致，父母怕睫毛扎坏了孩子的眼睛，向医生提出处理意见，甚至询问是否需要手术治疗。实际上婴儿的睫毛很软，不会因为倒睫而刺伤孩子眼睛的，随着婴儿长大，这种倒睫现象会逐渐消失，父母不要过于担心。每天晨起，如发现睫毛沾在眼球上，就用拇指向下拉一下眼睑，使睫毛离开眼球。如果眼睑充血，宝宝多泪，可在眼科医生指导

下，给宝宝滴眼药水。如妥布霉素眼药水，每次一滴，每天两次，连续滴三天。

293. 婴儿泪囊炎

婴儿泪囊炎的主要病因是，在鼻泪管的下端，有先天残留膜；其次是结膜炎症，炎性分泌物堵塞了鼻泪管。

泪囊炎的主要表现是，宝宝眼内常有泪液溢出，且时常有分泌物沾在眼缘或睫毛上；用拇指压迫泪囊时，可见黏液性或脓性分泌物溢出。

泪囊炎的治疗比较简单，在医生指导下，给宝宝做泪囊按摩，每天一两次，每次按摩两三下。经过多次按摩，绝大多数能够治愈。

按摩方法：用拇指或食指，自泪囊上方，向下方（鼻泪管方向）轻轻挤压，同时压迫泪小管，使分泌物向下，冲开先天残留膜，挤压后滴入抗生素眼药水。

如果按摩无效，可做加压冲洗（急性炎症期不能做泪道冲洗）。如果冲洗不成功，可在全麻下，做泪道探通术。

不建议过早采取泪道冲洗和泪道探通术。因为，经过泪囊按摩，滴眼药水，绝大多数宝宝能够痊愈。即使不能彻底治愈或治愈后再复发，到了宝宝七八个月左右，也多能自愈。另外，泪囊堵塞都是在急性炎症期被发现，在急性炎症期做泪道冲洗，难以收到预期效果，宝宝白遭罪一场。泪道探通术需要全麻下进行，全麻本身就有危险，除非存在必须手术处理的证据，最好不要在新生儿或婴儿期进行全麻手术。另外，泪道探通术也有发生"假道"的可能，轻易不要选择。

泪道探通术是在泪道入口（称泪点），插入探针，疏通狭窄或不通的泪道，探针在行进过程中，有可能不是沿着泪道行进，

而是离开泪道，重新探出一条新的泪道，即所谓的"假道"。

294. 肛周脓肿

新生儿容易发生臀红，由于新生儿皮肤薄嫩，很容易破损，细菌通过破损皮肤侵入皮内组织，发生臀部感染。一旦发生臀部感染，就有可能发生肛周脓肿。

肛周脓肿初期，主要表现就是排便时哭闹。为宝宝更换尿布时，一旦碰到脓肿处，就会引起疼痛。患有肛周脓肿的婴儿，会本能地拒绝换尿布，只要妈妈一打开尿布，婴儿就会大哭。

肛周脓肿如果不及时处理，会引起肛瘘，给婴儿造成极大的痛苦。如果细菌侵入血中，还会引起败血症。所以，当有臀红时，妈妈要随时观察婴儿臀部是否有感染。一旦发现感染，要及时治疗。（预防臀红的方法在新生儿护理一节中介绍过，请参阅）

❖ 需要看医生的情形

宝宝排便时，或给宝宝换尿布时，宝宝异常哭闹，这种情况反复或连续发生。

臀部发红，有破损，用手轻轻触碰宝宝肛门周围，宝宝即出现痛苦表情，甚至哭闹。

用手轻轻触摸，发现肛门周围有硬结，或看到有包块。

一旦怀疑有肛周脓肿，需立即看医生，并采取积极治疗方法，父母切不可掉以轻心，更不能拒绝治疗。

❖ 肛周脓肿的家中护理

发病期，宝宝最好不穿纸尿裤，白天可让宝宝光着小屁股，躺在隔尿垫上，如有阳光照射就更好了。

每次排大便后，都用清水冲洗臀部，洗的时候，妈妈最好用手轻轻洗，不要用毛巾用力擦。洗后，用干毛巾轻轻沾干，

郑玉巧育儿经·婴儿卷

而不是擦干。

洗澡后，一定要用清水再冲洗臀部，然后用干毛巾沾干。

晾干臀部后，涂上医生开的药物。

不要用湿纸巾来擦去的，湿纸巾与宝宝皮肤产生的摩擦，会使宝宝稚嫩的皮肤出现难于发现的擦伤。

295. 口腔疾病

❖ 婴儿口腔疾病的主要症状

呕吐、发热、流口水、不吃东西，尤其是不能吃固体食物。婴儿口腔疾病严重时，最喜欢喝的母乳，也会拒绝。妈妈把奶头送到孩子嘴里，刚一吸吮，可能就会把奶头吐出来，大声地哭，哭得很伤心，还会打挺地哭。本来很乖的孩子，把妈妈闹得没有办法，到了晚上更是哭闹，孩子又饿又不敢吃。

父母不知道这是孩子口腔有了病变，很害怕，以为得了什么大病，急忙抱孩子跑到医院。当医生告诉父母，孩子口腔出了问题，父母就不那么着急了。但是，如果宝宝体温很高，呕吐也很厉害，滴水不进，父母就会心生疑虑：口腔问题，会有这么严重的表现吗？肯定不会这么简单。

医生解释后，父母相信了，取了药回到家里。可药物根本就喂不进去，连奶都不吃，怎么能吃进去药呢？是的，口腔有病的婴儿，是不会乖乖地吃药的。

口腔疾病，导致唾液分泌增加，可宝宝因为疼，不敢吞咽，所以患口腔疾病的宝宝，最典型的症状就是流口水。

❖ 口腔疾病就医和家庭护理

• 溃疡性口腔炎

引起口腔溃疡的病原菌多为金黄色葡萄球菌，病菌侵袭体内后，引起全身中毒症状，高热不退。

急性溃疡性口腔炎，口腔内膜溃破，不吃不喝还疼呢，吃喝的时候，就更疼了。如果父母曾有过口腔溃疡的经历，就能体会到了。所以，宝宝患了口腔炎，不要让宝宝吃固体或有刺激性的食物，以流食为主，食物温度不要过高。如果宝宝拒绝进食，不要硬喂，要慢慢来，一点一点喂。

进食后要给宝宝喂些清水，以免食物挂在口腔黏膜上，也可以用苏打水或淡盐水轻轻擦拭宝宝口腔。请注意，一定不要擦溃疡的部位，以免引起疼痛。

宝宝出现高热、拒食、流口水、进食哭闹等情况，要带宝宝看医生，如医生确诊为溃疡性口腔炎，要遵医嘱积极治疗。

溃疡性口腔炎属于细菌感染性疾病，需要使用抗生素。由于服药困难，多采取口腔局部涂药，但有时难以奏效，孩子不吃不喝又高烧，这时只能静脉使用抗生素。

• 疱疹性咽峡炎

引起疱疹性咽峡炎的病原菌是病毒。疱疹性咽峡炎属于自限性疾病，一般病程是一周左右，发热可持续三四天，如果不合并细菌感染，可自行痊愈。

没有特效药物治疗，但一周左右就能自愈，不要给婴儿喂口服药。局部涂药也没有什么意义，只能给孩子带来疼痛，就不要折腾孩子了。

疱疹性咽峡炎，疱疹长到咽部，如果不溃破，还能够吞咽食物，一旦溃破，即使不咽东西，也会感到火辣辣地疼，吞咽食物就更疼了。所以，给宝宝喂奶，宝宝就哭闹，是疱疹性咽峡炎的典型表现。

婴儿不敢吸吮，用小勺给孩子一点点喂奶，一定要喂凉一些的，热会使孩子疼。如果喂冰糕，孩子会喜欢吃，冰糕能减轻病痛，但对于没有吃过冰糕的婴儿，不能过多喂，那样会使婴儿肚子不舒服，或者出现腹泻。

• 手足口病

手足口病是病毒感染性疾病，也能引起口腔病变，同时在手、足心长出水疱样丘疹，有的在臀部也会长出疱疹。手足口病有轻有重，轻的不需要特殊治疗，一周左右能自行痊愈。重的可有高热，甚至发生高热惊厥，还可合并脑膜、心肺、肾脏等其他脏器病变。所以，一旦确诊为手足口病，要密切观察病情变化，出现合并症要及时住院治疗。

• 牙龈炎

婴儿也可能患牙龈炎。牙龈炎多是细菌感染所致，一般表现为高烧、牙龈红肿，严重者牙龈呈绛紫色，牙龈出血。如果满口牙龈都发炎了，婴儿刚刚萌出不久的乳牙，都有可能松动。婴儿根本不敢进食水，多需要静脉使用抗生素。严重的牙龈炎要与口蹄疫鉴别。每天要用苏打水或淡盐水给宝宝清洗牙龈，牙龈炎局部用药效果显著，可涂抗生素，喷西瓜霜。患牙龈炎后，宝宝只能进食流质食物。

296. 婴儿耳病

婴儿期常见的耳病是中耳炎，还有外

宝宝 / 李悦潋
寒冷的冬季也要坚持带宝宝到户外进行耐寒锻炼。

耳道炎或疖肿、外耳湿疹等。

❖ 婴儿患耳病的原因

婴儿耳咽鼓管形状短粗，呈水平位。当婴儿感冒、咽部发炎、流泪、吐奶、呛奶时，泪水或奶水容易经耳咽管进入中耳，引起婴儿化脓性中耳炎、外耳道炎和疖肿等。如果婴儿总是枕在潮湿的枕头上（爱出汗的婴儿，汗液把枕头弄湿了；溢乳的婴儿，奶液流到婴儿的耳朵底下），可引起婴儿耳后湿疹。

❖ 婴儿耳病容易漏诊

无论是外耳，还是中耳，只要发炎，都会引起疼痛。尤其是中耳炎，在没有穿孔以前，疼痛是很剧烈的。从外观上也看不出来，妈妈更想象不到宝宝患了中耳炎。

❖ 耳膜穿孔影响宝宝听力吗

中耳炎导致耳膜穿孔时，疼痛会突然消失，孩子也不哭了，但细心的妈妈会发现，孩子耳朵里流出了黄色的液体或脓性分泌物。

在没有穿孔前作出诊断，穿孔的可能性就小多了。如果医生告诉妈妈孩子是中耳炎，耳膜已经穿孔了，父母会很着急的。那还了得，孩子耳膜穿孔了，听力一定受到很大影响，还不聋了。

妈妈不必有这样的担心。婴儿和成人不同，即使耳膜穿孔了，也能够长好，不会造成耳聋的。当然，如果能早期发现，及时治疗，不让发生耳膜穿孔，那是最好的。穿孔毕竟是一种损伤，总不如不受损的好。

❖ 预防漏诊，父母很重要

当婴儿感冒、发热时，出现剧烈哭闹，找不到其他病因，就要想到是否患了中耳炎。想到了，就会及时带孩子看医生，也会提醒医生检查一下，是否患了中耳炎。

不要小瞧父母的作用，有些疾病就是在父母的提醒下诊断出来的。因为父母与孩子朝夕相处，最了解孩子。如果父母肯定孩子不正常，医生即使暂时没有发现，也会很重视父母的看法，做详细的检查。

❖ 父母如何发现婴儿耳病

外耳发炎或疖肿，妈妈只要能够想到，就能看出来。有外耳炎症的，只要触碰到孩子的耳朵，婴儿就会哭闹，把孩子放到枕头上，孩子就哭闹。父母就要仔细查看一下了，是否耳朵发炎了，是否头皮上有疖肿，是否有肿大的淋巴结。

中耳炎在穿孔前是很疼的，但是婴儿哭闹也许并不很剧烈。这并不是婴儿不太疼，也不是婴儿感觉不到，而是婴儿不敢大声剧烈地哭。一哭，中耳内的压力就会增高，就会使已经发炎的耳朵更疼，所以婴儿就小声地哭。但是妈妈能感觉到，孩子是比较痛苦的，是真的难受地哭。这只有与孩子朝夕相处的妈妈才能够体会到，妈妈能解读孩子的特殊语言，尤其是哭和身体语言。

❖ 需要看医生的情形

患有感冒的宝宝，突然出现剧烈哭闹，有的宝宝会用小手拍打头部，或用小手拽耳朵。

妈妈用手指轻轻敲击宝宝耳前部，宝宝表情痛苦或哭闹。

发现宝宝耳道中有黄色分泌物流出。

凭妈妈的直觉，怀疑宝宝患有中耳炎时。

医生一旦确诊宝宝患有中耳炎，一定要遵医嘱接受正规治疗，不可怠慢。

297. 婴儿尿布疹

婴儿出皮疹是比较常见的，但无论出现什么样的皮疹，父母都不能自行作出判断。即使向有经验的医生咨询，医生没有亲眼看到皮疹的样子，也很难作出准确的判断。所以，皮疹需要看医生。

看病时，医生和父母讲了一些病症，但如果赶上病人比较多，医生可能不会很详细地解释，即使解释得比较清楚了，回到家里，可能忘记了大部分。这时，根据医生的诊断，翻翻书，对父母会有些帮助。

❖ 如何发现尿布疹

如果宝宝小屁股发红，妈妈知道宝宝"淹屁股"了，也就是说宝宝患了臀红。如果在臀红的皮肤上，长了一些红色的小丘疹，那就是尿布疹了。

❖ 如何预防尿布疹

不要让宝宝24小时不间断地穿着纸尿裤，白天阳光充足的时候，铺上隔尿垫，让宝宝光着小屁股，晒晒阳光，透透气，可有效预防尿布疹。

宝宝大便后，用清水洗净臀部，而不是用湿纸巾擦来擦去的。擦总不如洗来得彻底；宝宝皮肤薄嫩，摩擦会导致表皮不易觉察的损伤，增加感染机会。

洗澡或洗屁股后，要给宝宝涂少许护臀霜；也可涂其他护臀软膏，如鞣酸软膏、鱼肝油氧化锌软膏等；涂少许食用油也可以，如香油或橄榄油。

不要用肥皂或其他洗涤品清洗孩子的臀部，清洗尿布时也要避免使用刺激性强的洗涤品。不要让孩子睡电热毯，室内温度也不要太热。孩子出汗，尿布里又热又湿，就容易患尿布疹。

晚上很乖的婴儿，一夜睡到大天亮，尿了也不闹，妈妈和宝宝睡得很香，妈妈很满意，宝宝却患了尿布疹。尿布疹并不可怕，妈妈没有必要为了尿布疹，半夜起来给孩子换尿布，妈妈睡不好，孩子也不高兴，甚至会因换尿布，把孩子弄醒了。不必为此打扰孩子，睡前在宝宝臀部涂上护臀霜，选择吸水性强，吸水量大的尿裤就可以了。

防臀红和尿布疹的护臀霜、护臀油、护臀膏有很多种，对别的宝宝有效的，对你的宝宝效果不一定好。妈妈要仔细观察，筛选出适合自己宝宝的。

❖ 患了尿布疹如何护理

大便后，用清水洗净，在臀部涂上治疗尿布疹的药膏。注意，不要涂很厚的药膏，那样会阻碍皮肤呼吸，反而不利于尿布疹的治疗。

每天，阳光充足的时候，在床上放一块大的防水尿布，上面再铺一块小布单，让宝宝光着屁股晾一晾。

尿布疹严重时，皮肤破损，会发生细菌感染。所以，一定不要用力擦臀部。有破损，要及时看医生。

298. 婴儿湿疹

婴儿湿疹，民间称为"奶癣"、"奶疮"、"胎毒"、"湿毒"等，是婴儿常见的皮肤疾病。婴儿湿疹与婴儿本身的体质有一定的关系，过敏体质的婴儿爱患湿疹，有消化功能紊乱的婴儿也爱长湿疹或皮疹，有的婴儿是因为对奶或其他食物过敏而长湿疹。

❖ 婴儿湿疹有哪些表现

婴儿湿疹的主要症状就是瘙痒。所以，有湿疹的婴儿总是显得很烦躁，用胳膊或小手不断地在脸上擦来擦去的。如果天气热，或室内温度高了；给孩子穿得过多；尤其是冬季里，室内空气不流通，房间内潮热潮热的，有湿疹的婴儿就更严重了，痒得厉害，半夜里闹得不能睡觉。孩子有湿疹了，妈妈就要让孩子凉爽些，会使孩子舒服些，湿疹也不那么痒了。

同是婴儿湿疹，可有不同类型的皮损表现。妈妈也发现了这一点，自己孩子的湿疹和别的孩子的湿疹好像不一样。通常情况下，婴儿湿疹可有三种表现：湿润型、干燥型、脂溢型。

湿润型：这种类型的湿疹比较常见，多见于比较胖的婴儿。湿疹多发生在头顶、前额、脸颊部，分布比较对称。皮肤红红的，仔细看一看，可见到红斑、小丘疹、小包，还常常有糜烂、结痂。

干燥型：这种类型也比较常见，多见于营养状况不是很好的婴儿。主要皮损表现是，皮肤发红，可见丘疹，有糠状鳞屑，看起来像是往下掉白皮似的，没有渗出，是干巴巴的样子。妈妈用手摸一摸，皮肤显得粗糙、发干。

脂溢型：好发于头皮、两眉间，眉弓上，有淡黄色的、透明的脂溢性渗出，可形成黄色的结痂，看起来油乎乎的。脂溢型和湿润型有时难以区分。

❖ 宝宝得了湿疹怎么办

越热，湿疹越重，不要捂孩子，保持适宜的室内温度。

洗得越勤，湿疹越重，不要频繁给宝宝洗脸洗澡，以免湿疹加重。

涂药膏要谨慎，没有用过的药膏，开始先在某一位置涂一点，观察是否使湿疹加重。

涂药膏不要过多，涂药膏后，外观应看不到药膏。

别的宝宝有效的，你的宝宝不一定有效，要找到适合自己宝宝的湿疹膏。

湿润型湿疹不宜使用洗剂和霜剂，建议选用具有收敛作用的乳膏。

干燥型湿疹用保湿膏效果好，也可选用含有激素的乳膏类药物。

脂溢型湿疹可用一些霜剂，不宜使用膏剂。

❖ 湿疹能否治愈

结痂较厚的，涂上鱼肝油或氧化锌软

膏，或用甘油使结痂软化，慢慢脱落，不能硬性揭下痂皮，那样会损伤孩子的皮肤。湿疹涂上含有激素成分的药物就明显好转，停止使用药物，湿疹就很快复发。这让父母很是为难，长期用药怕有副作用，不用药孩子又很难受，这就是湿疹的特点。湿疹很严重的婴儿，对治疗药物的反应会越来越不敏感，湿疹比较轻的，用药效果很好，但不能彻底治愈。

父母不要着急，湿疹最终都能痊愈，一般四五个月后会好转，1岁左右基本消失。极个别婴儿持续时间很长，多是有严重过敏体质的孩子。再严重的湿疹皮损也不会留下瘢痕，父母不要担心，湿疹消失后，孩子的皮肤能恢复得很好，就像没有患过湿疹一样。

299. 幼儿急疹

有的书中称"急性出疹性疾病"，有的书中称"婴儿玫瑰疹"。本病由柯萨奇病毒B引起，多见于婴儿，冬春季节多见。

❖ 幼儿急疹是回顾性诊断

没有患过病的婴儿，突然发热，体温高达39℃时，父母会很着急，急忙抱孩子去医院。医生检查后，可能会告诉父母，孩子可能是感冒，再仔细询问，医生会说，孩子咽部发红，但没有扁桃体发炎肿大。肺部听诊没有异常，血象淋巴细胞偏高，其他可能是正常的。细心的医生可能会摸一摸孩子的枕后，告诉父母，孩子枕后有肿大的淋巴结。有经验的儿科医生，根据这些情况，可能会和父母说，孩子是病毒感染，会烧三四天，如果皮肤出了皮疹，体温就会退的。这说明医生怀疑你的孩子可能是幼儿急疹。在没有出皮疹前，医生不能确诊。幼儿急疹是回顾性诊断，当皮疹出来时，就意味着孩子的病已经好了。

❖ 父母要想到幼儿急疹的可能

幼儿急疹典型的症状就是"热退疹出"。宝宝可持续高热，退热药可使体温暂时下降，很快又上升，没有其他症状，医生检查只是咽部充血、耳后淋巴结肿大。三四天后，体温降至正常，皮肤出现皮疹。皮疹可出现在面部、颈部和躯干部，呈红色小丘疹，压之退色，皮疹边缘清晰。

在不能确诊是什么病之前，父母会很着急的。即使体温正常了，因为又有皮疹出来，父母可能会更加着急，把孩子抱到医院。孩子出皮疹总是让父母害怕的，恐怕是麻疹，孩子留下满脸的麻子，那还得了。尽管打了麻疹疫苗，妈妈也不放心，如果还没有打，妈妈就更着急了。

如果宝宝持续发热，没有其他异常表现，看医生后，除了嗓子红，耳后有淋巴结以外，没有其他异常体征，父母要想到幼儿急疹的可能，不要过多使用药物。

❖ 幼儿急疹家中护理

幼儿急疹不需要特殊治疗，发热以物理降温为主，如果物理降温无效，体温超过39℃，可给宝宝服用退热药，不需要服用抗生素和感冒药。出皮疹后，就意味着病好了，不需要服用治疗皮疹的药物，也不需要外用药。出皮疹期间最好不给宝宝洗澡，但每天要换干净的内衣。

❖ 幼儿急疹与其他皮疹的鉴别

幼儿急疹的皮疹常首先发于颈部，然后向躯干肢体蔓延，皮疹广泛对称，但鼻部、颊部、肘膝关节以下，尤其是手脚不发生皮疹。皮疹很小，红色，周围有红晕，很像麻疹或风疹。婴儿没有痒感，即使有也比较轻，几天后很快消退，最长不超过5天，多于2天后就逐渐消退。

风疹发烧比较低，多是发烧当天或第二天就出现皮疹。麻疹发烧很高，多于发烧第四天出疹，出疹时，体温更高，可高达40℃。猩红热多见于较大孩子，于发烧第二天或第三天出现皮疹，同时有扁桃体肿大化脓，杨梅舌或草莓舌，血象白细胞和中性粒细胞增高。荨麻疹没有发烧，瘙痒很厉害，时隐时现是其特点。药物也可引起皮疹，鉴别方法是：出了皮疹，不发烧了，就可以停药观察；如果是药物疹，停药后也就慢慢消退了。

300. 蒙被综合征

❖ 不容忽视蒙被综合征的危害

蒙被综合征大多是途中发生的。主要是：就诊途中；去娘家挪窝的途中；去朋友家做客的途中；郊游或旅途中。这种情况并非只见于新生儿，也可见于婴儿。严重的蒙被综合症可危及婴儿的生命，千万要引起重视，一旦发生了，可能就是家庭的一场灾难。

真实的病例

有这样一个病例，孩子40多天，妈妈带孩子到娘家去了，可是，到了娘家，打开婴儿包裹，父母傻眼了：孩子面色发紫，呼吸微弱，满头是汗。急忙又抱到医院，但没有抢救过来，孩子永远地走了。夫妻反目成仇，奶奶也闹着要孩子，灾难就这样降临在这个曾经充满欢乐的家庭里。

更多病例

来医院就诊的患儿中，本来就是一般的感冒，但打开包裹时，孩子已经呼吸衰竭了。本来是看脐带脱落情况来了，可打开包裹，孩子已经高烧达40℃多，发生了高热惊厥。

❖ 发生蒙被综合征的后果

蒙被综合征的后果难以预料，轻的仅仅是满头大汗、发热；重的出现高热，甚至高热惊厥；严重的可出现呼吸衰竭；更严重的出现不可逆转的脑损伤。没有发生的事情，总认为不会发生，一旦发生了，那就晚了。没有哪位父母会故意蒙上孩子的口鼻，

蒙被综合征的发生都是无意中发生的。

父母无论带孩子到哪里，在任何时候都要做到：

一定要把孩子的口鼻露出来，严寒的冬天更要谨记。

途中时常看一看孩子的情况：呼吸是否均匀？面色是否正常？

把手伸到孩子的口鼻跟前，试一试孩子的呼吸是否正常。

不要把孩子的脸蒙得严严实实的。

301. 缺铁性贫血

人体内的铁主要来源于食物，食品中含铁量最高的是黑木耳、海带、猪肝和红枣，其次是瘦肉、蛋黄和豆类。蔬菜和谷物中的铁吸收率比较低，仅为1%，肉类食品中的铁吸收率比较高，可达10%-22%。如果植物和肉类同时摄入，可增加植物中铁的吸收率。蛋黄中铁的含量比较丰富，但吸收率比较低。所以，婴儿食物补铁不能仅靠蛋黄，还要添加动物肝。维生素C有促进铁吸收的作用，茶、咖啡和蔬菜中的草酸影响铁的吸收，茶中的鞣酸遇铁形成鞣酸铁复合体，可使铁的吸收减少75%，所以婴儿不宜喝茶。在我国南方一些地区，有给婴儿喝凉茶解暑的习惯，这不但会影响孩子的睡眠，也会影响铁的吸收。

❖ 婴儿体质与贫血

出生体重越低，体内铁的总量越少，发生贫血的可能性越大。胎儿经胎盘输血给母体、双胎间输血、分娩中胎盘血管破裂、脐带结扎时间长短等都可影响新生儿体内铁的含量。胎儿36周以后，肝脏储铁，36周前分娩的早产儿没能储存足够的铁，比足月儿更容易缺铁，对铁的需要量大。所以，早产儿需要常规补充铁剂。

❖ 乳类食品、添加辅食与贫血

乳类食品中铁的含量很低，母乳中铁的含量与乳母饮食习惯有关，如果乳母饮食中缺乏含铁食物，母乳中铁的含量，会相对减少。生后6个月的婴儿，如果不及时添加辅食，储存的铁用完后，就会发生贫血。

❖ 早期发现贫血

如果出现了贫血，婴儿面色发黄，口唇缺乏血色。但是，婴儿轻度贫血不易被发现。一旦婴儿出现烦躁不安，对周围事物不感兴趣，妈妈抱着时，不是很欢，总是喜欢依在妈妈的怀里，吃奶和饭都不是很香，虽然不厌食，但看起来对吃没有什么兴趣，妈妈可考虑宝宝是否有贫血，请医生检查一下。

❖ 缺铁性贫血的治疗

缺铁性贫血一旦确诊，治疗是比较简单的。多吃含铁的食物，服用补铁剂治疗。母乳喂养的，妈妈要补充铁剂。给宝宝服用铁剂要在医生指导下进行，医生会根据贫血程度，给出医嘱。服用铁剂会引起宝宝胃部不适，可出现食量减少、便秘或腹泻等异常情况。最好从小剂量开始补充，逐渐加量。喂辅食后15分钟服用铁剂，可减轻对胃的刺激。可以把铁剂放在米粉中，但不能放在奶中，喂奶后也不要马上服用铁剂，最好一小时后再服用。

302. 母源性疾病

❖ 孕期大补

为了生一个聪明健康的宝宝，孕期大补特补，山珍海味，生猛海鲜，高蛋白高营养，水果蔬菜样样齐全，却忘记了科学的膳食结构，又缺乏必要的运动，结果导致巨大儿，增加了产伤和窒息缺氧的风险，增加了剖腹产率，延长了婴儿第一次哺乳时间。母亲高血脂、高血糖，婴儿脂肪细胞数目增加，为未来的小胖子心血管疾患

播下了危险的种子。

❖ 化妆品影响

母亲年轻漂亮，免不了浓妆艳抹。工作了一天，妈妈回到家，亲吻一下宝宝的小脸蛋，小宝宝再回敬给妈妈一个吻，真是幸福极了。可天长日久，妈妈的唇膏、面部护肤品一点点被小宝贝接受，其中的铅、雌激素、香料、色素进入宝宝体内，会引起宝宝慢性铅中毒、性早熟等病症。

❖ 增智助长品的诱惑

市场上琳琅满目的儿童增智助长品，让父母应接不暇。谁不想让自己的孩子聪明高大呢？且不说那些产品有无伪劣之嫌，即便是真品正品，吃多了，吃滥了，非但不会使孩子越来越聪明高大，反而会干扰孩子的正常生理功能，出现依赖性。聪明高大不是吃补品吃出来的，而病可是能吃出来。

❖ 消食泻火成惯例

孩子吃的喝的应有尽有，妈妈还嫌宝宝吃得少，想方设法，喂呀喂。结果孩子又积食了，上火了，吃药必不可少。一方面，过度喂养，伤及孩子的脾胃；一方面，喂药伤及孩子的胃肠。

❖ 高营养，高上加高

没有哪位妈妈嫌自己的孩子胖的，总觉得自己的孩子不如人家的孩子胖。等到孩子成了名副其实的胖墩儿了，为时已晚。孩子不但要承受肥胖带来的诸多不便和疾病，还要走上漫长而又艰辛的减肥之路。妈妈们要记住，胖不是健康的象征。肥胖还会使孩子过早患上"成人病"。合理的膳食结构最重要。

❖ 生活环境不"卫生"

这里所说的不卫生可不是"脏"的意思，是广义的卫生。如：室内空气是否清新，温度湿度是否适宜，有无有害气味和有害物品，豪华的装饰是否使用绿色环保

型材料，大理石的放射性是否超标，室内灯光是否影响孩子休息等。

❖ 衣服多上加多

在门诊，我常常看到孩子满头大汗，满脸通红，把听诊器伸到衣服里，背心衬衣甚至棉衣都是湿的。这要是换了成人准会说"热得真让人难受"。孩子不会说，就只能哭，越哭越热，越热越哭，妈妈却全然不理会孩子的痛苦，还在给孩子捂，怕把孩子冻着，着凉感冒。孩子要到大自然中去，抵御大自然的侵袭，提高自身抵抗能力，这对孩子来说才是真正重要的啊！

第4节　婴儿期其他疾病

303. 髋关节脱位

髋关节脱位的发生率1‰以下，女婴是男婴的5-8倍，单侧脱位比双侧脱位多见，左侧比右侧多见。

髋关节脱位在新生儿期不容易诊断出来，主要靠医生在体格检查时发现。父母在护理中很难发现。

髋关节脱位越早治疗预后越好，治疗也比较简单，婴儿并不痛苦。但如果发现晚了，或到了会站、会走时才被发现，不但给治疗带来困难，也给婴儿带来痛苦，影响孩子走路。因此，早期诊断是很重要的。在做健康检查时，提示一下医生，看一看孩子有无髋关节脱位或髋关节发育问题，这是很重要的。

另外，有先天性髋关节脱位倾向的婴儿，如果把婴儿的下肢伸直包裹，就可能使婴儿失去髋关节自然复位的机会，导致新生儿髋关节脱位发生率增高，这是非常值得父母注意的。

❖ 髋关节脱位可疑迹象

让宝宝俯卧位，使双下肢伸直并在一起，发现皮纹不对称。

宝宝仰卧位，双下肢伸直，发现两个足跟不在一个水平线上。

宝宝仰卧位，双下肢屈曲，发现两个膝盖不在一个高度。

宝宝仰卧位，双下肢屈曲，妈妈两手握住宝宝膝盖，同时向外展，有一侧外展受限。

宝宝仰卧位，双下肢屈曲，妈妈两手握住宝宝膝盖，同时向外展，听到或感到有"咯噔"一下响声。

宝宝在玩耍中，父母发现宝宝一侧下肢运动明显减少。

如果父母发现以上所述的髋关节脱位可疑迹象，请带宝宝看医生。一旦确诊，需要专科医生治疗。髋关节脱位治疗时间长，父母一定要遵循医生嘱咐，配合医生，坚持下去，不要半途而废。

304. 新生儿产伤：锁骨骨折

锁骨骨折是产伤性骨折中最常见的一种，也容易被忽视。锁骨骨折表现和臂丛神经损伤差不多，都是患侧上肢不动或少动。但是，锁骨骨折多有疼痛，活动患侧时，宝宝会因为疼痛而哭闹，臂丛神经损伤多没有疼痛。

❖ 锁骨骨折的可疑迹象

打开包被，发现宝宝一侧上肢不动，或少动；一侧上肢屈曲上举，另一侧则不能。

牵拉宝宝一侧上肢时，引起宝宝哭闹。

给宝宝换衣服或洗澡时，宝宝突然哭闹。

出现上述可疑迹象，要想到锁骨骨折的可能，及时请医生检查。

一旦确诊宝宝锁骨骨折了，父母会非常担心。请父母放心，锁骨骨折并非如父母想象的那么严重。多数情况下，不需要特殊处理，一周左右自行愈合，不留任何后遗症。如果骨折处有错位，医生会给予相应处理，预后良好。

305. 新生儿产伤：胸锁乳突肌血肿

胸锁乳突肌血肿属于产伤，主要发生于难产。新生儿头部娩出时，由于出头困难，不得不强力牵拉，导致胸锁乳突肌损伤，出现血肿。当血肿不能完全吸收时，会出现一个较硬的包块，致使受伤的一侧胸锁乳突肌挛缩。一般于出生后一周左右出现症状，严重者表现为斜颈。

❖ **胸锁乳突肌血肿可疑迹象**

宝宝头总是偏向一侧，典型表现为头向患侧歪，下颌和面部转向健侧。妈妈试图纠正时，会遇到阻力，宝宝可能会因为疼痛哭闹。

宝宝仰卧位，妈妈面朝宝宝头顶部，把宝宝头偏向一侧，充分暴露颈部，沿着下颌角向下摸到锁骨窝，会触摸到一条柔软但一定硬度的条状物，那就是胸锁乳突肌。发现两侧胸锁乳突肌不一样粗细，或在一侧乳突肌部位摸到较硬的包块。

治疗需要医生指导，多采用热敷（血肿初期需冷敷）、按摩包块等方法。如出现斜颈，医生会采用手法矫正。如果父母按摩，必须在医生指导下练习，医生认为操作无误后，才能在家中按摩。手法矫正必须由医生进行，父母不能擅自进行。

306. 臂丛神经损伤

在分娩过程中，如果臂丛神经受到损伤，会出现臂丛神经所支配的肌肉发生麻痹。在新生儿体检时，有时能够发现这种损伤，但误诊和漏诊的情况也不少见。

❖ **臂丛神经损伤可疑迹象**

拥抱反射消失。打开包裹，或刺激新生儿足底时，新生儿会迅速地把两上肢伸起，紧接着是两上肢屈曲，抱在胸前，紧握双拳。这就是拥抱反射。臂丛神经损伤后，新生儿这种拥抱反射就消失了。

当妈妈打开包裹给宝宝换尿布时，宝宝一侧上肢不能举起，或根本就不动，或动作很小，就要想到宝宝的臂丛神经可能受到了损伤，及时找医生看。一旦确诊，就应该由医生给予治疗。

臂丛神经受损伤，损伤一侧上肢，往往是垂于体侧，上臂（挨着躯干的）内收、内旋，前臂（肘关节以下的）旋前，肘部微屈，肩不能外展。

第二种情况父母不好判断，但患侧拥抱反射消失，父母是很容易判断的。这时，父母应该想到有臂丛神经损伤的可能。

307. 婴儿斜视

❖ **"对眼"不是斜视**

婴儿眼睛的调节能力差，有时看上去好像是不正常，好像有"对眼"，也就是人们常说的"娃娃眼"。这多出现在孩子看较近距离物体、凝视一件物体时所表现出来的。如果发现这种情况，父母可把物体放在离孩子远一些的地方，观察孩子是否还有"对眼"的现象。"对眼"是婴儿观看近距离物体所表现出来的，不是异常现象。

6个月以内的婴儿，眼睛常常出现"对眼"现象，医学上称为内斜（黑眼球靠近

宝宝／李靖伊

鼻部）。6个月以后的婴儿，眼睛就逐渐稳定下来了。如果婴儿6个月以后，父母还常常发现宝宝有内斜现象，就应引起重视，必要时看医生。

❖ 婴儿缘何斜视

婴儿一侧黑眼球向外斜（黑眼球远离鼻部），医学上称为斜视，无论月龄大小，都需要重视，及时看医生。发生斜视可能的原因是：眼肌功能失调；眼睛屈光不正；两眼视力一强一弱。这是最常见的原因。由于一只眼睛视力比较弱，另一只眼睛视力比较强，婴儿就用视力强的那一只眼睛看物体，就是人们常说的"吊线"，就像打枪瞄准或做木匠吊线似的，总是用一只眼睛看东西，另一只眼睛就废用了。视力遵循"用进废退"的原则。

❖ 父母发现宝宝斜视怎么办

一旦发现孩子有斜视，就应该及时看医生。多采用佩戴眼镜的方法，严重斜视采取手术方法矫正。如果顺其自然，年龄越大越不好纠正了。这是因为，斜视的婴儿，两只眼睛不能协调地聚焦到物体上，两只眼睛就会分别看到不同的物体影像，即重影。孩子不能分析这是怎么回事，在这种情况下，大脑会自动地学会去忽视

和压抑一只眼睛的视觉，长期下去，大脑就失去了对那只眼的支配能力。结果，那只眼睛就这样失明了。因此，及早纠正斜视是很重要的，是保护婴儿视力所必须做的。父母一旦怀疑孩子有斜视的可能，就要带孩子看眼科医生。

❖ 斜视可疑迹象

有一种方法可以初步看一下孩子是否有斜视。在灯下，看孩子两个眼仁里的灯影，如果灯影总是落在两个眼仁中间的黑色部位的同一个地方，眼睛就不存在斜视的可能。如果灯影不能落在两个眼仁的同一个地方，就有可能存在斜视。

308. 先天肥厚性幽门狭窄

有些婴儿，出生后不久就开始溢乳，程度有轻有重。尽管溢乳，宝宝却没有任何不适表现，照常吃奶，体重也增长正常。这样的溢乳，医学上称为生理性溢乳。生理性溢乳的成因，主要还是婴儿胃肠系统发育尚未完善。随着婴儿月龄增加，胃肠系统发育日臻完善，生理性溢乳会逐渐减轻，直至消失，不需医学治疗。

先天肥厚性幽门狭窄，即胃部幽门环行肌肥厚，使幽门的管腔狭窄，胃的下端与肠道通畅性发生问题，食物不能顺利通过，出现不全梗阻现象。

先天肥厚性幽门狭窄，属于胃肠系统先天发育异常造成的疾病状态，初期表现为溢乳，逐渐加重，发展至呕吐。呕吐前后宝宝有痛苦表现，体重增长缓慢，甚至倒退。此病一旦确诊，需要手术治疗。

❖ 先天肥厚性幽门狭窄表现

先天肥厚性幽门狭窄典型的呕吐是发生在出生后2-3周，呕吐在吃奶后几分钟即发生，由一般性呕吐发展至喷射性呕吐。剧烈时，可以喷出去几尺以外，看起来很

吓人，甚至可由口腔和鼻孔中喷出。但是，不管是多么严重的呕吐，都只是吐奶液，不会有胆汁和肠内容物。慢慢地，呕吐次数少了，但每次呕吐出的量却增多了，将几次吃的奶几乎都吐了出来，还有大量的乳凝块，就像豆腐脑似的，有酸味。孩子吐得厉害，但是并不影响吃，饥饿感明显。尽管很能吃，由于都吐了出来，拉的并不多，还可能出现便秘。腹部肿物父母不易看到，更不易摸到。

先天肥厚性幽门狭窄，妈妈能够看到的症状就是呕吐，这就给父母发现本病带来了困难。幽门狭窄的婴儿，大多是在出生后2-3周开始出现呕吐，如果出生后就有溢乳的孩子，到了2-3周出现幽门狭窄的呕吐，很容易被忽视，以为是生理性溢乳加重了。

❖ 先天肥厚性幽门狭窄可疑迹象
出生后2-3周突然出现呕吐。

原有溢乳，但溢乳程度突然加重，发展至呕吐，甚至大口喷奶。

吐奶伴体重增长缓慢，甚至倒退。

吐出奶液有明显的酸味，有乳凝块（豆腐脑或豆腐渣样）。

吐奶伴大便减少。

吐奶前后表情痛苦。

有明显的饥饿感。

如果宝宝出现上述迹象，要带宝宝看医生。先天肥厚性幽门狭窄典型体征，腹部触及橄榄核大小包块，可采用胃肠B超或胃肠钡餐造影协助诊断。

本病的早期诊断不容易做到，初期多认为是生理性溢乳，等到出现营养不良或脱水时，诊断就容易了。但有营养不良时，接受手术就比较困难了。由于呕吐严重，通过喂养也难以纠正营养不良状态，就要通过静脉营养了。所以，在出现营养不良前做出诊断很重要。如果宝宝吐奶，要监

先天肥厚性幽门狭窄呕吐与生理性溢乳鉴别表		
	先天肥厚性幽门狭窄呕吐	生理性溢乳
吐奶时间	多发生于出生后2-3周	可发生在任何时候
吐奶与喂奶关系	吃奶后几分钟即吐	时间不定
吐奶与体位关系	关系不明显	吃奶后活动易吐
吐奶程度	几乎大口吐奶，甚至呈喷射状	多从嘴角溢出
吐物	奶和黏液，乳凝块	多为奶液，偶有奶瓣
味道	酸味	偶有酸味
饥饿感	明显	正常
吐奶前后表现	痛苦	正常
大便	少	正常
体重增长	缓慢，甚至倒退	正常

测体重增长情况，如果增长不理想，要带宝宝看医生。先天肥厚性幽门狭窄一旦确诊，需要手术治疗。

309. 先天性喉喘鸣

先天性喉喘鸣，可于出生后即出现症状，但多数是在出生后数周出现喘鸣音的。

❖ 父母能够观察到的现象

喉鸣多为高调的、鸡鸣样的，也有的是低音调的震颤声。

一般在吸气时发生，但并不是总这样的。

婴儿在安静或睡眠时喘鸣会消失，着急、活动、啼哭、烦躁时喘鸣加重。

俯卧时喉鸣减轻，仰卧时明显，变化体位可使喘鸣减轻，甚至消失。

除喘鸣外，婴儿没有发育异常，哭声正常。

❖ 宝宝患喉喘鸣父母怎么办

单纯喉喘鸣可以自行消失，不需要治疗，一般可持续到半岁到一岁半。如果喘鸣比较严重，甚至呼气时也很明显，影响婴儿呼吸，要看耳鼻喉科医生。

310. 先天性心脏病

❖ 先天性心脏病可疑迹象

•喂养困难

孩子在吃奶时，总是吃几口就停下来，休息一会；停下来时，呼吸比较快，妈妈把婴儿的头部放到胳膊上时，感觉到随着婴儿的呼吸，一颤一颤的，好像在频频点头（称为点头样呼吸）。当婴儿把奶头吐出来，妈妈马上又把奶头放入婴儿口中，会使婴儿烦躁，拒绝吸吮。但要排除以下两种情况：鼻塞所致的呼吸道不畅；奶水太冲，以至于婴儿来不及吞咽，而把奶头吐出来。如果是这样，当婴儿把奶头吐出来时，奶水会喷出。

•点头样呼吸

这是先心病典型的呼吸，婴儿随着呼吸节律，有规律地点头，尤其妈妈抱在怀里时，感觉很明显。

•面色发白

婴儿的面色是比较红润的，即使很白的婴儿，也能看到白中透出的红色。先心病的孩子，面色往往是缺乏血色的白，缺乏光泽，比较灰暗。

•反复感冒咳嗽

反复患感冒、气管炎或肺炎，经常咳嗽，治疗效果不明显，就要考虑是否有先心病的可能。

•体重增长不理想

婴儿体重增长缓慢，没有腹泻等其他异常情况。

出现以上可疑迹象，要带宝宝看医生，排除先心病。

❖ 父母不要惊慌

在健康检查时，医生发现孩子有心脏杂音，但是不能确定是否有心脏病，需要6个月以后或1岁以后再复查，这会让父母陷入深深的痛苦之中，在没有排除先心病以前，父母是不会开心的。可能会处处小心翼翼，不敢有丝毫大意，不敢让孩子做户外活动，怕把孩子冻着，给孩子捂得严严的。有一点风吹草动，父母就心惊胆战。

心脏杂音不是确定婴儿先心病的唯一体征，有很大一部分是功能性的。如卵圆孔未闭合前，会听到心脏杂音，随着宝宝月龄增加，卵圆孔闭合，杂音就消失了。医生会让父母过几个月再带宝宝来复查，就是基于这个原因。早期发现是很重要的，有的先心病越早治疗越好。但是，父母也不能总是疑心自己的孩子有先心病，如果医生为孩子做了详细的检查，确定没有先心病，就要放心了。

遇到这种情况，父母不必过于紧张，一切都按正常儿护理，到时候复查就是了。如果父母放心不下，可以到权威医院给婴儿做心脏彩超，结果正常，父母也就放下心来了。不管怎样，在没有明确诊断之前，父母要按正常婴儿护理孩子，这才是正确的。

311. 婴儿痉挛症

婴儿痉挛症是儿科癫痫病中的一种特殊类型，主要发生在1岁以内的婴儿，特别是8-9个月的婴儿容易发生，也可能发生在3-4个月的婴儿。

❖ 早期诊断最重要

婴儿痉挛症发病率并不高，但患有婴儿痉挛症的婴儿，如果得不到及时治疗，可遗留神经系统后遗症，主要表现为智力低下。所以，早期诊断、早期治疗是很重要的。痉挛症患儿脑电图有特异性表现，出现节律紊乱的高尖波。一旦出现典型的婴儿痉挛症特异脑电图形，诊断并不困难。但婴儿痉挛症的症状不易被父母发现，这是造成延误诊治的主要原因。

❖ 婴儿痉挛症的可疑迹象

抱着宝宝时，宝宝的头突然向前，就像点头一样。在点头的同时，两上肢屈曲向前，成拥抱状。如果妈妈这时能够看到孩子的面部，就会感觉到孩子面无表情，眼神呆滞，片刻间对外界无反应。十几秒钟或几十秒钟后恢复正常，几分钟之内可连续发作数次。这样的发作，一天可有几次到十几次，有的可间断发生，大多数是越来越频繁。上述发作，幅度是比较小的，但婴儿在发作时，全身肌张力有变化，抱着孩子时，会有所感觉，妈妈多是凭借这种异常感觉发现问题的。

婴儿自己玩耍时，即使发作，也不易被发现，躺着时就更不易被发现了。如果看到正在玩耍的孩子，突然有片刻停止活动，就要注意观察、分析了。婴儿躺在床上，四肢多是高举舞动，如果妈妈发现孩子的肢体突然有片刻的静止，也要想到是否正常。把孩子抱在怀里，感受一下，是否有短暂的肢体抽动和点头，及时向医生介绍情况，描记脑电图，及早发现婴儿痉挛症。

❖ 请父母谨记

一旦确诊婴儿痉挛症，父母要配合医生，积极给宝宝治疗。婴儿痉挛症治疗时间长，服用药物后，宝宝可能不再发生痉挛了。但不能因此而停药，一定要服用疗程。请父母谨记，疗程不够，宝宝会再次发病。最重要的是，宝宝脑部会受到损伤，导致智力低下，这是父母无法接受的后果，也是孩子的灾难。

312. 脑性瘫痪

❖ 最不幸的是孩子自己

脑性瘫痪的发病率虽然很低，一旦被确诊，就会给全家蒙上极大阴影，陷入痛苦之中。人们都知道，脑性瘫痪就意味着孩子智力低下，甚至生活不能自理，这对父母将是怎样的打击！

❖ 不要放弃希望

过去认为，脑性瘫痪是没有办法治疗的。随着医学的发展，对脑性瘫痪早期诊断、早期干预、早期治疗都有了新的进展，可使患儿通过治疗接近正常智力，能够胜任日常生活，甚至能参加体力劳动，具备自己独立生活的能力。

❖ 治疗的关键是早发现

对脑性瘫痪的治疗，关键是早期发现。发现越早，越有希望。早期发现的关键在父母，和孩子朝夕相处的是父母，在孩子还没有表现出典型的脑性瘫痪之前，就能够发现出来，并进行全方位的干预和治疗，是挽救脑瘫孩子的关键所在。发现孩子异常的蛛丝马迹，必须靠父母密切的观察。如果能在生后3个月以前，作出脑瘫的诊断，治疗成功的希望就大大增加；如果能在生后6个月以前作出诊断，也是非常有希望的。

❖ **如何早期发现脑瘫**

• **首先要排查引起脑瘫的病因**

如果有引起孩子发生脑瘫的病因，父母就要细致入微地进行观察，早期发现异常。能够引起脑瘫的病因有哪些呢？

窒息：这里所说的窒息，并不单单指的是新生儿出生时的窒息，还包括胎儿宫内窒息（胎儿呼吸窘迫综合征）、胎儿宫内发育迟缓引起的慢性缺氧。

宫内感染：如巨细胞包涵体、风疹病毒、单纯疱疹病毒、弓形虫感染等。

脑先天发育畸形：如小头畸形（狭颅症）、脑积水、脑贯通畸形等。

遗传因素：家族中有类似病人，出生过畸形的孩子等。

围产期异常：如生产过程中发生的缺血缺氧性脑病后遗症、脑出血后遗症、核黄疸后遗症等。

高龄产妇、有习惯性流产史、孕早期接受X线照射、接受过有毒物质等。

其他异常情况。

如果有上述情况，父母要对孩子进行

宝宝 / 王冠为

密切监测，早期发现脑性瘫痪的蛛丝马迹，仔细观察婴儿的表现。

• **孩子出现什么情况预示着不正常呢**

出现以下情况时，要去医院作进一步检查。但是，偶尔一次出现，不要过于担心，持续出现时，就要警惕了。

· **少哭、少动、少吃**

3个月以内的婴儿，睡眠时间较长，但觉醒状态时，肢体自发运动很多，眼神灵活，哭声响亮，吸吮有力。可疑脑瘫的婴儿，肢体的自发运动很少，总是呈嗜睡状态，即使觉醒时，眼神也是迟钝的，哭声微弱，缺乏抑扬顿挫，声音比较直，听起来让人感觉不那么悦耳。吸吮没有力量，节奏感不强，吸吮和吞咽动作不协调，容易呛奶。

· **肌肉张力低下或过高**

婴儿出生后，肌张力多是稍微偏高的，如果把婴儿襁褓打开，婴儿的肢体会迅速地屈曲拥抱。换尿布时，要想把孩子的肢体伸直，包裹起来，感觉孩子的小胳膊、小腿是蛮有劲的。如果感觉婴儿的肢体柔软无力，就要考虑是否异常。但如果婴儿身体很硬，尤其是满月以后的婴儿，受到刺激时肢体就非常硬，医学上称为肌张力增高，也是不正常的，要及时看医生。

· **异常的姿势**

在新生儿一章中，我们描述过新生儿正常的姿势，如果感觉孩子姿势不对劲，要仔细观察，是否有脑瘫的先期表现。婴儿的上肢应该是向前屈曲的，如果上肢向后背屈，或经常向后旋，或总是伸直，就有可能是异常的。爸爸托住婴儿腋下，试图让婴儿站立，如果下肢紧张伸直，两腿交叉，妈妈试图把孩子交叉的两腿掰开，但感觉孩子的腿很硬，说明肌张力很高，也有可能是异常的；如果孩子像一摊软泥似的，也不能认为是正常的。过软或过硬都有可能是异常的。

· 对外界缺乏反应

快3个月的婴儿，大多能认识妈妈的脸，见到妈妈时，会发出会心的笑，如果逗一逗孩子，还会出声地笑。如果孩子反应迟钝，对外界好像没有什么反应，也要高度警惕，即使不是脑瘫，也要进一步排除是否有耳聋或视力障碍。

· 发育能力与月龄明显不符

6个月以后的婴儿，脑瘫早期表现一般是比较容易发现的，主要是运动功能的低下，如不会翻身；妈妈托住孩子腋下，孩子双腿不能站立，也不会跳跃；不会用单手拿物；还不会坐等。总之，孩子的发育能力与月份明显不符，各项指标都落后于同月龄的孩子，就要警惕了，及早看医生。

❖ 父母也不要草木皆兵

脑瘫的早期发现是很重要的，但父母也不能过于紧张，看孩子的一举一动都不正常，总是忧心忡忡，吃不好，睡不香。这会影响父母对孩子的养育兴趣，对孩子是很不公平的。仔细观察是对的，但变得神经质，就不对了，也会极大伤害孩子。有怀疑，及时看医生，经医生检查后，如果一切都是正常的，就应该放心了，不要背包袱。

❖ 脑瘫的治疗

一旦确诊脑瘫，父母不要犹豫，立即投入积极治疗之中。治疗方案要由专业医生制定，治疗措施要由专业人员执行，这里就不再赘述。但是，父母一定要明白，脑瘫的治疗需要医生和专业人员，更需要父母的参与和决心！我要真诚地劝慰父母一句话：要坚强起来！宝宝最终的康复靠的是父母不懈的努力和坚持！脑瘫的治疗不是一朝一夕的，必须有长久打算！父母不能垮，孩子需要坚强的父母。

313. 智力低下

❖ 智力低下的可疑迹象

父母首先要了解可能导致婴儿智力低下的因素，如果有如下因素，父母要细心观察，及早发现可疑迹象，带宝宝看医生。

先天遗传因素，如先天愚型、小头畸形（狭颅症）、脑贯通畸形、脑积水。

代谢性疾病，如苯丙酮尿症、半乳糖血症等。

宫内受感染，如风疹病毒、弓形虫、巨细胞包涵体、疱疹病毒、人乳头瘤病毒、梅毒等引起胎儿感染。

分娩过程中窒息后的脑损。

重症黄疸所致的核黄疸。

早产儿。

脑部疾病。

抢救过来的危重儿等。

原因不明的低智儿。

❖ 父母要正视现实，及早接受干预

尽管医生将孩子的真实情况告诉了父母，但父母往往不愿相信，总是看自己的孩子没有什么问题。我理解做父母的，哪个父母不是看自己的孩子可爱！但是正视现实，是挽救智力低下儿的关键，越早越好。如果医生认为您的孩子应该早期干预，加强训练，或需要特殊治疗和训练，不要犹豫，早行动比晚行动要好。

比如苯丙酮尿症的发生率是很低的，但早期诊断是防止患儿智力低下的关键。所以，一旦怀疑本病，就要积极干预，按照医生的医嘱，吃特定的饮食，会大大降低智力低下发生的可能。

婴儿在没有和其他孩子接触前，还感觉不到差异，父母受到的打击可能还不那样强烈。随着孩子不断长大，有了比较，有了竞争，上学后的学习成绩、升学、工作等等情况发生了明显变化。到了这个时候，父母所面临的就不单单是辛苦了，更多的是心理压力和精神折磨。所以，在婴儿小的时候，父母要正视孩子智力低下的问题，抓紧时间治疗，加强干预和训练，这时的一分付出，会得到以后的十分回报。让孩子能够生活自理，能够自食其力，能够有所作为。

❖ 智力低下的康复

过去认为，脑细胞一旦受到损害是永远不能恢复的，是不可逆的。脑细胞和神经细胞是不能再生的。随着科学和医学的进步，医学家们不断创造奇迹。脑瘫的手术治疗、刺激脑细胞再生的药物、脑细胞活化剂等的使用、对低智儿的功能训练等等都在不同程度上，为低智儿带来了福音。

❖ 父母的特殊付出

尽管如此，低智儿的父母还要靠自己的努力，帮助孩子康复。低智儿的父母，担负着常人难以想象的艰辛劳动和心理压力。只有父母首先战胜自己，孩子才能得到最好的关怀。

还需要嘱咐父母的是，遇到这种情况，不要互相埋怨，没有哪个父亲或母亲愿意自己的孩子有病。不要互相指责，没有任何时候像现在这样需要父母同舟共济，齐心合力面对困难，帮助孩子，把不幸降到最低限度。

❖ 生育第二胎的风险

关于是否再生第二胎的问题，也是困扰父母的又一难题。没有哪个父母不害怕再次生育的结果。做医生的理解这些父母，但有时也难以给父母一个满意的答复。这不像生产商品，父母孕育的是人，是复杂的生命。况且有些不明原因的疾病，就更难下结论了。

比如说先天愚型这种病，就很难判断再次生育后发生的几率。先天愚型也叫21-三体综合征，就是说在第21对染色体上多了一条，是染色体发生了畸变，其发生率与生产年龄有密切的关系，35-39岁的孕妇，是0.4%；40-44岁是1.2%；45岁以上是4%。可见，初产年龄越大，发生率越高。

再次生育先天愚型的危险率，35-39岁是1/150，40-44岁是1/40。就是说，150位35-39岁妇女生育了先天愚型的孩子，她们的二胎中，会有1例是先天愚型患儿。40位40-44岁妇女生育了先天愚型的孩子，她们的二胎中，会有1例是先天愚型患儿。可见年龄越大，生育先天愚型的几率越高。高龄产妇最好做羊水穿刺检查，进行产前诊断。

314. 阴囊肿大和阴囊湿疹

引起男婴阴囊肿大的原因，主要是鞘膜积液和腹股沟斜疝。

❖ 腹股沟斜疝和鞘膜积液的简易鉴别法

妈妈在给宝宝换尿布时，发现孩子的阴囊两侧不对称，一边大，一边小。小的那侧并没有什么异常，阴囊皮色一般是比较黑的，有皱褶。大的一侧往往比小的那侧皮色浅些，少皱褶，好像发亮，还有些透明。如果用纸卷成一个纸筒状，扣在肿大的阴囊上，在纸筒的对面用手电筒照射，阴囊像灯一样的亮，是透光的。这就是鞘膜积液。如果是腹股沟斜疝，就不会像灯一样亮，而是见到暗影。B超可准确鉴别出腹股沟斜疝和鞘膜积液。

男婴鞘膜积液多于生后就出现，一般不需要治疗，大多数能自然消失，即使很大，也不要抽液，那样会增加感染机会。如果鞘膜积液迟迟不消退，一般也要等到男婴两岁以后，再决定是否实施抽液治疗。

腹股沟斜疝，如果在婴儿期没有嵌顿，不是巨大疝，医生多会建议2岁以后择期手术。

有阴囊湿疹的婴儿，多同时有面部或其他部位湿疹。阴囊湿疹主要表现是阴囊发红，显得有些干燥，轻轻触摸有粗糙感觉。阴囊湿疹俗称"绣球风"，不需要特殊治疗，涂专治湿疹的药膏或维生素B6软膏、氧化锌软膏等，可有效治愈。

315. 血管瘤

❖ 血管瘤表现迥异

同是血管瘤，却可表现迥异：有的像红色的胎记，有的像削下的一片草莓贴在了皮肤上，有的像软软的红色海绵。以上所述血管瘤就是最常见的类型，即鲜红斑痣血管瘤、单纯型血管瘤、隐型血管瘤。

• 鲜红斑痣型血管瘤

鲜红斑痣也称"毛细血管扩张痣"、"焰色痣"、"葡萄酒痣"，有如下特点：

好发于面部、颈部，单侧的多，偶见对称的。

一般于出生时即存在。

痣的形状不规则，呈暗红色或青红色斑片。

用食指和中指压住痣，两指同时向两边分开，痣色变淡或色退。

痣与皮肤呈水平状，界限比较清晰。

• 单纯型血管瘤

单纯性血管瘤也称"草莓状血管瘤"、"海绵状血管瘤"、"毛细血管瘤"，有如下特点：

起初，皮肤上出现一片苍白区。

一段时间后，在苍白区域内出现深红色的突出的斑块。

呈鲜红色圆形或分叶形的瘤斑块，如同草莓。

多分布在面部、颈部、头部，少数分布在其他部位，如躯干、掌心等。

宝宝2个月时，血管瘤增长速度加快，

之后逐渐减慢，一年以后，逐渐停止下来。

血管瘤比皮肤高，摸起来比较柔软，用手指压不能褪色。

• 隐匿型血管瘤

隐匿型血管瘤的特点是，外观看不到皮肤上有红色斑痣，看到的是分布不很均匀的青色，含在皮肤里面。如果血管瘤比较大，可看到包块，触摸包块边缘不清，质地柔软。

❖ 血管瘤转归

1岁以前，血管瘤可能会长大。有的长得比较慢，或没有明显的变化；有的长得比较快，但多数不超过3公分。只要不是长在非常重要的部位，如眼部、口腔内等，增长速度也不是很快，不是巨大的血管瘤，都不必急于医学干预。

有的血管瘤，在婴儿一出生时就被发现了，有的生后几天，甚至更长时间才发现或长出来。无论是生后就发现，还是以后慢慢长出来的，父母都要有这样的认识：血管瘤是由新生的血管组成的良性肿瘤，大多会自行消退的。

鲜红斑痣型血管瘤，多数会在数年内自行消失，少数可永远存在。

高出皮肤的血管瘤软软乎乎的，好像一碰就会破损出血，父母往往比较紧张。其实，通常情况下，5岁之内，这种血管瘤都有自行消失的可能，所以父母不要过于紧张。

隐匿性血管瘤也可在数年后自行消退。是否需要医学干预，医生会根据血管瘤生长的部位、类型、大小等具体情况作出判断。

❖ 血管瘤护理

高出皮肤的血管瘤，要注意防止血管瘤溃破出血，不要让孩子抓破。洗澡时要小心，不要搓到瘤体处。如果血管瘤在婴儿容易抓到的位置，要注意保护，如及时给孩子修剪指甲。血管瘤增长速度很快时，要及时看医生。血管瘤一旦溃破出血，不要自行处理，要及时到医院。如果血管瘤比较大，或生长的部位比较危险，医生认为需要医学干预，父母要尊重医生的诊断和治疗。

不管什么类型的血管瘤，都要看皮肤科医生。因为有自愈的可能，在选择治疗时机时，要谨慎从事，全面听取权威医生意见和建议。

316. 血友病 A

❖ 传男不传女

血友病A是先天遗传性疾病，属连锁隐性遗传。是血浆中缺乏第八因子，遗传基因在X染色体上。妈妈传递，儿子发病是其特点。妈妈不使女儿发病，但可使女儿成为致病基因的携带者，女儿长大后，再生育时，也可能生育出有病的儿子或携带基因的女儿。

❖ 幼童期表现出病症

患有血友病的孩子，出生后，可表现为脐带出血，或渗血不止，但慢慢都会停止的。婴儿学爬，学走路时，磕伤皮肤，出现出血不止的现象。但是，婴儿期发病的并不多见，一般都是在儿童期，活动量比较大，可出现关节腔出血，肌肉组织出血，皮下淤斑，或外伤后出血不止。诊断有赖于实验室检查。

❖ 家族病史调查

现在大都是一个孩子，如果携带血友病的母亲（也是独生女）生下一个女儿，刚好又把致病基因传给了女儿，但是女儿并不发病，这个女儿长大后，恰好生了一个儿子，这个儿子就有可能是血友病患者。这时要进行家系调查，否则不容易查出有血友病的家族史。所以，当您的孩子有出血现象时，查不出其他原因，别忘了血友病。

第5节 婴儿用药与治疗

317. 扩大化治疗现象

❖ 治疗带给孩子的负面反应不容忽视

有位妈妈这样说："现在好像没有什么好药，吃了也不管事，我家孩子咳嗽都快三个月了，跑遍了医院，看遍了专家，几乎用遍了所有的药，整天吃药、打针、输液，幼儿园去不了几天，什么药也不灵。"患儿真的得不到有效治疗吗？是治疗不足？还是治疗过度？小小的身体能否承受这么多的药物？

治病救人是医生的天职，杜绝医源性疾病是医生的天良，这是我从医以来最深刻的体会。治疗往前稍稍迈一小步就是致病。人们更多追求的是对疾病的治疗效果，

而往往忽视由于治疗所带来的一些负面反应。对于孕妇和婴儿来说，这个问题更不容忽视。

在临床工作中，遇到更多的情况是，父母请求给孩子开好药，开贵药。一个小病，父母可能会不断地看医生，从普通医师看到专家。用药不断升级，父母不断寻找好药、新药、贵药。复感儿或慢性咳嗽儿的父母甚至抱怨，他们孩子已经没有什么可吃的药了，也没有什么好办法。真的是这样吗？是治疗不足？还是治疗扩大？显然是治疗扩大。

❖ 父母和医生的片面做法

有些父母是医生下医嘱的催化剂，本

该吃药就可治疗的疾病，非要打针；本该打针就可解决的问题，非要输液。

医生鉴于风险难当，也就顺势而为，药量越用越大，药价越用越贵，药质越用越高，新药出来就用，广告药更是走俏。父母没想到药物的副作用，更不会考虑可能已经埋下了"药源性疾病"的隐患。

❖ **正确对待药物，不要扩大化治疗**

应该选择经过较长一段时间临床应用，证明是安全有效的，不会造成药源性疾病的药物。

除了针对疾病适应症外，不可忽视药物副作用。有很多人只注重药物疗效，忽视药物副作用。

治病与致病有时只是一张纸，捅破了，可能会由治病而导致另一疾病的发生。这方面的例子有很多，在自疗盛行的时候更应引起人们的警惕，防范于未然。

并不是说孩子不能打针输液，而是强调真正需要时再接受打针、输液。

作为儿科医生，对待孩子，确实应该有更大的责任感和爱心：站在孩子的角度，站在父母的角度，更多为孩子着想；面对患儿，不要仅看疾病，而忘了他还是一个可爱的孩子；为孩子解除病痛，并把治疗带来的痛苦和药物副作用降到最低限度。

发烧是机体对疾病作出的正常反应。发烧使体内的一些酶和细胞的活性增强，使机体的防御能力增加。体温在38℃以下时，不会对孩子造成损害。不要急于使用退热药。物理降温、多饮水是安全有效的降温措施。

父母要避免心急乱用药。病毒性感染（如病毒性感冒等）所致的发热多为自限性的。有些医生和父母一遇孩子发烧就给孩子盲目服用抗生素，造成抗生素滥用，不仅对孩子身体不利，使病原体耐药性增加，

也加大了医药费用。

318. 输液带来的隐形伤害

❖ **输液变得越来越普遍**

在婴儿疾病治疗中，输液是很普遍的给药方法，人们也乐意接受。即使在个人诊所里，医生也常常给患儿输液。这种途径给药，作用迅速，可使用较大剂量。扎针时，仅仅是进皮时痛一下，在输液过程中，基本上没有痛的感觉，没有肌注后的长时间痛。所以，在某种程度上，人们更乐意接受输液。在基层医院里，只要患者要求，医生就会同意。对于婴儿来说，如果发烧两天不退，父母一着急，就会要求输液。即使在比较大的医院里，医生也多不拒绝父母要给孩子输液的要求，这样一来，输液变得越来越普遍。

❖ **工作中遇到的典型病例**

大部分父母认为，输液比吃药效果来得快，全不顾患的是什么病。输液就这么好吗？输液就能让病好得快吗？

孩子腹泻，打针不见好转，孩子精神反而越来越差，有的甚至输液也无效。这是为什么呢？道理很简单，腹泻是肠道疾病，肌注抗生素（甚至用青霉素）先吸收

宝宝 / 刘正泽
学习是一时一刻也不能松懈……

入血，再到肠道作用，效果当然不如直接肠道给药好。若是非感染性腹泻，肌注抗生素就更无效了，采用灌肠疗法要比输液打针有效得多。况且，腹泻对婴儿的危害主要是丢失电解质和水分，口服补液盐是补充电解质的重要措施。经口腔补充丢失的液体，比输液具有更大的优势。

❖ 输液并非是阳光一片

为了孩子，也为了父母，我们需要了解输液这种常规治疗方法，在给人们带来方便的同时，也会给孩子带来伤害。

• 血管被开放，血管与外界相通

输液是有副作用的。输液就意味着血管被开放，可引起静脉炎、输液反应。输液时往往用药量过大，若不是病情所需，则加重婴幼儿或孕妇的肝肾负担。婴儿的肝肾发育尚不完善，解毒功能较弱，容易受到药物的损害；孕妇肝肾已经负担过重，药物的解毒工作加大了肝肾负担，对母婴构成危害。

输液就是打开了静脉，使血管与外界相通，这无疑增加了感染的机会，如果对针刺部位消毒不彻底，可能会把细菌带入血液。这种情况尽管不是很常见，也会发生，至少这种隐患。

• 感染机会增加

操作过程不规范，增加了感染的机会。护士是比较重视输液局部消毒的。如果护士在输液时，没有按照常规进行消毒，父母有权向护士提起质疑，并请护士暂时停止输液，经过正规消毒后再进行。

• 正规的消毒方法是

在孩子输液部位的下方，铺一块无菌巾，护士在操作车上的消毒盆中洗手，擦干。用碘酒首先消毒，以穿刺部位为中心，向外逐渐扩大消毒面积，一般需要3厘米×3厘米的范围，然后，用酒精脱碘，也是

从穿刺部位的中心向外周扩延。取下输液针上的套管，进行穿刺。如果是穿刺头部，有头发的地方，必须用刮刀刮干净，有的婴儿头部有湿疹结痂，也有的婴儿头部有奶痂，输液时尽量避开，如果必须在此部位，应该先用甘油浸泡，待痂软后，轻轻去掉，再进行消毒。

• 难以避免的输液反应

静脉输液时，药物或液体中可能存在某种致热源。药物、液体、配液时有污染物等，都可能作为致热源进入患体内。致热源进入体内后的结果，就可引起输液反应。

❖ 输液反应常识

输液反应程度有轻有重：轻者，停止输液后，就会消失，有的需要使用抗过敏药；重者可危及孩子的生命。

输液反应的最初反应是冷感，但这种感觉只有年长儿和成人才能感觉，婴儿即使有这种感觉，也不会表达。冷感过后是寒战，输液反应的寒战是比较明显的，患者发生无法控制的颤抖，牙齿咬得咯咯响，身体蜷缩到一起，四肢紧紧抱向躯干，不停颤抖，盖几层被子也不能使寒战缓解。一旦不颤抖了，就开始发烧，体温可高达39℃-40℃，这时患者开始燥热，要把身上的被子都拿掉。

❖ 婴儿输液反应特点

婴儿缺乏这些典型的输液反应，多是表现面色口唇紫绀，皮肤发花，反应差，由于高热而发生惊厥。如果不能及时发现输液反应，有致热源的液体一直往孩子体内输注，孩子会由于颤抖而发生喉头痉挛，这是很危险的。

❖ 孩子输液时父母应该做的

输液反应多发生于输液后的10-20分钟内，所以父母应该密切观察孩子，不能

是护士把液输上了，妈妈就以为是万事大吉了，不是用乳头哄着孩子睡觉，就是和同室的患儿妈妈聊天。医生护士不会站在孩子跟前看着，也不能依靠医生护士巡视，一刻不离孩子的只有父母。所以当孩子输液时，父母一定要目不转睛地看着孩子，同时看着输液瓶里的液体和滴数。也要观察扎针的部位是否鼓包了，是否有渗液。一旦怀疑有输液反应，应该及时把护士医生叫到孩子身边，及时处理。

❖ **不要忘记药物热的可能**

输液时，也有发生药物热的可能。孩子因为发烧输液，主要的药物是抗生素，可抗生素已经用了一周，甚至十来天了，孩子的体温仍然不降，也找不到感染灶。肺部炎症也消失了，扁桃体肿大也消退了，腹泻也好了，但就是因为发热而不敢停药。这时，就应该考虑是否发生了药物热。

引起药物热最常见的药物就是抗生素，而发热时，多认为是有细菌感染，又不敢停用抗生素，所以，抗生素引起的药物热，就容易被这样拖延了。如果医生能想到这个问题，果断地把抗生素停掉，孩子的体温可能会慢慢地下来。所以，当孩子因为感染输抗生素，感染控制了，但体温一直不正常时，应该想到药物热。

❖ **输液导致静脉炎**

如果液体中药物浓度过高、有刺激强的药物、输液速度过快时，在输液部位，血管发红，触摸时疼痛，可能发生了静脉炎，如果不严重，过一段时间会好转。如果比较严重，很长时间都不能恢复，疼痛消失了，但静脉会很显露。与其他部位相比，静脉增粗，静脉表面不光滑，疙疙瘩瘩的。这就是静脉炎的结果。

输液速度不要太快。如果是刺激性的药物，输液局部发红，孩子痛得闹人时，要及时找护士和医生处理。或把速度放慢，或稀释液体浓度，减小对静脉的刺激。

❖ **针眼感染**

静脉输液的地方，针眼发红，是针眼感染造成的，应该用碘酒酒精进行消毒，再次输液时，要避开这个部位。发红的针眼在炎症消退期，会发痒，不要让孩子挠。要用碘酒酒精消毒止痒。

❖ **输液不当带给孩子的不良后果**

静脉输液是给药的主要途径，也是治疗疾病的主要手段。但是，凡事都有正反两方面。输液能够治病，但如果输液不当也会导致疾病。

• **异常哭闹**

护士为婴儿输液时，婴儿会因疼痛而哭闹，但扎针后，婴儿多能安静下来，有的还可安然入睡。如果婴儿在输液过程中哭闹不止，不要仅仅认为孩子是因为有病或由于扎针，应考虑到是否由输液不当所致，向护士医生询问，是否输液速度过快、液体量过多等。

患有胃肠道疾病的婴儿，如果在输液过程中发生呕吐，很容易被认为是胃肠道疾病本身的症状，不容易发现输液不当导致的问题。实际上，如果输液过多或液体浓度不适宜，也可引起患儿呕吐。

• **头痛**

在输液过程中，如果患儿述说头痛，不要只考虑疾病本身，要想到是否由于输液不当所致。这种情况多见于比较消瘦、营养不良的婴儿。可能是由于静脉补液浓度过高，或速度过快，电解质比例不适宜等导致颅内压增高所致。不会用语言表达头痛的婴幼儿，则表现为哭闹和烦躁不安，甚至用手拍打自己的头部。

• **多汗、多尿**

输入过多的低张力液，可导致婴儿出

现多汗、多尿和皮肤黏湿等症状。这主要是由于血液渗透压降低，液体不能维持在血液细胞间（称间质）中，故以尿和汗的方式排出。严重者可出现意识障碍、视力模糊等症状。这是由于输入低张力溶液，使血液渗透压降低，引发颅内压升高所致。患儿由于视力模糊，经常闭合双眼，检查可发现其定向力丧失，大一点的儿童可有谵语。

•发热、口渴

输入含钠过多的高张力液，可使血液呈高张状态，组织和细胞均处于缺水状态，会产生脱水热。另外，皮肤血管收缩，不排汗，使体热不能外散，也会出现发热症状。中枢神经系统对体液渗透压的改变极为敏感，会产生强烈的口渴感。由于血液呈高张状态，细胞内水分渗出细胞外，故细胞明显失水，表现为皮肤黏膜干燥，不排汗。

•水肿

输入过量液体，会使血液和组织液增加，发生水肿。平卧位的患儿于眼睑、头部和四肢等疏松组织处表现的水肿最为明显。血容量增加，使心脏负荷加重，为减少回心血量，保护心脏，产生心血管反射，使皮肤血管收缩，表现为面色苍白。严重者可出现心率加快和奔马律，这是由于容

宝宝／黎皓文

量增加，回心血量增多，心脏为加大排血量出现代偿性心率加快，使心音快而不深，形成奔马律。

•呼吸困难和肺部啰音

输入液体过量时，心脏负担过重，还可导致左心衰和肺水肿，此时患儿肺内有大量粗糙啰音和喘鸣音，表现呼吸急促、口周紫绀、鼻翼扇动、点头样呼吸。此时，应立即停止输液进行抢救。

319. 注射带来的隐形伤害

肌肉注射是临床治疗的主要手段。主要是臀部肌肉注射，防疫针多注射于上臂的三角肌。肌肉注射药物在治疗疾病的同时，也会给婴儿带来隐形伤害。

6个月以后的婴儿易患感冒、气管炎、肠炎等病，难免接受肌肉注射，有的是临时打一针退热针，有的是连续打消炎针。

信服打针的父母和喜欢给孩子打针的医生，不但会连续打消炎针，就连退热药，也喜欢肌肉注射，这就给本来有病痛的孩子又加上了注射痛。个别医生在治疗时习惯使用肌注抗生素（青霉素、先锋霉素、庆大霉素、林可霉素、小诺霉素等）等方法，往往连续打好几天，这种做法确实有所不妥。

❖ 肌肉注射会给孩子带来以下不良反应

•注射局部疼痛

臀部肌肉注射后，婴儿会感到注射局部疼痛、发胀，刚注射完，孩子往往感觉打针的部位火辣辣地痛，下肢不敢活动。一旦碰到打针的地方，会使疼痛加重。

•对打针的恐惧

会说话的孩子到医院看病，一提打针，就坚决反对，宁愿输液也不打针。打过一针的婴儿，当再次看到打针的护士或看病的医生时，即使不打针，也会一见医生护

士就哭。大一点的婴儿，一到医院就开始哭，甚至看到医院的门口，还没有进去，就开始哭。没有打过针输过液的婴儿，是很少有这样表现的。

•成了夜哭郎

婴儿不会见到商场就哭的。可见到医院，见到穿白大衣的就哭。这就是打针带给婴儿的恐惧。有的婴儿，甚至会为此做噩梦，在半夜醒来，连续几个晚上都让父母不得消停。有的成了夜哭郎。

接受多次肌肉注射时，注射部位可能会出现局部包块、腿痛、不能站立或行走。有的孩子，在一次注射后也有可能出现上述情况。多是由于一次注射药物过多，或注射了难以吸收的药物，如脂溶性维生素D或A。出现的肿块，一般为鹅卵石大小，按压时婴儿因疼痛而哭闹。

❖ 肌肉注射后妈妈应该做的

可以给孩子进行局部湿敷，把毛巾放在热水中浸湿，放在注射处，毛巾凉后取下，每次可敷10分钟左右，一天2-4次。也可以切一片土豆，贴在包块注射部位，帮助药物吸收，也有很好的消肿止痛作用。要注意一点，在热敷时，不要发生烫伤。

如果注射局部出现红肿，温度高于正常皮肤，疼痛很厉害，孩子发烧、烦躁等，应该考虑是否有注射局部感染，要及时看医生。

❖ 避免伤及孩子的坐骨神经

臀部有坐骨神经走行，在进行臀部注射时一定要避开。正确的注射部位是臀部外上限1/4方块内上三角区内。以下做法可能会损伤坐骨神经：

注射部位不正确。

深浅度不适宜。

注射时，孩子哭闹不安，父母没有抱住，针在肌肉内发生变动。

孩子神经走行变异。

注射青霉素、先锋霉素或药量很大时，即使部位正确，也有伤及坐骨神经的可能。

❖ 如何发现坐骨神经损伤

孩子会拒绝活动注射侧下肢。

活动下肢时，孩子就会哭闹。

会站的孩子，站立时，可能用一只脚站着，损伤一侧，只用脚尖着地。

会走的孩子，会出现跛行。

❖ 怀疑有坐骨神经损伤时，父母要做到

要及时看医生。

最好到另一家医院就诊。如果还在原来的那家医院，医生往往怕担当责任，在诊断上比较保守，延误诊断，错过治疗时机。

损伤初期，适当限制患侧肢体活动。

一周后进行理疗和功能训练。

❖ 避免臀部肌肉挛缩

婴儿的臀部肌肉是逐渐发育成熟起来的。在未发育成熟前，以下情况可导致局部肌肉发育受到影响，造成臀部肌肉挛缩。

经常接受肌肉注射。

连续接受长时间的注射。

注射刺激性强的药物。

注射的药物吸收很差，大部分都没有吸收，聚集在注射局部。

青霉素和先锋霉素等水溶解的粉针，如果注射量比较大，或注射时间比较长，药粉没有完全吸收，只是水被吸收了。

注射部位浅，有一部分注射到脂肪组织时，更易发生这种情况。

典型案例

曾经有一不满周岁的患儿就发生了臀部肌肉挛缩。孩子要学走路了，妈妈发现宝宝好像一条腿长，一条腿短，短的那条腿很明显地用脚尖走路。父母仔细查，发现臀部有一个明显的凹陷，在凹陷处，能触到一个比较大的硬块。经询问，婴儿经常肌注青霉素，几乎每个月都打几天针。外科医生诊断为臀部肌肉挛缩，纤维包裹。手术切除了包块，把包块切开后，包块里面，包的是白色的粉末，就是青霉素药粉。这种情况在早期不易被发现，等到孩子会走以后，父母发现孩子走路步态不对了，才被发现。

❖ 两点忠告

肌肉注射在治疗疾病的同时，可能会导致一些异常情况。没有必要，不要经常给孩子打针。

我并不同意用输液代替打针，应该根据治疗需要，选择治疗方法。能口服给药的就不要肌肉注射。

320. 药源性疾病

医生和父母都有责任帮助孩子们躲避"药源性疾病"。人们更多追求的是药物的短期疗效，新奇特贵，药量越用越大，药价越用越贵，药质越用越高，新药出来就用，广告药更是走俏。父母没有更多地想到药物的副作用，更不会考虑到可能已经埋下了"药源性疾病"的隐患。尤其是儿童和孕妇更应该重视这个问题。

❖ 贵药、新药、好药

药越贵越好，新药一定是最好的药，这是大多数人的心理，让我们逐一加以讨论。

•好药

好药是什么标准？我认为，能治好病，能够最有效地控制疾病的发展，副作用最小，不导致药源性疾病，价格适中的药应该算是好药。

•贵药

有的贵药一方面是药的质量好，还有另一方面可能是广告费用和推销费用太多。再者，能治疗疾病的药才是真正意义上的药。不能离开治病谈药品的价格，以药品价格论"英雄"是非常片面的。

•新药

新药是经过研究，动物实验，临床试验开发出来的，疗效上优于传统药物，也克服了许多副作用。但新药也有不好的地方，那就是临床试验时间往往短暂，没有经过长期的临床验证，与传统的药物比较有更大的冒险性。

❖ 父母要正确对待药物

药物不是时装，不能求贵求新。

应该选用经过较长一段时间临床应用，证明是安全有效的，不会造成药源性疾病的药物。

用药前，除了针对疾病适应症外，不可忽视的是药物的副作用。有很多人注重药物的疗效，而忽视药物的副作用。

在说明书上写着详细副作用的不敢用，没有标明副作用或笼统含糊的却敢用，这是不正常的。只注重药物疗效的宣传，而忽略副作用，这是用药大忌。

治病与致病有时只是一步之差，可能会由治病而导致另一疾病的发生。这方面的例子有很多，在自疗盛行的时候更应引起人们的警惕，防患于未然。

321. 哺乳期安全用药

哺乳期的妈妈能否服药？服用某种药物的妈妈能否继续哺乳？

这个问题从理论上讲是比较容易回答的，但在实际工作中以及针对具体问题就有些棘手了。一些药物对乳儿的影响缺乏临床对照，甚至连动物实验也缺乏，没有定论。医学这门科学不同于其他领域，有很多的禁区，在患者身上是不允许试验的。若是从理论上认为对乳儿有影响的药物，绝对不会再验证，可能仅仅停留在理论上，即使是动物实验有了定论，但和人类还是有一定差别的。所以，孕期最好不服药，服用任何药物都必须在医生指导下。哺乳期也尽量不服药，必须服用某种药物时，一定要向儿科医生咨询。

❖ 哺乳期服药原则

用药应具有充分的医学指征。

尽量选用进入乳汁少的、对乳儿影响小的、对乳母疗效高的药物。

调整服药与哺乳时间，让医生根据药物的半衰期来调整药物与哺乳的最佳间隔时间，避开乳母血浆中药物浓度最高峰值，才行哺乳。

如果乳母所服药物为婴儿禁忌使用的药物，乳母又必须服用，服药期间暂时停喂母乳。

如果乳母服用的药物剂量较大，或需要较长时间服用，可检查乳汁血药浓度，避开药物浓度高峰期，并定期检查婴儿的血药浓度。

若不能证实乳母用的药物对婴儿是否安全，应暂时停喂母乳，或在不影响疗效的前提下更换药物。

乳母最好选择婴儿能接受的药物。

❖ 不要轻易断母乳

药物的影响是一时的，在没有明确定论乳母所服用的药物对乳儿有影响时，不要轻易停止母乳喂养。如果需要暂时停喂，要按时抽吸母乳，以保证乳汁的正常分泌。

322. 婴儿用药需谨慎

有的父母认为婴儿就是比成人体重小，成人服用的药物，给婴儿服用时，只要减量就行了。这个认识是错误的。婴儿并不是成人的缩小版。婴儿对药物的反应、代谢、药物作用的靶器官、副作用、对药物的耐受性等等都有其特点。

婴儿肝肾功能尚不成熟，肝脏解毒功能弱，肾脏的排毒功能也差，在药物使用

上，婴儿不同于年长儿，儿童更不同于成年人。所以大多数的成人用药，都不能用于婴儿。

在成人身上轻微副作用，在婴儿身上可能就是毒性反应，如抗生素中的氨基糖甙类、喹诺酮类、磺胺类、氯霉素等，对婴儿都有不同的危害，以下举例说明。

氨基糖甙类，如庆大霉素和卡那霉素，可引起婴儿耳聋，肾脏功能损伤。

喹诺酮类，如环丙沙星和氧氟沙星，可引起婴儿软骨发育障碍。

磺胺类，如复方新诺明可引起婴儿黄疸，肾脏功能损害。

氯霉素可引起灰婴综合征，粒细胞减少症。

主要含西药成分的成人感冒药，婴儿也不能随便服用。

323. 钙、维生素D缺乏

人们普遍把佝偻病叫做"缺钙"。如果医生诊断某一孩子患有佝偻病，父母会很着急，但如果诊断"缺钙"，父母似乎不会那么紧张。

严格来讲，佝偻病应称为维生素D缺乏性佝偻病。佝偻病的发病率，目前已经显著下降，严重佝偻病患儿很少见。父母都知道要给孩子补充鱼肝油和钙剂，也知道通过晒太阳预防佝偻病。但还是有一些错误的认识，值得在这里澄清。

❖ 佝偻病仅仅是因为缺钙吗

佝偻病主要是由于体内维生素D不足，致使钙、磷代谢失常，是一种慢性营养性疾病。缺钙是继发于维生素D不足，也有部分婴儿是单纯摄钙不足，或两者兼而有之。也就是说，维生素D不足、钙不足，或两者兼有，都可导致佝偻病，而最常见的是维生素D不足，也就是钙吸收障碍。

所以，把佝偻病称为缺钙是不恰当的，容易引起人们的误解。由于这样的误解，一些父母十分重视补钙，给婴儿吃各种各样的钙，而忽视补充维生素D，结果是无效补钙。补钙过多，不能有效利用，从大便中排泄，不但浪费药源，还导致婴儿便秘，影响胃肠道功能，造成婴儿厌食。

❖ 佝偻病婴儿血钙低吗

维生素D缺乏可导致两种情况，一种是维生素D缺乏性佝偻病，以骨骼改变为主要表现，血钙可在正常范围或偏低；一种是维生素D缺乏性手足搐搦症，多见于6个月以内的婴儿，以血钙低为主要表现。这主要是由于维生素D缺乏时，甲状旁腺代偿性分泌也不足，不能使低血钙恢复，出现低血钙表现。可见，以血钙高低判断是否患有佝偻病是片面的。

❖ 佝偻病的骨骼后遗畸形可通过治疗消失吗

通过治疗，佝偻病的X线改变可逐渐消失，但出现的骨骼后遗畸形，如X型腿、O型腿、鸡胸等不能恢复，但可随着下肢骨的生长延长，胸大肌的发达，畸形部分地被掩盖。

❖ 几种特殊佝偻病

采取合理有效的预防措施，能够预防佝偻病的发生。但特殊佝偻病，如家族性低磷血症、远端肾小管性酸中毒、维生素D依赖性佝偻病、肾性佝偻病等，常规预防是无效的。特殊佝偻病发病率很低，需要医生明确诊断。

❖ 多汗、烦躁、易惊、枕秃是佝偻病特异性表现吗

诊断婴儿是否患有佝偻病，仅依据临床表现，其准确性是很低的，哪一个表现都不是特异性的。正确诊断必须源自对病史资料、临床表现、血生化检测结果、骨

骺X线、骨密度等检查，进行综合判断。

❖ 单纯补钙并不能预防和治疗佝偻病

佝偻病的病因是维生素D不足致使钙、磷代谢失常，或钙摄入不足，或两者兼而有之。因此，单纯补钙是不能预防佝偻病的。

❖ 如何正确补充维生素AD

维生素AD有几种不同的配方：淡鱼肝油，如橙汁鱼肝油，含维生素A77国际单位，含维生素D11国际单位，维生素A与维生素D比例为10:1。如果每天需补充维生素D400国际单位，维生素A的摄入量就达到了4000国际单位，远远超过了生理需要量，因此不宜用淡鱼肝油预防佝偻病。同样，有些深海鱼油维生素A与维生素D比例为6:1，要补充400单位维生素D，维生素A的摄入量就达到2400国际单位了。

浓缩鱼肝油是3:1或2:1的，是比较适宜的比例，可用于预防佝偻病。纯维生素D也可用于预防佝偻病，但最好选用比例适宜的维生素AD制剂。

补充VD要注意，滴剂容易发生氧化而失去作用，要注意避光，盖子要拧紧，即使用不完，也要每个月更换一瓶。多晒太阳是获取维生素D的好途径，不要忘记取之于自然的太阳能。

❖ 维生素D缺乏性手足搐搦症

人们比较熟悉维生素D缺乏性佝偻病，对维生素D缺乏性手足搐搦症，还比较陌生。本病绝大多数见于6个月以下的婴儿，故又称婴儿手足搐搦症。6个月以内的婴儿生长发育快，需要钙较多，若饮食中供应不足，维生素D缺乏时容易发病。近年来，由于母孕期摄取了足够的维生素D和钙，出生后的喂养很好，能够及时补充维生素D和钙剂，婴儿手足搐搦症的发生率已逐年下降。

婴儿手足搐搦症多发生在春季，这是

宝宝／晨晨

因为入冬后，婴儿很少直接接触阳光，维生素D缺乏达到顶点，春暖花开季节，婴儿开始到户外，接受了阳光的直接照射，体内的维生素D骤增，血磷上升，钙磷乘积达到40，大量钙沉积于骨，血钙暂时下降，促使发病。主要的显性症状就是无热惊厥，手足发生节律性抽动的多见于较大婴儿，6个月以内的婴儿主要是全身抽搐。

一旦发生婴儿维生素D缺乏性手足搐搦症，有发生喉痉挛的可能，应该及时住院治疗。

324. 缺锌

❖ 父母常遇到的问题

在临床治疗中，咨询补锌问题的父母不少。补锌的主要原因是微量元素检验结果缺锌、宝宝不爱吃饭、体重身高增长不理想、头发稀疏发黄、皮肤粗糙等。在补锌问题上，父母最多的问题是，孩子是否缺锌？为什么缺锌？如何补充？什么时候可以食补，什么时候必须药补？食补怎么补？药补如何补？

锌的检验途径有三种，一种是抽静脉血，一种是采指尖血，一种是剪一撮头发。

这三种途径中，父母最愿意接受的是剪头发，其次是采指尖血，不愿意接受抽静脉血。其主要原因是心疼孩子，剪一撮头发对孩子没有什么痛苦，还知道孩子是不是缺乏什么营养，父母当然不会反对。

但是，当化验结果出来时，对数值的解释往往是比较困难的。头发微量元素的正常值范围很大，偏高或偏低，父母都会问个究竟。如果同时有几种元素缺乏，到底是都补呢？还是只补一种？应该先补哪一种？补多少？补多长时间？哪种品牌好？这一连串问题，有时并不能得到很好的答复或正确的处理。下面就谈一谈父母常感困惑的问题。

❖ 宝宝是否缺锌？为什么会缺锌

锌元素经由小肠吸收，是人体内必需元素之一，它作为多种酶的主成分，参与体内各种代谢活动。宝宝是否缺锌，主要依据临床症状体征和化验室检测。缺锌常见症状体征是食欲减低、食量减少、皮肤粗糙、皮疹、发质差，长期缺锌影响身高体重增长，导致宝宝矮小、性成熟障碍、免疫功能低下。化验室检测锌元素低于正常值。宝宝缺锌的主要原因是摄入不足、吸收不良、丢失过多和遗传缺陷。

❖ 宝宝缺锌如何补充

是否像补钙一样，每个宝宝都需要常规补锌呢？近年来，对锌缺乏有了普遍认识，父母也了解了许多关于缺锌问题，尽管还不像对钙缺乏那样普遍，给孩子补锌的父母越来越多。婴儿期是否需要像补充维生素D和钙那样，常规补充锌呢？目前权威性机构和专家还没有这样的结论。也就是说，在没有诊断缺锌之前，不需要预防性补充锌剂。

母亲初乳中锌的含量比较高，母乳喂养的婴儿不易缺锌。随着婴儿月龄的增加，开始添加辅食，蛋黄、瘦肉、鱼、动物内脏、豆类和坚果类含锌较丰富，从辅食中婴儿能够摄取锌。配方奶喂养的婴儿，配方奶中配有合理量的锌元素。

•补锌也有时间和量的限制

锌的补充，也要有量和时间的限制。不能认为锌是营养药，没有什么副作用，可以放心大胆给孩子补。体内微量元素之间存在着一定的平衡关系，一种元素补多了，会影响另一种元素的吸收和利用。如过量补锌会影响钙和铁的吸收，过量补钙也会影响锌和铁的吸收。长期补锌，会因为影响铁的吸收而导致婴儿患缺铁性贫血。

•不能明确诊断时的补充

如果医生认为你的孩子缺锌，孩子也有缺锌的症状，但没有化验血，不能明确诊断时，可试验性给予锌剂。6个月以下婴儿，每日补锌3毫克，6个月以上婴儿，每日补锌5毫克，也可按照公斤体重计算，0.5毫克/公斤/日，最大量不能超过10毫克/日，连续补充不能超过3个月。

•明确诊断缺锌时的补充

如果确诊是锌缺乏症，可以补充到1.5毫克/公斤/日。或6个月以下婴儿每日6毫克；6个月以上婴儿每日10毫克。最长疗程是3个月。补充锌后，要注意监测铁元素是否缺乏。

❖ 缺锌检验两点提示

发锌可作为慢性缺锌的参考指标。头发受生长速度、环境污染、洗涤方式及采集部位等多种因素影响。

血锌可反映孩子目前体内锌的情况，但血锌测定值也受到一些因素的影响，对测得的值要作具体分析。要把影响发锌和血锌测定值的因素充分考虑进去，再对其测得的数值进行判断。要请正规机构检测，请有经验的医生判断，不要轻信产品推销

机构的检测。

❖ 影响血锌测定值的因素

采集血样放置时间的长短会影响血锌的测定值。如果采集后立即测定，测定值比较稳定。采集后放置时间偏长，测定值就会偏高。

取血时，如果有溶血现象，测定值会增高。

标本某些物质污染，测定值会出现误差。

测定值会受食物的影响，如果近期食入含锌高的食物，测定值也会增高。

❖ 影响发锌测定值的因素

宝宝头发生长的时间

宝宝头发生长的速度

宝宝头发采集的部位

宝宝头发洗涤的方法

环境的污染情况

典型病例

孩子8个多月，因为不爱吃辅食，化验发锌低，就补充锌，每天10毫克，一直吃了2个多月。妈妈听同事说"锌吃多了也会中毒"，就不敢继续补了，可又不放心，毕竟化验不正常啊。医生建议给孩子化验血锌，可妈妈舍不得给孩子抽血，再化验一次发锌吧。结果比上次还低。妈妈茫然，不知怎么办好了。发锌化验，数值受多种因素影响，不如血锌化验数值准确，问题正在这里。

325. 如何选择 OTC 药物

❖ 什么是非处方药

非处方药是指经国家批准，不需要凭执业医师或执业助理医师处方，消费者即可按药品说明书自行判断、购买和使用的药品，也称OTC药品(Over-The-Counter)。在没有医生或其他医务工作者指导的情况下，自行购买，治疗轻微的疾病。

值得提醒的是，不是所有症状，所有

疾病都可以"自己诊断，自我用药"的。同时也要认识到，包括非处方药在内的所有药物都有某些副作用。

❖ 如何正确选用非处方药品

自我判断症状。通过自己获取的信息和拥有的常识，对自己的症状进行自我判断，如您自觉鼻塞、咽痛、周身不适、体温高于正常，您可能会判断患了感冒而自行选用抗感冒的药物。

正确选用药品。可查看所购药品的详细使用说明书，也可在购买时向药剂师询问。

查看药品包装。不能购买三无产品，不要购买包装破损或封口已被打开过的药品，更不要购买过期药品。

使用时详细阅读说明书。严格按说明书中标示的剂量使用，切不可超量使用。一定要看说明书中注明的禁忌，如果有说明书中所列禁忌症，切莫心怀侥幸使用。还要注意药物说明书中的注意事项，如服药时应禁食的东西、服用时间、服用方法等都要细细读懂。

注意保管好药品。通常需放置阴凉干燥通风处，有些需放置低温处的一定要遵照要求放置。

自我药疗3天后症状仍不见缓解或减轻，应及时看医生。

药品不要放在儿童可以拿到的地方。

326. 家庭OTC药箱：退热药

并不是一天24小时都可随时随地买到药品，而患病却不分时间。尤其是深更半夜患病，就更是麻烦，临时购买药品，很不方便，最好在家中备些常用药品。备什么药好呢？

发热是一种防御机制，但高热可损害机体和引起并发症，如婴儿高热惊厥。所以婴儿发热须积极处理，除用物理降温外，还应使用退热药。但退热药只是对症治疗，治标不治本，不能解除疾病原因，而且高热或持续发热不退是严重疾病的信号。因此，使用退热药的同时，还应使用治疗疾病的药物，连续3天发热不退，应看医生。

可备用的药物有：西药，对氨基乙酰滴剂和布洛芬滴剂。中药，小柴胡颗粒、紫雪、羚羊角口服液等。

❖ 退热药使用方法

对氨基乙酰滴剂：根据年龄不同，选择不同剂量，药品说明书上都有明确标注，不要给宝宝超量服用。轻度发热38℃以下，不需要服用药物退热，首先采取物理降温。如果宝宝有高热惊厥史，要放宽标准，轻度发热可服用半量退热药，监测体温变化。中度发热38℃–39℃，在物理降温前提下，可服用中药退热药。高热39℃以上，可在物理降温前提下，服用西药退热药。父母要明白，婴儿发热最好的退热方法，是物理降温，降温速度快，没有副作用，不易掩盖病情。

有高热惊厥史的婴儿，一旦发热，要密切监测体温变化，把体温控制在上次发生高热惊厥时温度以下。给宝宝选用具有止惊作用的退热药，如阿苯片或羚羊角退热药。婴儿发热伴呕吐时，喂药困难，可选用退热栓剂。使用退热栓剂时，要注意放置方法。把外包装去掉，婴儿取侧卧位，暴露肛门，缓缓推入退热栓剂，直至全部进入肛门。

❖ 使用退热药时应注意以下几点

退热药，顾名思义，发热才需服用。有的父母怕宝宝发热，在婴儿不发热时也给服用退热药，以便预防发热，这是不对的。当婴儿不发热时，服用退热药，婴儿出汗过多，丢失过多电解质，造成低体温，失盐失水出现虚脱，甚至休克。

婴儿发热不同于成人，不要忘记物理降温，尤其是婴儿，物理降温速度快，副作用少，优于药物降温。

婴儿汗腺不发达，不易"发汗"，切莫给婴儿多穿多盖"捂汗"，这样不但不能降温，反而使婴儿体温聚升，甚至造成高热惊厥。

服用退热药间隔时间为4-6小时，如果服用足量退热药后，体温仍然没有下降，不能加量服用，要采取物理降温；如反复物理降温，体温仍持续不退，要及时看医生。当体温降至正常或较前下降后，也应密切监测体温变化，及时发现婴儿高热，以免发生高热惊厥。

婴儿发热一定要频饮水，饮料不能代替白开水。

第6节　预防接种的常见问题

刚刚出生的新生儿就开始接种防疫针了。预防接种已经成了婴儿出生后必不可少的项目。不给孩子进行预防接种的父母几乎没有，每个父母都面临着预防接种问题，虽然不算是什么大问题。但是，困扰父母的小问题还是不少的。在这里就和父母们谈一谈比较具体的常见问题。

327. 国家免疫规划疫苗

由政府免费向公民提供。目前国家免疫规划确定的疫苗包括皮内注射用卡介苗（简称卡介苗，英文缩写BCG）、重组乙型肝炎疫苗（乙肝疫苗，HepB）、口服脊髓灰质炎减毒活疫苗(脊灰疫苗，OPV，俗称麻痹糖丸)、吸附百白破联合疫苗(百白破疫苗，DPT)及吸附白喉破伤风联合疫苗(白破疫苗，DT)、麻疹减毒活疫苗(麻疹疫苗，MV)。

328. 乙肝疫苗

乙肝疫苗已经纳入国家计划免疫项目，所有健康新生儿都需要常规接种。

如果母亲是乙肝大三阳或双阳，会担心母婴传播，这一点父母不要担心。在正规医院出生的新生儿，对阻断母婴乙肝病毒传播的问题都很重视，会给您的孩子进行有效预防，出生后会立即给宝宝注射高效价乙肝免疫球蛋白。注射的量和次数与母亲的情况有关，医生会根据母亲分娩情况和新生儿情况作出具体分析。同时，出生24小时之内还要接种乙肝疫苗，有的产院是在宝宝出生后一个月接种第一针乙肝疫苗。不管是什么方法，最终目的都是阻断母婴传播，妈妈就根据分娩产院的方法为宝宝接种就行了。

❖ 乙肝疫苗的常规接种方法

乙肝疫苗全程接种最常用的方法是0、1、6，第一针是0（即刚一出生），第二针是1，就是与第一针相隔一个月，第三针是6，就是与第1针相隔6个月。父母不要忘记了。如果忘记了，全程免疫不能按时完成，就不能达到免疫效果。通常情况下，负责接种的医院会通知父母前来给宝宝注射疫苗。

在免疫接种手册上都标有下一次预防接种的时间，每个月都应该看一下，是否需要打预防针。有的社区，到时候会电话通知您。但孩子的事情，父母最好自己想

疫苗	国家免疫规划疫苗的免疫程序										
	年（月）龄										
	出生	1月	2月	3月	4月	5月	6月	8月	18-24月	4岁	6岁
乙肝疫苗	第1剂	第2剂					第3剂				
卡介苗	1剂										
脊灰疫苗			第1剂	第2剂	第3剂					第4剂	
百白破疫苗				第1剂	第2剂	第3剂			第4剂		
白破疫苗											1剂
麻疹疫苗								第1剂	第2剂		

着，这是最保险的。

❖乙肝疫苗接种后的反应

乙肝疫苗和高效价乙肝免疫球蛋白注射后，一般不会有什么异常反应，注射后前3天，注射局部可能有轻微的疼痛，孩子可能会哭闹。如果局部有红肿，要注意是否接种针眼处有感染。接种疫苗后24小时内最好不给宝宝洗澡，以免注射部位感染。

❖三针乙肝疫苗成分都是一样的

出了满月的孩子不要忘记打第二针乙肝疫苗。其实，第几针乙肝疫苗都是一样的成分，有的父母以为是不一样的，认为一盒三针，固定是一个疗程的药。其实不然，这三针是一样的。乙肝疫苗必须保存在2-8℃的条件下，如果停电，家里的冰箱就难以保持恒定的温度，会发生疫苗变质，所以最好不要自行储存乙肝疫苗。

329. 卡介苗

❖卡介苗引起的寒性脓肿

新生儿出生后要接种卡介苗。一般情况下，接种初期没有异常反应。多数情况下，接种卡介苗后一段时间，注射局部出现一个小红疙瘩，也许红疙瘩会大些。妈妈会担心有感染的可能，不必有这样的担心，这是接种后的正常反应。个别情况下，会出现寒性脓包，周围一圈红晕，中心有脓性分泌物，妈妈常会带宝宝看医生，认为接种部位感染了，甚至有的妈妈不知道是接种卡介苗所致，以为是宝宝长了脓包。

卡介苗是在宝宝出生后接种的，发生寒性脓包通常要到宝宝出满月了，甚至生后2个月了才出现。卡介苗接种后的寒性脓包与细菌感染所致的脓肿不同。感染所致的脓肿，在脓肿周围会有红、肿、热、痛，触碰宝宝会因为疼痛而哭闹。寒性脓包则不然，只是单纯的脓包，没有红、肿、热、痛，孩子也不哭不闹，触之也无痛感。父母不必带宝宝上医院，这种寒性脓包不需要任何处理，慢慢会消退的，父母需要注意的是洗澡时不要用毛巾搓，以免脓包溃破。

❖父母需要注意的事

千万不要把寒性脓肿碰破，碰破了，不好愈合，也有继发细菌感染的危险。如果不溃破，慢慢就干巴消失了。溃破了，就会流脓，给护理带来麻烦。洗澡时最容易把脓包碰破。如果脓包破了，有继发感染的可能。

继发感染后，局部就会出现红、肿、热、痛，严重时，婴儿可能会发烧。这时就需要看医生了。

出生后3个月复查卡介苗接种效果。有的地区婴儿3岁后复查。

330. 脊髓灰质炎疫苗

❖ 脊髓灰质炎疫苗要父母喂

脊髓灰质炎疫苗也称麻痹糖丸。婴儿满2个月、3个月、4个月时，父母要给宝宝喂麻痹糖丸。到4岁时，再喂一次。这项预防措施，可以不需要医生操作，因此父母不要忘记了。前3次为基础免疫，第4次为加强免疫。未完成脊髓灰质炎疫苗免疫程序的儿童，4岁以下儿童未达到3剂次（含强化免疫等），应补种完成3剂次。4岁以上儿童未达到4剂次（含强化免疫等），应补种完成4剂次。

在没有脊髓灰质炎疫苗前，患脊髓灰质炎（麻痹症）的宝宝很多，好好的宝宝，患了麻痹症，就成了残疾儿。有了脊髓灰质炎疫苗，几乎消灭了麻痹症，宝宝们可以快乐地生活了。但还不能说脊髓灰质炎就绝迹了，必须认认真真给宝宝喂脊髓灰质炎疫苗。

❖ 注意事项

把麻痹糖丸整个放到宝宝的嘴里，让糖丸在宝宝嘴里慢慢化开。这样是最好的。放到宝宝嘴里后1分钟左右，给宝宝喝少量水。如果不能把糖丸整个放进嘴里，就只能溶化后再喂。

不能用热水溶化，一定要用冷开水溶化；喂完糖丸，不要喂太多水。

不能用奶或饮料溶化后喂服，也不能用母乳喂服；服疫苗后，4小时之内不要喂母乳，以免杀灭疫苗。

要在喂奶后1小时服，以免宝宝溢乳时，把糖丸吐出来；如果宝宝有溢乳现象，吃完糖丸后，一定要避免宝宝哭闹，也不要折腾宝宝，防止溢乳。

流口水多的宝宝，不要直接把糖丸喂到宝宝嘴里，要用小勺化开，让宝宝喝下去，以免随着口水流出来。

如果没能成功地把糖丸喂给宝宝，一定要及时找医生，寻求解决办法。

服麻痹糖丸，宝宝没有明显的异常反应。个别婴儿可能会出现低热、恶心、呕吐等轻微症状，也有个别宝宝发生腹泻，但多于两三天后恢复正常，不需要处理。

腹泻婴幼儿，一日大便超过4次以上者，不宜服用麻痹糖丸，待腹泻终止后可补服。

331. 百白破三联疫苗/白破二联疫苗

宝宝满3个月时，开始接种百白破三联疫苗。接种后可能会出现如下反应：

接种百白破疫苗后，局部可有疼痛，有时发红，但两三天后就可消失。

有的婴儿在接种局部出现硬结，一两个月能自行消退。

第一次接种时，婴儿一般不出现全身异常反应，偶或发生低热，一两天就正常了，不影响吃奶，精神也一直不错。

接种第二针和第三针时，有的孩子会有明显的全身反应，于接种的当天或第二天出现发热，体温可达38℃左右，伴有哭闹、吃奶减少、睡眠不安、夜啼等，但多于一两天后退热。

❖ 疫苗反应的处理

多给孩子喝水，不用药物治疗，可自行好转。

如果高热或持续不退，要看医生，是

否有疾病状况。

如果在接种疫苗前，孩子就有轻微的感冒，接种后，会使感冒症状加重。在这种情况下，不要擅自给孩子吃药，要看医生，告诉医生接种疫苗的情况。

在使用药物时，考虑对免疫的影响，以免使预防针失效。

百白破疫苗也是连续三次接种，三次分别在婴儿生后满3个月，满4个月，满5个月进行。

宝宝 / 小馒头

332. 麻疹疫苗

婴儿满8个月时接种麻疹疫苗。麻疹疫苗接种2次，第2次（1.5-2岁时接种）为复种。复种可使用含麻疹疫苗成分的其他联合疫苗，如麻疹风疹联合减毒活疫苗、麻疹腮腺炎风疹联合减毒活疫苗（参考下文"麻腮风三联疫苗"）等。未完成麻疹疫苗免疫程序的儿童，未达到2剂次（含强化免疫等），应补种完成2剂次。

❖ 疫苗反应

注射后一般无局部反应。接种麻疹疫苗后6-12小时可出现全身反应，主要是发热，体温一般不超过38℃，不需要特殊处理。少数宝宝接种后6-10天内，可能出现一过性发热反应以及散在皮疹，一般不超过2天可自行缓解，不需特殊处理，必要时可对症治疗。

注射过多价免疫球蛋白，在6周内不应接种麻疹疫苗。

❖ 鸡蛋过敏的宝宝不接种

对鸡蛋过敏者不能接种。在接种前一周，要给宝宝吃含有蛋清和蛋黄的鸡蛋，观察是否有过敏反应，如果过敏，要向接种医生说明，请医生判断宝宝的过敏情况是否影响接种。一般情况下，鸡蛋过敏的宝宝，应等到不再过敏时补种。

333. 扩大国家免疫规划疫苗

在国家免疫规划疫苗基础上，各省市区政府根据各地具体情况，将甲肝疫苗、流脑疫苗、乙脑疫苗、麻疹腮腺炎风疹联合疫苗、无细胞百白破疫苗等纳入国家免疫规划，对适龄儿童实行免费预防接种；并根据传染病流行趋势，在流行地区对重点人群进行流行性出血热疫苗、炭疽疫苗和钩端螺旋体疫苗等接种。后3种疫区特别使用的疫苗，对接种地区、对象和年龄有特别规定，往往不应用于婴幼儿，所以下文不作介绍。

目前我国普遍常规接种的扩大国家免疫规划疫苗为：乙型脑炎疫苗（乙脑灭活疫苗和乙脑减毒活疫苗）、A群脑膜炎球菌多糖疫苗（A群流脑疫苗）。

334. 流行性乙型脑炎疫苗

感染乙脑病毒的蚊子叮咬人的皮肤后，会把乙脑病毒传播给人，使人患乙型脑炎（简称乙脑），乙脑病毒主要侵犯中枢神经系统，出现一系列神经系统症状，重症患者病死率很高，生存者常残留神经系统后遗症。乙型脑炎疫苗是预防乙型脑炎有效措施。乙脑疫苗有两种：一种是灭活疫苗，一种是减毒疫苗。

接种对象：6个月–6周岁儿童；由非疫区进入疫区的儿童。乙脑灭活疫苗注射4剂，第1、2剂为基础免疫，2剂次间隔7–10天；第3、4剂为加强免疫。

❖ 乙型脑炎减毒活疫苗

将乙脑病毒经人工减毒使之失去致病性仍保留免疫原性的病毒株，接种于地鼠肾细胞，经培育繁殖后收获病毒液，加入保护剂冻干制成疫苗。90年代末纯化了乙脑减毒活疫苗，减少了副反应。接种对象：8个月以上健康儿童。第1次8月龄注射0.5ml，为基础免疫；2岁时加强注射0.5ml；7岁时再注射0.5ml，为加强免疫。

❖ 是否需要推迟接种

如果孩子有轻微的感冒、腹泻，精神很好，不影响吃奶，没有其他疾病，可如期接种预防针。但是有下列情况之一时，要向后推迟接种：

发热；

严重的吐泻；

慢性疾病病史，如先天性心脏病、慢性肾病；

有抽搐病史、脑神经发育异常等神经系统疾病；

严重的过敏体质；

正在患传染病；

免疫低下或免疫缺陷；

不明原因的哭闹、拒乳、精神欠佳，正在查找病因时。

335. 流行性脑脊髓膜炎疫苗

❖ A群流脑疫苗

疫苗	年（月）龄				
	8月	6–18月	18–24月	3岁	6岁
乙脑灭活疫苗	第1、2剂		第3剂		第4剂
乙脑减毒活疫苗	第1剂		第2剂		第3剂
A群流脑疫苗		第1、2剂		第3剂	第4剂
A+C群流脑疫苗（加强）				已接种1剂A群流脑疫苗者，间隔不少于3个月；已接种2剂者，间隔不少于1年	3年内避免重复接种
麻腮风联合疫苗（麻风疫苗）	麻风疫苗1剂		麻腮风疫苗1剂		
甲肝减毒活疫苗		18月龄1剂			
甲肝灭活疫苗		18月龄1剂次	30月龄1剂次		

参考卫生部中国疾病预防控制中心《儿童免疫程序和使用指导意见》

A群流脑疫苗接种对象为6个月–15岁儿童。注射4剂，第1、2剂为基础免疫，2剂次间隔时间不少于3个月；第3、4剂为加强免疫，3岁时接种第3剂，与第2剂接种间隔时间不得少于1年；6岁时接种第4剂，与第3剂接种间隔时间不得少于3年。

❖ A ＋ C 群流脑疫苗

接种对象为2岁以上的人群。

已接种过1剂A群流脑疫苗者，接种A+C群流脑疫苗与接种A群流脑疫苗的时间间隔不得少于3个月。

已接种2剂或2剂以上A群流脑疫苗者，接种A+C群流脑疫苗与接种A群流脑疫苗最后1剂的时间间隔不得少于1年。

按以上原则接种A+C群流脑疫苗，3年内避免重复接种。

❖ 下列情况不可接种

癫痫、抽风、脑部疾患及有过敏史者；肾脏病、心脏病及活动性结核；急性传染病及发热者。

❖ 接种反应及处理

本疫苗反应轻微，偶有短暂低热，局部稍有压痛感，可自行缓解。

336. 麻腮风三联疫苗

MMR三联疫苗是由麻疹、流行性腮腺炎、风疹三种疫苗联合在一起的复合疫苗。

❖ 是否有必要接种 MMR 三联疫苗

在我国，MMR三联疫苗还没有纳入计划免疫行列，但在一些大城市，MMR三联疫苗也被广泛使用。世界上的一些国家，MMR三联疫苗已经按计划对儿童进行接种。

曾经有不少父母向我咨询，孩子必须接种MMR三联疫苗吗？在此作些分析，帮助父母做出选择。

MMR三联疫苗有益的三个方面

作为免疫接种项目对儿童的健康呵护

是肯定的。在预防传染病上，疫苗功不可没，MMR虽然未列入计划内免疫项目，也不能否认它的功效。

麻疹还没有绝迹，仍应该进行免疫。

腮腺炎虽然不是严重的传染病，但毕竟还是不患的好。风疹是比较轻的传染性疾病，但可导致胎儿畸形，女婴接种意义重大。风疹的患病率减低本身也对孕妇有很大的保证。这是接种MMR三联疫苗的益处。

❖ MMR 三联疫苗存在的三个问题

麻疹已经有了计划免疫程序，不必非通过三联疫苗获得免疫。

腮腺炎病毒存在着亚型，感染其他类型的腮腺炎病毒也可引起腮腺炎。因此，尽管接种腮腺炎疫苗，仍有可能患病。

从优生方面考虑，风疹疫苗对女婴比较重要，对男婴来说，就显得不那么重要了。

❖ 来自国外的资料

加拿大流行病学家Spitzer博士及儿科学家Goldbloom博士研究称，他们对"孤独症流行"的情况予以高度关注，并认为孤独症增多与应用活疫苗，特别是与MMR三联疫苗之间可能存在相关性。当他回顾了英国2000例儿童孤独症的资料后，才相信了这种可能。为此，来自9个国家的著名流行病学家在伦敦举行会议，确定了一项大规模研究计划，该研究旨在阐明十年来儿童孤独症发病率呈指数上升的原因。研究人员将对最近确诊为孤独症的3500名儿童，评估病史并与7000名对照组儿童作比较，至今，我还没有查到这项研究结果有关论文和报道。

337. 甲型肝炎疫苗

❖ 甲型肝炎病毒灭活疫苗

这个疫苗，用于有感染甲型肝炎病毒危险的对象，主动免疫。

0、1、6月程序。基础免疫为2次，每

次1个儿童剂量，基础免疫之后6~12个月，再用1个儿童剂量进行加强免疫，以确保长时间维持抗体滴度。

0、6月程序。基础免疫为2个儿童剂量，基础免疫之后6~12个月可进行加强免疫，以确保长时间维持抗体滴度。

可能发生的不良反应有：注射局部疼痛、硬结、发红和肿胀，全身性反应包括头痛、疲劳、发热、恶心和食欲下降。这些症状持续不超过24小时。

患病期间不能接种。使用疫苗后应观察被接种者30分钟，妊娠和哺乳妇女要慎用。

❖ 甲型肝炎减毒活疫苗

用于甲肝易患儿童，1岁以上。可能发生的不良反应有，注射局部疼痛、红肿，一般在72小时内自行缓解。偶有皮疹出现，不需特殊处理，必要时可对症治疗。

身体不适、腋温超过37.5℃者，急性传染病或其他严重疾病者，免疫缺陷或接受免疫抑制剂者，过敏体质者不能接种。

338. B型流感嗜血杆菌疫苗

有些疫苗，还没有被纳入国家免疫规划内；有些疫苗，由各省市自治区根据国家免疫接种政策和战略目标，自行制定免费接种。未被纳入到国家规划疫苗并不意味着不重要，有些疫苗对预防婴幼儿传染病作用重大，如HIB疫苗应该尽可能接种。

未被纳入国家免疫规划的疫苗，由公民自费并且自愿受种。您的宝宝是否需要接种计划外疫苗，请根据宝宝自身情况，向儿科医生或预防接种医生咨询。

❖ B型流感嗜血杆菌疫苗

液体B型流感嗜血杆菌偶联疫苗(HIB)，适用于2个月~5岁婴幼儿，预防由B型流感嗜血杆菌引起的侵袭性疾病。B型

流感嗜血杆菌感染可引起肺炎、脑膜炎、败血症等严重感染性疾病，尽管其发病率不高，一旦感染，病情重。所以，接种B型流感嗜血杆菌疫苗是很必要的。

最好在2月龄时接种第一针，间隔2个月后接种第二针。若在12月龄之前，已经完成基础免疫接种，应在12~15月龄期间加强免疫接种一针。加强免疫与基础免疫第二针之间的间隔不得少于2个月。15月龄或更大月龄幼儿只须接种一针。2月龄以下婴儿和5岁以上儿童不接种本疫苗。

最常出现的不良反应（发生率>1%）为：烦躁、嗜睡、接种部位疼痛/溃疡、接种部位红斑（直径≤2.5 cm）、接种部位肿块/硬结（直径≤2.5 cm）、异常高声哭闹、哭闹时间过长（>4小时）、腹泻、呕吐、哭闹、疼痛、中耳炎、皮疹和上呼吸道感染。

建议宝宝在婴儿期接种此疫苗，可有效预防婴儿急性化脓性脑膜炎、败血症和重症肺炎。

339. 23价肺炎球菌疫苗

这个疫苗，用于预防由肺炎球菌引起的肺炎。接种对象为2岁以上患有肾病、无脾的儿童。保护期限不明，对于高危人群，5~10年后需重复接种，5年内重复接种者易有较强的局部反应。

不良反应有：注射局部的疼痛、红肿及硬结。极少数接种者可出现皮疹、荨麻疹等过敏性反应、低热(<38.3℃)，罕见头痛、高热(>38.9℃)、身体不适感及虚弱无力、血清病、关节痛、肌痛、关节炎。重复接种之后严重反应者更为多见。目前国产疫苗副作用较大，但价格便宜。妈妈应该密切关注接种疫苗后孩子的反应。进口疫苗副作用相对少些，但价格昂贵。

对疫苗任何成分有过敏者，禁止接种。反复上呼吸道感染者(包括中耳炎和鼻窦炎)，不可注射疫苗。孕妇及哺乳妈妈慎用。该疫苗对2岁以下幼儿的安全性及有效性，尚未得到医学界普遍肯定。

340. 冻干水痘减毒活疫苗

这个疫苗用于预防水痘。12个月–12岁的健康儿童均可接种。去幼儿园前最好能够接种水痘疫苗，以免宝宝在幼儿园被传染上水痘。水痘症状多不重，可自愈，但有的病情也会比较重。如果水痘出在眼球上，会有一定危险。水痘破损感染可留瘢痕。水痘的传染速度很快，如果宝宝所在的幼儿园有小朋友患水痘，与患儿接触的宝宝几乎都被传染上。

接种本疫苗后一般无反应。在接种6–18天内，少数人可有短暂一过性发热或轻微皮疹，一般无须治疗会自行消退，必要时可对症治疗。有严重疾病史、过敏史、免疫缺陷病者及孕妇禁用。疾病治疗期、发热者缓用。

341. 轮状病毒疫苗

用于预防秋季腹泻（轮状病毒肠炎），适用于6个月以上婴幼儿。轮状病毒肠炎在秋末冬初季节，感染率很高，几乎所有的宝宝都面临着被感染的危险。建议2岁以下，6个月以上的婴幼儿在秋季腹泻传染季节来临前接种，尽管接种后仍有患病的可能，但程度多较不接种的宝宝轻。

轮状病毒疫苗为口服疫苗，把瓶盖打开，用吸管吸取疫苗3ml，直接喂给宝宝，切勿用热水送服。有的宝宝口服疫苗后会出现类似于秋季腹泻的症状。

❖ 有下列情况不宜口服疫苗

患严重疾病、急性或慢性感染者。

患急性传染病及发热者。

先天性心血管系统畸型患者，血液系统、肾功能不全疾患者。

严重营养不良、过敏体质者。

消化道疾患，肠胃功能紊乱者。

有免疫缺陷和接受抑制治疗者。

342. 流行性感冒疫苗

该疫苗（裂解型）用于预防流行性感冒。接种对象为6个月至3岁儿童。接种两次，每次剂量0.25ml，间隔4周。3岁以上人群接种一次，剂量0.5ml。

注射部位可出现疼痛、红肿反应，显著的全身反应如发热、肌痛、虚弱等，非常罕见。

接种后适当休息，多饮开水，注意保暖，避免剧烈运动，对孩子要注意观察。发热、急性病及慢性病活动期，最好推迟接种；免疫功能低下及HIV感染者不能接种。

343. 关于维生素K

有的产院，为了预防新生儿自然出血症和婴儿迟发性维生素K1缺乏出血症，会给出生的婴儿注射维生素K1。维生素K不算是免疫预防针，但对于预防出血症是有效的，尤其是有肝脏疾患的婴儿，就更有意义。

新生儿自然出血症多表现为脐带出血和消化道出血。严重的有发生脑出血的危险。母亲有肝脏疾病的，给新生儿注射维生素K还是很有必要的。迟发性维生素K缺乏多发生于纯母乳喂养儿，尤其是母亲有肝脏疾患时，多发生在2-3个月的婴儿。

维生素K多是注射在臀部，要求注射部位深。如果注射浅了吸收不好，注射部位可能会有包块，但没有其他异常反应。

附录一 婴儿身高增长曲线图（男婴）

0－3岁男童身高百分位曲线图

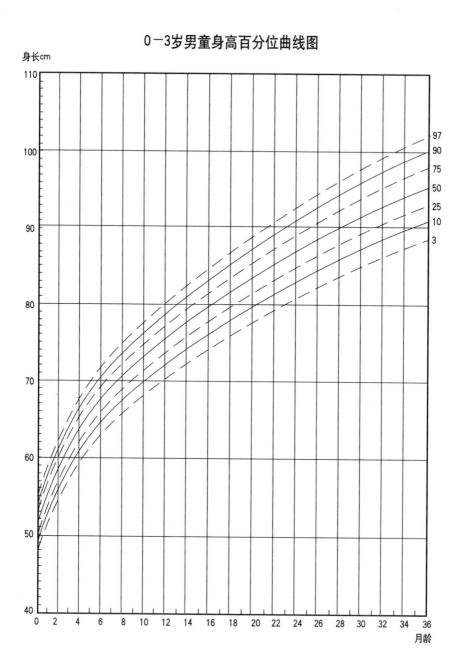

附录二 婴儿身高增长曲线图（女婴）

0－3岁女童身高百分位曲线图

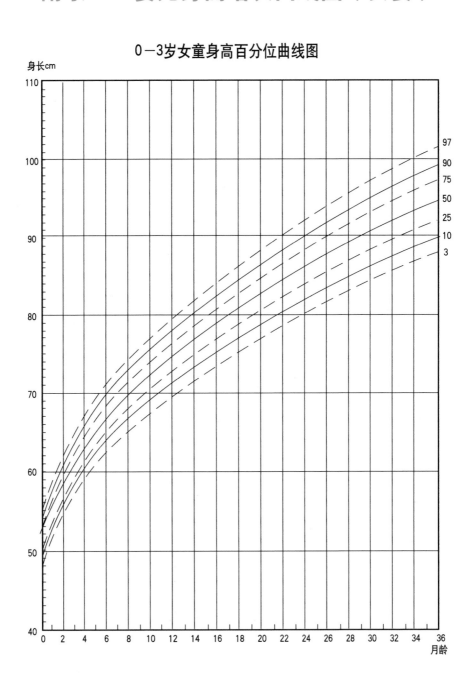

附录三　婴儿体重增长曲线图（男婴）

0-3岁男童体重百分位曲线图

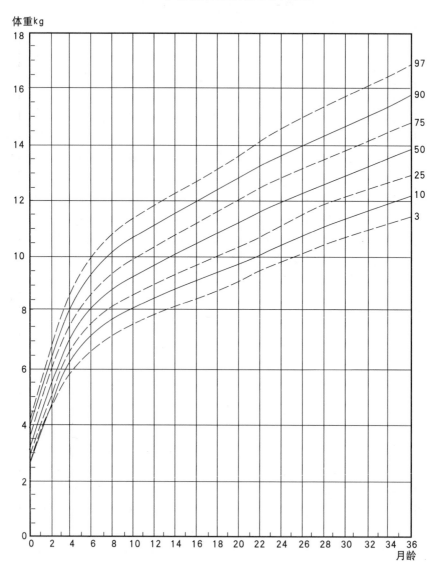

附录四 婴儿体重增长曲线图（女婴）

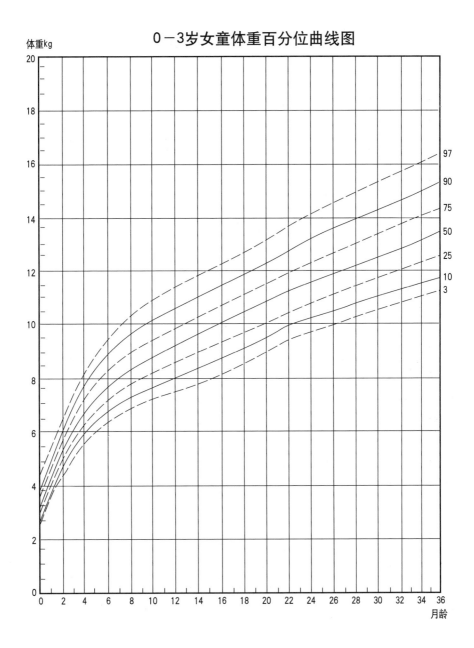

0－3岁女童体重百分位曲线图

附录五 婴儿头围增长曲线图（男婴）

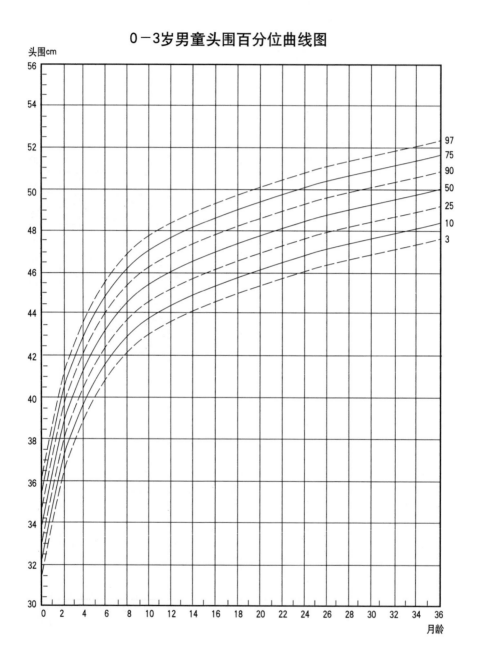

0－3岁男童头围百分位曲线图

附录六　婴儿头围增长曲线图（女婴）

0－3岁女童头围百分位曲线图

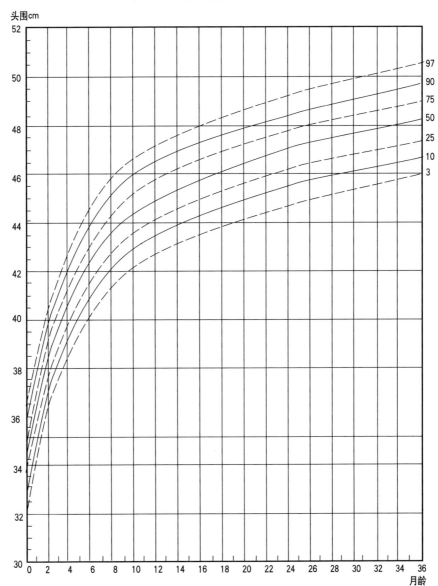

附录七 婴儿家庭常备药箱

药品种类	代 表 药
工具	体温表
消毒外用药品	消毒棉签、2.5%碘酒、75%酒精
创伤外用药品	2%红药水、1%紫药水双氧水、高锰酸钾粉
眼科外用药	利福平眼药水、红霉素眼药膏
防臀红或皮肤皱褶糜烂外用药	鞣酸软膏、氧化锌软膏
烫伤外用药	京万红、绿药膏、烫伤膏
退热药	小儿鲁米那、含有扑热息痛（乙酰氨基酚）的退热糖浆或药片，小儿退热栓（肛门用药）
治疗腹泻药物	思密达、小儿泻速停
微生态制剂	整肠生、乳酶生
助消化药	多酶片、健胃消食片
止痒药	炉甘石洗剂、肤轻松软膏
感冒药	小儿感冒片、感冒颗粒、双花口服液（冲剂）、双黄连口服液（冲剂）
去痰止咳药	川贝枇杷膏、川贝止咳糖浆、喉枣散、急支糖浆、甘草合剂
抗菌素	阿莫西林（阿莫仙）、罗红霉素、欣可诺
维生素	维生素AD、维生素C、维生素B
解痉药	莨菪片
抗过敏药	扑尔敏
钙剂	各种钙片

附录八 乳母服用药物时的哺乳方法表

药物种类	代表药	办法
解热镇痛药	阿司匹林	暂停哺乳
抗精神病药	氯丙嗪	忌哺乳
抗精神障碍药	百忧解	忌哺乳
抗神经系统用药	抗癫痫药等	不忌哺乳但应观察
抗组胺药	息斯敏	根据药物说明决定是否哺乳
止咳祛痰平喘药	甘草、茶碱	继续哺乳
拟胆碱药	毛果云香碱	慎用
抗胆碱药	阿托品	慎用
降压药	不同的降压药有不同的要求	根据厂家建议
强心药	地高辛	可继续哺乳
抗心律失常药	美西律	可继续哺乳
补血药	右旋糖苷铁	慎用
利尿药	氯噻嗪	可继续哺乳,但减少乳汁分泌
消化系统用药	助消化药	可继续哺乳
治疗溃疡药	有的可以使用	部分慎用,根据厂家建议
止吐药	与药物种类有关	慎用或禁用,看说明
止泻药	与药物种类有关	部分不宜哺乳
导泻通便药	巴豆除外	可继续哺乳
激素类	避孕药	认为可继续哺乳,但应监测乳儿情况
雌激素	乙烯雌芬	不宜继续哺乳
肾上腺皮质激素	地塞米松、强的松	部分可继续哺乳,部分慎用,依说明
糖尿病用药	胰岛素等	应减少用量,监测乳儿血糖
甲状腺疾病用药	他巴唑,硫氧嘧啶	对乳儿进行甲状腺功能监测
抗菌素类	青霉素类	可继续哺乳
抗菌素类	头孢菌素类	可继续哺乳
抗菌素类	大环内酯类	可继续哺乳
抗菌素类	氨基式类	部分忌用,使用时注意菌群失调
抗菌素类	喹诺酮类	慎用或忌用
抗真菌药	克霉唑、斯皮仁诺	慎用或忌用
磺胺类	复方新诺明	不宜哺乳
抗结核药	雷米封等	部分不宜哺乳,使用时应定期查肝功
呋喃类	呋喃坦定	暂停哺乳
抗病毒类	病毒唑、乌环乌苷	禁用
杀虫类	驱蛔灵、肠虫清	服药三天内暂停哺乳
降脂类	他汀类和贝酸类	禁用
减肥药	各种	禁用

附
录

附录九 婴儿预防接种程序表

月　龄	接种疫苗	备　注
出生后	卡介苗（初种）、乙肝疫苗（第一针）	母亲是乙肝病毒携带者，注射高效价乙肝免疫球蛋白
满1月	乙肝疫苗（第二针）	早产儿体重达2.5公斤后方开始接种疫苗
满2月	麻痹糖丸疫苗（第一次初免）	可能有轻微发热或恶心，少见
满3月	麻痹糖丸疫苗（第二次初免）、百白破疫苗（初免第一针）	可能有轻微发热
满4月	麻痹糖丸疫苗（第三次初免）、百白破疫苗（初免第二针）	可能有轻度或中度发热
满5月	百白破疫苗（初免第三针）	可能有中度发热
满6月	乙肝疫苗（第三针）	局部可有疼痛
满7月	没有计划免疫针	可根据当地要求接种其他疫苗但要弄清疫苗种类和作用，不明白时，向当地防疫部门咨询
满8月	麻疹疫苗（初免）	可能有发热
满9月	没有计划免疫针	可根据当地要求接种其他疫苗但要弄清疫苗种类和作用，不明白时，向当地防疫部门咨询
满10月	没有计划免疫针	可根据当地要求接种其他疫苗但要弄清疫苗种类和作用，不明白时，向当地防疫部门咨询
满11月	没有计划免疫针	可根据当地要求接种其他疫苗但要弄清疫苗种类和作用，不明白时，向当地防疫部门咨询
满12月	乙脑疫苗（初免2针）	可能有发热

附录十　小儿OTC解暑药

药　名	成　　分	剂　　量	服药前症状	适　应　症	注意事项
小儿感冒颗粒冲剂	广藿香、菊花、连翘、大青叶、板蓝根、地黄、地骨皮、白薇薄荷、石膏	<1岁　　12g/天 1-3岁　24g/天 4-7岁　36g/天 8-12岁　48g/天 早、晚分次服	发热重、恶寒轻、有汗但热不退、头痛鼻塞、咳嗽、口渴咽红	清热解表风热感冒	服药24小时后症状仍无改变，应去医院
小儿感冒口服液	同上	<1岁　　10ml/天 1-3岁　20ml/天 4-7岁　30ml/天 8-12岁　40ml/天 早、晚分次服	同上	同上	同上
小儿热速清口服液	柴胡、黄芩、板蓝根、葛根、金银花、水牛角、连翘、大黄	<1岁　　7.5ml/天 1-3岁　15ml/天 4-7岁　30ml/天 8-12岁　45ml/天 早中晚分三次服	发热头痛、咽喉肿痛、鼻塞流黄涕、咳嗽、便秘	风热感冒清热解毒利咽	体温在38℃以上，服药后24小时症状无明显改变，看医生
小儿热速清颗粒冲剂	同上	<1岁　　1包/日 1-3岁　1.5包/日 4-7岁　3包/日 8-12岁　5包/日 早中晚分三次服	同上	同上	同上
金银花露	金银花	<7岁　40ml/天 >7岁　90ml/天 早晚分两次服	周身起痱、多汗、口干、有中暑之症状	痱毒、暑热、口渴、暑湿、感冒清热解毒	有痱毒感染、脓疮、体质虚弱忌服
金银花合剂	同上	30ml/天分三次服	同上	同上	同上
导赤丸	连翘、黄连、关木通、玄参、天花粉、赤勺、大黄、黄芩、滑石、栀子	每次一丸　每日两次	口舌生疮、咽喉疼痛、口干、尿黄、大便秘结	口腔炎、咽喉炎、清热泻火、利尿通便	1岁以内小儿慎服
风热感冒冲剂	板蓝根、连翘、薄荷、荆芥穗、桑叶、芦根、菊花、苦杏仁、桑枝、六神曲	3-7岁　1/3袋/次 <7岁　1/2袋/次 每日三次服	咽喉肿痛、发热有汗、鼻塞、头疼、咳嗽多痰	咽喉炎、风热感冒、疏风清热、利咽解毒	饮食要清淡，不宜食用生冷辛辣食物，多喝白开水，小于3岁以下小儿忌服
板蓝根颗粒冲剂	板蓝根	5克/次　每日四次	咽喉肿痛、流涕	病毒性感冒清热解毒	不可长期服用
双黄连口服液	金银花、黄芩、连翘	3-7岁　5毫升/次 7岁以上10毫升/次每日两次	咳嗽、发热咽痛	病毒性感冒清热解毒	3岁以下小儿慎服
藿香正气口服液	陈皮、白芷、茯苓 等	3-7岁　3毫升/次 7岁以上　5毫升 每日两次服	头昏脑涨、腹部胀痛、恶心、呕吐泄泻	胃肠型感冒中暑可解表化湿	忌食生冷，引起过敏性皮疹停服，3岁以下小儿慎服
藿香正气颗粒冲剂	同上	3-7岁　1/3袋/次 大于7岁　1/2袋/次，每日两次	同上	同上	同上
藿香正气胶囊	同上	3-7岁　1粒/次 7岁以上　2粒/次，每日两次	同上	同上	同上
六神丸	牛黄、珍珠、麝香、冰片、蟾酥、雄黄	1岁每次1粒 2岁每次2粒 3岁每次3粒 4岁每次4粒 5-8岁每次5粒 9-15岁每次8粒 每日两次	咳嗽、多痰、惊吓、皮肤疖疮、咽喉肿痛	气管炎、咽炎、皮肤感染、疳积、清热解毒	不可超量服用

附录十一 婴儿疾病预防与康复护理细目

以下细目用于第十三章。

参考文献

在写作之前和写作过程中，除了参阅必备专业书《实用新生儿学》《儿科学》之外，因为这本书涉及到的方方面面比较杂，我还参阅了大量相关著作。当然，由于本书的科普特点，没有原文引用。在此我对这些专家表示深深的感谢。

婴儿的潜能开发，参考了北京协和医院鲍秀兰教授著的《塑造最佳的人生开端》。

婴儿的预防接种，参考了西安医科大学潘建平教授主编的《儿童保健学》。

还参阅了：

上海医科大学陈灏珠教授主编的《内科学》。

上海医科大学王淑贞教授主编的《实用妇产科学》。

北京医科大学刘家琦、李凤鸣教授主编的《实用眼科学》。

中山医科大学杨绍基教授主编的《传染病学》。

上海第二医科大学张志愿教授主编的《口腔科学》。

中国康复研究中心乔志恒、范维铭教授主编的《物理治疗学全书》。

复旦大学杨秉辉教授主编的《全科医学概论》。

全国专家编写组余元勋教授等主编的《中国遗传咨询》。

湖北医科大学郭玉德教授主编的《现代小儿耳鼻咽喉科学》。

美国南加利福尼亚大学William Sears医学博士著，王士先译的《夜间育儿》。

后　记

■郑玉巧

　　《郑玉巧育儿经》胎儿卷、婴儿卷、幼儿卷首次出版于2004年。2010年，我开始着手修订这套育儿经，经过2年的努力，终于要和读者见面了，心情澎湃，久久难以平静。

　　8年过去了，这套三卷本育儿书，获得了众多父母和宝宝看护人的认可，我因此也受到读者们的拥戴，让我有种做明星的感觉。与此同时，也受到了同道们的支持和谅解，感激之情溢于言表。但我从未敢停歇下来，从未有过一丝的骄傲和自满。读者给我的越多，我越感到肩上的担子重，为此，我在继续做一线临床医生的同时，抓紧时间学习儿童保健知识，研修儿童健康管理体系，希望能给爸爸妈妈和宝宝的看护人传播更多、更好、更实用的育儿知识。为此，我少了娱乐休闲时间，少了与家人团聚的时间，但我无怨无悔，比起我所获得的，付出显得那样的少。

　　想到8年前等待出版时的忐忑不安，想起曾经帮助我、支持我、爱护我的所有亲朋好友和众多的养育孩子的父母们，一切的艰辛付出都是那样的值得。在第二版即将出版之际，我仍怀揣感激，感谢一路陪伴我走来给我力量的朋友们，让我有信心写一本中国人自己的育儿经。我深知，我做的还很不够，还有很长的一段路要走，我会继续努力。

　　感谢我尊敬的前辈，妇产科专家刘玉兰老师，她是新中国培养的第一批妇产科医生，也是我所在医院的第一任院长。"做一个让患者信任的好医生不是件容易的事，需要你终身为之奋斗！"正是这句话，让我从一个刚刚走出校门的医科学生，怀揣着梦想走上从医之路，那年我22岁……30年过去了，老院长的话仍牢记心中，激励着我做个好医生，永远不敢有一丝的懈怠。

　　感谢儿科专家张春瑞和张孝萱老师，他们是我走向儿科临床的第一任老师，他们把丰富临床经验毫无保留地传授给我。时至今日，他们那兢兢业业、一丝不苟、认真负责的职业操守仍是我学习的榜样。还有许许多多我的前辈，他们广博的专业知识、精湛的医术、出色的人品，都给予我极大的帮助和影响，使我成长为一个值得信赖的好医生，还能为医学科普写作作点贡献，我把这当做对他们的回报。

　　感谢我所在医院的第三任院长陈妍华女士，我所取得的许多业绩都离不开她的关怀与支持。她鼓励我在做好临床诊治的同时，从事临床科学研究，承担科研课题，是她让我知道不但要重视临床经验的积累，还要学会用科学的方法分析和研究临床难题。是她让我进一步认识到科普写作服务于大众意义之重大。她不但是我的院长，更是我的知心朋友。

　　感谢为本书提供照片的所有爸爸妈妈，是他们无私地把自己孩子可爱的照片奉献出来，为这本书增添了一道靓丽的风景线。没有这些照片，就不能生动地反映出中国